Albin Eser / Jörg Arnold / Julie Trappe (Hrsg.)

Strafrechtsentwicklung in Osteuropa

Schriftenreihe des Max-Planck-Instituts für ausländisches und internationales Strafrecht

Strafrechtliche Forschungsberichte

Herausgegeben von Ulrich Sieber

in Fortführung der Reihe
„Beiträge und Materialien aus dem Max-Planck-Institut für ausländisches und internationales Strafrecht Freiburg"
begründet von Albin Eser

Band S 103

Max-Planck-Institut für ausländisches und internationales Strafrecht

Strafrechtsentwicklung in Osteuropa

Zwischen Bewältigung und neuen Herausforderungen

Internationales Symposium
26. – 29. Juni 2002 auf Schloss Ringberg

Herausgegeben von

Albin Eser • Jörg Arnold • Julie Trappe

Duncker & Humblot • Berlin

Bibliografische Information der Deutschen Bibliothek

Die Deutsche Bibliothek verzeichnet diese Publikation in der Deutschen Nationalbibliografie; detaillierte bibliografische Daten sind im Internet über <http://dnb.ddb.de> abrufbar.

Mit Unterstützung der

VolkswagenStiftung

Redaktion: Petra Lehser

c/o Max-Planck-Institut für ausländisches und internationales Strafrecht
Günterstalstraße 73, 79100 Freiburg i.Br.
http://www.mpicc.de
Vertrieb in Gemeinschaft mit Duncker & Humblot GmbH, Berlin
http://www.duncker-humblot.de

Umschlagbild: Frank Schmidt, Köln
Druck: Stückle Druck und Verlag, Stückle-Straße 1, 77955 Ettenheim
Printed in Germany

ISSN 1860-0093
ISBN 3-86113-877-8 (Max-Planck-Institut)
ISBN 3-428-11997-5 (Duncker & Humblot)

Gedruckt auf alterungsbeständigem (säurefreiem) Papier
entsprechend ISO 9706 ∞

Vorwort

Mit dem politischen Umbruch eingangs der 90er Jahre waren die bis dahin sozialistischen Länder auch im Bereich des Strafrechts vor gravierende Herausforderungen gestellt. Angesichts der durch den Zerfall der alten Ordnung und die Suche nach einem neuen, besseren Rechtssystem bedingten weit verbreiteten Orientierungslosigkeit auch der Kriminalpolitik in Osteuropa war damals der Wunsch nach einem gemeinsamen Meinungsaustausch zwischen Strafrechtslehrern der betroffenen Länder aufgekommen.

Da das Max-Planck-Institut für ausländisches und internationales Strafrecht in Freiburg zuvor schon mehrfach als Veranstalter bilateraler Kolloquien mit verschiedenen osteuropäischen Ländern fungiert hatte, lag es nahe, aufgrund der neu gewonnenen Freizügigkeit des Verkehrs ein multilaterales Kolloquium auszurichten. Ein solches Internationales Symposium zum Thema „Von totalitärem zu rechtsstaatlichem Strafrecht. Kriminalpolitische Tendenzen im Strafrecht osteuropäischer Länder" wurde bereits Ende Mai 1992 in Buchenbach bei Freiburg veranstaltet und unter dem gleichen Titel als Kolloquiumsband unter gemeinsamer Herausgeberschaft von *Albin Eser, Günther Kaiser* und *Ewa Weigend* in der Reihe „Beiträge und Materialien aus dem Max-Planck-Institut für ausländisches und internationales Strafrecht Freiburg" 1993 (Band S 42) dokumentiert. Wie schon der als programmatische Aussage gedachte Titel andeutet, hatte jenes Symposium unter Beteiligung von rund 50 Wissenschaftlern aus Osteuropa und Deutschland zum Ziel, über erste Schritte der Strafrechtsreformen in den betroffenen Ländern zu berichten und gemeinsam über Perspektiven eines rechtsstaatlichen Strafrechts zu diskutieren.

Nachdem im letzten Jahrzehnt fast alle osteuropäischen Staaten neue Strafgesetzbücher verabschiedet und auch wichtige Reformen des Strafprozessrechts auf den Weg gebracht hatten, schien es an der Zeit, ein weiteres Mal zusammenzukommen und unter dem Titel „Strafrecht in Osteuropa: Zwischen bewältigten und neuen Herausforderungen" eine erste Bilanz zu ziehen und über weitere Reformbedürfnisse zu reflektieren. Diesem Ziel hat das unter dem gleichen Titel veranstaltete Internationale Symposium gedient, das vom 26. bis 29. Juni 2002 in der Tagungsstätte der Max-Planck-Gesellschaft auf Schloss Ringberg unter Beteiligung von rund 60 Wissenschaftlern aus 18 Ländern durchgeführt wurde. Mit diesem Tagungsband sollen die dort gehaltenen Referate in überarbeiteter Form und ergänzt um einige schriftliche Beiträge, die nicht mündlich hatten vorgetragen werden können, sowie einem Tagungsbericht einer breiteren Öffentlichkeit zugänglich gemacht werden.

Wie dem im Anhang abgedruckten Tagungsprogramm zu entnehmen, hatten die beiden ersten Arbeitssitzungen zum Ziel, durch Berichte über abgeschlossene und laufende Reformen in den betroffenen Ländern sowohl „Entwicklungslinien des materiellen Strafrechts" als auch solche des „Strafprozessrechts" aufzuzeigen. In der den „Grundelementen der Strafbarkeit" gewidmeten dritten Arbeitssitzung ging es weniger deskriptiv als vielmehr analytisch um die Frage, ob und inwieweit bei der Strafrechtsgestaltung von einem (möglicherweise veränderten) Verbrechensaufbau ausgegangen wird, inwieweit dabei formelle und/oder materielle Rechtswidrigkeitselemente eine Rolle spielen und worin die Grundelemente subjektiver Verantwortlichkeit gesehen werden. In der vierten Arbeitssitzung über „Sanktionen und Strafverfolgung" war zunächst über die Abschaffung traditioneller und die Einführung neuer Sanktionen zu berichten sowie unter Einbeziehung kriminologischer Erkenntnisse die Strafverfolgung und ihre praktische Umsetzung zu beleuchten. Da die vormals sozialistischen Länder vielleicht noch mehr als die westlichen unter den Auswüchsen neuartiger Kriminalität zu leiden haben, war die fünfte Arbeitssitzung der Frage nach „Strafrecht in Reaktion auf moderne Kriminalitätserscheinungen" gewidmet, wobei neben der Problematik der organisierten Kriminalität auch dem verstärkten Bedürfnis nach internationaler Zusammenarbeit bei grenzüberschreitender Kriminalität nachzugehen war. Inwieweit auf diese Fragen eine Antwort gefunden oder sie gar um neue strittige Punkte erweitert wurden, ist, da nicht in wenigen Worten zu erfassen und auch in meiner „Schlussbetrachtung" nur exemplarisch angedeutet, den einzelnen Beiträgen zu entnehmen. Der Diskussionsverlauf ist in einem Tagungsbericht von *Nora Karsten* und *Julie Trappe* nachzulesen, der nach seiner Vorveröffentlichung in der Zeitschrift für die gesamte Strafrechtswissenschaft (ZStW) 115 (2003), S. 443–450, mit freundlicher Genehmigung des Verlags W. de Gruyter in diesem Band abgedruckt ist.

Die nachträgliche Aufarbeitung der in diesen Band aufgenommenen Beiträge hat erneut vor Augen geführt, wie schwierig es sein kann, ein Rechtssystem in einer anderen Begriffswelt und Sprache darzustellen. Immer wieder erweist sich dabei die Übersetzung von Fachtermini als problematisch. Einerseits muss dafür jeweils ein deutscher Begriff gefunden werden, der die entsprechende juristische Konstruktion des ausländischen Rechts möglichst präzise wiedergibt; andererseits darf aber damit beim deutschen Leser nicht die fälschliche Assoziation geweckt werden, als handele es sich um ein bestimmtes, aus dem deutschen Recht bekanntes Rechtsinstitut. Bei dieser Gratwanderung wurden in diesem Band, soweit dies irgend möglich war, die üblichen deutschen Begriffe verwendet; sofern es jedoch nötig erschien, war eine dem fremdsprachigen Originalbegriff möglichst nahe kommende deutsche Formulierung zu wählen. Im Übrigen wird an diesem Punkt einmal mehr deutlich, wie wichtig es ist, den wissenschaftlichen Austausch zu fördern. Sich über Unterschiede der Rechtssysteme wie auch der bedeutsamen Rolle, die dabei der sprachlichen Erfassung zukommt, bewusst zu werden, ist ein unentbehrlicher methodischer Schlüssel sinnvoller Rechtsvergleichung und damit zugleich auch ein wichtiger Schritt auf dem Weg zu einer Rechtsharmonisierung.

Ein Kolloquium wie auch seine Publikation sind erfahrungsgemäß nicht ohne die Zusammenarbeit vieler zu verwirklichen. Das gilt in erster Linie für die Referenten und Autoren, ohne deren dankenswerten Einsatz das Kolloquium gar nicht hätte zustande kommen können. Besonderer Dank gebührt den beiden Mitherausgebern: Herrn Professor Dr. *Jörg Arnold* dafür, dass er – unterstützt von Frau *Nora Karsten* – bereits zu unserer gemeinsamen Konzipierung des Kolloquiums wesentlich beigetragen hatte, Frau *Julie Trappe* dafür, dass sie sich für die Publikation durch die wissenschaftliche Betreuung überarbeitungsbedürftiger Beiträge verdient gemacht hat. Von denjenigen, die in der organisatorischen Vorbereitung der Tagung engagiert und für deren reibungslosen Ablauf mitverantwortlich waren, ist vor allem Frau *Sabine Röth* zu nennen, in deren Händen die Gesamtkoordination der Tagung lag. Für die wie immer sehr gewissenhafte redaktionelle Überarbeitung durch das Lektorat haben wir uns bei Frau *Petra Lehser* und Frau *Andrea Kümmel* zu bedanken.

Unser ganz besonderer Dank gilt der Volkswagen-Stiftung, ohne deren finanzielle Unterstützung das Symposium nicht durchführbar gewesen wäre. Deshalb haben wir auch gerne die Gelegenheit wahrgenommen, die Ergebnisse unseres Symposiums auf dem von der Volkswagen-Stiftung veranstalteten Kolloquium zur Förderinitiative „Einheit in der Vielfalt? Grundlagen und Voraussetzungen eines erweiterten Europas“ im Januar 2004 in Leipzig einem interdisziplinären und internationalen Publikum vorzustellen. Wie bei dieser Veranstaltung von dem Leipziger Politikwissenschaftler Professor Dr. *Wolfgang Fach* zum Ausdruck gebracht, kann unser Symposium als ein Beitrag verstanden werden, die Einheit und Vielfalt Europas durch die Brille des „liberalen“ Rechts zu betrachten und damit als eine Frage der Freiheit zu begreifen.

Freiburg, im September 2005

Albin Eser

Direktor Emeritus des Max-Planck-Instituts
für ausländisches und internationales Strafrecht

Inhaltsverzeichnis

2. Sitzung
Entwicklungslinien des Strafprozessrechts

Kurzberichte über abgeschlossene Reformen

Kurzberichte über laufende Reformen

3. Sitzung
Grundelemente der Strafbarkeit

Zum Aufbau der Straftat, insbesondere zum formellen/ materiellen Straftatbegriff

Hauptreferat

Ko-Referate

Grundelemente subjektiver Verantwortlichkeit

Hauptreferat

Ko-Referate

4. Sitzung
Sanktionen und Strafverfolgung

Die Abschaffung traditioneller und die Einführung neuer Sanktionen

Hauptreferat

Ko-Referate

Grundlinien der Strafverfolgung und ihre praktische Umsetzung

Hauptreferat

Ko-Referate

Abkürzungsverzeichnis

a.a.O.	am angegebenen Ort
Abs.	Absatz
Alt.	Alternative
Anm.	Anmerkung
Anm.d.Verf.	Anmerkung des Verfassers
Arch. phil. droit	Archive de Philosophie du Droit
ARSP	Archiv für Rechts- und Sozialphilosophie
Art.	Artikel
AT	Allgemeiner Teil
Aufl.	Auflage
Bd., Bde.	Band, Bände
Begr.	Begründung
BJM	Bundesministerium der Justiz
BT	Besonderer Teil
bulg.	bulgarisch
Buchst.	Buchstabe
BV	Bundesverfassung der schweizerischen Eidgenossenschaft
bzw.	beziehungsweise
ca.	cirka
CFSP	Common Foreign and Security Policy
CI	Corpus Iuris
CIA	Central Intelligence Agency
CIREFI	Centre for Information, Discussion and Exchange on the Crossing of Borders and Immigration
CPGE	Conference of Prosecutors General of Europe
ČR	Tschechische Republik
ČSFR	Tschechische Sozialistische Föderative Republik
ČZ	Časopisní Zavod
CZK	tschechische Kronen

CZPKiNP	Czasopismo Prawa Karnego i Nauk Penalnych
dens.	denselben
ders.	derselbe
d.h.	das heißt
dies.	dieselbe
Dz.U.	Dziennik Ustaw (Amtliches Gesetzblatt)
ebd.	ebenda
EGMR	Europäischer Gerichtshof für Menschenrechte
Estnische SSR	Estnische Sozialistische Sowjetrepublik
ETS	European Treaty Series
EU	Europäische Union
EÜH	elektronisch überwachter Hausarrest
Eurojust	Europäische Stelle zur justiziellen Zusammenarbeit
FATF	Financial Action Task Force
f., ff.	folgende, fortfolgende
Fn.	Fußnote
GA	Goltdammer's Archiv für Strafrecht
GBl.	Gesetzblatt
Gbl.Nr.	Gesetzblatt Nr.
GRECO	Groupe d'Etats contre la corruption
GSt	Gesetz über die Staatsanwaltschaft
GUS	Gemeinschaft Unabhängiger Staaten
GVjPSt	Gesetz über die Verantwortlichkeit juristischer Personen für Straftaten
h.L.	herrschende Lehre
HLJKPP	Hrvatski ljetopis za kazneno pravo i praksu (Kroatisches Jahrbuch für Strafrecht und Strafrechtspraxis) – zitiert nach Nummer, Jahr und Seite
Hrsg., hrsg.	Herausgeber, herausgegeben
IAPL	International Association of Penal Law
ICTY	International Criminal Tribunal for the former Yugoslavia
i.e.S.	im engeren Sinne
IKSP	Institut für Kriminologie und soziale Prävention
i.V.m.	in Verbindung mit

JA	Juristische Arbeitsblätter
Jh.	Jahrhundert
JOR	Jahrbuch für Ostrecht
JZ	Juristenzeitung
Kap.	Kapitel
KFM	Komitee für Finanzmonitoring
Kfz	Kraftfahrzeug
kg	Kilogramm
KJPh	Kritisches Jahrbuch der Philosophie
KSH	Központi Statisztikai Hivatal ([Ungarisches] Statistisches Zentralamt)
KSZ	Krakowskie Zeszyty Sądowe
KZ	Kazenski Zakonik (Strafgesetzbuch der Republik Slowenien)
LPG	Landwirtschaftliche Produktionsgenossenschaft
LUM	Lebensunterhaltsminimum
MGU	Staatliche Moskauer Universität
NJW	Neue Juristische Wochenschrift
NN	Narodne Novine (Amtsblatt der Republik Kroatien)
Nr.	Nummer
NStZ	Neue Zeitschrift für Strafrecht
o.a.	oben angeführt
OECD	Organization for Economic Cooperation and Development
OG	Oberstes Gericht
OJ	Official Journal of the European Community
OK	Organisierte Kriminalität
op.cit.	opus citatum
OSNKW	Orzecgznictwo Sądu Najwyzszego Izby karna i wojskowa (Sammlung der Urteile des Obersten Gerichts – Straf- und Militärkammer)
PC-S-NS	Reflection Group on Developments in International Co-operation in Criminal Matters
Pkt.	Punkt
Pos.	Position

Red.	Redaktion
Rev.	Review
Rev.sc.crim.	Revue de science criminelle
RF	Rossijskaja Federaciya (Russische Föderation)
Riv.it.dir.proc.pen.	Rivista italiana di diritto e procedura penale
Rn., Rdn.	Randnummer
ROW	Recht in Ost und West
RP	Republik Polen
RPEiS	Ruch Prawniczy, Ekonomiczny i Socjologiczny
RS	Republik Slowenien
RSFSR	Russische Sozialistische Föderative Sowjetrepublik
rum.StGB	rumänisches Strafgesetzbuch
S.	Seite
Sb.	Sbírka zákonu (Gesetzblatt)
SchwZStrR	Schweizerische Zeitschrift für Strafrecht
SFR	Sozialistische Föderative Republik
StGB	Strafgesetzbuch
StPO	Strafprozessordnung
StrÄG	Strafrechtsänderungsgesetz
StVollGB	Strafvollzugsgesetzbuch
StVollzG	Strafvollzugsgesetz
Suppl.	Supplement
SZRF	Sobranie Zakonodatel'stva Rossijskoj Federacii
T.	Teil
u.a.	unter anderem, und andere
u.ä.	und ähnliches
UdSSR	Union der Sozialistischen Sowjetrepubliken
UN	United Nations
UNO	United Nations Organization
USA	United States of America
usw.	und so weiter
VerfGH	Verfassungsgerichtshof
vgl.	vergleiche
vol.	volume

VR	Volksrepublik
VSND	Vedomosti Sezda Narodnych Deputatov
VSNDRF	Vedomosti Sezda Narodnych Deputatov Rossijskoj Federacii
VVS RSFSR	Vedomosti Verhovnogo Soveta Russische Sozialistische Föderative Sowjetrepublik
VVS SSSR	Vedomosti Verhovnogo Soveta Sojuza Sovetskich Socialističeckich Respublik
VStGB	Völkerstrafgesetzbuch
WPP	Wojskowy Przegląd Prawniczy
WTschK	Kommission zur Bekämpfung der Konterrevolution und Sabotage
z.B.	zum Beispiel
ZfStrVo	Zeitschrift für Strafvollzug und Straffälligenhilfe
Ziff.	Ziffer
ZphF	Zeitschrift für philosophische Forschung
ZStW	Zeitschrift für die gesamte Strafrechtswissenschaft

1. Sitzung

Entwicklungslinien des materiellen Strafrechts

Abgeschlossene Reformen des Strafrechts, insbesondere aus der Sicht Russlands

Ulrike Schittenhelm, Tübingen

Mit dem In-Kraft-Treten des neuen Strafgesetzbuchs am 1.1.1997[1] hat auch in Russland die Reform des materiellen Strafrechts ihren – wie die seither erfolgten Änderungen und Ergänzungen zeigen – freilich nur vorläufigen Abschluss gefunden.

Vorangegangen waren seinem Erlass die Mitte der 1980er Jahre begonnenen Arbeiten an einer Modernisierung des damals noch sowjetischen Strafrechts, die die Ausgestaltung des Allgemeinen Teils beeinflussten. Zu nennen sind hier vor allem der im Institut für Staat und Recht der Akademie der Wissenschaft der UdSSR erstellte so genannte Modellentwurf[2] und die im Juni noch verabschiedeten, wegen der Auflösung der UdSSR jedoch nicht mehr in Kraft getretenen Grundsätze der Strafgesetzgebung der UdSSR und der Republiken[3].[4]

---

1 SZRF 1996 Nr. 25, Art. 2954. – Deutsche Übersetzung: Strafgesetzbuch der russischen Föderation, angenommen von der Staatsduma am 24.5.1996, gebilligt vom Föderationsrat am 5.6.1996, von *Friedrich-Christian Schroeder* und *Thomas Bednarz*. Einführung von *Friedrich-Christian Schroeder*, Freiburg 1998. – Näher zum StGB von 1996 *Siegfried Lammich*, Das neue Strafgesetzbuch von 1996, ZStW 109 (1997), 418 ff.; *ders.*, Das neue russische Strafrecht vom Januar 1997: Reaktion des Strafgesetzgebers auf die aktuelle Kriminalitätsentwicklung, ROW 1997, 122 ff.; *Ulrike Schittenhelm*, Landesbericht Rußland, in: Albin Eser/Barbara Huber (Hrsg.), Strafrechtsentwicklung in Europa 5, Bd. 2, Freiburg 1999, S. 1220 ff.; *Friedrich-Christian Schroeder*, Das neue russische Strafgesetzbuch, JZ 1997, 19 ff.; *ders.*, in: Strafgesetzbuch der russischen Föderation (siehe oben) S. 19 ff. – Zum Vergleich des russischen StGB mit den neuen Strafgesetzbüchern anderer ehemaliger Sowjetrepubliken *Siegfried Lammich*, Die neuen Strafgesetzbücher der GUS-Länder. Vergleich ausgewählter Regelungen, in: Mahulena Hoffmann/Herbert Küpper (Hrsg.), Kontinuität und Neubeginn. Staat und Recht in Europa zu Beginn des 21. Jahrhunderts. Festschrift für Georg Brunner aus Anlass seines 65. Geburtstags, Baden-Baden 2001, S. 312 ff.; *Friedrich-Christian Schroeder*, Das neue Strafgesetzbuch von Belarus im Vergleich zum russischen und dem GUS-Modellstrafgesetzbuch, in: Hoffmann/Küpper (Hrsg.), a.a.O., S. 324 ff.

2 Akademii nauk SSSR. Institut gosudarstva i prava (Akademie der Wissenschaften der UdSSR. Institut für Staat und Recht), Ugolovnij zakon. Opyt teoretičerkogo modelirovanija (Strafgesetz. Die Erfahrung theoretischer Modellbildung), Moskau 1987.

3 VVS SSSR 1991 Nr. 3, Art. 892.

4 Näher zum Modellentwurf und den Grundsätzen von 1991 *Ulrike Schittenhelm*, Reform des Allgemeinen Teils des sowjetischen Strafrechts, ZStW 101 (1998), 675 ff.; *dies.*, Landesbericht Rußland, in: Albin Eser/Barbara Huber (Hrsg.), Strafrechtsentwicklung in

Vor dem Hintergrund sich rapide wandelnder Verhältnisse in Staat und Gesellschaft wurde seit Beginn der 1990er Jahre dann an einem neuen russischen StGB gearbeitet,[5] mit dem – wie schon mit einzelnen Novellen des noch geltenden StGB von 1960 – den neuen sozialen Bedingungen und den geänderten, statt des Staates den Menschen in den Mittelpunkt stellenden Wertvorstellungen Rechnung getragen, aber auch der bedrohlich ansteigenden Kriminalität und neuen Kriminalitätsformen effektiv begegnet werden sollte.

1. Allgemeiner Teil

Gemäß Art. 1 Abs. 1 besteht die Strafgesetzgebung der Russischen Föderation aus dem vorliegenden Gesetzbuch und sind neue Strafvorschriften in dieses einzufügen. Dies bedeutet, dass – wie jedenfalls schon bislang – im StGB nicht nur das Kernstrafrecht, sondern auch das gesamte Nebenstrafrecht zu erfassen ist.

Weitgehend neu ist im ersten Abschnitt die im Zuge der Reformarbeiten schon seit den 1980er Jahren diskutierte gesetzliche Festschreibung einzelner die Strafgesetzgebung bestimmender Prinzipien, die sich sowohl an die Rechtsanwender richten als auch den Bürgern die normativen Grundlagen des Strafrechts vermitteln sollen.[6] Im Einzelnen normiert sind in den Vorschriften des 1. Abschnitts die Aufgaben der Strafgesetzgebung der russischen Föderation (Art. 2), das in Art. 9 f. noch näher konkretisierte Gesetzlichkeitsprinzip (Art. 3), das Prinzip der Gleichheit der Bürger vor dem Gesetz (Art. 4), der Schuldgrundsatz (Art. 5), das Prinzip der Gerechtigkeit, dem auch der Grundsatz *ne bis in idem* zugeordnet wird (Art. 6), das Prinzip des Humanismus (Art. 7) sowie eine Umschreibung der „Grundlagen der strafrechtlichen Verantwortlichkeit" als „die Begehung einer Tat, die alle Merkmale einer in diesem Gesetzbuch vorgesehenen Straftat enthält" (Art. 8).

Europa 4, Bd. 2, Freiburg 1994, S. 1206 ff.; *dies.*, Strafe und Sanktionensystem im sowjetischen Recht, Freiburg 1994, S. 627 ff.

5 Näher zur Entstehungsgeschichte des StGB von 1996 *Tatjana Lenmievski-Kostareva*, Tendenzen der Strafgesetzgebungsreform in Russland, Osteuropa-Recht 2002, 349 ff.; *Friedrich-Christian Schroeder*, Strafgesetzbuch der russischen Föderation (Anm. 1), S. 16 ff.

6 Zur Diskussion um Sinn und Zweckmäßigkeit der Festschreibung allgemeiner Prinzipien im Strafgesetzbuch im deutsch-sowjetischen Dialog *S.G. Kelina*, Über die Vorbereitung der neuen Strafgesetzgebung der UdSSR, in: Albin Eser/Günther Kaiser (Hrsg.), 5. Deutsch-sowjetisches Kolloquium über Strafrecht und Kriminologie, Baden-Baden 1992, S. 11 f.; *Friedrich-Christian Schroeder*, Die neuesten Reformbestrebungen auf dem Gebiet des Strafrechts in der UdSSR. Kommentar zum Generalthema, in: Albin Eser/Günther Kaiser (Hrsg.), a.a.O., S. 22 ff. sowie *Ulrike Schittenhelm*, Diskussionsbericht, in: Albin Eser/Günther Kaiser (Hrsg.), a.a.O., S. 203 ff. Kritisch auch zu der Regelung der Prinzipien im StGB von 1996 *Friedrich-Christian Schroeder*, Strafgesetzbuch der russischen Föderation (Anm. 1), S. 19 ff.

Unter der Überschrift „Die Straftat" regelt der zweite Abschnitt dann die grundlegenden allgemeinen Voraussetzungen der Strafbarkeit.

Trotz der in der Reformdiskussion gegen das Straftatmerkmal „Gesellschaftsgefährlichkeit" vorgebrachten Bedenken (nicht zuletzt, weil es historisch belastet ist) wurde auch im neuen StGB an einem formell-materiellen Verbrechensbegriff festgehalten,[7] nach dem als Straftat eine schuldhaft begangene gesellschaftsgefährliche Tat gilt, die unter Androhung von Strafe verboten ist (Art. 14 Abs. 1). Von gewisser, allerdings wohl nur geringer praktischer Bedeutung ist dies wegen der mit dem formell-materiellen Verbrechensbegriff traditionell verbundenen Bagatellklausel, die in Geringfügigkeitsfällen eine Straftat mangels Gesellschaftsgefährlichkeit ausschließt. Abweichend vom bisherigen Recht war die Geringfügigkeit in Art. 14 Abs. 2 des neuen StGB ursprünglich durch das Erfordernis einer fehlenden Rechtsgutverletzung oder -bedrohung konkretisiert worden. Wohl auch, weil diese Voraussetzungen – jedenfalls unter Zugrundelegung einer am Wortlaut orientierten Gesetzesauslegung – im Fall der Verletzung eines strafrechtlichen Verbots praktisch nie erfüllt sein werden und sie auch bei einer großzügigeren Interpretation nur ganz selten vorliegen dürften, wurde die nähere Umschreibung der Geringfügigkeit 1998 wieder gestrichen[8] und damit die Anwendung der Bagatellklausel auch in Fällen ermöglicht, in denen durch die Tat ein Schaden herbeigeführt wurde.

Neuerungen, die auch eine gewisse Abmilderung des Strafrechts mit sich bringen, sehen die Regelungen der subjektiven Strafbarkeitsvoraussetzungen „Zurechnungsfähigkeit" und „Schuld" im vierten und fünften Kapitel vor. Bezüglich Ersterer ist der Ausschluss der strafrechtlichen Verantwortlichkeit Minderjähriger zu erwähnen, die aufgrund psychischer Unreife außer Stande waren, die Gesellschaftsgefährlichkeit ihres Handelns zu erkennen oder dieses zu beherrschen (Art. 20 Abs. 3). Auch für erwachsene Täter enthält das Gesetz jetzt mit Art. 22 eine bis zur Verabschiedung des StGB heftig umstrittene Regelung der verminderten Zurechnungsfähigkeit. Sowohl, weil sich diese Bestimmung hinsichtlich der Rechtsfolgen auf den allgemeinen Hinweis der Berücksichtigung dieses Umstands bei der Strafbemessung und der möglichen Anwendung einer so genannten medizinischen Zwangsmaßnahme neben der Strafe beschränkt, als auch, weil es bislang noch an Erfahrungen mit der Umsetzung des Art. 22 und an den medizinischen Ressourcen für die Behandlung vermindert zurechnungsfähiger Täter fehlt, stellt die neue Vorschrift die Praxis vor erhebliche Probleme.[9] Nach wie vor irrelevant für die Zu-

---

[7] Dazu *Siegfried Lammich*, ZStW 109 (1997), 421; *ders.*, in: Hoffmann/Küpper (Anm. 1), S. 315 ff.

[8] Siehe Föderationsgesetz vom 25.6.1998, SZRF 1998 Nr. 26, Art. 3012.

[9] Näher hierzu *J. Argunova*, Primenenie normy ob ograničennoj vmenjaemosti (Die Anwendung der Norm über die beschränkte Zurechnungsfähigkeit), Rossiskaja Justicija 1999 Nr. 7, 40; *A.J. Kozacenko/B.A. Spasenikov*, Voprosy ugolovnoj otvetsvennosti i nakazanija liz, stradajurščich prichičeskimi rasstrojostvami, ne iskljuščajuscimi vmenjaemosti (Fragen der strafrechtlichen Verantwortlichkeit und Bestrafung von Personen, die an

rechnungsfähigkeit und das Verschulden ist gemäß Art. 23 der Rausch. Im Kapitel über die Schuld (Art. 24 ff.) legt nunmehr Art. 24 Abs. 2 fest, dass fahrlässiges Handeln nur dann strafrechtlich geahndet werden kann, wenn dies im Besonderen Teil ausdrücklich bestimmt ist. Da in der ursprünglichen Fassung des StGB in einigen vor allem die Verletzung von Sicherheitsvorschriften betreffenden Tatbeständen das unstreitig ebenfalls als „strafwürdig" angesehene fahrlässige Verhalten nicht eigens unter Strafe gestellt gewesen war, traten in der Praxis bei der Anwendung des neuen Rechts alsbald Probleme auf. Um die festgestellten Strafbarkeitslücken zu schließen, wurde 1998 die bisherige Formulierung „eine fahrlässige Tat ist nur dann strafbar, wenn ..." durch „eine nur fahrlässige Tat ist nur strafbar, wenn ..." ersetzt und in einigen Tatbeständen das Erfordernis einer fahrlässigen Erfolgsherbeiführung ausdrücklich vorgesehen.[10] Interpretiert man den neu gefassten Art. 24 Abs. 2 – wie es der Wortlaut nahe legt – in dem Sinn, dass bei fehlender ausdrücklicher Regelung die Tatbestände des Besonderen Teils sowohl Fahrlässigkeit als auch Vorsatz unter Strafe stellen, so erscheint die neue Fassung nicht unbedingt geglückt. Neu ist im Rahmen der Regelung der Schuld ferner eine Vorschrift, wonach die Schuld auch ausgeschlossen ist, wenn für den Täter die Möglichkeit des Eintritts eines Erfolgs zwar voraussehbar war, er diesen aber – weil in der konkreten Situation überfordert – nicht mehr abwenden konnte (Art. 28 Abs. 2).

Abgemildert wurde die strafrechtliche Haftung für die nicht vollendete Tat. Zwar ist der Versuch nach wie vor generell unter Strafe gestellt (Art. 29 Abs. 2 i.V.m. Art. 30 Abs. 3), jedoch beschränkt sich die Strafbarkeit wegen Vorbereitungshandlungen nunmehr auf die Vorbereitung der in Art. 15 Abs. 4 und 5 definierten schweren und besonders schweren Straftaten (Art. 29 Abs. 2 i.V.m. Art. 30 Abs. 2). Außerdem wurde die Obergrenze der Strafe für Letztere auf die Hälfte und für den Versuch auf drei Viertel der für die vollendete Tat angedrohten Strafen herabgesetzt (Art. 66 Abs. 2, 3).

Weitere Neuerungen enthält das die „Mitbeteiligung an einer Straftat" erfassende siebte Kapitel. Außer den im Vergleich zum bisherigen Recht differenzierteren Regelungen der einzelnen Teilnahmeformen und der erstmaligen gesetzlichen Fixierung der mittelbaren Täterschaft (Art. 33 Abs. 2 3. Alternative) und des Exzesses (Art. 36) ist in diesem Kontext noch die die organisierte Kriminalität betreffende Vorschrift des Art. 35 zu erwähnen. In Abhängigkeit von ihrem Organisationsgrad umschreibt Art. 35 unter den Bezeichnungen „Personengruppe", „Personengruppe nach vorheriger Verabredung", „organisierte Gruppe" und „kriminelle Vereinigung" vier unterschiedliche Formen der gemeinsamen Begehung einer Straftat, die in zahlreichen Bestimmungen des Besonderen Teils Qualifikationsmerkmale sind. Für die Gründer und Leiter einer organisierten Gruppe und

psychischen Störungen leiden, welche die Zurechnungsfähigkeit nicht ausschließen), Gosudarstvo i pravo 2000 Nr. 5, 69 ff.

[10] Siehe Föderationsgesetz vom 25.6.1998, SZRF 1998 Nr. 26, Art. 3012.

einer kriminellen Vereinigung bestimmt Art. 35 Abs. 5 außerdem, dass ihnen – wenn vom Vorsatz umfasst – auch die von der Organisation begangenen Straftaten „zuzurechnen" sind. Ergänzt wird Art. 35 durch das Organisationsdelikt des Art. 210, der – vergleichbar den §§ 129, 129a des deutschen StGB – die Bildung krimineller Vereinigungen und die Mitgliedschaft in solchen erfasst.

Kurz eingegangen sei schließlich noch auf die Neuerungen bei den Rechtfertigungsgründen vergleichbaren „Umständen, die die Eigenschaft einer Tat als Straftat ausschließen" im achten Kapitel. Über die schon im bisherigen Recht normierten „Straftatausschließungsgründe" Notwehr und Notstand hinaus, sind im neuen StGB jetzt auch die Festnahme (Art. 38), eine Art Nötigungsnotstand (Art. 40), das so genannte begründete Risiko (Art. 41) und die Ausführung eines verbindlichen Befehls (Art. 42) gesetzlich geregelt. Bemerkenswert ist ferner die vor dem Hintergrund um sich greifender Kriminalität und der relativen Machtlosigkeit der staatlichen Organe bei ihrer Bekämpfung vielleicht verständliche, auch unter Berücksichtigung eines daher als notwendig zu erachtenden „besonders schneidigen" Rechts auf Selbstschutz und der Erwünschtheit der Mithilfe der Bürger bei der Verbrechensbekämpfung nicht unproblematische Beschränkung der Strafbarkeit von Exzessen. Sowohl bei einer Überschreitung der Grenzen des Festnahmerechts als auch im Fall eines Notstandsexzesses ist nach Art. 38 Abs. 2 und Art. 39 Abs. 2 nur ein vorsätzliches Handeln strafbar. Noch weiter geht seit der Novellierung des Art. 37 im Februar 2002 die Privilegierung von Exzesstätern im Falle der Notwehr und Nothilfe: Wird durch den Angriff das Leben des Notwehrtäters oder eines Dritten bedroht, so ist – anders als in den üblichen Fällen – selbst ein vorsätzlicher Exzess straflos.[11]

2. Sanktionensystem

Anders als das frühere Recht nicht mehr mit der härtesten, sondern mit der mildesten Strafart beginnend, sieht Art. 44 StGB von 1996 folgende allgemeine Hauptstrafen[12] vor: Geldstrafe, Amts- oder Tätigkeitsverbot, Pflichtarbeit, Besse-

---

11 Siehe Föderationsgesetz vom 14.3.2001, SZRF 2001 Nr. 11, Art. 1021. Zur wechselvolle Geschichte der Notwehr in der ehemaligen Sowjetunion, die nunmehr in einer äußerst großzügigen Privilegierung von Notwehrtätern ihre Fortsetzung findet, näher *Friedrich-Christian Schroeder*, Die Notwehr als Indikator politischer Grundanschauungen, in: Friedrich-Christian Schroeder/Heinz Zipf (Hrsg.), Festschrift für Reinhart Maurach zum 70. Geburtstag, Karlsruhe 1972, S. 132 ff.

12 Als Nebenstrafen sehen Art. 44 f. außerdem den Entzug einer Dienstklasse, eines militärischen Grads, eines Dienstrangs und staatlicher Auszeichnungen sowie die Vermögenskonfiskation vor. Auch als Nebenstrafe können Geldstrafe und Amts- und Tätigkeitsverbot verhängt werden. Wegen Militärstraftaten oder als Ersatz für Besserungsarbeit können Berufssoldaten nach Art. 44, 51 zu der sachlich der Besserungsarbeit entsprechenden Militärdienstbeschränkung verurteilt werden. Ebenfalls für Militärstraftaten oder als Ersatz für eine Freiheitsstrafe sehen Art. 44, 55 für Wehrpflichtige und Berufssoldaten im

rungsarbeit, Freiheitsbeschränkung, Arrest, Freiheitsentzug für eine bestimmte Dauer, lebenslanger Freiheitsentzug sowie die Todesstrafe. Obwohl im Kapitel über die Strafzumessung geregelt, ist hier außerdem noch die ebenfalls eine eigenständige Strafe darstellende bedingte Verurteilung nach Art. 73 zu nennen. Neu sind von diesen Sanktionen die in der Freizeit stundenweise abzuleistende Pflichtarbeit (Art. 49), die in der Sache der 1993 abgeschafften bedingten Verurteilung mit Arbeitspflicht entsprechende Freiheitsbeschränkung (Art. 53) sowie der Arrest (Art. 54).

Da nicht nur der Strafenkatalog des Art. 44 sehr umfangreich ist, sondern auch in den Tatbeständen des Besonderen Teils häufig mehrere Strafen alternativ angedroht sind, scheinen die Gerichte jedenfalls auf den ersten Blick eine recht große Auswahl zwischen verschiedenen, auch nicht im engeren Sinne freiheitsentziehenden Strafen zu haben. Wie es schon der nach wie vor beachtliche Anteil realer Freiheitsstrafen an den Verurteilungen von 35 %[13] andeutet, sehen die Dinge in der Realität freilich anders aus. Zumindest nicht nur mit der bedrohlichen Entwicklung der Kriminalität und der repressiven Einstellung der russischen Justiz und Bevölkerung ist es zu erklären, dass Jahr für Jahr zehntausende Menschen in die überfüllten Strafvollzugsanstalten geschickt und dort unter bedrückendsten Bedingungen leben müssen.[14] Grund hierfür ist vielmehr auch, dass es außer der in den letzten Jahren rund 50 % an den Verurteilungen ausmachenden,[15] sachlich letztlich auf eine Nichtbestrafung hinauslaufenden Bewährungsstrafe der bedingten Verurteilung praktisch keine realen Alternativen zur Freiheitsstrafe gibt. Speziell um die Freiheitsstrafen zurückzudrängen, wurden im neuen StGB zwar Pflichtarbeit, Freiheitsbeschränkung und Arrest eingeführt. Wegen fehlender finanzieller Mittel für ihre Organisation war das In-Kraft-Treten der sie regelnden Bestimmungen jedoch schon bei der Verabschiedung des StGB auf spätestens 2001 hinausgeschoben worden. Aus demselben Grund erfolgte Anfang 2002 ein weiterer Aufschub: Pflichtarbeit soll ab 2004, Freiheitsbeschränkung ab 2005 und Arrest ab 2006 ver-

---

Mannschafts- und Unteroffiziersrang außerdem Haft in einer militärischen Disziplinareinheit vor.

13 1996 betrug ihr Anteil 33,9 % an den Verurteilungen, 1997 33,6 %, 1998 33,6 %, 1999 33,6 % und im Jahr 2000 35 % (Quellen: Rabota sudov Rossijskoj Federacii v 1997 godu [Die Arbeit der Gerichte der Russischen Föderation im Jahr 1997], Rossijskaja justicija 1998 Nr. 6, 56; Rabota sudov obscej jurisdicii v 1999 godu [Die Arbeit der Gerichte der Russischen Föderation im Jahr 1998], Rossijskaja justicija 1999 Nr. 8, 53; Rabota sudov obscej jurisdicii v 2000 godu [Die Arbeit der Gerichte der ordentlichen Justiz im Jahr 2000], Rossijskaja justicija 2001 Nr. 11, 76).

14 Zur Situation im Strafvollzug näher z.B. Ugolovno – ispolnitelnaja sistema Rossijskoj Federacii (Das Strafvollzugssystem der Russischen Föderation), Rossijskaja Justicija 2000 Nr. 9, 61 f.; zusammenfassend auch *Tatjana Pashchenko*, Die ersten zwei Berichte des neuen russischen Menschenrechtsbeauftragten, Jahrbuch für Ostrecht, 2000, 384.

15 1996 betrug der Anteil der bedingten Verurteilungen 44,5 %; 1997 51,2 %; 1998 52 %; 2000 53,3 % (Quelle siehe Anm. 13).

hängt werden können.[16] Bis dahin besteht außer der Verhängung einer realen Freiheitsstrafe oder einer bedingten Verurteilung im Bereich der leichteren und mittleren Kriminalität wie bisher zwar auch die Möglichkeit der Verurteilung zu einer Geldstrafe oder zu der praktisch eine „Geldstrafe auf Raten" darstellenden Besserungsarbeit am Arbeitsplatz. Da ein erheblicher Teil der Verurteilten jedoch arbeitslos ist und Geldstrafen vielfach nicht bezahlt werden können, scheiden diese Sanktionen als Alternativen in der Praxis weitgehend aus und werden vermutlich auch künftig nur einen bescheidenen Teil an den verhängten Strafen ausmachen.[17]

Kurz angesprochen sei schließlich noch die Todesstrafe. Nachdem Art. 23 der Verfassung von 1993 sie bis zur ihrer endgültigen Abschaffung auf besonders schwere Straftaten gegen das Leben beschränkt hatte, sieht das neue StGB sie nur noch in fünf, allerdings auch Angriffe gegen das Leben erfassenden Tatbeständen vor, in denen sie alternativ zu lebenslanger oder einer zeitigen Freiheitsstrafe angedroht ist.[18] Obwohl nach dem Beitritt Russlands zum Europarat 1996 die Duma das Protokoll Nr. 6 zur Konvention über den Schutz der Menschenrechte und Grundfreiheiten noch immer nicht ratifiziert hat, ist die Todesstrafe seit Herbst 1996 de facto und seit 1999 zumindest vorläufig auch de jure abgeschafft. Im August 1996 erließ der Präsident im Verordnungsweg ein von der Duma allerdings abgelehntes Moratorium für die Vollstreckung der Todesstrafe,[19] im Juni 1999 begnadigte er alle 713 noch zum Tode Verurteilten und wandelte ihre Strafe in lebenslange Freiheitsstrafen um.[20] Nicht nur die Vollstreckung, sondern auch die Verhängung von Todesstrafen untersagte das Verfassungsgericht der Russischen Föderation durch Beschluss vom 10.2.1999:[21] Da Art. 23 Abs. 2 der Verfassung im Falle einer drohenden Verurteilung zum Tode dem Angeklagten das Recht auf ein Verfahren vor einem Geschworenengericht garantiere, derartige Gerichte aber bisher nur in neun der 89 Föderationssubjekte tätig seien, verletze die bisherige Praxis den Grundsatz der Gleichheit aller Bürger und sei deshalb verfassungswidrig. Zwar ist durch diesen Beschluss die Todesstrafe rechtlich nur „auf Zeit" abgeschafft. Da die Einrichtung von Geschworenengerichten in allen Subjekten der Föderation jedoch schon aus finanziellen Gründen problematisch ist und deshalb vermutlich noch viel Zeit

---

16 Siehe Föderationsgesetz vom 10.1.2002, SZRF 2002 Nr. 2, Art. 130.

17 1996 wurden 13,1 %, 1997 7,7 %, 1998 5,6 % der Täter zu einer Geldstrafe verurteilt, eine Verurteilung zu Besserungsarbeit erfolgte 1996 in 8,2 %, 1997 in 7,5 % und 1998 in 5,9 % der Fälle, 1999 und 2000 ging der Anteil dieser Strafen an den Verurteilungen nochmals etwas zurück (Quellen siehe Anm. 13).

18 Im Einzelnen sind dies Art. 105 Abs. 2 (Mord), Art. 277 (Angriff auf das Leben eines staatlichen oder gesellschaftlichen Funktionärs), Art. 295 (Angriff auf das Leben eines Rechtspflegeorgans oder Ermittlungsbeamten), Art. 317 (Angriff auf das Leben eines Mitarbeiters eines Rechtsschutzorgans) sowie Art. 357 (Völkermord).

19 SZRF 1996 Nr. 21, Art. 2468.

20 *Vitali Y. Kvashis*, Die Todesstrafe in Russland, in: Christian Boulanger/Vera Heyes/Philip Hanfling (Hrsg.), Zur Aktualität der Todesstrafe, 2. Aufl. Berlin 2002, S. 362.

21 SZRF 1999 Nr. 14, Art. 1514.

beanspruchen wird, gewöhnt man sich vielleicht auch in Russland daran, dass auf die Todesstrafe verzichtet werden kann und hebt sie endgültig auf.

3. Besonderer Teil

Noch umfassender als im Allgemeinen Teil sind die Neuerungen im Besonderen Teil. Schlagwortartig lassen sich deren Schwerpunkte folgendermaßen umschreiben: Abkehr von dem bisher „staatsschutzkonzentrierten“ Strafrecht und Hinwendung zu einem verstärkt die Güter und Interessen der Bürger schützenden Kriminalrecht, Anpassung der Strafgesetzgebung an die veränderten gesellschaftlichen und wirtschaftlichen Bedingungen und Erfassung neuer sowie Verstärkung des Kampfes gegen bestimmte besonders bedrohliche Kriminalitätsformen.

Illustriert sei dies hier anhand einiger Beispiele: Dass im neuen Strafrecht nicht mehr der Schutz des Staates sondern der der Bürger Priorität haben soll, kommt gleichsam symbolisch in der neuen Systematik des jetzt die „Straftaten gegen die Person“ an erster Stelle und die „Straftaten gegen die Staatsgewalt“ erst im 10. Abschnitt regelnden Besonderen Teils zum Ausdruck. Teils schon vor der Verabschiedung des neuen StGB, teils durch dieses wurde der Staatsschutz i.e.S., aber auch in der Sache beschränkt, der besondere Schutz sozialistischen Eigentums abgeschafft und „typisch sowjetische“ Tatbestände wie die „parasitäre Lebensführung“, antisowjetische Agitation und Propaganda sowie Hooliganismus gestrichen oder umgestaltet und entschärft.[22] Mit Vorschriften wie dem nunmehr allgemeinen Antidiskriminierungstatbestand des Art. 136, dem zum Schutz der Privatsphäre eingeführten Indiskretionsdelikt (Art. 137) und der Behinderung der Durchführung einer Demonstration usw. (Art. 149) werden die von der Verfassung garantierten Rechte und Freiheiten der Bürger stärker geschützt.

---

[22] Art. 209 StGB von 1960, der neben Bettelei und Landstreicherei auch die „parasitäre Lebensführung“ unter Strafe stellte, wurde durch das Gesetz der RSFSR vom 5.12.1991 (VSND RSFSR 1991 Nr. 52, Art. 1868) aufgehoben. Nachdem der die antisowjetische Agitation und Propaganda erfassende Art. 70 StGB von 1960 schon 1989 durch eine 1992 nochmals neu gefasste Bestimmung ersetzt worden war, die den öffentlichen Aufruf zur gewaltsamen Änderung der verfassungsgemäßen Ordnung unter Strafe stellte (Ukaz des Präsidiums des Obersten Sowjets der RSFSR vom 11.9.1989, VVS RSFSR vom 11.9.1989, VVS RSFSR 1989 Nr. 37, Art. 1074; Gesetz der RF vom 9.10.1992, VSNDRF 1992 Nr. 44, Art. 2470), sieht das neue StGB in Art. 280 eine öffentliche Aufrufe zu einer gewaltsamen Machtergreifung, einem gewaltsamen Festhalten an der Macht oder einer gewaltsamen Änderung der verfassungsmäßigen Ordnung erfassende Strafvorschrift vor. Der neue Tatbestand des Hooliganismus (Art. 213) beschränkt sich auf die Inkriminierung grober Verletzungen der öffentlichen Ordnung, die mit Anwendung von Gewalt gegen Bürger, Drohungen mit Gewalt oder Sachbeschädigungen verbunden sind. Neu geschaffen wurde ferner eine die Verunstaltung von Gebäuden usw. mit Strafe bedrohende Bestimmung (Art. 214).

Neu ist sodann vor allem das Wirtschaftsstrafrecht, mit dem sowohl den veränderten ökonomischen Bedingungen Rechnung getragen als auch neuartige Deliktsformen erfasst werden sollten. Unter der Überschrift „Straftaten im Bereich der wirtschaftlichen Betätigung" enthält das 22. Kapitel rund 30 recht heterogene Strafvorschriften. Neben Bestimmungen zum Schutz der Volkswirtschaft, mit denen z.B. Monopolverstöße (Art. 178), illegale Bankentätigkeit (Art. 72) und Kreditbetrügereien (Art. 176 f.) erfasst werden, enthält es Vorschriften zum Schutz der Betriebswirtschaft wie die Regelungen der illegalen Verwendung von Warenzeichen (Art. 180) und der illegalen Erlangung usw. von Geschäftsgeheimnissen (Art. 183). Vorgesehen sind in diesem Kapitel auch Vorschriften zum Schutz der Allgemeinheit und der Verbraucher, zu denen ebenso das Verbot irreführender Werbung (Art. 182) wie die Bankrottdelikte (Art. 195 ff.) gehören. Ebenfalls hier eingeordnet sind die Straftaten gegen die Finanzwirtschaft, die nicht nur Steuerhinterziehungen (Art. 198 f.) und Zollvergehen (Art. 194) erfassen, sondern auch die Fälschung von Geld und anderen Zahlungsmitteln (Art. 186) sowie die Nichtrückführung von Kunstschätzen (Art. 190) und Devisen (Art. 193) auf das Territorium Russlands. Weitere neue Vorschriften erfassen untreueähnliche Handlungen im nichtstaatlichen Bereich (Art. 201) und durch Notare und Buchprüfer (Art. 202) sowie die kommerzielle Bestechung (Art. 204). Ebenfalls neu ist das allerdings nur aus drei Tatbeständen bestehende Computerstrafrecht des 28. Kapitels. Hingewiesen sei schließlich noch auf die im letzten neuen Abschnitt des StGB geregelten „Straftaten gegen den Frieden und die Sicherheit der Menschheit". Bei einigen von ihnen – so bei Art. 354 (öffentliche Aufrufe zur Entfesselung eines Angriffskrieges), Art. 355 (Herstellung oder Verbreitung von Massenvernichtungswaffen) und Art. 356 (Anwendung verbotener Mittel und Methoden der Kriegsführung) – handelt es sich um erweiterte, bisher als Staatschutz- und Militärdelikte erfasste Strafvorschriften.[23] Völlig neu sind hingegen Art. 353 (Planung, Vorbereitung, Entfesselung oder Führung eines Angriffskrieges), Art. 357 (Genozid), Art. 358 (Ökozid), Art. 359 (Söldnertum) und Art. 360 (Überfall auf Personen oder Einrichtungen, die internationalen Schutz genießen).

---

[23] Im Kapitel der besonders schweren Staatsverbrechen hatte Art. 71 StGB von 1960 die „Kriegspropaganda" unter Strafe gestellt und in den durch das Gesetz der RF vom 29.4.1993 (Rossiskaja Gazeta vom 27.5.1993) eingeführten Art. 67/1 und 67/2 die Anwendung und die Herstellung usw. von biologischen Waffen erfasst. Als Militärstraftaten geregelt waren das Marodieren (Art. 266), Gewaltakte gegenüber der Bevölkerung im Kriegsgebiet (Art. 267) und Verletzungen der Rechte von Kriegsgefangenen (Art. 268).

Entwicklung der Strafgesetzgebung in Russland seit der Annahme des neuen russischen StGB

Alfred Jalinski, Moskau

In diesem Beitrag möchte ich mich mit den Änderungen des StGB der Russischen Föderation seit seinem In-Kraft-Treten am 1. Januar 1997 beschäftigen. Dabei werde ich zunächst kurz auf drei allgemeine Fragen eingehen: erstens möchte ich die Grundzüge der vorgenommenen Änderungen darstellen, zweitens auf die Reaktion in der Strafrechtswissenschaft eingehen und drittens etwas zum gesellschaftlichen Kontext der Strafgesetzgebung anmerken. Danach werde ich mich den konkreten Änderungen des Allgemeinen und des Besonderen Teils widmen und mögliche Entwicklungsperspektiven aufzeigen.

1. Grundzüge der Änderungen

Seit dem In-Kraft-Treten des russischen StGB wurden mehr als 20 föderale Gesetze über Änderungen und Ergänzungen des Gesetzes beschlossen. Dabei wurden mehr als zehn neue Artikel in das StGB eingeführt und über 50 Artikel (15 des Allgemeinen, 37 des Besonderen Teils) geändert. Die Anzahl der letztlich geänderten Strafnormen ist jedoch schwierig zu ermitteln. Denn Änderungen des Besonderen Teils ziehen oftmals auch Änderungen des Allgemeinen Teils nach sich.

Zu berücksichtigen ist auch die große Anzahl von Gesetzesentwürfen zur Änderung des StGB, die von Abgeordneten oder seitens der gesetzgebenden Organe der Föderation bzw. der Föderalstaaten in die Staatsduma eingebracht werden. Nach offiziellen Angaben wurden von 1997 bis zum März 2002 insgesamt mehr als 160 Gesetzesentwürfe zu Änderungen und Ergänzungen von über 200 Artikeln des russischen StGB eingebracht.[1] Nur ein Teil dieser Entwürfe wurde dann tatsächlich angenommen.

---

1 Postanovlenie Soveta Federazii, Federalnogo Sobrania Rossijskaja Federaciya (RF) „O parlametskich sluschaniach“ Ugolovnij Kodeks RF – pjat let: problemy I perspektivi soverschenstvovania norm ugolovnogo zakonodatelstva (Beschluss des Föderationsrates, der Föderativen Versammlung der Russischen Föderation „Über parlamentarische Anhörungen“, 5 Jahre Strafgesetzbuch der Russischen Föderation [RF]: Probleme und Perspektiven der Modernisierung der Normen der Strafgesetzgebung), Gesetzblatt der RF 2002/17 S. 1616.

Die angenommenen Änderungen des russischen StGB beziehen sich vor allem auf folgende Punkte:

a) die Beseitigung von Fehlern und Lücken des StGB,
b) die Anpassung von Normen des StGB an die neue Gesetzgebung in anderen Bereichen,
d) die Reaktion auf neue Kriminalitätsformen,
e) die Rationalisierung der Strafen.[2]

2. Reaktion in der Strafrechtswissenschaft

In den letzten Jahren wurde in Russland sehr viel, vielleicht zu viel, über das Strafrecht geschrieben. Es erschienen Dutzende von Kommentaren, Lehrbüchern und Monographien zum Strafgesetzbuch.

In Zusammenhang mit dem fünfjährigen Bestehen des StGB wurde ihm noch mehr Beachtung zuteil. Im Föderationsrat, der höheren gesetzgebenden Kammer, wurde dem StGB eine Sitzung gewidmet. Konferenzen wurden organisiert, z.B. in der Juristischen Fakultät der Staatlichen Moskauer Universität und der Staatlichen Rechtsakademie Saratov. Darüber hinaus fanden in der Hochschule für Wirtschaft und in verschiedenen wissenschaftlichen Forschungszentren spezielle Seminare statt.

Das Strafgesetzbuch in seiner aktuellen Form wird sehr unterschiedlich bewertet. Oftmals werden völlig konträre Meinungen vertreten:

- Das StGB sei zu liberal. – Das StGB sei zu streng.
- Die Annahme solch eines schlechten StGB sei ein Fehler gewesen. – Die Annahme des StGB sei eine große Errungenschaft der Wissenschaft und des ganzen Landes.
- Die Entwicklungen der Strafgesetzgebung seien positiv zu bewerten. – Die Entwicklungen der Strafgesetzgebung seien negativ zu bewerten.
- Die Bedeutung der Gesetzgebungsnovellen sei groß. – Die Gesetzgebungsnovellen hätten lediglich strafrechtstheoretische Bedeutung, da die gerichtliche Praxis den Novellen gleichgültig gegenüberstehe. – Tatsächlich wendeten die Gerichte viele Strafrechtsnormen auch nach deren Änderungen faktisch nicht an. Die Gerichte ließen sich nicht selten weniger vom Text des strafrechtlichen Verbotes als von der eigenen Vorstellung über dessen Inhalt leiten.

---

[2] *Marina Kostorova*, Ugolovnij kodeks RF – 5 let spustia: problemy I perspektivi soverschenstwowania norm ugulovnogo zakonodatelstwa (StGB RF – 5 Jahre später: Probleme und Perspektiven der Modernisierung der Normen der Strafgesetzgebung), Ugolownoje pravo 2002 Nr. 3, 26–32.

Meines Erachtens bringt jede der vorgebrachten Meinungen ein Stück Realität zum Ausdruck. Zusammengenommen wird dabei deutlich, wie schwierig es ist, das Strafgesetzbuch in einer Zeit der sozialen Veränderungen zu beurteilen.[3]

3. Gesellschaftlicher Kontext der Strafrechtsentwicklung

Man kann heute wohl davon ausgehen, dass Russland in eine Phase der wirtschaftlichen und sozialen Stabilisierung getreten ist. Die Eigentumsverhältnisse sind geklärt und die Bedingungen für eine freie Marktwirtschaft wurden geschaffen, so dass die Phase der anfänglichen Kapitalanhäufung in der Wirtschaft voraussichtlich beendet ist. Die russische Gesellschaft scheint sich an die veränderten Bedingungen gewöhnt zu haben. Zugleich herrschen im Land jedoch große Angst vor Verbrechen und ein geringes Maß an Achtung vor dem Gesetz. Es besteht ein hohes Potential an sozialen Konflikten. Bis heute gibt es starke politische und ideologische Widersprüche unter Juristen im Allgemeinen und unter Strafrechtsspezialisten im Besonderen.[4]

Die gesetzeshörige russische Bevölkerung wünscht einerseits, dass die strafrechtliche Verantwortlichkeit erweitert wird und Strafen verschärft werden. Dabei werden das große Ausmaß an Repressionen für Alltagskriminalität, die hohe Kriminalisierungsrate der Bevölkerung und die harten Bedingungen der Strafvollstreckung nicht bedacht. Andererseits behindern persönlichen Interessen die korrekte Anwendung der bestehenden Gesetze.

Freilich verstärken sich in letzter Zeit die Forderungen, die Repressionen zu verringern, zumindest durch eine stärkere Differenzierung der Strafen. In einer Reihe von Fällen fordern Mitarbeiter des Strafvollzugssystems eine Rationalisierung und Verringerung der Strafen, weil der Strafvollzug die Masse von Verurteilten nicht mehr bewältigt.

---

3 *Ninelle Kuynecova/Irina Tjaykova* (Hrsg.), Kurs ugulovnogo prava (Lehrbuch des Strafrechts), Bd. 1, Moskau 1999; *Wladimir. Kudrjavcev/Anatoli.Naumov* (Hrsg.), Kurs rossijskogo ugolovnogo prava (Lehrbuch des russischen Strafrechts), Bd. 1, Moskau 2001; *Valentina Zubkova*, Ugolovnoje Nakasanie I ego soyialnaja rol, teoria I praktika (Strafe und ihre soziale Rolle, Theorie und Praxis), Moskau 2002; *Ninelle Kusnecova*, Ugolownoje prawo w XXI Veke, Glavnyie tendenzii rayvitija ugolovnogo zakonodatelstva (Das Strafrecht im 21. Jahrhundert, Haupttendenzen der Entwicklung der Strafgesetzgebung), Moskau 2002, S. 7/12; *Sergej Milukov*, Rossijskogo ugolovnogo zakonodatelstva: opyt krititscheskogo analisa (Russische Strafgesetzgebung – Erfahrung der kritischen Analyse), Sankt Petersburg 2000; *Wetscheslav Lebedev/Eduard Pobegajlo/Juri Skuratov*, Vstupitelnaja statia, Kommentarij k Ugolownogo Kodeksa RF (Einführung, Kommentar zum StGB der RF), 4. Aufl. Moskau 2002.

4 *Juri Ljapunov*, Rossijskogo ugolovnogo zakonodatelstva – rezervy soverschenstvowania, (Russische Strafgesetzgebung – Reserven der Mordernisierung), Ugolownoje prawo 2002 Nr. 2, 46–50; *Juri Demidov*, Ugolowno-pravavaja ohrana budjetnoj sferi (Strafrechtlicher Schutz der Budgetsphäre), Gosudarstwo I prawo 2001 Nr. 4, 43–51.

Die Strafgesetzgebung hängt also nicht nur von rechtlichen Faktoren ab, wie der Umfang der Rechtsschöpfung und die Stellungnahme von Rechtswissenschaftlern, sondern auch von sozialen Faktoren, wie der Entwicklung der Gesellschaft und der öffentlichen Meinung.

4. Die wichtigsten Änderungen des Allgemeinen Teils des russischen StGB

Bei der Beurteilung der Änderungen des Abschnitts II StGB mit dem Titel „Die Straftat" sind die Besonderheiten des russischen StGB zu beachten. Hier sollen exemplarisch nur einige der wichtigsten Unterschiede zum deutschen Strafrecht genannt werden.

Das russische StGB enthält im Gegensatz zum deutschen StGB mehr Legaldefinitionen. Es herrscht ein normatives Verständnis von der Straftat. Straftaten werden abhängig vom Strafmaß in Unterkategorien eingeteilt. Es gibt den Begriff der subjektiven Tatbestandsmerkmale.

In Abschnitt II wurden folgende Änderungen eingeführt:

a) Bei Art. 14 „Begriff der Straftat" wurde aus Absatz 2 die nähere Beschreibung der Gesellschaftsgefährlichkeit der Straftat (materielles Merkmal der Straftat) entfernt, welche in der Schadenszufügung oder der Drohung mit der Zufügung eines Schadens gegenüber Personen, der Gesellschaft oder dem Staat bestand. Somit können nunmehr Straftaten auch dann als nicht gesellschaftsgefährlich und damit geringfügig bewertet werden, wenn ein Schaden zugefügt wurde. Bekanntermaßen entstand um den Begriff der „Gesellschaftsgefährlichkeit" eine scharfe Polemik. Dabei wurde die Meinung vertreten, der Gesetzgeber mische sich unvernünftigerweise in wissenschaftliche Diskussionen ein.

b) Die verschiedenen Kategorien von Straftaten in Art. 15 wurden im Bereich der Fahrlässigkeitsdelikte verändert. Diese zählen nun zu den Straftaten geringerer Schwere, wenn das maximale Strafmaß zwei Jahre Freiheitsentzug nicht übersteigt, bzw. zur Kategorie mittlerer Schwere, wenn das maximale Strafmaß zwei Jahre übersteigt. Fahrlässigkeitsstraftaten können nicht mehr wie früher den schweren Straftaten zugeordnet werden. Somit werden die Täter solcher Delikte besser gestellt.

c) In Art. 24 „Schuldformen" wurden stilistisch überaus spitzfindige Änderungen eingefügt. Problematisch war, dass dieser Artikel in seinem Absatz 2 regelte, dass ein fahrlässiges Verhalten nur dann als Straftat galt, wenn dies speziell in einem entsprechenden Artikel des Besonderen Teils vorgesehen ist, eine Regelung, die § 15 des deutschen StGB ähnelt.

   Nach der Vorschrift war es nicht möglich, ein Verhalten als Straftat einzuordnen, wenn nach der Meinung des Rechtsanwenders das Verhalten sowohl als vorsätzlich als auch als fahrlässig bewertet werden konnte, obwohl das Gesetz diesen Fall nicht direkt regelte. In der neuen Fassung ist von einem „Verhalten, nur aus Fahrlässigkeit" die Rede.

Diese Gesetzgebungsnovelle hat aus verständlichen Gründen Diskussionen in der strafrechtlichen Literatur hervorgerufen. Auf die Praxis z.B. im Bereich der Umweltstraftaten hat sich die Novelle nicht ausgewirkt. Die neue Fassung wurde durch ein föderales Gesetz vom 25. Juni 1998 eingeführt. Aber die Anzahl der Verfahren nach den eben erwähnten Normen war 1999 die gleiche wie schon 1997. Insbesondere die Zahl von Umweltstraftaten (abgesehen von dem Delikt des rechtswidrigen Fällens von Bäumen und Büschen) blieb unterhalb eines Dutzends.

Es wurde auch die Meinung vertreten, diese Änderung destabilisiere das Strafgesetz.

d) Eine besondere Rolle in diesem Abschnitt spielt die Novelle zur Notwehr (Art. 37 StGB). Sie wurde unter dem Druck der Abgeordneten der Duma-Fraktion „Jabloko" eingebracht, die gegen eine Verschärfung der Strafgesetze war. Die Novelle ist von dem Gedanken getragen, die Möglichkeiten des Schutzes vor gesellschaftsgefährlichen Angriffen zu erweitern. Eine Analyse der neuen Fassung des Art. 37 StGB kann hier aus Zeitgründen nicht geleistet werden.

   In diesem Zusammenhang sei nur erwähnt, dass es zwei Arten von Notwehr gibt: 1) gegen lebensgefährliche Gewalt werden die Abwehrmöglichkeiten nicht beschränkt; 2) gegen andere Angriffe werden weiterhin bestimmte Anforderungen an die Abwehr gestellt.

Die Abschnitte III und IV behandeln die Strafen. Sie erfuhren einige Änderungen bezüglich der Bestimmung der Art der Besserungsanstalt für zu Freiheitsentzug Verurteilte und bezüglich der Befreiung von der Strafe. Fahrlässigkeitstäter verbüßen ihre Strafe jetzt in der Regel in Ansiedlungskolonien, Art. 58 Abs. 1a) StGB (einer eher gemäßigten Einrichtung), obwohl das Gericht auch ein Verbüßen der Strafe in einer Besserungskolonie mit allgemeinem Regime anordnen kann, Art. 58 Abs. 1b) StGB. Die bedingte vorfristige Entlassung aus dem Strafvollzug ist nun schon nach einer kürzeren Mindestfrist möglich, Art. 79. Grundsätzlich wurde die Situation weiblicher Straftäter verbessert.

5. Perspektiven der weiteren Entwicklung

Im Zentrum der aktuellen strafrechtswissenschaftlichen Diskussion stehen die Problematik der Todesstrafe sowie die Frage des örtlichen Geltungsbereichs des

Strafgesetzes.[5] Außerdem wird das Verhältnis zwischen Mehrmaligkeit und Mehrheit von Straftaten diskutiert, welche im russischen Strafrecht als Arten von Straftaten eingeordnet werden (§§ 16 und 17 StGB). Das Verständnis und die Konzeption von Schuld und ihrer Formen Vorsatz und Fahrlässigkeit sind Gegenstand der aktuellen rechtstheoretischen Auseinandersetzung. Ebenso wird die Bestimmung der Beteiligungsformen in Art. 35 StGB, insbesondere einer organisierten Gruppe und einer kriminellen Vereinigung bzw. Organisation, diskutiert.

Im Moment wird an einem großen Gesetzesänderungsprojekt zum StGB gearbeitet. Ziel der Änderungen ist die Verringerung der Repression sowie die Liberalisierung der strafrechtlichen Gesetzgebung.

Diskutiert werden unter anderem folgende Vorschläge:

a) Streichung des Art. 16 (Mehrmaligkeit von Straftaten);
b) Verringerung des Strafmaßes bei Rückfall;
c) mildere Sanktionen bei bestimmten Verbrechensarten.

Zum jetzigen Zeitpunkt ist allerdings noch nicht absehbar, inwiefern diese Vorschläge tatsächlich umgesetzt werden.

6. Änderungen des Besonderen Teils des russischen StGB

Hier sollen nur knapp die Grundzüge der zahlreichen Änderungen auf dem Gebiet des BT erläutert werden:

a) Änderungen redaktioneller Art:

   So wurde z.B. aus Art. 111 „Vorsätzliches Zufügen eines schweren Gesundheitsschadens“ die Wiederholung des Merkmals „Lebensgefahr“ entfernt.

b) Mit der Gesetzgebungsentwicklung verbundene Änderungen:

   Z.B. wurde in den Art. 198, 199 StGB, in denen die Strafbarkeit der Steuerhinterziehung geregelt ist, zusätzlich die strafrechtliche Verantwortlichkeit für die Hinterziehung von Beiträgen zu staatlichen außeretatmäßigen Versicherungen eingeführt.

   Vgl. auch Art. 169 (Behinderung einer gesetzmäßigen unternehmerischen Betätigung) und Art. 171 (Ungesetzliches Unternehmertum).

c) Einführung neuer Straftatbestände: Meistens haben die neuen strafrechtlichen Verbote einen populistischen Charakter und keine praktische Relevanz, so z.B.

---

[5] *Alexander Nikiforov*, O smertnoj kasni (Über die Todesstrafe), Gosudarstwo I prawo 2001 Nr. 4, 64-65; *Stanislaw Borodin*, Estscho ras o smertnoi kasni za ubizstvo (Noch einmal über die Todesstrafe für Tötung), Gosudarstwo I prawo 2001 Nr. 4; *Alexander Michlin/Ludmila Jakovleva*, O nekotorich itogach spezialnoj perepisi osujdennich 1999 (Anmerkungen zur speziellen Erfassung der Verurteilten von 1999), Gosudarstwo I prawo 2002 Nr. 3.

die Strafbarkeit der Hinterziehung von Arbeitsentgelt, Renten, Stipendien, Sozialhilfen und Zahlungen anderer Art gemäß Art. 145[1] oder die Strafbarkeit der Einstellung oder Einschränkung der Energieversorgung oder der Abschaltung anderer lebenswichtiger Versorgungssysteme gemäß Art. 215[1].

d) Änderungen infolge internationaler Verpflichtungen oder Bedingungen der Wirtschaftsentwicklung: Z.B. Art. 174, die Vorschrift in Bezug auf Geldwäsche, wurde auf die neuen Art. 174 und 174[1] aufgeteilt, in Verbindung mit der Einführung von Spezialdelikten und der Einschränkung des strafbaren Verhaltens. Bei der Ausgabe von Wertpapieren (Emission) wurden in Art. 185[1] zusätzliche Tatbestandsmodalitäten eingeführt.

e) Eine sehr wichtige Änderung erfuhr der in Art. 158 geregelte Diebstahl am 31.10.2002: Die Strafandrohung wurde für den Grundtatbestand auf bis zu zwei Jahre reduziert, d.h. Diebstahl ohne erschwerende Umstände. Das hat ernst zu nehmende Folgen hinsichtlich der Verurteilung und der Vollstreckung der Strafe, da innerhalb der „Kategorien von Straftaten" gemäß Art. 15 der Diebstahl zu einer Straftat von geringer Schwere wird.

7. Perspektiven des Strafrechts

Die Entwicklung der russischen Strafrechtswissenschaft ist durch folgende Besonderheiten gekennzeichnet:

- Politisierung von Stellungnahmen, bestimmt von der Einstellung zu den gegenwärtigen Reformen, welche oft von persönlichen Erfahrungen und Chancen – und manchmal auch von der eigenen Anpassungsfähigkeit an Neues geprägt ist. Diese Politisierung wirkt sich nicht immer eindeutig auf dogmatische Standpunkte aus, dennoch wird mit der Reformkritik üblicherweise gefordert, den Kampf gegen die Kriminalität zu intensivieren, die Strafen zu verschärfen, und es werden alarmierende Einschätzungen zum organisierten Verbrechen und zur Korruption abgegeben. Bei Letzteren kommen vorwiegend populistische Tendenzen von Politikern zum Ausdruck.
- Verlust von Interesse an der Strafrechtstheorie bei jüngeren Wissenschaftlern. Zumindest beschäftigen sich die talentierteren jungen Juristen eher mit dem Zivilrecht und nicht mit dem öffentlichen Recht. Dies kann durchaus damit zusammenhängen, dass das Land von nicht effektivem öffentlichem Recht, insbesondere Strafrecht, übersättigt ist.
- Herrschender wissenschaftlicher Konservatismus. Die strafrechtlichen Werke stützen sich immer noch auf die überholten Paradigmen vergangener Zeiten. Genau genommen entwickelt sich das Grundverständnis des Strafrechts nicht weiter, was möglicherweise nicht nur der russischen Wissenschaft eigen ist. Insbesondere die Effektivität der strafrechtlichen Regulierung und vor allem ihre Verträglichkeit bleiben ungeklärt.

Auch wenn es sich dabei nicht um einen neuen Gedanken handelt, halte ich es für wichtig, abschließend anzumerken, dass meiner Meinung nach die strafrechtliche Repression die russische Gesellschaft zerstört. Dabei tragen der politische Druck und die Appelle, den Kampf gegen die organisierte Kriminalität, gegen Korruption, Geldwäsche und andere schwer fassbare Erscheinungsformen zu verstärken, zu diesem Prozess bei.

Die Reform des materiellen Strafrechts in Polen

Andrzej Zoll, Krakau

Will man über die Reform des polnischen Strafrechts nach der politischen Wende 1989 sprechen, so darf man drei wichtige Aspekte nicht aus den Augen verlieren, die auf den Ablauf der Reform selbst, ihre Inhalte, aber auch auf die heutige Bewertung der vollzogenen Änderungen von grundsätzlichem Einfluss waren. Zu berücksichtigen sind

1. das früher geltende Recht und seine wesentlichen Nachteile, sowohl in struktureller Hinsicht als auch bezüglich der Werte;
2. die Härte der Strafpolitik und die daraus resultierende Gefangenenquote;
3. das Kriminalitätsbild in Polen zur Zeit der Reform.

Das Strafgesetzbuch der Volksrepublik Polen von 1969 war ein typisches Strafgesetz eines kommunistischen Staates, unverkennbar durch totalitäre Elemente geprägt.[1] Dies äußerte sich vor allem darin, dass das StGB in erster Linie auf den Schutz des geltenden politischen Systems und dessen Grundlage in Form der sozialistischen, sich auf die Planwirtschaft und das gesellschaftliche Eigentum gründenden Wirtschaft sowie auf den Schutz des durch die damalige Verfassung gewährleisteten Bündnisses mit der Sowjetunion ausgerichtet war. In diesem Sinne waren das StGB und die Nebengesetze ein geeignetes Instrument für die Bekämpfung einer jeden Form von gesellschaftlicher Aktivität, die sich die Beseitigung oder zumindest die Abschwächung des Einparteiensystems zum Ziel gesetzt hatte, und von der Kritik an der Außenpolitik bis hin zu Protesten reichte, die die Gesellschaft erschütterten, indem sie den Sinn der zur Auszehrung der Gesellschaft und des Staates führenden sozialistischen Wirtschaft in Frage stellten.

In dem Teil, der sich auf die Grundsätze der Strafverantwortlichkeit, die Formen der Straftatbegehung und die Rechtfertigungsgründe bezog, folgte das StGB 1969 dem Vorbild des polnischen StGB von 1932, das den damaligen Kriterien einer guten Legislativarbeit voll Rechnung trug. Dies hat freilich nicht zu bedeuten, dass man sich in der Lehre und in der Rechtsprechung nicht etwa seiner Mängel oder gar Fehler bewusst war. Das Prinzip *nullum crimen sine culpa* war nicht ausdrücklich formuliert. Es fehlte auch die eindeutige Grundlage für die Strafverantwortlichkeit im Fall eines materiellen, durch Unterlassung begangenen Erfolgsdelikts. Die Bestimmung des Fahrlässigkeitsdelikts wies Mängel auf. In der Definition die-

[1] Gesetz vom 19.4.1969, Dziennik Ustaw (Gesetzblatt) Nr. 13, 94.

ser Straftat wurden Elemente zur Bestimmung des Täterbewusstseins (ontologisches Element) mit der Vorwerfbarkeit eines solchen Zustands selbst (normatives Element) verbunden.[2] Mangelhaft und inkohärent waren auch die Bestimmungen zur richterlichen Strafzumessung.

Der grundsätzliche Nachteil des StGB von 1969 lag aber darin, dass es eine äußerst restriktive Strafpolitik ermöglichte.

In den polnischen Strafanstalten saßen damals etwa 300 Personen pro 100.000 Einwohner ein, was Polen einen der ersten Plätze in der Welt sicherte.[3] Die Dichte der Gefängnispopulation lag wesentlich über dem internationalen Durchschnitt. Dies schloss eine sinnvolle Erziehungsarbeit mit den Gefängnisinsassen, ebenso wie die Resozialisierung der Sträflinge selbst vollkommen aus.

Es sei hier hervorgehoben, dass für die Strenge der Strafpolitik in den Jahren vor der Wende 1989 nicht die Strafgesetzgebung allein verantwortlich war, sondern vielmehr auch die durch die Politik festgelegten Richtlinien der Strafpolitik, die vor allem in der Rechtsprechung des Obersten Gerichts ihren Ausdruck fanden.[4]

Nach der politischen Wende im Jahr 1989 setzten intensive Arbeiten an den Entwürfen des Strafgesetzbuchs, der Strafprozessordnung und des Strafvollzugsgesetzbuchs ein, die mit der Verabschiedung der neuen Gesetzbücher im Jahr 1997 abgeschlossen wurden.[5] Sie sind am 1.9.1998 in Kraft getreten. Das neue StGB kennzeichnet im Bereich des Verbrechensaufbaus eine strenge Trennung der subjektiven Seite der Straftat von der Schuld, die im Sinne der strengen normativen Schuldlehre verstanden wird. Eine tatbestandsmäßige Handlung, die nur in geringem Maße gesellschaftsschädlich ist, stellt keine Straftat dar.[6] Eine der Grundvoraussetzungen des neuen StGB im Bereich der Gestaltung der Strafpolitik bestand darin, dass der Individualisierung der Strafzumessung mehr Gewicht zukommen sollte, dass also das in einer konkreten Sache erkennende Gericht die Tatumstände, die Eigenschaften und die persönliche Lage des Täters berücksichtigen muss. Dies muss eine Erweiterung des Rahmens des richterlichen Ermessens bei der Bemessung und bei der Wahl der Art der Strafe bedeuten.

---

2 *Andrzej Zoll*, Der Verbrechensbegriff im Lichte des Entwurfs des polnischen Strafgesetzbuchs, ZStW 107 (1995), 417–428.

3 Vgl. *Jerzy Jasiński*, Punitywność systemów karnych (Die Strafstrenge der Strafrechtssysteme), Studia Prawnicze 35/1973, 21–61; *Jerzy Jasiński*, Punitywnośc systemów karnych. Kontynuacja (Die Strafstrenge der Strafrechtssysteme. Fortsetzung), Państwo i Prawo 6/1984, 52–56.

4 *Jerzy Jasiński,* Przemiany polityki karnej sądów powszechnych (Die Veränderungen der Kriminalpolitik der ordentlichen Gerichte), Archiwum Kryminologii, VIII–IX/1982, 25–150.

5 Gesetz vom 6.6.1997, Dziennik Ustaw Nr. 88, 553. Vgl. die deutsche Übersetzung des polnischen Strafgesetzbuchs mit einer Einführung von *Ewa Weigend*, Freiburg 1998.

6 *Zoll* (Anm. 2), 422 f.

Das Strafgesetzbuch sieht folgende Strafen vor:

- die Geldstrafe wird in Tagessätzen verhängt, wobei deren Mindestzahl 10 und die Höchstzahl 360 beträgt und ein Tagessatz nicht niedriger als 10 Złoty und nicht höher als 2.000 Złoty sein darf;
- die Freiheitsbeschränkungsstrafe, die in der Leistung der vom Gericht zugewiesenen unentgeltlichen überwachten Arbeit für gemeinnützige Zwecke im Umfang von einem Monat bis zu einem Jahr besteht, wobei das Gericht zusätzlich entsprechende Bewährungsmaßnahmen anordnen oder den Verurteilten unter die Aufsicht eines Kurators[7] stellen kann;
- die Freiheitsstrafe von einem Monat bis zu 15 Jahren;
- die Freiheitsstrafe von 25 Jahren;
- die lebenslange Freiheitsstrafe.

Diesen Katalog von Strafen ergänzt der Katalog von Strafmaßnahmen, die neben den Strafen oder bei Erfüllung von bestimmten Bedingungen anstelle der Strafe verhängt werden können oder müssen.

Die mildeste Reaktion auf eine begangene Straftat ist die bedingte Einstellung des Verfahrens. Das Gericht kann dieses Institut bei Straftaten zur Anwendung bringen, die mit Freiheitsentzug bis zu drei Jahren, und in gesetzlich bestimmten Ausnahmefällen bis zu fünf Jahren bedroht sind, wenn der Grad der Sozialschädlichkeit und der Schuld unbedeutend ist, der Täter nicht wegen einer vorsätzlichen Straftat vorbestraft war und eine positive Sozialprognose vorliegt. Die bedingte Verfahrenseinstellung erfolgt für eine Probezeit und ist mit bestimmten Bewährungsmaßnahmen und der möglichen Aufsicht durch einen Kurator verbunden.

Sind für eine Straftat alternative Strafen (Geldstrafe, Freiheitsbeschränkungsstrafe oder Freiheitsstrafe) angedroht, so kann die Freiheitsstrafe ohne Bewährung nur dann verhängt werden, wenn Strafen ohne Freiheitsentzug die Strafzwecke nicht erfüllen können (Art. 58 § 1). In diesen, aber auch nur in diesen Fällen, gibt das Gesetz den Strafen ohne Freiheitsentzug den Vorrang. Es kommen hierbei die Straftaten von einem relativ geringen Grad der Sozialschädlichkeit in Betracht. Bei angedrohter Freiheitsstrafe bis zu fünf Jahren kann das Gericht anstelle von Freiheitsstrafe Geldstrafe oder Freiheitsbeschränkungsstrafe verhängen, insbesondere dann, wenn es gleichzeitig eine Strafmaßnahme anordnet (Art. 58 § 3). In solchen Fällen kann nicht mehr festgestellt werden, dass die Strafe ohne Freiheitsentzug vorrangig sei. Die Verhängung einer solchen Strafe erfolgt nach allgemeinen, aus Art. 53 hervorgehenden gesetzlichen Richtlinien der Strafzumessung. Ist die Straftat mit einer Freiheitsstrafe bedroht, deren Höchstmaß fünf Jahre überschreitet, so ist es dem Gericht im Rahmen der gewöhnlichen Strafzumessung nicht möglich, eine Geldstrafe oder eine Freiheitsbeschränkungsstrafe zu verhängen. Wenn das

---

[7] Der Kurator im polnischen Recht ist vergleichbar mit dem deutschen Bewährungshelfer.

konkrete Strafmaß zwei Jahre Freiheitsentzug nicht überschreitet, kann das Gericht die Vollstreckung der Strafe zur Bewährung aussetzen (Art. 69).

Wie bereits oben erwähnt, wurde im StGB für die Fälle der Verurteilung zu einer Strafe ohne Freiheitsentzug das System anzuwendender Bewährungsmaßnahmen sowie in einem großen Umfang die Möglichkeit (und in bestimmten Fällen sogar die Notwendigkeit) der Aufsicht durch den Kurator eingeführt. Durch das In-Kraft-Treten des neuen StGB wird also der erhebliche Ausbau der Kuratordienste nötig, was allerdings bis heute noch nicht geschehen ist.

Für die Bewertung des StGB vom Standpunkt der Strafpolitik aus ist die Frage relevant, ob es in richtiger Weise auf die aktuelle Gesellschaft reagiert, insbesondere hinsichtlich solcher Verhaltensweisen, die eine harmonische gesellschaftliche Entwicklung und die Sicherheit der Bürger gefährden können. Um diese Frage beantworten zu können, müssen zuerst diese Erscheinungen genau untersucht werden, ebenso wie die Frage, ob das Strafrecht zu deren Bekämpfung das geeignetste Mittel ist. Bejaht man dies, so muss man sich weiter die Frage stellen, ob diese Erscheinungen im Katalog der unter Strafandrohung verbotenen Taten berücksichtigt sind, sowie überprüfen, ob die im StGB vorgesehenen Strafen und Strafmaßnahmen für die Bekämpfung der sozial gefährlichen Erscheinungen ausreichend sind.[8]

Unumstritten ist, dass sich das Bild der Kriminalität nach 1989 grundsätzlich, und zwar eindeutig nachteilig, geändert hat. Wurden im Jahr 1989 547.589 begangene Straftaten verzeichnet, d.h. 1.442 pro 100.000 Einwohner, so waren es 1990 bereits 883.346, d.h. 2.317 pro 100.000 Einwohner.[9] Das bedeutet einen Zuwachs von mehr als 61 %. Charakteristisch war dabei jedoch die Tatsache, dass dieser sprunghafte Anstieg der registrierten Kriminalität eine einmalige Erscheinung blieb. Seit 1990 wächst die Kriminalität nicht mehr so dynamisch an. Im Jahr 2001 allerdings überschritt der Kriminalitätsanstieg im Vergleich zu 1989 100 %.[10] Die Feststellung eines Kriminalitätsanstiegs aber gibt noch lange keine Antwort auf die Frage, ob Polen ein sicheres Land ist, oder auch darauf, ob die Kriminalität außer Kontrolle geraten ist und für die Bevölkerung eine ernst zu nehmende Gefahr darstellt. Im Vergleich zu anderen Ländern unseres Kulturkreises erscheint Polen nicht unbedingt als ein von unkontrollierter Kriminalität bedrohtes Land.

---

8 Vgl. *Krzysztof Krajewski*, Przestępczość i polityka karna w Polsce w latach dziewięćdziesiatych (Die Kriminalität und die Kriminalpolitik in Polen in den neunziger Jahren), Czasopismo Prawa Karnego i Nauk Penalnych, 2/2002.

9 Diese Angaben wurden der Veröffentlichung des Instituts für Rechtspflege (Instytut Wymiaru Sprawiedliwośći) entnommen: Przestępczość i polityka karna w Polsce w latach 1989–1996 (Die Kriminalität und die Strafpolitik in Polen in den Jahren 1989–1996), Warszawa 1997, S. 3.

10 Komenda Główna Policji (Hauptkommandatur der Polizei), Przestępczość w Polsce (Die Kriminalität in Polen), Warszawa 2001.

Der Kriminalitätsanstieg seit 1989 ist unschwer zu verstehen und zu erklären. In dem vorherigen totalitären System musste die Kontrolle des Polizeistaates über die Gesellschaft auch die Möglichkeiten krimineller Tätigkeiten einschränken. Die Demokratisierung des Lebens, der Schutz von Bürgerfreiheiten, eine Einschränkung der Zuständigkeiten der Verfolgungsorgane insbesondere bei Eingriffen in den Bereich der Bürgerfreiheiten und -rechte sowie grundsätzliche strukturelle Veränderungen dieser Organe, die Öffnung der Grenzen sowie der bessere Zugang zu Konsumgütern sind eine ausreichende Erklärung für den Anstieg der Kriminalität. Charakteristisch ist dabei, dass sich nach 1989, trotz Geltung der Strafgesetzgebung in ihrer grundsätzlich nicht veränderten Form, die Strafpolitik, wie sie in der Rechtsprechung zum Ausdruck kam, radikal geändert hat. In einer relativ kurzen Zeitspanne hat sich die Zahl der zu Freiheitsstrafen verurteilten Personen um mehr als die Hälfte verringert.[11] Es trafen also zwei Erscheinungen zusammen: ein Anstieg der Kriminalität einerseits und die Liberalisierung der Strafpolitik andererseits. Dieses zeitliche Zusammenfallen wurde von vielen als ein Kausalzusammenhang angesehen. Die wichtigste, wenn nicht gar die einzige Ursache des Kriminalitätsanstiegs sah man in der angeblich liberalen Strafpolitik der Gerichte, was durch das spätere In-Kraft-Treten des ebenfalls als liberal geltenden StGB bestätigt wurde.[12]

Zur Jahreswende 1999/2000 begann in einigen Tageszeitungen eine Kampagne gegen die Strafrechtskodifizierung, die diese für den Anstieg der Kriminalität verantwortlich machte. Es wurden Vorwürfe erhoben, das StGB diene vor allem dem Schutz des Täters und setze sich über die Belange der Opfer hinweg. Angegriffen wurde die auf dem StGB beruhende Strafpolitik mit ihrer angeblich übermäßigen Anwendung der Strafaussetzung zur Bewährung. Dem StGB wurde vorgeworfen, es würde angeblich der Resozialisierungsfunktion der Strafe vor der Gerechtigkeit den Vorrang geben. Dies waren absolut leere, unbegründete Behauptungen. Gleichzeitig berichteten die Medien, allen voran das Fernsehen, über drastische Fälle, was die Bevölkerung in ihrem Gefühl der Bedrohung bestärkte. Solche Informationen gingen meist mit Berichten über (oft nicht rechtskräftige) Gerichtsurteile einher, durch die die Straftäter zu angeblich eklatant niedrigen Strafen verurteilt worden sein sollten. Verschwiegen wurden dabei nähere Umstände der Straftatbegehung, wie etwa die verminderte Zurechnungsfähigkeit des Verurteilten, die eine außerordentliche Strafmilderung begründet. Die öffentliche Meinung sah also auch in den neuen Strafgesetzbüchern die Ursachen für die gestiegene Kriminalität und die Schwäche des Staatsapparats bei deren Bekämpfung.

Im Juni 2000 kam es infolge der Koalitionskrise zum Wechsel auf dem Posten des Justizministers. *Hanna Suchocka* wurde von *Lech Kaczyński* abgelöst, der in

---

[11] Im Jahr 1980 befanden sich 297 Personen pro 100.000 Einwohner in den Strafanstalten, 1990 dagegen nur 120 Personen pro 100.000 Einwohner.

[12] Insbesondere *Janusz Kochanowski*, Redukcja odpowiedzialnosci karnej (Die Einschränkung der strafrechtlichen Verantwortung), Warszawa 2000, S. 18 ff.

Sachen Strafpolitik eine radikale Meinung vertrat. Minister *Kaczyński* hat sich vielfach als Befürworter der Wiedereinführung der Todesstrafe in Polen zu erkennen gegeben. Er kam zu der Einsicht, dass der Stand der Kriminalität eine radikale Verschärfung des StGB und der Strafpolitik erforderlich macht, und dies nicht nur durch die Anhebung des Mindest- und des Höchstmaßes der gesetzlichen Strafandrohung, sondern vor allem durch die Änderung der Vorschriften über die gesetzlichen Grundsätze der Strafzumessung. Die von ihm einberufene Arbeitsgruppe stellte im Dezember 2000 einen neuen Entwurf der Novellierung aller drei Strafgesetze vor. Ich beschränke mich im Folgenden auf die Darstellung der grundsätzlichen Änderungen im Bereich des materiellen Strafrechts hinsichtlich der Gestaltung der Strafpolitik.[13]

Der Entwurf schlug radikale Veränderungen der Strafpolitik gegenüber Jugendlichen und Heranwachsenden vor. Er führte die obligatorische Strafbarkeit für gesetzlich bestimmte Taten gegenüber Jugendlichen ein, die bereits früher in einer Besserungsanstalt untergebracht wurden. Erweitert wurde auch der Katalog von Taten, für deren Begehung sich ein Jugendlicher nach Vollendung des 15. Lebensjahres verantworten muss oder kann.

Weiterhin sah der Entwurf die Aufhebung von Art. 58 § 1 vor, der im Falle einer alternativen Strafandrohung den Strafen ohne Freiheitsentzug den Vorrang gibt. Mit solchen Strafen sind Täter von Bagatelldelikten bedroht, deren Grad der Sozialschädlichkeit – generell genommen – unbedeutend ist. Die Autoren des Entwurfs haben also eine drastische Verschärfung der Strafverantwortlichkeit gegenüber Bagatelltätern vorgesehen. Solche Täter sollten nun wesentlich häufiger zu Freiheitsstrafen ohne Bewährung verurteilt werden, als dies bislang der Fall war.

Im Entwurf waren auch grundlegende Änderungen der Grundsätze der Strafzumessung bei Rückfalltätern vorgesehen.

Mit diesen Verschärfungen im Allgemeinen Teil ging der Vorschlag einer Verschärfung der gesetzlichen Strafandrohung in Bezug auf etwa 80 Straftatbestände einher.

Infolge der neuen Strafpolitik, deren Verfechter der Justizminister war, der in Polen auch die Funktion des Generalstaatsanwalts wahrnimmt, stieg die Zahl derer, die der Freiheit beraubt wurden, insbesondere die Zahl der vorläufig verhafteten Personen im Jahr 2000 erheblich an. Allein in diesem Jahr nahm die Zahl der Verurteilten und der vorläufig Festgenommenen von 56.765 (Ende 1999) auf 70.574 (30.11.2000) zu. Heute hat diese Zahl schon 81.000 überschritten.[14] Ohne neue

---

13 Vgl. *Andrzej Zoll*, Zasady wymiaru kary i środków karnych w projekcie nowelizacji kodeksu karnego (Die Prinzipien der Strafzumessung und der Anwendung strafrechtlicher Maßnahmen im Entwurf der Novellierung des Strafgesetzbuchs), Państwo i Prawo 1/2001, 3 ff.

14 Diese Zahlen habe ich vom Justizministerium bekommen.

Investitionen können minimale Standards hinsichtlich der Fläche pro Verurteiltem nicht gewährleistet werden. Gefängnisbibliotheken, Gemeinschafts- und Resozialisierungsräume werden geschlossen und zu Gefängniszellen umfunktioniert.

Ein Grund zur Beunruhigung ist auch die Vernachlässigung des Aufbaus der Kuratorendienste (Bewährungsdienste). Wie bereits gesagt, sah das StGB von 1997 eine Einschränkung der Freiheitsstrafe durch die Anwendung von Bewährungsmaßnahmen vor. Schätzungsweise müssten daher in Polen etwa 30.000 Kuratoren tätig sein, die mit den zu Strafen ohne Freiheitsentzug Verurteilten und den bedingt von der Verbüßung des Strafrests befreiten Personen arbeiten sollen. Notwendig ist auch eine besondere Betreuung nach Beendigung des Strafvollzugs. Zur Zeit sind aber nur etwa 3.000 Berufskuratoren tätig, und für einen eventuellen Ausbau dieser Dienste wird nichts getan.

Die Strafrechtswissenschaft wies darauf hin, dass eine erhebliche Erhöhung der Zahl der der Freiheit beraubten Personen, insbesondere von Tätern von Bagatelldelikten und mittelschweren Straftaten, zu einem erheblichen Anstieg der Rückfallquote und folglich zur Entstehung einer großen Gruppe von Personen führen muss, die nach der Entlassung aus dem Gefängnis auf Sozialhilfe angewiesen sein werden. Es wurde ebenfalls darauf hingewiesen, dass eine effizientere Aufdeckung und Verfolgung von Straftaten entscheidend ist für eine Beschränkung der Kriminalität. Und die Aufklärungsquote ist in Polen entschieden zu niedrig. Notwendig erschien daher eine qualitative und quantitative Verstärkung der Polizei sowie eine effizientere Arbeit der Strafverfolgungsorgane. Ohne Zweifel waren auch bestimmte Änderungen der Strafprozessordnung notwendig.

Im August 2001 hat der Sejm die ihm vorgelegte Novellierung des geltenden StGB verabschiedet. Es trat allerdings nicht in Kraft, weil der Staatspräsident sein Vetorecht ausübte und das Gesetz nicht unterzeichnet hat. Der Präsident hat eine Arbeitsgruppe zur Vorbereitung von Änderungen der Strafgesetze einberufen.[15] Im Januar 2002 wurde der fertige Novellierungsentwurf dem Sejm vorgelegt. Die vorgeschlagenen Änderungen im Rahmen des StGB greifen tiefer. Man will die offensichtlichen Mängel der geltenden Kodifizierung beseitigen, was insbesondere für die Bestimmung mancher Straftatbestände sowie z.B. auch die mangelhafte Bestimmung von Voraussetzungen und Folgen der außerordentlichen Strafmilderung im Falle des so genannten „kleinen Kronzeugen" gilt. Im Bereich der Grundsätze der Strafverantwortlichkeit ging man meines Erachtens einen Schritt zurück, indem man die Wiederherstellung des Fahrlässigkeitsdelikts im Wortlaut des StGB 1969 sowie die Rückkehr zur früheren Regelung des so genannten „fortgesetzten Delikts" vorgesehen hat. Bei mehreren Tatbeständen sollen die strafrechtlichen Sanktionen verschärft werden. Das vom Staatspräsidenten nicht unterzeichnete Gesetz sah Änderungen vor, die – offen gesagt – den rechtsstaatlichen Standards kaum

[15] Diese Gruppe arbeitete unter der Führung von Professor *Andrzej Wąsek.*

entsprachen. Der Präsidentenentwurf überschreitet diese Grenzen nicht. Allerdings schlägt er – meiner Meinung nach – unnötigerweise eine Verschärfung von ohnehin schon nicht allzu liberalen Lösungen vor, nur um die Befürworter von noch radikaleren Änderungen politisch zu neutralisieren. Eine solche politische Neutralisierung scheint aber kaum möglich. Die Anhänger des ehemaligen Justizministers *Lech Kaczyński* haben im Sejm bereits ihren Entwurf eines neuen StGB vorgelegt, den man als eine verschärfte Version des StGB von 1969 bezeichnen kann. Angekündigt wurde auch eine Unterschriftenaktion für die radikale Reform des Strafrechts, um die gesellschaftliche Unterstützung für die Reform zum Ausdruck zu bringen. Die Aktivitäten von Anhängern radikaler Lösungen haben jetzt schon dazu geführt, dass die Voraussetzungen für eine rationale Strafpolitik nicht gegeben sind, und dass für den Ausbau der Bewährungsdienste im Haushalt keine Mittel vorgesehen sind. Die unzweifelhaft notwendigen Änderungen, in erster Linie im Bereich des Strafverfahrensrechts und des Strafvollzugsrechts, können angesichts der gegenseitigen Blockade politischer Kräfte im Parlament weder beschlossen werden noch in Kraft treten. Welche Richtung die Änderungen des Strafrechts letztendlich einschlagen werden, ist heute schwer vorauszusehen.

Die Reform des materiellen Strafrechts in Slowenien

Alenka Šelih, Ljubljana

I. Die Struktur des slowenischen Strafgesetzbuchs von 1995 im Überblick

1. Einführung

Im Jahr 1990 begannen die Arbeiten zu einem neuen slowenischen Strafgesetzbuch (nachfolgend zitiert als StGB95). Der Arbeitstext wurde von einer Expertengruppe Ende 1992 fertig gestellt. Das Gesetzbuch wurde Ende 1994 verabschiedet und trat (zusammen mit der Strafprozessordnung) am 1.1.1995 in Kraft. Deshalb sind einige der Fragen, die heute zur Diskussion stehen, schon bei der ersten Tagung, die das Max-Planck-Institut im Jahr 1992 über die Strafrechtsentwicklung in Osteuropa organisierte und deren Nachfolge die heutige Tagung ist, erörtert worden.[1]

Bereits im Jahr 1996 startete eine Initiative zur Änderung und Ergänzung des StGB95. Diese Novelle trat dann am 23.4.1999 in Kraft. Momentan gibt es wieder Pläne zur Änderung des StGB.

2. Grundlagen und Ziele des slowenischen Strafgesetzbuchs von 1995

Das StGB95 basiert auf folgenden Grundsätze: Grundsatz der Legitimität und Subsidiarität des Strafrechts *(ultima ratio)*, Grundsatz der Gesetzlichkeit *(nullum crimen nulla poena sine lege certa)*, Schuldgrundsatz *(nulla poena sine culpa)*, Grundsatz der Verhältnismäßigkeit zwischen Straftat und Sanktion und der Humanitätsgrundsatz.[2] Einige dieser Grundsätze sind ausdrücklich im Gesetz formuliert, andere kann man aus den gesetzlichen Bestimmungen ableiten. Sowohl der Allgemeine Teil (AT) als auch die einzelnen Straftaten im Besonderen Teil (BT) sind von diesen grundlegenden Prinzipien geprägt. Darin kommt das Bestreben zum Ausdruck, dem gesellschaftlichen Problem der Kriminalität mit einer rationellen, adäquaten und humanen staatlichen Reaktion zu begegnen.

---

[1] *Ljubo Bavcon*, Stand und Tendenzen der Strafrechtsreform in Slowenien, in: Albin Eser/Günther Kaiser/Ewa Weigend (Hrsg.), Von totalitärem zu rechtsstaatlichem Strafrecht. Kriminalpolitische Reformtendenzen im Strafrecht osteuropäischer Länder. Internationales Symposium, Freiburg 1992, S. 27–42.

[2] *Bavcon* (Anm. 1), S. 32.

Die Ziele des StGB ergeben sich im Wesentlichen schon aus den genannten Grundsätzen: Das Strafrecht soll adäquat, rationell und human sein. Der Gesetzestext betont – bei den Strafzumessungsbestimmungen – die Bedeutung der Gerechtigkeit als wichtiges Ziel, das jedoch nur den Einsatz von repressiven Maßnahmen nach oben eingrenzen soll: Die Prämisse der Verhältnismäßigkeit zwischen Tat und Sanktion bildet die oberste Grenze für repressive Maßnahmen. Innerhalb dieses Rahmens spielen auch andere Strafzwecke eine Rolle, wie die Resozialisierung und die Spezialprävention, die im konkreten Fall als Korrektiv des Verhältnismäßigkeitsgrundsatzes wirken können. *Korošec* bezeichnet die Ausgangspunkte des materiellen Strafrechts in Slowenien als „klassisch" und auf die deutsche Strafrechtslehre gestützt.[3]

Das 1995 in Kraft getretene StGB ist in einigen Punkten von den früheren Lösungen abgewichen, vor allem von denen, die eine Folge der „Ideologisierung" des Strafrechts waren. Dennoch hat sie – zumindest was das Grundkonzept der Straftat, die strafrechtliche Verantwortlichkeit und die Sanktionen anbetrifft – keine „revolutionären" Änderungen gebracht.

3. Änderungen im Allgemeinen Teil

Die Grundbestimmungen (Kapitel I) umfassen vor allem die oben erwähnten allgemeinen Grundsätze und stellen somit die Grundlagen dar, auf denen das Gesetzbuch aufgebaut ist. Die Straftat und die strafrechtliche Verantwortlichkeit sind zusammen in einem Kapitel geregelt (Kapitel II), woraus sich ergibt, dass das Gesetzbuch von einem subjektiv-objektiven sowie einem materiell-formellen Verständnis der Straftat ausgeht. Der Straftat liegt der dreistufige allgemeine Verbrechensbegriff zugrunde (Tatbestandsmäßigkeit, Rechtswidrigkeit, Schuld). Das Gesetzbuch behandelt die Strafsanktion nicht unter einem gemeinsamen Oberbegriff, sondern differenziert in Strafen, Warnsanktionen, Sicherheitsmaßnahmen, Erziehungsmaßnahmen und Jugendstrafen (Kapitel III–IV).

Unter den Regelungen, die mit der Straftat in Zusammenhang stehen, verdient insbesondere die Straftat minderer Bedeutung (Art. 14) Beachtung, die aus dem früher geltenden Strafrecht mit geringen Änderungen übernommen wurde. Diese Regelung – teilweise § 42 des österreichischen StGB ähnlich – erfuhr in den vergangenen Jahren viel Kritik. Vor allem deshalb, weil sie in ihrer jetzigen Form rechtsdogmatisch fraglich und in der Rechtspraxis schwer umzusetzen sei, und es angemessener sei, eine entsprechende Lösung auf prozessualer Ebene zu finden.[4]

---

3 *Damjan Korošec*, Das materielle Strafrecht Sloweniens, JOR 42 (2001), 111–129.

4 *Korošec* (Anm. 3), 123–125; *Aleksander Karakaš*, De minimis lex non curat, Pravnik, 2001/1-3, 47–69.

Im AT wurde auch die Frage des Beginns der Strafbarkeit neu geregelt. Während das Strafrecht bis 1995 die Strafbarkeit von Vorbereitungshandlungen kannte, was im letzten Jahrzehnt (1980–1990) vielfach kritisiert wurde, gab das StGB95 die Strafbarkeit dieser Phase der Verwirklichung der Straftat auf. Die Vorbereitungstat kann jedoch bei bestimmten Delikten als Form des tatbestandsmäßigen Handelns strafbar sein, so z.B. im Bereich der Fälschung von Geld und Wertpapieren die Herstellung und die Aneignung oder die Überlassung von Fälschungshilfsmitteln an einen anderen, Art. 251. Strafrechtlich relevantes Verhalten beginnt grundsätzlich aber erst mit dem Versuch. Der Versuch einer Vorsatztat ist aber nur bei schweren Delikten strafbar, Voraussetzung ist eine vorgesehene Freiheitsstrafe von mindestens drei Jahren.

Dem StGB95 liegt ein weiter Begriff der Mittäterschaft zugrunde. Mittäterschaftliche Begehung ist gegeben, wenn zwei oder mehrere Personen gemeinsam eine Straftat begehen und zwar so, dass sie entweder selbst die Tat ausführen, oder dass sie mit einer anderen Tat wesentlich zu der Ausführung beitragen. Tatbestandsmäßiges Handeln kann sowohl in einem Handeln als auch in einem Unterlassen liegen. Schuldhaft ist ein vorsätzliches oder ein fahrlässiges Handeln. Das StGB95 gab im AT die Strafbarkeit der Organisatoren einer kriminellen Vereinigung auf, da es sich dabei um eine besondere Form der objektiven Verantwortung handelte – der Organisator war nämlich nach alter Rechtslage für alle sich aus dem kriminellen Plan ergebenden Straftaten verantwortlich. Strafrechtliche Verantwortlichkeit wird im StGB95 klassisch definiert mit den zwei Bestandteilen Zurechnungsfähigkeit und Schuld. Dabei ist Zurechnungsfähigkeit als intellektuelle und willentliche Normalität des Täters definiert. Die Schuld kann in Form des Vorsatzes oder der Fahrlässigkeit vorliegen. Das StGB95 kennt zwei Formen des Irrtums: den Tatbestandsirrtum und den Verbotsirrtum (im StGB95 als Rechtsirrtum bezeichnet). Beide Irrtumsformen können dazu führen, dass die Schuld ausgeschlossen wird. Der Schuldausschluss bei Verbotsirrtum ist eine 1995 eingeführte Neuigkeit – früher gab es nur die Möglichkeit einer Strafmilderung. Die jetzt geltende Regelung bestimmt, dass der Täter nur dann schuldhaft handelt, wenn er den Irrtum hätte vermeiden können.

Das StGB95 enthält eine Bestimmung hinsichtlich der Strafbarkeit von juristischen Personen, die auf ein Spezialgesetz verweist. Dieses Gesetz bestimmt den Verantwortungsrahmen juristischer Personen genau; es ist seit dem 22.10.1999 in Kraft, bisher gibt es jedoch noch keine Verurteilung nach dem Gesetz.

Hinsichtlich der strafrechtlichen Sanktionen brachte das StGB95 keine großen Neuerungen. Als inhaltliche Änderung ist die Abschaffung der Bestimmung bezüglich der Strafzwecke einzuschätzen – diese waren im früheren Strafrecht im Sinne der Resozialisierung geregelt und teilweise ideologisch geprägt.[5] Das StGB95 bestimmt nunmehr den Bestrafungszweck mittelbar in Verbindung mit der Strafzumessung. Das Gericht bemisst die Strafe innerhalb des gesetzlich vorgeschriebenen Strafrahmens unter Berücksichtigung der Schwere der begangenen Straftat und der Schuld des Täters. Dem damit eingeführten Proportionalitätsgrundsatz wird vorgeworfen, eine strengere Bestrafungspolitik der Gerichte nach dem Jahr 2000 eingeführt zu haben.

Die Todesstrafe[6] wurde in Slowenien durch die im September 1989 verabschiedete Ergänzung zur Verfassung abgeschafft, die Verfassung aus dem Jahr 1991 kennt sie nicht mehr. Die Freiheitsstrafe kann im StGB95 von 15 Tagen bis 15 Jahren bemessen werden, im Fall „schwerer vorsätzlicher Straftaten" durfte man eine Freiheitsstrafe von 20 Jahren verhängen, was die höchstmögliche Freiheitsstrafe war.[7] Bei Geldstrafen führte das StGB95 das Tagessatzsystem ein. Bei den Strafen wurde das Fahrverbot für Kraftfahrzeuge als Nebenstrafe neu eingeführt. Die Landesverweisung für Ausländer wurde von einer Sicherheitsmaßnahme zu einer Nebenstrafe umdefiniert.

Die Warnsanktionen – die Bewährung[8] und Gerichtsverwarnung – wurden in fast unveränderter Form beibehalten und bilden eine besondere Sanktionsgruppe.

Die Sicherheitsmaßnahmen, denen in der Gesetzgebung der 1960er Jahre eine größere Bedeutung zukam, haben einige Änderungen erfahren. Die Verhängung von Maßnahmen medizinischer Natur (die psychiatrische Behandlung in einem Krankenhaus) ist durch das StGB95 dadurch eingeschränkt, dass das Gericht dabei neben der Wiederholungsgefahr auch die Art und Schwere der Straftat berücksichtigen muss. Die maximale Dauer solcher Maßnahmen ist auf zehn Jahre beschränkt und das Gericht ist verpflichtet, periodisch zu prüfen, ob die Maßnahme noch notwendig ist. Die Sicherheitsmaßnahme, die sich früher auf das Verbot der Berufs- oder Tätigkeitsausübung bezog, beschränkte das StGB95 lediglich auf das Berufsausübungsverbot. Das kritisierte „Verbot des öffentlichen Auftretens" – eine Maßnahme in offensichtlichem Widerspruch zum Recht auf freie Meinungsäußerung – wurde abgeschafft. Den Entzug des Führerscheins behielt das Gesetzbuch bei – von dem Fahrverbot für Kraftfahrzeuge unterscheidet sich diese Maßnahme

5 In Art. 33 des jugoslawischen StGB von 1977 wurde als letzter Strafzweck genannt „... die Moral der sozialistischen Selbstverwaltungsgesellschaft zu stärken und die Entwicklung gesellschaftlicher Verantwortung und Bürgerdisziplin zu bewirken."

6 Zum letzten Mal wurde die Todesstrafe 1957 vollzogen. Danach wurde sie noch einmal verhängt, jedoch nicht vollzogen.

7 Die Novelle von 1999 hat die Höchststrafe unter gleichen Bedingungen auf 30 Jahre angehoben.

8 Die Aussetzung der Strafvollstreckung zur Bewährung wird im slowenischen Strafrecht als bedingte Strafe verstanden und als solche als Warnsanktion bezeichnet, da die Strafe nur im Fall des Widerrufs verhängt wird, ansonsten lediglich ein konkretes Strafmaß genannt wird.

dadurch, dass sie auf der Feststellung des Gerichts beruht, die weitere Teilnahme des Täters im öffentlichen Verkehr würde wegen der Unfähigkeit des Täters zur sicheren Fahrzeugführung eine Gefahr für den öffentlichen Verkehr darstellen. Hinsichtlich der Erziehungsmaßnahmen für Jugendliche wurden die Grundbestimmungen im neuen StGB nicht geändert. Das StGB95 führte neben der Freiheitsstrafe für Jugendliche zusätzlich noch eine Geldstrafe für Jugendliche ein. Außerdem wurde, nach deutschem Vorbild, eine neue Erziehungsmaßnahme, die „Weisungen und Verbote", eingeführt.[9]

Zu erwähnen ist ferner der Entzug des durch die Straftat erlangten Vermögensvorteils, der vom StGB95 ähnlich wie früher konzipiert wurde:

> „Dem Täter oder anderen Empfänger des Vorteils werden Geld, Wertsachen und andere mit oder durch die Straftat erlangten Vermögensvorteile entzogen ... Er kann auch denjenigen entzogen werden, die den Vorteil ohne oder ohne adäquates Entgelt erlangten, wenn sie wussten oder hätten wissen müssen, dass er aus einer Straftat stammt. Wenn er auf nahe Verwandte übertragen wurde ... wird er ihnen entzogen, es sei denn sie beweisen, dafür den gesamten Gegenwert bezahlt zu haben" (Art. 95–98).

Das StGB95 trifft also eine sehr strenge Regelung über den Entzug dieser Vorteile; die Beweislast wurde in Verwandtschaftsfällen auf die Verwandten übertragen.

4. Änderungen im Besonderen Teil

Die vom StGB95 in den BT eingeführten Änderungen waren umfangreicher als die im AT. Im Folgenden beschränke ich mich darauf, die Grundzüge der Änderungen darzustellen. Die erste erwähnenswerte Neuheit – obwohl vielleicht vor allem von prinzipieller und symbolischer Bedeutung – besteht in der Systematik der Straftaten. Während das ehemalige System den Staat und dessen Ordnung an den ersten Platz in der Hierarchie der Straftaten und mittelbar damit auch der strafrechtlich geschützten Werte stellte, hat das StGB95 die Bedeutung des Einzelnen und seiner Werte betont, indem es Straftaten gegen das Leben und den Körper (XV. Kapitel) an die erste Stelle setzte. Es folgen Kapitel über Straftaten mit anderen individuellen Schutzgütern wie Menschenrechte und Freiheiten, Ehre und Ansehen, sexuelle Unantastbarkeit, Ehe und Familie. Die Kapitel über Straftaten gegen die Staatssicherheit und Verfassungsordnung sowie über Straftaten gegen die Landesverteidigung sind – gemeinsam mit den Straftaten gegen die Menschlichkeit und das internationale Recht – in die letzten Kapitel des Gesetzbuchs eingegliedert (XXXIII.–XXXV. Kapitel).

Im Allgemeinen kann man sagen, dass es notwendig war, diejenigen Deliktstypen zu ändern, die ausdrücklich an das frühere totalitäre Gesellschaftssystem gebunden waren. Dabei handelt es sich um die Bereiche, in denen das Strafrecht zur

---

9 Für alle Strafsanktionen vgl. *Ljubo Bavcon* u.a., Kazenski zakonik Republike Slovenije z uvodnimi pojasnili (Das StGB der Republik Slowenien mit einleitenden Erläuterungen), 1995, S. 21–100.

Erreichung politischer Ziele instrumentalisiert war, und die nunmehr inkompatibel sind mit einem rechtsstaatlichen Strafrechtsverständnis. In erster Linie ist die Gruppe der Straftaten gegen die Staats- und Verfassungsordnung zu nennen, die im StGB95 mit den entsprechenden strafrechtlichen Bestimmungen in anderen pluralistischen Staaten übereinstimmt. Alle politischen Verbaldelikte – d.h. staatskritische Äußerungen – wurden abgeschafft. Die Strafbarkeit ist grundsätzlich an den Einsatz von Gewalt oder die Drohung damit gebunden.

Ein verwandter Deliktstyp im alten Strafrecht waren die Straftaten gegen das Militär. Diese Gruppe von Straftaten teilt das StGB95 in zwei Gruppen ein (XXVII. Kapitel: Straftaten gegen die Wehrpflicht und XXXIV. Kapitel: Straftaten gegen die Landesverteidigung) und formte sie derart um, dass sie mit anderen strafrechtlichen Systemen Europas vergleichbar sind.

Die nächste Gruppe von Straftaten, die wesentlichen Änderungen ausgesetzt war, waren die Straftaten mit denen das „gesellschaftliche Eigentum", einer der Grundbausteine des Einparteiensystems, geschützt war (XXIII. und XXIV. Kapitel). Obwohl das slowenische Strafrecht keine besondere Kategorie von Straftaten gegen derartiges Eigentum kannte, gab es einzelne Straftaten, die dem Schutz eben dieser Art von Eigentum und/oder Vermögen dienten. Hier war es notwendig die Straftaten abzuschaffen, die wegen des graduellen Übergangs der Eigentumsstrukturen überflüssig wurden. Klassische Vermögensstraftaten wie z.B. Diebstahl, schwerer Diebstahl, Raub und Ähnliches konnte man dagegen in fast unveränderter Form beibehalten.

Als Besonderheit ist zu erwähnen, dass das StGB95 die Idee der Fahrlässigkeitsstraftat als selbstständige Straftat annahm und sie in vier Fällen einführte: im Bereich der medizinischen Behandlung, im Bereich der Apothekertätigkeit, bei der Verursachung eines Straßenverkehrsunfalls und bei der Gefährdung von Sonderverkehr (Schifffahrt, Luftfahrt, Schienen-, Bus- und Seilbahnverkehr). Unter diesen Taten ist für die Praxis besonders die Straftat der Verursachung eines Verkehrsunfalls durch Fahrlässigkeit von Bedeutung. In Verbindung mit dieser Tat hat sich bereits eine Rechtsprechung entwickelt, ebenso wie eine kritische Bewertung einer solchen Straftatenkategorie.

Es gab natürlich zahlreiche weitere Änderungen und Neuheiten, die in den BT des StGB95 eingeführt wurden, im Rahmen dieser Kurzdarstellung aber sollen die Genannten ausreichen.

5. Bewertung der Änderungen im slowenischen StGB95

Das 1995 in Kraft getretene materielle Strafrecht kann man als ein System bewerten, das die Bestimmungen, die auch in den neuen gesellschaftlichen und rechtlichen Verhältnissen akzeptabel blieben, beibehielt. Diese Bestimmungen können wir als verhältnismäßig klassisch und in beträchtlichem Ausmaß auf die deutsche

Strafrechtslehre oder zumindest auf die im deutschen Sprachraum bekannten strafrechtlichen Regelungen gestützt bezeichnen. Das StGB95 war weder in den Regelungen des AT noch denen des BT besonders innovativ. Es versuchte jedoch, den Grundsätzen, die es einführte, treu zu bleiben und hinsichtlich des Einsatzes von repressiven Maßnahmen restriktiv zu sein. Obwohl es keine neuen Alternativen zur Freiheitsstrafe brachte, hat es doch die Auswahl von Verwarnungssanktionen, die man zu den klassischen Formen von Ersatzstrafen zählen kann, etwas erweitert. Was die Strafsanktionen anbetrifft, sollte erwähnt werden, dass die für bestimmte Straftaten vorgeschriebenen Strafrahmen in beträchtlichem Umfang verringert wurden. Die bedeutendste Änderung – die auch als Maßstab bei der Strafbemessung bei anderen Straftaten diente – war die Verringerung der für Diebstahl vorgeschriebenen Freiheitsstrafe von maximal fünf auf drei Jahre Gefängnis.

II. Die Änderungsnovelle von 1999

Die ersten Versuche, das StGB95 zu ändern, gab es 1996. Wie die beiden Hauptautoren der Novelle – jedoch keinesfalls als Einzige – feststellen, ist der Umfang an eingetretenen Änderungen und Ergänzungen von den ursprünglichen vier Artikeln in der ersten Parlamentslesung auf über 35 in der zweiten Lesung angestiegen, bis er in der letzten (dritten) Lesung 56 Artikel erreichte. Diese letzte Version wurde schließlich auch verabschiedet. Die beiden Autoren stellen auch fest, dass der Hauptgrund, der „... zu den Änderungen und Ergänzungen geführt hat, die Verpflichtungen darstellen, die unser Staat erfüllen muss, wenn er Mitglied der Europäischen Union werden will“.[10] Die Berechtigung einer solchen Argumentation lässt sich bezweifeln, da die Änderungen so vielfältig waren und so vielen verschiedenen politischen Geschmäckern dienten, dass es keinesfalls möglich ist, sie auf die „Verpflichtungen gegenüber der Europäischen Union“ zurückzuführen. Diese führte bisher strafrechtlichen Schutz ein bzw. verlangte strafrechtlichen Schutz nur hinsichtlich der Sicherstellung ihrer eigenen finanziellen Interessen.

Hinsichtlich des AT erhöhte die Novelle von 1999 zunächst das Freiheitsstrafenmaximum für schwerste Straftaten von 20 auf 30 Jahre. Da die Gerichtshöfe das Verhängen von Geldstrafen in Tagessätzen mit dem Argument, es sei zu zeitaufwändig, nicht akzeptierten, führte die Novelle auch die Möglichkeit ein, die Geldstrafe in Höhe eines bestimmten Betrages zu verhängen und setzte ein allgemeines Minimum und Maximum für diese Strafe fest. Unter den Regelungen des AT wurden vor allem die Möglichkeiten des Entzugs von widerrechtlich erlangten Vermögensvorteilen erweitert. Laut jetziger Regelung ist es möglich, widerrechtliche Vermögensvorteile oder das dem Wert eines solchen Vorteils entsprechende (lega-

---

[10] *Boštjan Penko/Klaudjo Stroligo*, Uvodna pojasnila k noveli KZ (Einleitende Erläuterungen zur Novelle des slowenischen StGB), 1999, S. 21.

le) Vermögen zu entziehen. Ebenso kann man dem Täter, bei dem dies nicht möglich ist, eine entsprechende Geldstrafe zumessen. Einen solchen Vorteil kann man auch einer Gruppe von engsten Verwandten entziehen, wenn er auf sie übertragen wurde. Dabei ist der Staatsanwalt verpflichtet zu beweisen, dass die Übertragung gerade deshalb stattgefunden hat, um den Täter vor dem Entzug des Vermögensvorteils zu schützen. Die Beweislast, den vollen Preis bezahlt zu haben, obliegt dem Verwandten. Die Autoren haben sich von der Änderung versprochen, dass „ihre konsequente Durchführung die Wirksamkeit einer großen Zahl von Strafverfahren wesentlich beeinflussen wird“.[11] Das ist bisher jedoch nicht der Fall.

Die wichtigsten Änderungen brachte die Novelle von 1999 im BT. Sie führte zwei neue Straftaten ein: den Geschäftsbetrug und die Organisation von Geldketten und unerlaubten Glückspielen. Sie änderte die Tatbestände einiger Straftaten, z.B. den unbefugten Zutritt zu geschützten Computerdatenbanken und die Korruptionsstraftaten. Insbesondere erweiterte sie die Straftat der Geldwäsche und die Strafbarkeit bei einigen Delikten gegen die sexuelle Unantastbarkeit. Eine der wichtigsten Änderungen durch die Novelle ist zweifellos die Erhöhung der Freiheitsstrafe für bestimmte Straftaten, insbesondere diejenigen, die zugleich auch geändert worden sind.

III. Schlussbemerkung

Aus der kurzen Darstellung der Änderungsnovelle 1999 ergibt sich, dass sich eine strengere, auf „law and order“ ausgerichtete Kriminalpolitik angebahnt hat. Im Parlament konnte man beobachten, wie sich die politischen Parteien der Thematik der Kriminalität und der Kriminalitätspolitik angenommen haben, was zu einem Prozess des gegenseitigen Einflusses zwischen Politik und Öffentlichkeit führte. Je mehr die Stimmung in der Politik zur Repression tendierte, um so mehr machte sich auch in der Öffentlichkeit eine repressivere Haltung breit, die durch eine Überinformation seitens der Medien bezüglich der Kriminalitätsgefahr noch verstärkt wurde. Diese Haltung in der Öffentlichkeit wirkte sich wiederum auf die politischen Parteien aus. Diese Wechselwirkung spiegelt sich zum Beispiel sehr deutlich wider in einer aktuellen Gesetzesinitiative einer Partei, die ein erhöhtes Strafmaß für Sexualdelikte fordert. Die Stimmung in der Gesellschaft zeigt sich diesbezüglich z.B. daran, dass die Frauenbeilage einer Tageszeitung diese Gesetzesinitiative mit einer Unterschriftenaktion unterstützt hat und in fünf Wochen über 5.000 Unterschriften sammeln konnte.

Eine solche Entwicklung scheint im Einklang mit der Lage in anderen Staaten Mittel- und Osteuropas zu sein; dasselbe gilt aber auch für andere Teile Europas. Meiner Meinung nach liegt diese Entwicklung jedoch konträr zu den Leitlinien der

---

[11] *Penko/Stroligo* (Anm. 10), S. 40.

Gesetzgebung von 1995 – dem Bestreben, mit einer rationalen, adäquaten und humanen staatlichen Reaktion auf Kriminalität zu antworten.

Die Reform des materiellen Strafrechts in Ungarn

Kálmán Györgyi, Budapest

1. Einleitung

Unser diesjähriges Symposium schließt an das im Jahr 1992 vom Max-Planck-Institut für ausländisches und internationales Strafrecht veranstaltete Symposium an. Damals hieß es „Von totalitärem zu rechtsstaatlichem Strafrecht", und die versammelten Wissenschaftler berichteten über die ersten Schritte zur Erneuerung des Strafrechts. Seitdem sind zehn Jahre vergangen, und in den meisten osteuropäischen Staaten ist die Epoche der dramatischen Umwälzungen abgeschlossen, der Alltag bürgerlicher Demokratien hat begonnen. 1990 fanden in Ungarn nach Jahrzehnten der totalitären Herrschaft endlich wieder freie, demokratische Parlamentswahlen statt. Im Mai 2002 konnte man schon auf vier freie Parlamentswahlen und drei Regierungen zurückblicken.

Bei dem Symposium in Buchenbach berichteten aus Ungarn die Kollegen *Ákos Farkas* (Stand und Tendenzen der Strafrechtsreform in Ungarn), *Imre Békés* (Wesentliche Voraussetzungen einer modernen Strafgesetzgebung aus ungarischer Sicht), *Ferenc Nagy* (Arten und Reform punitiver und nicht-punitiver Sanktionen) und der schmerzlich früh verstorbene *László Pusztai* (Systemwechsel und Wirtschaftsstrafrecht). Über die Entwicklung des ungarischen Strafrechts zwischen 1987 und 1993 berichtete *Ákos Farkas* in Band 4 der Reihe „Strafrechtsentwicklung in Europa" des Freiburger Max-Planck-Instituts. Ich kann mit meinem Bericht dort beginnen, wo meine Kollegen die Berichterstattung abschlossen.

Die „neuen" Demokratien in Osteuropa haben einen Anspruch darauf, vollberechtigt in die Familie europäischer Demokratien eingereiht zu werden; die „bewältigten" Herausforderungen im Titel unseres Symposiums weisen jedoch auf die Vergangenheit hin, mit der diese Staaten umgehen mussten.

2. Kriminalität und Strafanwendungspraxis

Den demokratischen Umbruch begleitete in Ungarn eine explosionsartige Zunahme der registrierten Kriminalität. Zwischen 1966 und 1980 lag sie bei 120.000 Straftaten. Der Anstieg begann in den 1980er Jahren. Der besseren Überschaubarkeit wegen werden die Jahresdurchschnittswerte in fünfjährigen Abschnitten dargestellt:

Jahre	Jahresdurchschnittswerte
1981 – 1985	127.000
1986 – 1990	149.000
1991 – 1995	436.000
1996 – 2000	507.000

Im Jahr 2001 war ein geringer Rückgang zu verzeichnen. 1970 entfielen auf 100.000 Einwohner 1.190 registrierte Straftaten, 2000 dagegen waren es 4.480, mehr als das Drei- und Dreiviertelfache des früheren Werts.

Bei einem Anstieg der Kriminalität ist die Strafzumessungspraxis der Gerichte milder geworden. 2001 lag der Anteil der Strafen und Maßnahmen ohne Freiheitsentzug bei 87 %. Die Strafvollzugsanstalten sind jedoch überfüllt. Im Vergleich zum EU-Durchschnitt von 80 Häftlingen pro 100.000 Einwohner befinden sich in Ungarn 160 Untersuchungshäftlinge und Verurteilte pro 100.000 Einwohner in den Vollzugsanstalten. Auf 100 Vollzugsanstaltsplätze entfallen 160 Verurteilte.

Für die ungarische Bevölkerung war die Bedrohung durch die steigende Kriminalität ein Schock. Die Anfangsmonate der demokratischen Umwandlung waren für die meisten Bürger die „Zeiten der großen Erwartungen", in welchen sie von der neuen Ordnung in allen Bereichen des Lebens positive Veränderungen erwarteten.

3. Exkurs: Vergangenheitsbewältigung

3.1 Gerechtigkeit und Rechtssicherheit

Ende der 1980er und Anfang der 1990er Jahre forderten breite Kreise der Öffentlichkeit die Bestrafung der im alten System begangenen und ungestraft gebliebenen Straftaten. Man sprach von „Gerechtigkeitsausübung". Die stärksten Emotionen lösten die Verbrechen in Verbindung mit der Niederschlagung der Revolution von 1956 aus.

Anfangs suchte man eine Lösung im Rahmen des nationalen Rechts. Die geplante Regelung versuchte, die eingetretene Verjährung aufzuheben, um dadurch die Bestrafung der betreffenden Personen wegen Landesverrats, vorsätzlicher Tötung und Körperverletzung mit Todesfolge zu ermöglichen, wenn der Staat seinen Strafanspruch aus politischen Gründen nicht geltend gemacht hatte. Diese Regelung erklärte das ungarische Verfassungsgericht für verfassungswidrig. Aus dem Streit zwischen der materiellen Gerechtigkeit und der formellen Rechtssicherheit ging Letztere als Siegerin hervor. Die wiederholten Versuche einer Bestrafung im Rahmen des nationalen Rechts mussten in mehreren Normenkontrollverfahren vor dem Verfassungsgericht scheitern.

Der Gesetzgeber versuchte danach, die strafrechtliche Verantwortlichkeit aufgrund des Völkerrechts durchzusetzen. Dieser Versuch bot dem Verfassungsgericht die Gelegenheit, das Verhältnis des Völkerrechts zum innerstaatlichen Recht zu klären. Den Schlüssel zur Lösung dieses Problems gab Art. 7 der ungarischen Verfassung, nach welchem „das Rechtssystem der Republik Ungarn die allgemein anerkannten Regeln des Völkerrechts anerkennt ...". Die Entscheidung des Verfassungsgerichts machte deutlich, dass das Völkergewohnheitsrecht ohne besondere Transformation oder Übertragung zu den völkerrechtlichen Verpflichtungen zählt, mit dem das innerstaatliche Recht gemäß der Verfassung in Einklang sein muss, und dass Adressaten des Völkergewohnheitsrechts nicht nur die Staaten, sondern auch natürliche Personen sind. Aufgrund des gemeinsamen Art. 3 der Genfer Konventionen konnten diejenigen zur Verantwortung gezogen werden, die bei einem nicht-internationalen bewaffneten Konflikt die dort aufgezählten Verbrechen gegen die Zivilbevölkerung begangen hatten. Im Zusammenhang mit dem Einsatz sowjetischer Streitkräfte kam auch der gemeinsame Art. 2 zur Anwendung. Zur Bestrafung von Verantwortlichen kam es jedoch nur in wenigen Fällen, weil der Tod der Täter bzw. die Schwierigkeiten bei der Beweisführung entgegenstanden.

3.2 Die Nichtigkeitsgesetze

Im totalitären Staat wurde das Strafrecht vielfach missbraucht, viele Personen wurden zu Unrecht verurteilt. Es war eine natürliche Forderung demokratischer Kräfte, solche Urteile nachträglich für nichtig zu erklären.

Die ersten zwei Nichtigkeitsgesetze verabschiedete noch das letzte Parlament des alten Systems. Das Erste betraf die Verurteilungen im Zusammenhang mit dem Volksaufstand in Ungarn zwischen dem 23.10.1956 und dem 4.4.1963. Das Zweite umfasste Verurteilungen wegen bestimmter – vor allem politischer – Delikte zwischen dem 1.1.1945 und dem 4.4.1963. Das dritte Gesetz wurde 1992 erlassen für solche Verurteilungen, die wegen Taten erfolgt waren, die im Internationalen Pakt über bürgerliche und politische Rechte gewährleistete Rechte betrafen.

Acht Jahre später, Ende 2000, verabschiedete das Parlament das vierte Nichtigkeitsgesetz. Die früheren Gesetze dieser Art basierten auf der heutigen Bewertung damaliger materiellrechtlicher Vorschriften, das Vierte beruht auf der Beurteilung besonderer Verfahrensarten dieser Zeit. Dadurch wurde die Überprüfung von Verurteilungen möglich, die im standgerichtlichen, im beschleunigten oder in einem Verfahren vor einem Volksgerichtlichen Senat ergangen sind.

Durch die Nichtigkeitsgesetze wurde für die juristische, moralische und politische Rehabilitation der rechtswidrig Verurteilten eine Lösung gefunden, nicht aber für die materielle Entschädigung. Dafür wurde eine besondere Regelung geschaffen.

4. Die Rolle des Verfassungsgerichts

Das Verfassungsgericht, Hüter der Rechtsstaatlichkeit, ist als Kind des Systemwechsels im Jahr 1989 entstanden. Durch seine Entscheidungen in strafrechtlichen Fragen hat es für die Entwicklung des Strafrechts eine bedeutende Rolle gespielt.

Ohne Zweifel ist die Entscheidung über die Abschaffung der Todessstrafe die bedeutsamste. Zwar basiert die Abschaffung der Todesstrafe auf der Entscheidung des Verfassungsgerichts, jedoch wurde dieser Schritt nachträglich auch vom Gesetzgeber mehrfach bestätigt. 1993 hat auch Ungarn die Europäische Menschenrechtskonvention mit allen Zusatzprotokollen, darunter auch das Protokoll 6 über die Abschaffung der Todesstrafe ratifiziert, wie auch das zweite fakultative Protokoll des Internationalen Pakts über bürgerliche und politische Rechte. Am 3.5.2002 hat auch der Vertreter Ungarns in Vilnius das Protokoll über die bedingungslose Abschaffung der Todesstrafe unterzeichnet. Obwohl diesbezüglich die Rechtslage eindeutig ist, werden immer wieder Stimmen zur Wiedereinführung laut.

Die Entscheidungen des Verfassungsgerichts haben die Strafgesetzgebung nachhaltig beeinflusst. Im Zusammenhang mit der Verjährung von Alttaten hat das Verfassungsgericht unterstrichen: „ein verfassungsmäßiger Rechtsstaat kann auf Rechtsbrüche nur auf rechtsstaatliche Weise reagieren". An den berühmten „Magna-Charta-Satz" von *Franz von Liszt* erinnert eine Formulierung des Verfassungsgerichts:

> „In einem in der Verfassung verankerten Rechtsstaat hat der Staat keine uneingeschränkte Strafgewalt und kann auch keine solche haben",

und weiter:

> „das Strafrecht ist die gesetzliche Grundlage zur Ausübung der Strafgewalt und zugleich ein Freibrief zum Schutze des Einzelnen".

Zu erwähnen ist die Einführung des „necessity Tests" für die Strafgesetzgebung. Das Verfassungsgericht hat im Zusammenhang mit mehreren Straftatbeständen die Kriterien der Kontrolle der Verfassungsmäßigkeit von Strafvorschriften ausgearbeitet. Diese sind die Folgenden: Erforderlichkeit, Verhältnismäßigkeit und die Anwendung der *ultima ratio*-Klausel, d.h. dass das Strafrecht nur als letztes Mittel in Anspruch genommen werden darf. Dieser so genannte „Erforderlichkeitstest" wurde bei mehreren Tatbeständen angewendet, vor allem im Zusammenhang mit der Meinungsfreiheit.

In der Praxis des Verfassungsgerichts wurde der Begriff des „verfassungsmäßigen Strafrechts" entwickelt. Der verfassungsmäßige Grundsatz der Legalität bedeutet Folgendes:

- die strafbaren Handlungen und ihre Strafen werden durch Gesetz bestimmt;
- die Qualifizierung für eine Straftat und die Androhung von Strafe soll auf verfassungsmäßigen Grundlagen beruhen (Erforderlichkeit, Verhältnismäßigkeit und *ultima ratio*);

- aus der Unschuldsvermutung folgt, dass nur ein Gericht die Schuld feststellen kann;
- eine Person kann nur aufgrund des Gesetzes verurteilt und bestraft werden, welches zur Zeit der Begehung der Tat in Kraft ist; eine rückwirkende Kraft hat nur das mildere Gesetz.

5. Kurze Strafrechtsgeschichte

Das erste ungarische Strafgesetzbuch wurde im Jahr 1878 erlassen. Durch die drei großen Strafrechtsnovellen von 1908, 1928 und 1948 wurde das Gesetz jeweils modernisiert. Nach dem Zweiten Weltkrieg wurde 1950 zunächst ein neuer Allgemeiner Teil erlassen, der mit den Tatbeständen des Besonderen Teils zusammen zehn Jahre lang als Gesetzbuch fungierte. Im Jahr 1961 wurde ein komplettes neues Strafgesetzbuch verabschiedet. Seitdem enthält das StGB sämtliche Strafrechtsregelungen, einschließlich Jugendstrafrecht und Militärstrafrecht, und kennt keine so genannten strafrechtlichen Nebengesetze. Das geltende Strafgesetzbuch stammt aus dem Jahr 1978. Seit seinem In-Kraft-Treten am 1.7.1979 wurde es durch 52 Gesetze und neun Beschlüsse des Verfassungsgerichts abgeändert und ergänzt. Die Änderungen betrafen den aus ursprünglich 367 Paragraphen bestehenden Kodex an insgesamt 905 (!) Gesetzesstellen: 544 Stellen wurden geändert, 144 Stellen aufgehoben und 217 neue Vorschriften eingefügt. Nur ein Bruchteil dieser Änderungen fiel in die Jahre vor 1989.

Die Gesetzgebung der Jahre 1989–1992 hatte vor allem die Aufgabe, das Strafrecht von solchen Elementen zu bereinigen, welche den rechtsstaatlichen Anforderungen nicht entsprachen. Im vergangenen Jahrzehnt betraten die Regierungen den Weg der Erneuerung des materiellen Strafrechts durch Strafrechtsänderungsgesetze, auf Ungarisch spricht man von „Strafnovellen". Ich denke, dass dies eine richtige und sachliche Entscheidung war. Zur Schaffung eines neuen Strafgesetzbuchs fehlten sowohl die objektiven als auch die subjektiven Voraussetzungen.

Bedeutende und umfangreiche Strafrechtsänderungsgesetze (im Weiteren: StÄG) wurden 1993, 1997, 1998 und 2001 erlassen. Gelegentlich wurden auch in kleineren Gesetzen wichtige Änderungen durchgeführt.

6. Erneuerung des Strafrechts durch Strafrechtsänderungsgesetze

6.1. Das erste umfassende Änderungsgesetz war das Gesetz XVII von 1993. Es änderte das Sanktionensystem ab und brachte auch im Besonderen Teil wesentliche Änderungen, die Milderungen im Sanktionensystem eingeführt haben. Bei der Strafmilderung wurde der Hinweis auf den Ausnahmecharakter der einfachen Strafmilderung gestrichen. Nach der früheren Regelung konnten auch Nebenstrafen nur ausnahmsweise anstelle einer Hauptstrafe angewendet werden. Auch hier wurde das Wort „ausnahmsweise" gestrichen.

Eine grundsätzliche Änderung erfuhr die Rückfallregelung. Nach früherem Recht war der Richter gezwungen, gegen besondere und mehrfache Rückfalltäter eine Freiheitsstrafe zu verhängen, die nicht zur Bewährung ausgesetzt werden konnte. Nach dem neuen Recht wurde auch die Anwendung milderer Strafen ermöglicht.

Die Besserungs-Erziehungsarbeit, eine Schöpfung des sozialistischen Strafrechts, wurde abgeschafft, an ihre Stelle trat die gemeinnützige Arbeit. In der Anwendung der Geldstrafe waren nach der früheren Regelung bei der Festlegung des Tagessatzes die Einkommens- und persönlichen Verhältnisse zu berücksichtigen. Von nun an war neben diesen auch die „Lebensführung" des Beteiligten zu berücksichtigen. Die Anzahl der Tagessätze wurde von den früheren 180 (bei Mehrheit von Straftaten 270) auf 360 erhöht.

Im Besonderen Teil wurden die Strafen für die Straftaten gegen die persönliche Freiheit erhöht (so z.B. bei Freiheitsberaubung, bei rechtswidriger Inhaftierung etc.). Es wurde eine Reihe von neuen Tatbeständen eingeführt, so z.B. Menschenraub, mehrere Datenschutzdelikte, die Verletzung von nationalen Symbolen, Bedrohung mit einer Gemeingefahr. Die Strafrahmen der gewaltsamen Sexualdelikte wurden einander angeglichen (Vergewaltigung, Nötigung zur Unzucht und widernatürliche gewaltsame Unzucht). Auch Entkriminalisierungen waren erkennbar: Die Bestrafung der gewerbsmäßigen Prostitution mit einer Kriminalstrafe wurde abgeschafft, als Ordnungswidrigkeit ist die „verbotene Unzucht" jedoch strafbar geblieben.

Hervorzuheben sind auch die Änderungen im Bereich der Wirtschaftsdelikte. In der „sozialistischen" Ära schützte das Strafrecht die Planwirtschaft, das Lenkungssystem durch Plananweisungen. Unter den neuen Verhältnissen dagegen ist die Marktwirtschaft das schutzwürdige Rechtsgut. Von den neu geschaffenen Tatbeständen möchte ich die „Erlangung unberechtigter wirtschaftlichen Vorteile" hervorheben.

In demselben Jahr schuf das Gesetz XLV einen neuen Straftatbestand der Verbreitung oder Benutzung in der Öffentlichkeit von Symbolen der Willkürherrschaft. Im Tatbestand werden folgende Symbole aufgezählt: Hakenkreuz, SS-Abzeichen, Pfeilkreuz, Hammer und Sichel, fünfzackiger roter Stern oder ähnliche Symbole. Teilweise wurde vertreten, dass neben der Zurückdrängung des Rechtsradikalismus die gleiche Bewertung der Symbole roter Stern/Hakenkreuz etc. das Hauptanliegen des Gesetzes sei.

6.2. Das Gesetz IX von 1994 hat die Vorschriften über die unerlaubte Benutzung von Sprengstoffen oder Sprengmaterial, von Schusswaffen oder Munition verschärft. Als neuer Tatbestand wurde der Waffenschmuggel in das StGB aufgenommen. Die zweite Hauptrichtung der Änderungen war das gesamte Wirtschaftsstrafrecht. Die Formulierung zahlreicher Tatbestände wurde abgeändert und mehrere neue Tatbestände wurden in das StGB aufgenommen. Abgeändert wurden z.B. Falschbezeichnung von Waren, Schmälerung des Grundkapitals oder des Stammkapitals. Neue Tatbestände waren z.B. Angabe eines unwahren Werts, Unterlassen einer wirtschaftlichen Datenleistung, Interner Wertpapierhandel, Kapitalanlagebetrug, Verletzung von Geschäftsgeheimnissen, Computerbetrug, Geldwäsche, Missbrauch von Schecks, Wechselfälschung, Fälschung von Bankkarten, Missbrauch von Bankkarten etc.

6.3. Die Regelungen bezüglich der Jugendlichen änderte das Gesetz XLI aus dem Jahr 1995 ab, indem es das UN-Übereinkommen von New York aus dem Jahr 1989 über die Rechte von Kindern umsetzte. Die wichtigste Änderung betraf die Strafen und Maßregeln mit Freiheitsentzug, die nun nur noch als letztes Mittel angewendet werden können. Zugleich erhöhte das Gesetz die Strafrahmen von Delikten wie die der Gefährdung Minderjähriger.

6.4. Durch das Gesetz XVIII aus dem Jahr 1996 wurde der so genannte Apartheidsparagraph in das StGB aufgenommen. Dieses Gesetz führte den neuen Tatbestand „Gewalt gegen ein Mitglied einer nationalen, ethnischen, rassischen oder religiösen Gruppe" ein. Die Anwendung dieses Tatbestands begründet auch die Misshandlung einer Person wegen des vermeintlichen Angehörens einer solchen Gruppe.

Herausragendes Ereignis des Jahres 1996 war die Verabschiedung des Gesetzes XXVIII über die internationale Rechtshilfe in Strafsachen. Es handelt sich um das erste Rechtshilfegesetz in der ungarischen Rechtsgeschichte. Im Gesetz werden geregelt: die Auslieferung, die Übergabe und Übernahme des Strafverfahrens, die Übernahme und Übergabe des Vollzugs der Freiheitsstrafe und der mit Freiheitsentzug verbundenen Maßregeln und schließlich die Rechtshilfe.

6.5. Im Zeichen des Kampfes gegen die so genannte Schwarzwirtschaft wurde 1996 das Gesetz LII erlassen. Von den zahlreichen Änderungen und neuen Tatbeständen sollen hier die neuen Tatbestände der Veranstaltung von Pyramidenspiel und der unerlaubten Versicherungstätigkeit hervorgehoben werden. Weitere neue Tatbestände sind: die Lagerung von für die Umwelt gefährlichen Abfällen, Missbrauch der Betreibung einer nuklearen Einrichtung, Missbrauch der Anwendung von Atomenergie usw. Eine präzisere Tatbestandsbeschreibung erhielten mehrere Tatbestände, wie das Inverkehrbringen von Erzeugnissen schlechter Qualität, Falschbezeichnung von Waren, Angabe eines unwahren Wertes, Computerbetrug.

Die Umgestaltung des Tatbestands der „Schädigung der Natur" führte dazu, dass das frühere Erfolgsdelikt in ein Tätigkeitsdelikt umgewandelt wurde.

Im Jahr 1996 wurden durch das Gesetz CVIII zwei weitere neue Tatbestände in das StGB aufgenommen: Pflichtverletzung in Verbindung mit der Haltung gefährlicher Hunde und Organisation verbotener Tierkämpfe.

6.6. Umfangreiche Änderungen brachte das Gesetz CXXI aus dem Jahr 1997. Die amtliche Begründung sprach von einer Überprüfung des Sanktionensystems des Strafgesetzbuchs. Es wurde auf die hohe Zahl der Verurteilten hingewiesen, die in den Strafvollzugsanstalten ihre Freiheitsstrafen verbüßen. Das Gesetz bezweckte jedoch nicht nur die Milderung der Strafen, sondern auch eine Differenzierung der Sanktionen.

Das Gesetz erweiterte die Anwendung der bedingten Entlassung. Nach den früheren Regelungen konnte der Verurteilte frühestens nach Verbüßung von zwei Dritteln, drei Vierteln bzw. vier Fünfteln der Freiheitsstrafe bedingt entlassen werden. Nach der neuen Regelung kann der Verurteilte nun in einem besonders zu würdigenden Fall bei einer Freiheitsstrafe von nicht über drei Jahren nach der Verbüßung der Hälfte der Freiheitsstrafe bedingt entlassen werden.

Dagegen hat das Gesetz die Regelungen bezüglich der bedingten Entlassung aus der lebenslangen Freiheitsstrafe verschärft, bei den – in der Praxis relevanten – Fällen der qualifizierten vorsätzlichen Tötung kann das Gericht den frühesten Zeitpunkt der Entlassung zwischen 20 und 30 Jahren bestimmen (früher zwischen 15 und 25 Jahren). Auch der Rahmen der Milderung der Strafe wurde eingeschränkt.

Des Weiteren beinhaltet das Gesetz auch eine erste Regelung über die „kriminelle Organisation“. Der Begriff beruhte auf dem Begriff „Verbrecherverbindung“. Man könnte sagen, die kriminelle Organisation sei ein „qualifizierter Fall“ der „Verbrecherverbindung“. Die Begehung in einer kriminellen Organisation wurde bei mehreren Straftaten – vor allem bei den Eigentumsdelikten – als qualifizierender Umstand geregelt. Ein selbständiger Tatbestand stellte schon die Bildung einer kriminellen Organisation unter Strafe.

Bei einigen Straftaten gegen Personen und bei einigen Verkehrsstraftaten, z.B. bei der fahrlässigen Tötung und bei der Herbeiführung eines tödlichen Verkehrsunfalls, wurden die unteren Strafgrenzen erhöht, d.h. es kam zu einer Verschärfung der strafrechtlichen Reaktion.

Durch die Möglichkeit der alternativen Androhung von gemeinnütziger Arbeit und der Geldstrafe neben Freiheitsstrafen bis zu zwei Jahren (früher nur bis zu einem Jahr) wurde der Anwendungsbereich der Strafen ohne Freiheitsentzug erweitert.

Als neuer Tatbestand wurde der Missbrauch von verbotenen pornographischen Aufnahmen aufgenommen.

Entscheidende Reformen gab es im Bereich der Sittlichkeitsdelikte. Einerseits wurde aus dem Tatbestand der Vergewaltigung die „Frau“ als Verletzte gestrichen, andererseits wurde sowohl aus dem Tatbestand der Vergewaltigung als auch aus dem der Nötigung zur Unzucht die Wendung „ohne mit ihr in ehelicher Gemeinschaft zu leben“ weggelassen. Damit ist die gewaltsame sexuelle Handlung auch in einer ehelichen Gemeinschaft strafbar, weil die Eheleute mit der Eheschließung auf ihr Selbstbestimmungsrecht nicht verzichtet haben. Als qualifizierter Fall wurde aufgenommen, wenn die Tat gegen eine Person begangen wird, die das zwölfte Lebensjahr nicht vollendet hat.

Das Gesetz führte mehrere neue Wirtschaftstatbestände ein: unerlaubte Finanzdienstleistungstätigkeit, unerlaubte Anlagedienstleistungstätigkeit, Verletzung des Wertpapiergeheimnisses. Der frühere Tatbestand des Steuerbetrugs wurde erweitert. Der neue Titel heißt: Steuer-, Sozialversicherungsbetrug. Noch im selben Jahr wurden durch das Gesetz CXL die strafrechtlichen Regelungen bezüglich Kunstdenkmälern und Kulturgütern verschärft.

6.7. Das Gesetz XIX aus dem Jahr 1998 führt die neue prozessuale Regelung, nach der es dann nicht zu einer Hauptverhandlung kommt, wenn der Angeklagte geständig ist und auf eine Hauptverhandlung verzichtet, konsequent im materiellen Recht weiter. Für diesen Fall sieht das StGB die Anwendung niedrigerer Strafrahmen vor. (War der ursprüngliche Strafrahmen Freiheitsstrafe von zwei bis acht Jahren, ist das Höchstmaß beim Verzicht auf eine Verhandlung drei Jahre.)

Strafrechtliches Neuland betrat der Gesetzgeber, als er 1998 mit dem Gesetz XXII den Abschnitt „Straftaten gegen Personen" um einen neuen Titel II ergänzte: „Eingriff in die Gesundheit, Straftaten gegen die Ordnung der medizinischen Forschung und die gesundheitliche Selbstbestimmung". Sieben neue Tatbestände wurden in diesem Zusammenhang in das StGB aufgenommen:
- Eingriff in den Genbestand,
- verbotene Verwendung menschlicher Keimzellen,
- Änderung des Geschlechts eines ungeborenen Kindes,
- Verletzung der Regeln über Menschenversuche,
- Verletzung der Regeln über Versuche an Embryonen oder an Keimzellen,
- Verletzung des gesundheitlichen Selbstbestimmungsrechts und schließlich
- verbotene Verwendung des menschlichen Körpers.

Bei dieser Regelung wurde das Menschenrechtsübereinkommen zur Biomedizin des Europarates berücksichtigt. In demselben Gesetz wurde der neue Tatbestand der Fälschung öffentlicher Beglaubigungszeichen eingeführt.

6.8. Das Gesetz LXXXVII stellt einen Wendepunkt im Sinne einer Verschärfung strafrechtlicher Sanktionen dar. Die amtliche Begründung nahm Bezug auf die „Verschlechterung der Lage der Kriminalität" und sprach davon, dass die „Reaktionsfähigkeit des Staates" zu verstärken sei. Dies geschah in mehrfacher Hinsicht.

Für den Alltag der Rechtsanwendungspraxis sind die neuen Strafzumessungsregeln am wichtigsten. Es wurde eine eigenartige Strafzumessungsvorschrift eingeführt, nach welcher bei der Verhängung einer zeitigen Freiheitsstrafe „der Mittelwert des Strafsatzes maßgebend sei". Für den Richter, der vielleicht diese Vorschrift nicht verstehen wollte, wurde auch ein arithmetisches Hilfsmittel zur

Verfügung gestellt: „zur unteren Grenze des Strafsatzes ist die Hälfte der Differenz zwischen der oberen und unteren Grenze hinzuzugeben“. Die Gerichtspraxis versuchte, diese Vorschrift als eine Begründungspflicht bei einer Abweichung vom Mittelwert auszulegen. Was das Wort „maßgebend“ bedeutet, hat die Gerichtspraxis nicht eindeutig beantworten können.

Des Weiteren schränkte das Gesetz die Regelungen bezüglich der Strafmilderung ganz wesentlich ein. Es hat auch die Strafzumessungsvorschriften über die Mehrheit von Straftaten verschärft. Früher war eine Strafschärfung fakultativ, nach der neuen Regelung dagegen ist sie obligatorisch. Ferner wurden die Regelungen über die bedingte Entlassung aus dem Strafvollzug und über die Strafaussetzung zur Bewährung verschärft, indem der Kreis der Ausschlussgründe erweitert wurde. Die nachträgliche Bildung einer Gesamtstrafe wurde praktisch abgeschafft, beim Zusammentreffen mehrerer Strafen gilt die Kumulation.

Erneut wurde das Mindestmaß der Freiheitsstrafe abgeändert, und zwar von einem Tag auf zwei Monate erhöht. Es wurden auch die Vorschriften der lebenslangen Freiheitsstrafe geändert. Einerseits wurde die Verhängung der lebenslangen Freiheitsstrafe gegen Personen ausgeschlossen, die zur Zeit der Begehung der Straftat ihr 20. Lebensjahr nicht vollendet haben. Andererseits ermöglicht das neue Gesetz, dass das urteilende Gericht die bedingte Entlassung ausschließt. Wird der Täter wiederholt zu lebenslanger Freiheitsstrafe verurteilt, so kann er nicht bedingt entlassen werden. Wird der Täter wegen Mordes verurteilt und schließt das Gericht die bedingte Entlassung nicht aus, so kann der Verurteilte frühestens nach Verbüßung von 30 Jahren auf eine Dauer von 15 Jahren (früher zehn Jahre) bedingt entlassen werden. Über die Entlassung entscheidet der Strafvollzugsrichter.

Im Bereich der Geldstrafe sah das Gesetz bei der Bestimmung der Anzahl der Tagessätze neben den allgemeinen Strafzumessungsumständen auch die Berücksichtigung des durch die Tat erreichten oder erstrebten materiellen Vorteils vor. Umgestaltet wurden diese Vorschriften auch über die Vermögenseinziehung. Früher war sie eine richtige Vermögensstrafe, ein „gewolltes Übel“. Nach der neuen Regelung dient die Vermögenseinziehung zur Abschöpfung des Vermögens, welches der Beteiligte bei der Begehung der Straftat oder in Verbindung damit erworben hat.

Der Begriff „kriminelle Organisation“ wurde verändert. Die Definition des „besonders zu würdigenden Falls“ wurde neu in das Gesetz aufgenommen.

Das Gesetz führte die Tötung eines Neugeborenen als privilegierten Fall der vorsätzlichen Tötung ein. Damit kehrte der Gesetzgeber zur ursprünglichen Fassung des StGB von 1878 zurück. Eine Änderung ergab sich auch bezüglich der Mordmerkmale. Wenn das Opfer das 14. Lebensjahr noch nicht vollendet hat, liegt nunmehr Mord vor.

Neu sind der Tatbestand des Menschenhandels und die unberechtigte Kenntniserlangung eines Privatgeheimnisses. Im Bereich der Körperverletzung wurde die Unfähigkeit des Verletzten, sich zu verteidigen, als qualifizierender Umstand aufgenommen. Der Tatbestand des Führens eines Fahrzeugs unter Alkoholeinfluss wurde um den Einfluss von Drogen ergänzt.

Eine neue Gruppe von Straftaten bilden im StGB die Straftaten gegen die Moral des internationalen öffentlichen Lebens. Die Grundlage der Regelung bildeten die Antikorruptionsübereinkommen der OECD und des Europarates. Die neue Regelung stellt die Bestechung auch im internationalen Geschäftsverkehr unter Strafe.

Das Gesetz hat die Strafandrohungen für den Missbrauch von Sprengstoff, Sprengmaterial, Schusswaffen oder Munition verschärft. Als neuer Tatbestand wurde der Missbrauch von Waffen in das Gesetz aufgenommen, die durch einen internationalen Vertrag verboten sind.

Der Tatbestand des Missbrauchs von Rauschgift wurde entsprechend dem Wiener Abkommen von 1998 abgeändert. Das Gesetz regelt auch den Missbrauch leistungserhöhender Mittel. Der Dopingparagraph wurde aber bald vom Verfassungsgericht wegen mangelnder Bestimmtheit der Tatbestandsbeschreibung aufgehoben.

6.9. Weniger bedeutende Änderungen des StGB lieferte das Gesetz CXX aus dem Jahr 1999. Hervorzuheben ist die Erweiterung der Definition der großen Öffentlichkeit um das Internet in der Formulierung des Gesetzes: „Veröffentlichung von elektronisch gespeicherten Informationen über das Fernmeldenetz".

Eine lange Liste von Änderungen könnte aufgezählt werden, welche entweder durch frühere Gesetze entstandene Spannungen beseitigen oder Tatbestandsbeschreibungen korrigieren oder ergänzen wollten, oder nicht selten die Strafrahmen durch verschiedene Techniken erhöhten.

Als neuer Tatbestand wurde die „Verletzung des gewerblichen Rechtsschutzes" aufgenommen und auch weitere Tatbestände im Bereich der Wirtschaftsdelikte.

6.10. Eine Lücke im strafrechtlichen Schutz füllte das Gesetz LIX aus dem Jahr 2001, indem es den Missbrauch hinsichtlich der Monopolsteuer, die Hehlerei mit Monopolerzeugnissen und schließlich die Förderung der Hehlerei mit Monopolerzeugnissen unter Strafe stellte.

Das Gesetz LXXXIII aus dem Jahr 2001 ergänzte aufgrund der Maßnahmen der UNO und der Rechtsakte der EU den Tatbestand des Terrorakts mit folgender Formulierung: „wer finanzielle Mittel zum Begehen von Terrorakten bereitstellt ...".

6.11. Einen entscheidenden Schritt für Ungarn stellte die Abschaffung der Einschränkungen in der Devisenwirtschaft dar. Nach Jahrzehnten konnte der berüchtigte Devisenparagraph des StGB gestrichen werden.

Die letzte umfangreiche Änderung des StGB durch das Gesetz CXXI erfolgte im Dezember 2001. Es bezog sich auf drei Hauptpunkte:

- die Rechtsharmonisierung,
- die Durchführung der Strategie der Regierung gegen die Korruption und
- die Umsetzung des Cybercrime-Abkommens des Europarates.

Was die Aufgaben der Rechtsharmonisierung betrifft, enthält das Gesetz eine Liste von Rechtsakten der EU, mit denen die Regelungen des Gesetzes in Einklang stehen:

- erstes Protokoll zum Übereinkommen über den Schutz der finanziellen Interessen der Europäischen Gemeinschaften;
- zweites Protokoll zum Übereinkommen über den Schutz der finanziellen Interessen der Europäischen Gemeinschaften;
- Übereinkommen über die Bekämpfung der Bestechung, an der Beamte der Europäischen Gemeinschaften oder der Mitgliedstaaten der Europäischen Union beteiligt sind;
- Rahmenbeschluss des Rates vom 29.5.2000 über die Verstärkung des mit strafrechtlichen und anderen Sanktionen bewährten Schutzes gegen Geldfälschung im Hinblick auf die Einführung des Euro;
- gemeinsame Maßnahme vom 22.12.1998 betreffend die Bestechung im privaten Sektor;
- gemeinsame Maßnahme vom 21.12.1998 über die Strafbarkeit der Beteiligung an einer kriminellen Vereinigung in den Mitgliedstaaten der Europäischen Union;
- gemeinsame Maßnahme vom 3.12.1998 betreffend Geldwäsche, die Ermittlung, das Einfrieren, die Beschlagnahme und die Einziehung von Tatwerkzeugen und Erträgen aus Straftaten;
- Übereinkommen des Europarates über Geldwäsche, sowie Ermittlung, Beschlagnahme und Einziehung von Erträgen aus Straftaten vom 8.11.1990;
- das Schengener Durchführungsabkommen.

Aus dem umfangreichen Änderungsgesetz seien folgende Bestimmungen erwähnt:

- die Vermögenseinziehung gehört nach der neuesten Regelung nunmehr zu den strafrechtlichen Maßnahmen;
- erneut wurde der Begriff „kriminelle Organisation" geändert, diesmal entsprechend dem UNO-Abkommen über grenzüberschreitende organisierte Kriminalität und der diesbezüglichen gemeinsamen Maßnahme des Rates;
- die Rechtsfolgen der Begehung einer Straftat in einer kriminellen Organisation wurden neu geregelt; danach bilden solche Taten keine qualifizierten Fälle im

Besonderen Teil, sondern es gilt eine Strafschärfung, nach welcher sich die Obergrenze des Strafsatzes auf das Doppelte erhöht;

- das Gesetz hat mehrere Tatbestände abgeändert und ergänzt, in der Regel im Sinne einer Strafschärfung.

Als neue Straftatbestände wurden aufgenommen:

- Behinderung eines behördlichen Verfahrens;
- Förderung der Geldfälschung;
- Verletzung der finanziellen Interessen der Europäischen Gemeinschaften.

Weitgehend neu geregelt wurden die Tatbestände der Korruptionsdelikte. In diesem Bereich wurden einerseits die Strafrahmen erhöht, andererseits wurde eine strafrechtlich sanktionierte Anzeigepflicht für Amtspersonen bezüglich der Bestechung und Bestechlichkeit eingeführt. Außerdem wurde sowohl für die aktive als auch für die passive Seite der Korruptionsdelikte ein Strafaufhebungsgrund eingeführt, in der Hoffnung, dass diese Vorschriften eine präventive Wirkung haben können.

Umfangreiche Paragraphen wurden aufgrund der „Cybercrime-Convention" in das StGB aufgenommen. Zur Zeit der Parlamentsdebatten über den Entwurf des Strafrechtsänderungsgesetzes wurde im so genannten Herrensaal des Ungarischen Parlaments das Cybercrime-Übereinkommen unterzeichnet. Zur Transformation des Übereinkommens wurden in das StGB zwei neue Tatbestände eingegliedert: die Straftat gegen Computersysteme und das Ausspielen von technischen Sicherungsmaßnahmen zum Schutz von computertechnischen Maßnahmen.

6.12. In Fachkreisen löste das größte Echo ohne Zweifel das im Rahmen der Rechtsharmonisierung erarbeitete Gesetz CIV von 2001 über strafrechtliche Maßnahmen gegen juristische Personen aus. Das Übereinkommen der OECD über die Bekämpfung der Bestechung ausländischer Amtsträger im internationalen Geschäftsverkehr, das UNO-Übereinkommen über die Bekämpfung der grenzüberschreitenden organisierten Kriminalität sowie mehrere Rechtsakte der Europäischen Union verpflichteten Ungarn, eine wirksame, angemessene und zurückhaltende Sanktionierung von juristischen Personen einzuführen, die der Europarat schon 1998 in einer Recommendation veröffentlicht hat. Von den Rechtsakten der EU soll die gemeinsame Maßnahme des Rates vom 24.2.1997 über die Bekämpfung des Menschenhandels und der sexuellen Ausbeutung von Kindern Erwähnung finden. Des Weiteren sei auf die oben erwähnten Rechtsakte der EU verwiesen.

In der ungarischen Strafrechtsdoktrin herrschte bis vor kurzem uneingeschränkt die Lehre „societas delinquere non potest". Das Verfassungsgericht betonte wiederholt, dass die Bestrafung menschliche Schuld voraussetze. Für das ungarische Gesetz ist kennzeichnend, dass es versucht, eine vermittelnde Position einzunehmen, indem die vorgesehenen Sanktionen nicht als Strafen, sondern als Maßnahmen eingestuft werden.

Das Gesetz sieht die Anwendung folgender Maßnahmen vor:

- Auflösung der juristischen Person,
- Beschränkung der Tätigkeit der juristischen Person,
- Geldbuße.

Die hier erwähnten Sanktionen können gegen eine juristische Person verhängt werden, wenn die Begehung einer vorsätzlichen Straftat zu einer Bereicherung der juristischen Person führte bzw. eine solche bezweckte. Die Straftat kann entweder durch einen leitenden Funktionsträger in Ausübung seiner Tätigkeit für die juristische Person selbst begangen werden oder aber durch einen Angestellten, sofern ein leitender Funktionsträger bei pflichtgemäßer Erfüllung seiner Tätigkeit die Begehung der Straftat hätte verhindern können. Ferner wird der Fall geregelt, in dem die juristische Person durch die Straftat bereichert wird, und ein leitender Funktionsträger von der Begehung der Straftat wusste.

Das Gesetz tritt erst an dem Tag in Kraft, an dem das Gesetz über die Verkündung des Vertrags zum Beitritt Ungarns zur EU in Kraft treten wird.

7. Bemerkungen zur Rechtsentwicklung

Nach dem Systemwechsel wurden zahlreiche Strafrechtsänderungsgesetze erlassen. Das Strafrecht wurde von den nicht-rechtsstaatlichen Rechtsinstitutionen befreit. Die Gerichte verhängen mehr Strafen bzw. Maßnahmen ohne Freiheitsentzug und setzen weniger Freiheitsstrafen zur Bewährung aus. Trotz dieser Entwicklung sitzen in den Gefängnissen verhältnismäßig viele Verurteilte. Ihr Anteil pro 100.000 Einwohner ist doppelt so hoch wie der EU-Durchschnitt.

Nach dem Systemwechsel hat sich Ungarn für die Erneuerung des materiellen Strafrechts durch Änderungsgesetze entschieden. Diese Technik schien geeignet zu sein, den raschen gesellschaftlichen und wirtschaftlichen Entwicklungen gerecht zu werden. Die Änderungen betrafen beinahe das gesamte Gesetz, insbesondere den Abschnitt über die Wirtschaftstraftaten und Straftaten gegen die öffentliche Ordnung. Zugleich ist der so genannte dogmatische Teil des Gesetzes unberührt geblieben. Folgende Regelungen sind unverändert geblieben:

- der Begriff der Straftat,
- die Einteilung der Straftaten in Verbrechen und Vergehen,
- der Begriff der Mehrheit von Straftaten (auch Konkurrenz genannt) und des fortgesetzten Delikts,
- der Begriff des Vorsatzes und der Fahrlässigkeit,
- die Regelung der Strafbarkeit der erfolgsqualifizierten Delikte,
- der Versuch und die Vorbereitung,

- die Beteiligungsformen (Täterschaft und Teilnahme),
- Ausschluss und Aufhebung der Strafbarkeit.

Im Besonderen Teil finden sich nur wenige Tatbestände, die nicht abgeändert wurden. Die Strafrahmen wurden in der Regel erhöht, jedoch gibt es einige Tatbestände, welche die Jahrzehnte seit dem In-Kraft-Treten des Gesetzes ohne jedwede Änderungen überstehen konnten, z.B. Nötigung, Tötung im Affekt, Beteiligung am Selbstmord, Gefährdung im Straßenverkehr, Doppelehe, Schändung, Amtsmissbrauch etc.

Entkriminalisierungen waren in dieser Periode eher eine Seltenheit (Prostitution, Devisendelikt). Neue Tatbestände wurden vor allem im Bereich der Wirtschaftsdelikte geschaffen, davon zeugen die häufig vorkommenden /A-, /B-, und nicht selten /F-Paragraphen.

Die Änderungen im Besonderen Teil haben in der Regel die strafrechtliche Verantwortlichkeit verschärft, die Strafrahmen wurden oft erhöht. Es liegt nahe, dass gesetzliche Bestimmungen auch als politische Botschaften, als Signale verstanden wurden. Strenge und Milde, Vergeltung und präventionsorientierte Behandlung spielten auch in der politischen Diskussion vor den Parlamentswahlen 2002 eine wichtige Rolle.

Was den unbefangenen Beobachter überraschen kann, ist die leichte Hand, mit der der Gesetzgeber das StGB wiederholt verändert hat. Nicht selten waren die Gründe der durchgeführten Änderungen schwer nachzuvollziehen. Manchmal hatte man das Gefühl, dass der Gesetzgeber einfach demonstrieren wollte, dass er nicht untätig geblieben ist. Auch die relativ raschen Kursänderungen sind auffallend. Insbesondere wenn man die kriminalpolitisch wichtigen Regelungen des Gesetzes XVII von 1973 und des Gesetzes LXXXVII von 1998 miteinander vergleicht.

8. Die Strafrechtsreform

Die zahlreichen Änderungen haben die einst einheitliche Struktur des Gesetzes zerstört. Infolge der raschen gesellschaftlichen, wirtschaftlichen und politischen Änderungen haben sich die Rechtsgüter, die Verhältnisse, die Interessen und die Werte, die die Strafgesetze schützen wollen, teilweise umgestaltet.

Die ersten Zeichen der Vorbereitungen einer umfassenden Neukodifizierung des Strafrechts gehen auf den Herbst 1998 zurück. Frau Minister Dr. *Dávid* stellte im März 2001 eine aus Hochschullehrern und Praktikern bestehende Strafrechtskommission auf, die bis heute die meisten Probleme des Allgemeinen Teils analysiert hat. Daneben liefen aber die Vorbereitungsarbeiten zu den Strafrechtsnovellen des Jahres 2001 und des Gesetzes über die strafrechtliche Sanktionierung von juristischen Personen, und dieser Umstand hat die Arbeiten verständlicherweise verlangsamt.

Im Lauf der bisherigen Beratungen der Kommission wurden im Bereich der Verbrechenslehre, d.h. der Voraussetzungen, Modalitäten und Hindernisse der strafrechtlichen Verantwortlichkeit keine spektakulären oder revolutionären Änderungen vorgeschlagen, z.B. wurde diskutiert, ob es erforderlich wäre, eine besondere Regelung über die mittelbare Täterschaft in den Text des Gesetzes aufzunehmen, oder ob die bestehende Regelung mit der bisherigen Gerichtspraxis voll befriedigend sei. Ein weiteres Beispiel betrifft die Notwehr als Rechtfertigungsgrund. Die Kommission war weitgehend darin einig, dass die Notwehr opferfreundlicher ausgestaltet werden sollte. Fraglich war jedoch, ob dies ohne Eingriff des Gesetzgebers durch eine opferfreundliche Auslegung der geltenden Regelungen erreicht werden könnte oder nicht.

Im Bereich des Sanktionensystems bestand Konsens darüber, dass der Anteil der nicht zur Bewährung ausgesetzten Freiheitsstrafen reduziert und die Auswahl der Strafen und Maßnahmen ohne Freiheitsentzug erweitert werden sollte.

Einhellig war die Meinung in der Kommission auch darüber, dass die europäischen rechtsstaatlichen Werte auch im Strafgesetzbuch des 21. Jahrhunderts zu bewahren sind. Das neue StGB soll auch den Forderungen entsprechen, die aus dem Status Ungarns als assoziiertes Mitglied und vollberechtigtes Mitglied der Europäischen Union folgen. Es sind auch die einschlägigen Empfehlungen der Vereinten Nationen und des Europarates zu berücksichtigen.

Bezüglich der Struktur des Besonderen Teils und des Aufbaus der Tatbestände wurden folgende Erwägungen betont:

Die Struktur solle transparent und gut überschaubar sein, und sie sollte die Wertepräferenzen des Gesetzgebers zum Ausdruck bringen. Der pyramidenartige Aufbau der Kapitel des Besonderen Teils sollte abgeschafft werden, es sollten kleinere Abschnitte entstehen, und die Einteilung der Straftatbestände sollte anhand des geschützten Rechtsguts erfolgen.

Es sollte berücksichtigt werden, dass Adressaten des Gesetzes nicht nur Juristen sind, die für die Musik des Gesetzgebers ein feines Ohr haben, sondern auch der einfache Staatsbürger, der Mann und die Frau von der Straße, die die dogmatischen Virtuositäten weniger interessieren als ein klares Wort darüber, wie groß der Freiheitsraum des Einzelnen ist und wo das Territorium des strafrechtlichen Unrechts beginnt; mit anderen Worten: Was kann ich straffrei tun und wofür werde ich strafrechtlich belangt? In unserer Kommunikationsgesellschaft ist der Wortgebrauch des Gesetzgebers und des Richters besonders wichtig.

Von Bedeutung ist auch die richtige Arbeitsteilung zwischen Gesetzgeber und Richter sowohl hinsichtlich der rechtlichen Einordnung des Verhaltens sowie bezüglich der Strafzumessung. Bei der Bejahung qualifizierender Umstände ist eine gewisse Vorsicht geboten. Auch hinsichtlich der gesetzlichen Strafzumessungsregelungen gilt es, ein richtiges, ausgewogenes Verhältnis zwischen Gesetzgebung und Rechtsprechung zu erzielen. Wichtig ist auch, dass das *jus puniendi* den Gesetzgeber nicht sofort veranlasst, einen neuen Tatbestand zu schaffen, wenn er einen schnelleren und entschlosseneren Schritt aus politischen Gesichtspunkten als vernünftig erachtet.

Literatur

Bárd, Károly, Die strafrechtliche Aufarbeitung von staatlich gesteuertem Unrecht in Ungarn. ZStW 107 (1995), 120–133.

– Entwicklung und Ursachen der Kriminalität aus ungarischer Sicht. In: Hans-Joachim Hirsch (Hrsg.), Krise des Strafrechts und der Kriminalwissenschaften? Tagungsberichte eines Symposiums der Alexander von Humboldt-Stiftung, Bonn-Bad Godesberg, veranstaltet vom 1. bis 5. Oktober 2000 in Bamberg. Schriften zum Strafrecht. Berlin 2001, Heft 129, S. 98–102.

Békés, Imre, Wesentliche Voraussetzungen einer modernen Strafgesetzgebung aus ungarischer Sicht. In: Albin Eser/Günther Kaiser/Ewa Weigend (Hrsg.), Von totalitärem zu rechtsstaatlichem Strafrecht. Kriminalpolitische Reformtendenzen im Strafrecht osteuropäischer Länder. Internationales Symposium 1992, Buchenbach bei Freiburg im Breisgau. Freiburg 1993, S. 135–164.

Eser, Albin/Kaiser, Günther (Hrsg.), Deutsch-ungarisches Kolloquium über Strafrecht und Kriminologie. Baden-Baden 1990.

– Zweites deutsch-ungarisches Kolloquium über Strafrecht und Kriminologie. Baden-Baden 1995.

Farkas, Ákos, Stand und Tendenzen der Strafrechtsreform in Ungarn. In: Albin Eser/Günther Kaiser/Ewa Weigend (Hrsg.), Von totalitärem zu rechtsstaatlichem Strafrecht. Kriminalpolitische Reformtendenzen im Strafrecht osteuropäischer Länder. Internationales Symposium 1992, Buchenbach bei Freiburg im Breisgau. Freiburg 1993, S. 43–54.

– Landesbericht Ungarn. In: Albin Eser/Barbara Huber (Hrsg.), Strafrechtsentwicklung in Europa 4, Landesberichte 1989/1992 über Gesetzgebung, Rechtsprechung und Literatur, Teilband I. Freiburg 1994, S. 1629–1648.

Földvári, József, Die strafrechtliche Verantwortung für die während der kommunistischen Diktatur in Ungarn begangenen Verbrechen. Festvortrag. Universität Bayreuth, Rechts- und Wirtschaftwissenschaftliche Fakultät, Ehrenpromotion Professor Dr. József Földvári. Bayreuth 1993, S. 17–24.

Györgyi, Kálmán, Kriminalität in Ungarn vor dem Umbruch und ihre Aufarbeitung nach der Wende. In: Klaus Sessar/Martin Holler (Hrsg.), Sozialer Umbruch und Kriminalität in Mittel- und Osteuropa, Hamburger Studien zur Kriminologie 23. Pfaffenweiler 1997, S. 29–43.

– Zusammenarbeit im Kampf gegen das organisierte Verbrechen – die Vorbereitungen Ungarns. Die Union, Vierteljahreszeitschrift für Integrationsfragen 2/1999, 65–75.

Györgyi, Kálmán/Lammich, Siegfried, Entwicklung des Strafrechts, der Kriminalität und der Strafzumessungspraxis seit dem Inkrafttreten des Strafgesetzbuchs von 1878. ZStW 100 (1988), 974–993.

Király, Tibor, Rechtsstaatliche Möglichkeiten einer Vereinfachung des Strafverfahrens in Ungarn. In: Albin Eser/Günther Kaiser/Ewa Weigend (Hrsg.), Von totalitärem zu rechtsstaatlichem Strafrecht. Kriminalpolitische Reformtendenzen im Strafrecht osteuropäischer Länder. Internationales Symposium 1992, Buchenbach bei Freiburg im Breisgau. Freiburg 1993, S. 503–516.

Lammich, Siegfried, Einige aktuelle strafrechtliche Entwicklungstendenzen in Ungarn. WGO-Monatshefte für Osteuropäisches Recht 1989, 87–94.

– Demokratisierung und Strafrecht in Ungarn. Juristenzeitung 1990, 182–184.

Lévay, Miklós, Social Changes and Rising Crime Rates: The Case of Central and Eastern Europe. (2000) 1 European Journal of Crime, Criminal Law and Criminal Justice, 35–50.

Nagy, Ferenc, Arten und Reform punitiver und nicht-punitiver Sanktionen in Ungarn, In: Albin Eser/Günther Kaiser/Ewa Weigend (Hrsg.), Von totalitärem zu rechtsstaatlichem Strafrecht. Kriminalpolitische Reformtendenzen im Strafrecht osteuropäischer Länder. Internationales Symposium 1992, Buchenbach bei Freiburg im Breisgau. Freiburg 1993, S. 313–340.

– Zur Problematik der Verjährung in Ungarn. ZStW 106 (1994), 880–889.

Pusztai, László, Systemwechsel und Wirtschaftsstrafrecht in Ungarn. In: Albin Eser/Günther Kaiser/Ewa Weigend (Hrsg.), Von totalitärem zu rechtsstaatlichem Strafrecht. Kriminalpolitische Reformtendenzen im Strafrecht osteuropäischer Länder. Internationales Symposium 1992, Buchenbach bei Freiburg im Breisgau. Freiburg 1993, S. 425–442.

Udvaros, Judit, Ungarn. In: Albin Eser/Jörg Arnold (Hrsg.), Strafrecht in Reaktion auf Systemunrecht. Vergleichende Einblicke in Transitionsprozesse. Internationales Kolloquium Freiburg im Breisgau 2.–5. Juni 1999. Freiburg 2000, S. 309–324.

Laufende Reformen des Strafrechts aus der Sicht Serbiens

Zoran Stojanovic, Belgrad

In Serbien gilt, neben dem Strafgesetz Serbiens, das den größten Teil des Besonderen Teils umfasst, auch das Strafgesetz Jugoslawiens, das den Allgemeinen Teil und eine kleinere Anzahl der Straftaten enthält. Die Gesetzgebungskompetenz im Bereich des Strafrechts ist also zwischen dem Bundesstaat einerseits und Serbien bzw. Montenegro andererseits geteilt.[1] Dem aktuellen Strafrecht liegt das ein halbes Jahrhundert alte Strafgesetzbuch aus dem Jahre 1951 zugrunde. Es ist daran zu erinnern, dass dieses nach dem Muster der westeuropäischen Strafgesetzbücher verfasst wurde, so dass im Unterschied zu anderen ehemaligen sozialistischen Ländern das Strafrecht Jugoslawiens keine dringende Reform verlangte.

Die neuen Strafgesetzbücher, die die Staaten der ehemaligen Föderativeinheiten der SFR Jugoslawien erlassen haben, sind eher Ausdruck des Bestrebens nach einer Bestätigung der erworbenen Staatlichkeit und der Distanzierung zu den Resten des Rechtssystems des ehemaligen Staates als Ausdruck der Rückständigkeit des bisherigen Strafrechts. Da die Bundesrepublik Jugoslawien in staatlicher Kontinuität zum ehemaligen Jugoslawien steht, kam dort eine solche politische Notwendigkeit nicht zum Ausdruck. Es war jedoch nötig, durch die Änderungen des Bundesstrafgesetzes aus dem Jahr 1993 und der Strafgesetze Serbiens und Montenegros von 1994 das Strafrecht von den ideologiebehafteten Lösungen und der Terminologie, die an die vorherige Periode gebunden waren, zu befreien. Zudem wurde im Bundesstrafrecht auch die Todesstrafe abgeschafft, blieb aber für zwei Straftaten in der Gesetzgebung Serbiens vorgesehen, bis vor kurzem, als sie durch die Änderungen des Strafgesetzes Serbiens definitiv aufgehoben wurde. Abgesehen von sehr seltenen Besonderheiten des „sozialistischen Strafrechts“, wie auch von einigen Lösungen, die noch auf einer Theorie aus dem Ende des 19. Jahrhunderts gründen (was auch in einigen europäischen Gesetzgebungen keine Seltenheit ist), entspricht das aktuelle Strafrecht in Serbien und Montenegro dem durchschnittlichen europäischen Niveau. Es gibt jedoch Defizite in der Theorie und der Rechtsprechung, so dass die Situation unbefriedigend ist.

Obwohl das Thema dieses Referats „Die Reform des Strafrechts“ ist, ist es doch notwendig, einen Rückblick auf das Faktische zu werfen, d.h. auf die Anwendung des Strafrechts. Das Strafrecht in Jugoslawien wurde in der Zeit nach dem Zweiten

---

[1] Siehe *Z. Stojanovic/O. Peric/Dj. Ignjatovic*, Yugoslavia. International Encyclopaedia of Laws, Criminal Law – Suppl. 18, Den Haag u.a. 1999, S. 46–48.

Weltkrieg in der Praxis zur Verfolgung politischer Feinde missbraucht. Aber noch schwerwiegendere Missbräuche ereigneten sich, als das herrschende Regime verschiedene Repressionsformen anwandte, die keine Grundlage im Strafrecht hatten. Die Tatsache, dass zahlreiche Opfer bis heute weder moralisch noch rechtlich rehabilitiert wurden, spricht dafür, dass in Serbien weiterhin ein Klima politischer Intoleranz herrscht. Heute richtet sich der Blick eines Teils der politischen Öffentlichkeit in Serbien in Anbetracht der Verletzung der Menschenrechte nur auf die jüngste Vergangenheit, also die Zeit nach dem Zerfall des ehemaligen Jugoslawiens, und man vergisst dabei – bewusst oder nicht – den mehrere Jahrzehnte langen Diktaturzeitraum von *Josip Broz*. Das Jahrzehnt, das wir unmittelbar hinter uns haben, ist gekennzeichnet durch die Nichtanwendung des Strafrechts. Das Strafrecht, obwohl es in der Theorie zufrieden stellend ist, konnte in der Praxis seine Schutzfunktion kaum wahrnehmen. Dies hatte ein Gefühl der Unsicherheit bei den Bürgern und ein Misstrauen gegen den Staat und das Strafrecht zur Folge. Bis heute hat sich in dieser Hinsicht wenig verändert.

Ein allgemeiner Einwand, der an das Strafrecht der Bundesrepublik Jugoslawien (Serbiens und Montenegros) gerichtet werden könnte, bezieht sich darauf, dass der Schutz der individuellen Rechtsgüter einerseits und der Schutz einiger überindividueller Rechtsgüter andererseits in Quantität und Qualität unterschiedlich ist. Man hat den Eindruck, dass der Gesetzgeber bei der Ausgestaltung des strafrechtlichen Schutzes einiger Allgemeingüter davon ausging, dass diese eines stärkeren Schutzes bedürften als die Menschenrechte. Für einen solchen Eindruck genügt ein flüchtiger Blick auf einige Straftaten. Zum Beispiel hat sich der Gesetzgeber bemüht, durch die Tatbestände, die den strafrechtlichen Schutz des Staates zum Ziel haben, auch die Menschenrechte zu schützen.

Neben allem Positiven, was die Novelle aus dem Jahr 1990 im Bereich der politischen Straftaten gebracht hat, blieb der strafrechtliche Schutz des Staates als Selbstzweck bestehen. Ist es wirklich notwendig, dass der strafrechtliche Schutz der Wirtschaft, der Armee, der öffentlichen Ordnung und der anderen allgemeinen oder überindividuellen Rechtsgüter auf die Weise geregelt wird, wie das in den Strafgesetzen des Bundesstaates und Serbiens getan worden ist? Auch ohne eine ausführliche Analyse der einzelnen Tatbestände liegt der Verdacht nahe, dass einige wegen des Umfangs der Strafbarkeit, der Erfassung strafbarer Vorbereitungshandlungen und der sehr strengen Strafandrohungen vor allem dem Selbstzweck dienen. Hinsichtlich der Tatbestände, die den Schutz der so genannten Allgemeingüter bezwecken, besteht also das Bedürfnis nach Entkriminalisierung, nach Einschränkung der Strafbarkeit und milderen Strafen. Die Schaffung neuer Straftatbestände oder die Ausweitung der Strafbarkeit sind nur dann gerechtfertigt, wenn der Schutz der Menschenrechte dies erfordert. Dies sollte kriminalpolitischer Ausgangspunkt der Reform des Strafrechts Serbiens sein.

Für eine solche qualitativ andere Herangehensweise an strafrechtlichen Schutz bedarf es auch eines anderen gesellschaftlichen und politischen Klimas. Allerdings herrscht heutzutage in Serbien eher eine populistisch orientierte Kriminalpolitik, die den Schwerpunkt schon bei der Gesetzgebung auf die Schaffung neuer Tatbestände und eine stärkere Repression legt, womit man dem Wunsch der Öffentlichkeit nach einem repressiven Strafrecht entgegenkommt. Für diese Kriminalpolitik ist es wichtiger, in der Öffentlichkeit den Eindruck zu erwecken, dass etwas getan wird und dass die politischen Versprechen erfüllt werden, als dass die Probleme tatsächlich gelöst werden (z.B. die Korruptionsbekämpfung). Das Justizministerium hat ohne Beteiligung von Strafrechtsexperten in kurzer Zeit einen Gesetzentwurf zur Änderung des Strafgesetzes vorbereitet. Unnötige neue Straftatbestände und Änderungen von Tatbeständen schaffen Probleme im Verhältnis zu den weiterhin bestehenden Tatbeständen. Strafschärfungen (im Gegensatz zu dem, was seit *Beccaria* bekannt ist), Unstimmigkeiten und Versäumnisse legislativ-technischen Charakters sind einige weitere Merkmale dieses Entwurfs. Er wurde in einer durch zahlreiche Ergänzungen im parlamentarischen Verfahren etwas verbesserten Version im Februar 2002 als Gesetz über die Änderungen und Ergänzungen des Strafgesetzes Serbiens verabschiedet.

Allgemein entsteht der Eindruck der entschiedenen Verschärfung strafrechtlicher Repression, was im Grunde eine Folge der sehr ernst zu nehmenden Schwächen bei der Strafrechtsanwendung ist. Abgesehen von 15 neuen Straftaten ist für zahlreiche Straftaten eine schärfere Strafe vorgesehen (obwohl das jugoslawische Strafrecht, gemessen an den vorgesehenen Strafen, schon jetzt eines der strengsten in Europa ist), mit der Begründung, dass auf diese Weise die Gerichte angehalten würden, keine milde Strafpolitik zu betreiben. Eines der Ziele dieser Reform war auch die Korruptionsbekämpfung durch Einführung verschiedener neuer Straftatbestände. Es ist jedoch bekannt, dass insbesondere der materiellen Strafgesetzgebung bei der Korruptionsbekämpfung eine untergeordnete Rolle zukommt, und dass Strategien, die andere Formen der technischen und organisatorischen Prävention einbeziehen, viel wichtiger sind.[2] Alle europäischen Strafgesetzbücher beinhalten mehrere Tatbestände, die der Korruptionsbekämpfung dienen können, wie es auch im serbischen Strafgesetz vor seinen Änderungen der Fall war. Trotz des Eindrucks über die weit verbreitete Korruption in Serbien und Montenegro werden viele Tatbestände jedoch nicht angewendet. Anstelle einer Lösung des Problems der Strafrechtsanwendung in diesem Bereich wurde ein Sonderkapitel eingeführt, das mehrere neue Tatbestände (so genannte Korruptionsstraftaten) beinhaltet, und zwar auf eine Art, die der modernen europäischen Strafgesetzgebung zuwider läuft. Die Tatbestände der einzelnen neu eingeführten Straftaten unterscheiden sich fast nicht voneinander, außer in den Bereichen, in welchen ein Dienstmissbrauch ausgeübt wird (z.B. im Bereich der Rechtspflege, des Gesundheitswesens, der Ausbildung usw.), was auch schon der bestehende allgemeine Tatbestand der Straftat des

---

2 Vgl. dazu *W. Hassemer*, Freiheitliches Strafrecht, Berlin 2001, S. 176–182. Auch *B. Bannenberg*, Korruption und strafrechtliche Kontrolle, Neue Kriminalpolitik 3/1999, S. 25.

Dienstmissbrauchs umfasst hatte, teilweise auch der Straftatbestand der Bestechlichkeit.

Natürlich verdienen einige der in dem Gesetz gefundenen Lösungen auch Zustimmung, z.B. die Entkriminalisierung bestimmter Verhaltensweisen. Insgesamt war aber eine solche Reform des Strafrechts zu diesem Zeitpunkt nicht notwendig. Wenn die Reform des Strafrechts auf diese Weise vollzogen wird, dann ist nicht nur die Erwartung, dass Serbien und Montenegro in naher Zukunft ein besseres Strafrecht bekommen werden, eine Illusion, vielmehr droht auch die ernste Gefahr, das Bestehende zu verlieren. Es gab keinen dringenden Bedarf für Änderungen der Strafgesetze Serbiens (mit Ausnahme der Abschaffung der Todesstrafe, die aber wohl eher auf die Aufnahme in den Europarat zurückzuführen ist), bevor die Frage der Zukunft des Bundesstaates nicht gelöst ist. Außerdem hätte man durch ein durchdachtes politisches Vorgehen vermeiden können, dass gerade die politischen Wirkungen, die man erreichen möchte, von kurzer Dauer sind und zu Misstrauen gegenüber dem Gesetzgeber führen.

Im Zuge der jüngsten strafrechtlichen Gesetzesvorhaben im Bereich des Bundes- und des serbischen Strafrechts fällt eine neue Arbeitsweise auf, die für Serbien einen Präzedenzfall darstellt. Bis jetzt wurden in das Gesetzgebungsverfahren des Bundes immer auch die Strafrechtstheoretiker einbezogen. Es ist auch zu erwähnen, dass der Entwurf der Bundesregierung zur Änderung des Strafgesetzes vom April 2002, obwohl der Materie nach umfangreicher und komplexer als die verabschiedeten Änderungen des Strafgesetzes Serbiens, im etwa gleichen Zeitraum erstellt wurde.

Anlass für diesen Entwurf war die Ratifikation einiger internationaler Verträge, insbesondere des Römischen Statuts des Internationalen Strafgerichtshofs. Von den zahlreichen Neuigkeiten, die der erwähnte Bundesregierungsentwurf umfasst, insbesondere im Hinblick auf internationale Straftaten, ist vor allem das Problem der strafrechtlichen Regelung des Instituts „Verantwortlichkeit militärischer Befehlshaber und anderer Vorgesetzter“ *(command responsibility)* hervorzuheben. Das vorsätzliche Unterlassen des Vorgesetzten, die Begehung einer Straftat von einem Untergebenen zu vermeiden, kann rechtsdogmatisch begründet werden, und die Bestimmung, die einen solchen Vorgesetzten mit dem Täter gleichstellt, hat auch ihre kriminalpolitische Rechtfertigung. Die Gleichstellung des fahrlässigen Unterlassens des Vorgesetzten, eine vorsätzliche Straftat des Untergebenen zu vermeiden (wie im Römischen Statut in Art. 28 vorgesehen), stellt allerdings insbesondere im Fall der unbewussten Fahrlässigkeit ein rechtsdogmatisches und kriminalpolitisches Absurdum dar. Wusste der Vorgesetzte nichts von den bevorstehenden Straftaten des Untergebenen, so kann er mangels Vorsatzes nicht wie der Täter einer vorsätzlichen Straftat bestraft werden.[3] Der Bundesregierungsentwurf entschied

---

[3] So auch in der Begründung des Entwurfs eines Gesetzes zur Einführung des Völkerstrafgesetzbuchs (VStGB), Referentenentwurf (zu § 5), Stand 22.6.2001, BJM, S. 41.

sich für eine Kompromisslösung: Es wurde ein besonderer Tatbestand des fahrlässigen Unterlassens eines Vorgesetzten eingeführt, der mit einer viel milderen Strafe bedroht ist, als die zugrunde liegende vorsätzliche Straftat des Untergebenen. Die Änderungen des Besonderen Teils des Bundesstrafgesetzes boten die Gelegenheit, auch im Allgemeinen Teil Änderungen vorzunehmen. So wurde bei dem allgemeinen Begriff der Straftat die Gesellschaftsgefährlichkeit als eines der seltenen Relikte des sozialistischen Strafrechts gestrichen. Außerdem wurde der unvermeidbare Rechtsirrtum als Entschuldigungsgrund vorgesehen. Dieser Bundesregierungsentwurf wurde an das Bundesparlament zur Verabschiedung geleitet. Von den gesetzgeberischen Projekten ist auch der Entwurf des Strafgesetzbuchs zu erwähnen, der auf einen Beschluss Serbiens und Montenegros zurückgeht und die eigene Zuständigkeit im Bereich der Strafgesetzgebung vollständig auf den Bundesstaat überträgt. Obwohl die jahrelange Arbeit an dem Entwurf im Februar 2000 erfolgreich beendet wurde, ist es wegen des ungewissen Schicksals des gemeinsamen Staates fast ausgeschlossen, dass dieser Entwurf verabschiedet wird.*

Eine ernste Gefahr droht den Menschenrechten durch das Strafrecht selbst aufgrund seiner Machtlosigkeit in vielen Bereichen (Kriminalität, Terrorismus, Umweltverschmutzung, Korruption). Diese Machtlosigkeit verstärkt die Tendenz zu einem ausgesprochen repressiven Strafrecht, d.h. zu einem totalitären Strafrecht, das selbst eine größere Gefahr für die Freiheit der Bürger und Bürgerrechte darstellt, als die zu bekämpfenden Gefahren. Besonders in Serbien muss man sich entschlossen gegen eine solche Entwicklung stellen. Denn anstelle einer Entwicklung zu einem liberalen (was einige völlig falsch als schwaches, zu tolerantes oder „humanistisches“ Strafrecht begreifen) und rechtsstaatlichen Strafrecht, also einem Strafrecht, das den Schutz der Menschenrechte in den Mittelpunkt aller Bemühungen stellt, kann auch das verloren gehen, was wir auf Gesetzesebene hatten; und das ist zumindest der Schein einer Rechtsstaatlichkeit.

Die Grundlagen eines liberalen, rechtsstaatlichen Strafrechts müssen um jeden Preis erhalten und weiterentwickelt werden. Aktuelle Erscheinungen, wie Terrorismus, Korruption, organisierte Kriminalität etc., die tatsächlich eine sehr ernste Bedrohung darstellen, sind kein hinreichender Grund oder Anlass, um auf die Grundsätze des traditionellen liberalen Strafrechts zu verzichten. Weder die massenhafte Menschenrechtsverletzung seitens der Mächtigen noch seitens des gesamten Regimes dürfen dazu führen, die Grundsätze des Strafrechts zu missachten (z.B. Verletzung des Schuldprinzips, Abweichung vom strafrechtlichen Rückwirkungsverbot, Einführung der Möglichkeit der Strafbefreiung bei schwersten Straftaten aus rein utilitaristischen Gründen etc.). Man darf auch nicht in die Falle irgendeiner Art von Naturrecht geraten. Um das Strafrecht und seine Leitgrundsätze zu erhalten, sollten die Lösungen bei extremen Fällen von Systemunrecht im Bereich der internationalen Strafrechtspflege gesucht werden. Allerdings muss ange-

* Diese beiden Entwürfe wurden tatsächlich nie verabschiedet.

merkt werden, dass das Völkerstrafrecht die hohen Standards des modernen Strafrechts nicht erreicht hat. Während man für zwei Tribunale des Sicherheitsrats – zumindest nach den Maßstäben des europäischen Strafrechts – sagen kann, dass sie die Grundprinzipien und die Institute des materiellen Strafrechts nahezu ignorieren, ist die Zukunft des Internationalen Strafgerichtshofs – vor allem aufgrund der Haltung der USA – ziemlich ungewiss, obwohl sein Statut am 1.7.2002 in Kraft getreten ist. Das objektive Hindernis einer weiteren Entwicklung des Völkerstrafrechts liegt auch darin, dass es sich um eine hybride Disziplin handelt, die bemüht ist, zwei Rechtszweige – das Strafrecht und das Völkerrecht – miteinander zu verbinden, die in vielen Punkten völlig unterschiedlich sind.

In der Reform des Strafrechts sollte der Schwerpunkt trotz ausgeprägter gegenläufiger Tendenzen vom Schutz der Allgemeingüter (die oftmals eher Sondergüter und Interessen betreffen) zu einem Schutz der individuellen Güter bzw. der Menschenrechte verlagert werden. Dadurch wäre auch ein höherer Grad an Legitimität und Wirksamkeit des Strafrechts erreicht. Statt des extensiven und verschwommenen Strafrechts, das nicht angewendet wird, sollte das Strafrecht auf den „harten Kern" dessen begrenzt werden, was geschützt werden muss. Um einen ernsthafteren und wirksameren strafrechtlichen Schutz zu erreichen, müssen jedoch zunächst die Rahmenbedingungen für eine Strafgesetzgebung geschaffen werden, deren Hauptziel ein wirksames Strafrecht ist und die auch in der Lage ist, eine effiziente Anwendung zu gewährleisten. Vorläufig greift man weiterhin leichtfertig nach dem Strafrecht, und so verstärkt sich die bestehende Hypertrophie der strafrechtlichen Normen weiter. Die Zahl der normierten Straftaten wird immer größer. Das gilt im serbischen Recht auch für die Ordnungswidrigkeiten und die Wirtschaftsvergehen, die die Straftaten juristischer Personen betreffen. Es ist nicht hinreichend bekannt, dass Jugoslawien eines der ersten Länder ist, das die bis heute geltende Strafbarkeit – *sui generis* – juristischer Personen im Rahmen eines besonderen Rechtszweigs eingeführt hat. Anstatt dem Strafrecht im Verhältnis zu diesen zwei Rechtszweigen die *ultima ratio*-Funktion zu geben, wird auf ein Verhalten oftmals mit den Normen aller drei Rechtszweige reagiert. Aus diesem Grunde gibt es heute im serbischen Recht tausende von normierten Straftatbeständen (Straftaten, Wirtschaftsvergehen und Ordnungswidrigkeiten), von denen die meisten überhaupt nicht angewendet werden. Dies beruht auf dem Irrtum des Gesetzgebers (oder seiner Unfähigkeit, Probleme auf angemessene Weise zu lösen), dass mittels Strafe fast alle individuellen sowie gesellschaftlichen Probleme gelöst werden können – und das obwohl die Unrichtigkeit dieser Aussage theoretisch vollständig anerkannt wird.

Die dargestellten Probleme sind auch in anderen Rechtssystemen bekannt und schon lange Gegenstand der Strafrechtstheorie und der Kriminalpolitik. Die Besonderheit für Serbien und zugleich das Haupthindernis für die Reform des Strafrechts ist die aktuelle Unsicherheit hinsichtlich des zukünftigen Staates und seines Territoriums. Der ungeklärte Status des Kosovo wie auch die ungelöste Frage des gemeinsamen Staates mit Montenegro, die Forderung der Vojvodina nach einer eigenen Gesetzgebung sind die politischen Fragen, die beantwortet werden müssen, bevor es zu einer Ausarbeitung des serbischen Strafgesetzbuchs kommen kann.

Reform des Strafrechts in Litauen

Vytautas Piesliakas, Vilnius

Ende 1996 wurde dem Parlament der Republik Litauen der Entwurf eines neuen Strafgesetzbuchs vorgelegt.[1] Dieser Entwurf war das Ergebnis einer sorgfältigen Arbeit, die schon 1988 begonnen hatte. Es bedurfte weiterer vier Jahre, bis dieser Entwurf am 26.9.2000 vom Parlament verabschiedet und Gesetz wurde.[2] Bevor das Strafgesetzbuch in Kraft treten konnte, mussten allerdings auch die Strafprozessordnung und das Strafvollzugsgesetzbuch verabschiedet werden.[3] Das dauerte bis zum 1.5.2003. Bis dahin galt offiziell noch das Strafgesetzbuch von 1961, obgleich dieses so stark verändert worden war, dass es nur noch wenige Normen der ursprünglichen Fassung enthielt. Seine Rechtsgültigkeit wurde jedes Jahr vom Parlament verlängert, obwohl ursprünglich vorgesehen war, dass das neue Strafgesetzbuch spätestens zum 1.1.2000 in Kraft treten sollte.

Das Strafgesetzbuch der Republik Litauen ist das erste im 20. Jahrhundert, das von litauischen Wissenschaftlern selbständig und unabhängig entwickelt wurde. Bisher hatte Litauen sich von Gesetzen anderer Staaten leiten lassen: Zuerst von dem russischen Strafstatut von 1903, später von dem russisch-sowjetischen Strafgesetzbuch von 1926, danach galt das Strafgesetzbuch der Litauischen Sowjetischen Republik von 1961.

Die entscheidende Verbesserung liegt in der neuen Konzeption der Kriminalitätskontrolle und in der Schaffung der rechtlichen Grundlage einer neuen, zivilisierteren Strafpolitik.

Das neue Strafgesetzbuch ist wesentlich durch die Entwicklung des modernen Strafrechts gekennzeichnet und spiegelt die Ideen und Errungenschaften der aktuellen Strafrechtswissenschaft wider. Es stellt einen Übergang von der Doktrin des sowjetischen Strafrechts zur modernen europäischen Doktrin des Neoklassizismus dar.

Dabei handelt es sich um ein „originäres“ Gesetzbuch. Denn obwohl im Rahmen des Gesetzgebungsverfahrens verschiedene Gesetze anderer Staaten konsultiert

---

[1] Valstybes zinios (Gesetzblatt) 1996, Nr. 112.

[2] Valstybes zinios 2000, Nr. 89-2741.

[3] Die Strafprozessordnung wurde am 14.3.2002 vom Parlament verabschiedet (Valstybes zinios 2002, Nr. 46-1341) und das Strafvollzugsgesetz am 27.6.2002 (Valstybes zinios 2002, Nr. 73-3084).

wurden, ist es nicht zu einem kosmopolitischen Strafgesetzbuch geworden. Vielmehr enthält es die Ideen der litauischen Wissenschaftler auf der Basis der tatsächlichen Kriminalitätslage in Litauen und trägt dem Bedürfnis der Strafjustiz des Landes nach Kriminalitätskontrolle Rechnung.

Immer wieder wurde im Lauf der Gesetzesentwicklung auch diskutiert, wozu es einer neuen Gesetzessystematik bedürfe. Dabei darf nicht vergessen werden, dass die Gesellschaft mit dem Strafrecht oftmals nur die Strafen verbindet und der Meinung ist, dass eine erfolgreiche Kriminalitätskontrolle mit strengeren Strafen zu erreichen sei. Um dem Anstieg der Kriminalität entgegenzuwirken, sah man in Litauen bis 1999 nur einen einzigen Ausweg: strengere Strafen. Allerdings hatte diese Lösung oftmals gegensätzliche Wirkung. Es sollen hier einige Beispiele für eine Gesetzgebung gegeben werden, die die Gerichte ständig in eine schwierige Lage bringt. Am 8.6.1995 wurde Art. 280 StGB ergänzt und bestimmt, dass jeder Autodiebstahl unabhängig vom reellen Wert des Fahrzeugs als schwerer Diebstahl zu qualifizieren sei.[4] Die minimale Strafe für ein solches Verbrechen betrug bis Ende 1999 sechs Jahre, die maximale Strafe zehn Jahre Freiheitsstrafe.[5] Für die Schlepperei von Migranten durch das Territorium Litauens wurde ein Strafrahmen von fünf bis zehn Jahren, im Fall der Begehung durch eine Gruppe von zehn bis 15 Jahren Freiheitsstrafe festgelegt.[6] Für den rechtswidrigen Schusswaffen- oder Sprengstoffbesitz wurde der Strafrahmen auf vier bis fünf Jahre, bei Begehung durch eine Gruppe auf bis zu zehn Jahre Freiheitsstrafe festgelegt.[7] Diese strengen Strafen sind kaum zu rechtfertigen und dienen auch nicht den Interessen der Justiz. Die Gerichte waren aber gezwungen, sie anzuwenden. Das führte zu einer Verschärfung der Strafpolitik. Die Anzahl der verhängten Freiheitsstrafen wuchs: Im Jahr 1990 betrug sie 2.785, im Jahr 1996 7.739 und 2001 9.294. Die Freiheitsstrafe machte 45 % aller Verurteilungen aus.

Einen großen Einfluss auf die Strafpolitik hatten die gesetzlichen Regelungen hinsichtlich der Geldstrafe. Am 2.10.1996 erhöhte das Parlament das Minimum der Geldstrafe als Hauptstrafe von 10 auf 100 LUM (zum Lebensunterhalt notwendiges Minimum).[8] Das macht 12.500 Litas oder 3.600 Euro aus. Dadurch überschritt die geringste Strafe, die das Gericht für eine Straftat verhängen kann, zwölfmal den durchschnittlichen Lohn eines Beschäftigten in Litauen. Die meisten Verurteilten wären also nicht imstande, eine solche Strafe zu bezahlen. Die Anzahl der verhängten Geldstrafen verringerte sich folglich, insbesondere ist für den Zeitraum von 1997 bis 2000 eine wesentliche Abnahme zu verzeichnen; nur gegen 3 % aller

[4] Valstybes zinios 1995, Nr.55-1358.

[5] Valstybes zinios 1995, Nr. 55-1358.

[6] Valstybes zinios 1996, Nr.73-1748.

[7] Valstybes zinios 1993, Nr. 72-1344.

[8] Valstybes zinios 1996, Nr. 92-2150.

Verurteilten wurde eine Geldstrafe verhängt. Im Gegenzug erhöhte sich die Anzahl der verhängten Freiheitsstrafen.

Leider behielt die Strafpolitik bis Ende 1999 die Linie der strengen Strafen bei. Dieser Weg ist jedoch keine Lösung für die Zukunft. Er führt zu überfüllten Gefängnissen. Alle zwei Jahre ist das Parlament faktisch verpflichtet, eine Amnestie zu erlassen, um einen Teil der Verurteilten freizulassen. In den zwölf Jahren der litauischen Unabhängigkeit wurden sieben Amnestiegesetze verabschiedet. Erst Anfang 1999 begann der Gesetzgeber, die Strafpolitik zu korrigieren: Es wurde eine Reihe von Gesetzen verabschiedet, die auf mildere Freiheitsstrafen und eine Verringerung des Strafmaßes gerichtet waren.[9]

Im Folgenden werde ich einige prinzipielle Bestimmungen des Strafgesetzbuchs darstellen, welche von grundsätzlicher Bedeutung für die Strafpolitik Litauens im 21. Jahrhundert sein werden.

Die Grundlage des Strafrechts bilden die rechtswidrigen Handlungen sowie die Sanktionen. Für die Konzeption des Strafgesetzbuchs ist deshalb in erster Linie entscheidend, welche Handlungen darin mit Strafe bedroht sind. Nach litauischer Tradition werden alle strafbaren Handlungen im Strafgesetzbuch geregelt, es gibt keine Straftatbestände in anderen Gesetzen. Daneben gibt es allerdings das Ordnungswidrigkeitengesetz, das sich größtenteils auf analoge oder ähnliche Handlungen bezieht. Den größten Teil der im alten Strafgesetzbuch vorgesehenen Handlungen bilden verhältnismäßig geringfügige Rechtsverletzungen. Daraus ergibt sich die Frage nach dem Status der geringfügigen Straftaten, insbesondere das Problem der Abgrenzung zwischen Strafrecht und Ordungswidrigkeitenrecht.

Theoretisch galt die Konzeption der Dekriminalisierung von Handlungen und der Säuberung des Strafgesetzbuchs von Handlungen geringer Gefährlichkeit. Praktisch wurde es im Lauf der letzten zwölf Jahre jedoch immer wieder durch neue Straftaten ergänzt, dekriminalisiert wurden dagegen nur wenige Handlungen. Außerdem ist die Dekriminalisierung oftmals nicht effektiv, da bestimmte strafbare Handlungen einfach vom Strafgesetzbuch in das Ordnungswidrigkeitengesetz übernommen werden. Das gegenwärtige, vom sowjetischen System übernommene Recht der Ordnungswidrigkeiten (administrative Rechtsverletzungen) ist nichts anderes als der jüngere Bruder des Strafrechts. Für Ordnungswidrigkeiten sind Maßnahmen vorgesehen, die im Grunde genommen den Strafsanktionen sehr ähnlich sind. Deshalb stellt die Übertragung einer Handlung aus dem Strafgesetzbuch ins Ordnungswidrigkeitengesetz keine wirkliche Dekriminalisierung dar.

Eine der Hauptaufgaben bei der Entwicklung des Entwurfs des neuen Strafgesetzbuchs war die Vermeidung der doppelten Verantwortlichkeit für dieselbe Handlung aufgrund des Strafrechts und des Ordnungswidrigkeitenrechts. Beim

---

9 Durch das Gesetz vom 25.11.1999 sind mehrere Sanktionen abgemildert worden. Valstybes zinios 1999, Nr. 106-3059.

Vergleich der beiden Gesetze finden sich jedoch viele Handlungen, die in der einen oder anderen Form in beiden vorgesehen sind.

Um diese Situation zu vermeiden, wurde ein Teil der Handlungen aus dem Ordnungswidrigkeitengesetz ins Strafgesetzbuch übertragen; sie erhielten dabei den Status des strafrechtlichen Vergehens. Neben dem Begriff „Verbrechen" findet sich im neuen Strafgesetzbuch der Begriff „strafrechtliches Vergehen". Gleichzeitig wird als wesentliche Neuerung der Begriff der „kriminellen Handlung" eingeführt. Kriminelle Handlungen werden in zwei Gruppen eingeteilt: Verbrechen und strafrechtliche Vergehen. Strafrechtliche Vergehen werden von den Verbrechen nach dem zugefügten Schaden abgegrenzt. So wird z.B. der Diebstahl als Verbrechen qualifiziert, wenn der Sachschaden höher als 3 LUM (Lebensunterhaltsminimum) ist. Wenn der Sachschaden in demselben Fall unter 3 LUM liegt, wird der Diebstahl als strafrechtliches Vergehen eingeordnet. Beide Tatbestände – des Verbrechens und des strafrechtlichen Vergehens – werden in demselben Artikel des Strafgesetzbuchs geregelt. Natürlich unterscheiden sich aber die für Verbrechen und für strafrechtliche Vergehen vorgesehenen Strafandrohungen. Für strafrechtliche Vergehen darf keine Freiheitsstrafe verhängt werden.

Eine andere grundlegende Frage ist die nach den rechtlichen Folgen der im Strafgesetzbuch vorgesehen Handlungen. Diese Frage ist auch im Zusammenhang mit den Sanktionsformen zu sehen. 1961 wurde das Strafgesetzbuch kritisiert, weil es zu wenig Strafen enthielt, so dass das Problem der Individualisierung der Strafe völlig den Gerichten überlassen bliebe. Nicht selten wird die geringe Varianz der Sanktionen als eine der Ursachen für die überfüllten Gefängnisse angesehen.

Deshalb sind im neuen Strafgesetzbuch für die Begehung einer Straftat acht verschiedene Sanktionen vorgesehen: Entzug der öffentlichen Rechte, Entzug des Rechts auf eine bestimmte Arbeit (Berufsverbot) oder Verbot, eine bestimmte Tätigkeit auszuüben, gemeinnützige Arbeit, Geldstrafe, Beschränkung der Freiheit, Arrest und Freiheitsstrafe (befristet und lebenslang).

Eine der Besonderheiten des neuen Strafgesetzbuchs, die viel diskutiert wurde, ist, dass es keine Nebenstrafen vorsieht. Da für ein Verbrechen nur eine Hauptstrafe verhängt werden darf, werden die Gerichte meines Erachtens auf das Problem der Individualisierung der Strafe stoßen. Das Gericht ist nicht in der Lage, für die Verletzung der Straßenverkehrsordnung oder für Bestechungsverbrechen neben einer Geldstrafe oder Freiheitsstrafe den zusätzlichen Rechtsentzug anzuordnen, wie z.B. Entzug des Rechts auf bestimmte Arbeit, Entzug des Rechts auf bestimmte Tätigkeit oder Entzug eines anderen konkreten Rechts, was in Anbetracht der Strafzwecke sehr wünschenswert wäre.

Eine wesentliche Änderung des Strafgesetzbuchs betrifft den Begriff und Inhalt der Beschlagnahme von Vermögen oder Konfiskation. Dabei stellt die Konfiskation keine Strafe, sondern eine Maßnahme mit strafrechtlicher Wirkung dar. Außerdem ändert sich der Begriff der Beschlagnahme des Vermögens selbst. Es ist nur solches Vermögen zu konfiszieren, welches mit einer rechtswidrigen Handlung verbunden ist. Von der Person, die einen Raub begangen hat, darf z.B. nicht das Haus oder das Auto konfisziert werden, wenn es keinen Zusammenhang mit dem begangenen Verbrechen gibt. 1961 sah das Strafgesetzbuch die Möglichkeit vor, für Vermögensverbrechen sowie für andere schwere Verbrechen das gesamte Vermögen des Täters zu konfiszieren. Andererseits kann auch solches Vermögen konfisziert werden, das sich im Besitz eines Dritten befindet, sofern bewiesen ist, dass es sich um rechtswidrig erworbenes Vermögen handelt, und dass der Beschuldigte dieses zum Zweck der Verschleierung dem Dritten überlassen hat.

Das bedeutet natürlich nicht, dass das ganze Strafrecht nur aus Strafen und Bestrafung besteht. Viel Aufmerksamkeit wird auch der zweiten alternativen Folge der Straftatbegehung – dem Ausschluss aus der strafrechtlichen Verantwortung – geschenkt. Es sind neue Arten des Ausschlusses der Strafbarkeit vorgesehen, z.B. im Fall der Bürgschaft, bei Geringfügigkeit einer Handlung, im Fall der Versöhnung des Beschuldigten mit dem Geschädigten (Ausgleich).

Eines der wichtigen Prinzipien, von denen sich die Verfasser des Strafgesetzbuchs leiten ließen, ist das Prinzip der Gerechtigkeit im Strafrecht. Unter Gerechtigkeit verstand man im sowjetischen und auch im litauischen Recht ausschließlich die gerichtliche Tätigkeit bei der Ermittlung der Strafsachen, also den Strafprozess. Das Prinzip der Gerechtigkeit wurde somit im sowjetischen Strafrecht lange Zeit nicht den Prinzipien des Strafrechts, sondern ausschließlich denen des Strafprozesses zugerechnet. Leider ist dieses Prinzip in der litauischen Strafrechtstheorie nicht ausreichend entwickelt. Es sollte aber auch für die Strafsanktionen gelten. So sollten für Straftaten, die hinsichtlich der Tatumstände und der beteiligten Personen ähnlich sind, auch entsprechende Strafen verhängt werden. Denn die Gerechtigkeit umfasst nicht nur die praktische Tätigkeit der Gerichte bei der Untersuchung der Strafsachen, sondern vor allem auch die Gesetze, die die Voraussetzungen für eine gerechte gerichtliche Tätigkeit bilden. Die Gerechtigkeit beginnt also mit der Gesetzgebung. Anhand eines Beispiels soll das Problem ungerechter Strafen verdeutlicht werden: Ein Autofahrer hat ein Kind angefahren. Ein anderer Fahrer hat einen alten Mann verletzt. Der erste Fahrer wird strenger bestraft, weil das Opfer ein Kind war oder weil die Öffentlichkeit diesem Fall viel Aufmerksamkeit gewidmet hat. Bei einem solchen Urteil, das es zu vermeiden gilt, kann man nicht mehr von Gerechtigkeit sprechen.

Um dem Prinzip der Gerechtigkeit im neuen Strafgesetzbuch Rechnung zu tragen, wurde eine detaillierte Regelung vorgeschlagen, die für alle Straftaten den Einfluss verschiedener Faktoren auf die zu verhängende Strafe festlegen sollte. Man wollte feststellen, welchen Einfluss erschwerende bzw. mildernde Umstände auf die konkrete Strafentscheidung haben und legte folgende Bestimmung vor: Für ein leichtes Verbrechen unter mildernden Umständen soll das Gericht keinen Freiheitsentzug verhängen. Handelt es sich um ein schweres Verbrechen, so ist Freiheitsstrafe zu verhängen, die jedoch nicht höher sein darf als die vorgesehene durchschnittliche Strafdauer. Außerdem sollte bei erschwerenden Umständen eine Strafe verhängt werden, die das in der Norm vorgesehene durchschnittliche Strafmaß überschreitet und den maximalen Strafrahmen ausschöpfen kann. Gleichzeitig wurde angeregt, die Anzahl der vorgesehenen erschwerenden Umstände entscheidend zu reduzieren. Nach langen Diskussionen wurde dieser Vorschlag nur teilweise verwirklicht.

Das Prinzip der Gerechtigkeit betrifft selbstverständlich nicht nur die Gesetze. Einen wichtigen Beitrag leistet auch das Oberste Gericht, indem es seit 1996 Gerichtsurteile analysiert und auswertet. Die Kompetenz für diese Aufgabe ergibt sich aus dem Gerichtsverfassungsgesetz. Eine weitere Funktion des Obersten Gerichts ist die Entwicklung einer einheitlichen Strafpolitik.

Eine weitere entscheidende Änderung des neuen Strafgesetzbuchs ist die Erweiterung der Geschädigtenrechte hinsichtlich der Einleitung und Durchführung des Strafverfahrens. Meiner Meinung nach war – und ist leider immer noch – die geringe Rücksichtnahme auf die Bedürfnisse der Prozessbeteiligten, insbesondere die des Geschädigten, ein entscheidender Mangel der Strafjustiz. Die Mehrheit der im Strafgesetzbuch festgelegten Verbrechen wird auch heute als für die Öffentlichkeit von großer Bedeutung angesehen. Deswegen unterliegt der Großteil der Strafsachen der öffentlichen Anklage, so dass nur wenig Raum für eine Entscheidung des Geschädigten bleibt.

Die strafrechtliche Verfolgung wird oft begonnen, ohne den Geschädigten in die Entscheidung mit einzubeziehen. Das scheint jedoch nicht sinnvoll zu sein, betrachtet man die starke Belastung der Untersuchungsrichter und die steigenden Kosten der Justiz. Durch eine frühe Beteiligung des Geschädigten kann z.B. im Wege des Ausgleichs auch die Justiz entlastet werden. Das neue Gesetz stärkt deshalb die Rolle des Geschädigten im Prozess und führt zu einem pragmatischeren Strafprozess.

Die Stärkung der Rolle des Geschädigten manifestiert sich im Gesetz bei der Frage der Einleitung des Strafverfahrens. In zwei Fällen beginnt die Strafverfolgung lediglich auf Antrag des Geschädigten: zum einen dann, wenn durch die begangene Handlung ausschließlich persönliche Interessen des Geschädigten betroffen sind – in erster Linie Vermögensinteressen; zum anderen, wenn die Straftat keine schwere Körperverletzung zur Folge hat und keine Bedrohung für die Sicherheit der Gesellschaft bedeutet. Diese Regelung bezieht sich auf Wirtschaftsverbrechen, Eigentumsverbrechen, wenn sie nicht unter Anwendung von Gewalt begangen worden sind, sowie auf Verbrechen mit Körperverletzung, die als Folge von Familienstreitigkeiten begangen wurden. Das Antragserfordernis ist nunmehr nicht in der Strafprozessordnung, sondern im Strafgesetzbuch festgelegt. Im Schlussteil vieler Artikel des Besonderen Teils wird bestimmt, dass die Strafverfolgung nur aufgrund des Antrags des Geschädigten oder auf staatsanwaltlichen Beschluss eingeleitet wird.

Die Rolle des Geschädigten wird ferner dadurch gestärkt, dass er den bereits begonnenen Prozess abbrechen kann. In nicht seltenen Fällen ersetzt der Beschuldigte aus Angst vor möglichen Folgen dem Geschädigten den zugefügten Schaden oder verhält sich auf andere Weise zu dessen Gunsten, so dass es zur Versöhnung kommt. Nach der Versöhnung (dem Ausgleich) hat der Prozess keinen Sinn mehr, weil keine Partei das Interesse an der strafrechtlichen Verantwortung hat. Vor kurzem noch sahen die Strafgesetze keinen Ausweg aus einer solchen Situation vor. Erst am 10. Juni 1993 hat das Parlament der Republik Litauen Art. 53^1 des geltenden Strafgesetzbuchs im Sinne des neuen Gesetzes dahingehend abgeändert, dass nunmehr gegenüber dem Beschuldigten nach dem Ausgleich mit dem Geschädigten auf die Strafe verzichtet wird. Im neuen Strafgesetzbuch wird diese Bestimmung noch detaillierter geregelt.

Lange Zeit knüpfte man in Litauen, wie schon erwähnt, die Frage der Verbrechenskontrolle an die Strenge der strafrechtlichen Sanktionen. Bei der Entstehung des neuen Gesetzes stand dagegen die Strenge der Sanktionen nicht im Vordergrund. Vielmehr war man sich bewusst, dass eine effektive Kriminalitätskontrolle unter den gegenwärtigen Bedingungen ein Überdenken der Strafgesetze und seiner Ziele erfordert. Besondere Aufmerksamkeit kommt in dem neuen Strafgesetzbuch den Ersttätern und den Rückfalltätern zuteil. Die Richtlinien der Strafpolitik kommen klar zum Ausdruck: Das Strafrecht soll dem Beschuldigten eine Chance geben. Das gilt insbesondere für Ersttäter. Für sie wird das so genannte „Prinzip der Chance" in einer Reihe von Bestimmungen festgelegt. So kann z.B. bei Ersttätern bei der Begehung eines leichten Verbrechens auf Strafe verzichtet werden, wenn jemand für ihn Bürgschaft leistet, ein vom Gericht festgelegtes Pfand zahlt und er während der Bürgschaftszeit kein neues Verbrechen begeht. Bei Minderjährigen kann auf die Strafe verzichtet werden, wenn gegen sie Maßnahmen mit dem Ziel der Kontrolle verhängt werden, wobei die Freiheit lediglich beschränkt und nicht entzogen wird. Die Erweiterung der Möglichkeiten, die Vollstreckung der Freiheitsstrafe zur Bewährung auszusetzen, trägt ebenfalls zur Verwirklichung des Prinzips der Chance bei. Im Allgemeinen Teil des Strafgesetzbuchs wird, wie schon erwähnt, grundsätzlich festgelegt, dass Ersttäter bei der Begehung von leichten Verbrechen nicht mit Freiheitsentzug bestraft werden. Durch diese Bestimmung soll die Anzahl der verhängten Freiheitsstrafen beträchtlich reduziert und das Problem der Gefängnisüberfüllung gelöst werden.

Gleichzeitig wird im neuen Strafgesetzbuch der Weg zu einer Humanisierung der Strafpolitik eingeschlagen: Das gegenwärtige Strafrecht soll nicht nur ein Bestrafungsrecht, sondern auch ein Recht sein, das ein „gutes Verhalten" fördert. Diese Funktion des Strafrechts spielte auch bei der Entstehung des neuen Gesetzes eine Rolle. Leider steht aber immer noch die bestrafende, die abschreckende Wirkung der Strafrechtsnormen im Vordergrund. Ziel der Strafgesetzgebung sollte es sein, ein System von Normen zu bilden, das ein positives Verhalten des Beschuldigten fördert. Diese Normen sollten in verschiedenen Stadien des Strafverfahrens angewandt werden und zur Gerechtigkeit beitragen. Sie sollten die Beschuldigten ermutigen, ihre Schuld einzugestehen und dazu beitragen, Straftaten schnell aufzuklären, die Mittäter zu entlarven und den zugefügten Schaden zu ersetzen. Ein solches Verhalten würde es ermöglichen, die Person nicht zur strafrechtlichen Verantwortung heranzuziehen oder eine mildere als die im Gesetz festgelegte Strafe bzw. die mildeste vorgesehene Strafe zu verhängen. Gerechtigkeit kann eher erreicht werden, wenn eine Straftat schnell aufgeklärt und der Schaden schnell ersetzt wird – auch dann, wenn eine milde Strafe verhängt wird.

Das neue Strafgesetzbuch regelt ferner das Absehen von Strafe für eine Person, die sich im Auftrag eines Rechtspflegeorgans an einer Straftat einer organisierten Gruppe beteiligt hat. Diese Norm mag zwar überflüssig erscheinen, ist aber wichtig, da es ansonsten Schwierigkeiten beim Einschleusen der Mitarbeiter der Rechtspflegeorgane in die kriminelle Gruppe gäbe. Außerdem ist das Absehen von Strafe bei Personen vorgesehen, die tatsächlich zu einer kriminellen Gruppe gehören und als solche an einer Straftat beteiligt waren, dann jedoch bei der Aufklärung der Straftat Hilfe geleistet haben, so dass Mitglieder der Gruppe bestraft werden konnten und die Aktivitäten der Gruppe geahndet wurden. Dieser Regelung liegt die Überlegung zugrunde, dass solche Personen für die Gesellschaft mehr Nutzen als Schaden bringen.[10]

Eine weitere, das positive Verhalten des Beschuldigten fördernde Regelung betrifft die Möglichkeit, dieses gute Verhalten bei der Entscheidung über die Strafe zu berücksichtigen. Gemäß Art. 61 soll gegen den freiwillig geständigen Täter, der zur Aufklärung der Straftat beigetragen hat, sofern keine erschwerenderen Umstände vorliegen, die mildeste im Gesetz vorgesehene Strafe bzw. kein Freiheitsentzug verhängt werden.

Gemäß Art. 62 kann außerdem unter bestimmten Bedingungen der gesetzlich vorgesehene untere Strafrahmen unterschritten werden und also eine mildere Strafe verhängt werden.

Eine weitere wichtige Regelung betrifft die Strafbarkeit juristischer Personen, die dem litauischen Strafrecht bislang unbekannt war. Bisher gab es lediglich die strafrechtliche Verantwortlichkeit natürlicher Personen für die Straftaten juristischer Personen. Die Strafbarkeit juristischer Personen schließt jedoch die strafrechtliche Verantwortlichkeit natürlicher Personen nicht aus.

Eine juristische Person kann zur strafrechtlichen Verantwortung gezogen werden, wenn mindestens eine der im Gesetz festgelegten Bedingungen gegeben ist. Man muss leider zugestehen, dass nach langen Diskussionen nicht die beste Variante des Entwurfs angenommen wurde. Die Bedingungen für die strafrechtliche

---

10 Diese Bestimmung ist schon im Gesetz vom 19.7.1994 verankert, wonach das geltende Strafgesetzbuch durch Art. 15 entsprechend ergänzt wurde (Valstybes zinios 1994, Nr. 60–1182).

Verantwortlichkeit juristischer Personen sind ziemlich kompliziert formuliert, so dass es meines Erachtens zu Schwierigkeiten bei der Anwendung in der Praxis kommen wird.

Abschließend kann festgestellt werden, dass die grundlegenden Änderungen des neuen litauischen Strafgesetzes die Grundlagen für eine ausgewogenere, humanere und gerechtere Strafpolitik bilden.

Reform der Strafgesetzgebung im postsowjetischen Georgien

Otar Gamkrelidze, Tiflis

Die vor einigen Jahren begonnene Reform des Strafrechts in Georgien mündete am 22. Juli 1999 in die Verabschiedung des neuen Strafgesetzbuchs, das am 1. Juni 2001 in Kraft getreten ist. Das erste Strafgesetzbuch wurde in Georgien 1922, das zweite 1928, und das dritte am 30. Dezember 1960 angenommen. Das Strafgesetzbuch von 1999 unterscheidet sich von den vorigen vor allem dadurch, dass es sich um einen Legislativakt des unabhängigen Georgien handelt.

Das neue Gesetzbuch ist frei vom Einfluss der Klassenideologie, die für die Gesetzgebung von 1960 kennzeichnend war. Der staatliche Unterausschuss berücksichtigte bei der sechsjährigen Arbeit an dem Gesetzbuch nicht nur die georgischen Erfahrungen und Traditionen auf dem Gebiet des Strafrechts, sondern bezog auch westliche Erfahrungen, insbesondere deutsche, mit ein. Deswegen unterscheidet sich das System des Gesetzbuchs von 1999 völlig von demjenigen von 1960. Es ist zu betonen, dass der dreigliedrige Verbrechensaufbau noch durch das Gesetzbuch von 1960 eingeführt wurde, jedoch wuchs das Bedürfnis, die einzelnen Elemente zu überdenken. Ein Beispiel: Das Strafgesetzbuch von 1960 legitimierte ausdrücklich die psychologische Schuldtheorie. Nach Art. 3 „trägt die strafrechtliche Verantwortlichkeit und wird die Person verurteilt, die der Begehung eines Verbrechens schuldig ist, also die Person, die vorsätzlich oder fahrlässig eine nach Strafgesetz vorgesehene gesellschaftsgefährliche Tat begangen hat" (Grundlagen der Strafgesetzgebung der Sowjetunion und der Unionsrepubliken, 1958). Anhand dieses Beispiels sehen wir, dass Vorsatz und Fahrlässigkeit nach alter Tradition Schuldformen darstellen.

Als weiteres Beispiel kann das System der Schuldausschließungsgründe herangezogen werden. Das Gesetzbuch von 1960 schloss die strafrechtliche Verantwortlichkeit nur aufgrund des Nichtbestehens der Rechtswidrigkeit („Gesellschaftsgefährlichkeit") aus.

Die georgische Rechtswissenschaft geht von einem kausalen Verständnis der Tat aus. Diese Schlussfolgerung ergibt sich aus der psychologischen Schuldtheorie. Es muss auch gesagt werden, dass die psychologische Schuldtheorie in der georgischen Wissenschaft schon zu sowjetischen Zeiten durch die Auseinandersetzung mit den subjektiven Elementen des Unrechts in Frage gestellt wurde *(T. Zereteli, O. Gamkrelidze).*

Im Zuge der Reformbewegung im postsowjetischen Georgien sind viele Fragen nunmehr anders gelöst. Ich werde hier nur einige erwähnen. In den letzten Jahrzehnten haben georgische Wissenschaftler den deutschen Wissenschaftlern folgend das zweispurige System der Verantwortungsausschließungsgründe ausgearbeitet.

Während das sowjetische Strafrecht das einspurige System kannte, nach dem die strafrechtliche Verantwortlichkeit nur aufgrund des Nichtbestehens der Gesellschaftsgefährlichkeit (Rechtswidrigkeit) ausgeschlossen wurde, teilt die neue georgische Rechtswissenschaft die Verantwortungsausschließungsgründe in zwei Teile: Der eine Teil schließt die Rechtswidrigkeit aus, der andere die Schuld.

Dieser Standpunkt spiegelt sich bereits im Strafgesetzbuch von 1999 wider; der achte Abschnitt enthält die Ausschlussgründe der Rechtswidrigkeit, der nächste, neunte Abschnitt aber enthält die Schuldausschluss- und Milderungsgründe. Art. 33 des Gesetzbuchs bestimmt die Minderjährigkeit als Schuldausschlussgrund. Das nimmt der verbreiteten, alten sowjetischen Rechtsliteratur den Boden, wonach das Alter ein Merkmal des Verbrechenssubjekts ist – als ob ein Minderjähriger kein Verbrechenssubjekt sei.

In diesem Abschnitt des Gesetzbuchs bezeichnete Gründe wie Irrtum (Art. 36), Ausführung eines Befehls oder einer Anordnung (Art. 37) gehörten nach alter Gesetzgebung zu Ausschlussgründen der Gesellschaftsgefährlichkeit (Rechtswidrigkeit).

Eine erschöpfende Aufzählung der Verantwortungsausschließungsgründe kann der Strafgesetzgeber nicht leisten. Jedoch enthält das Strafgesetzbuch eine Norm, nach der eine Person auch dann von der Verantwortung befreit wird, wenn ihre Tat rechtmäßig ist, aber die Rechtfertigung im Gesetz nicht direkt als Ausschlussgrund der Rechtswidrigkeit vorgesehen ist (Art. 32).

Eine entsprechende Regelung gibt es auch auf Ebene der Schuld. Der Schuldausschlussgrund gemäß Art. 38 gibt dem Gericht die Möglichkeit, die Person auch dann von der Verantwortlichkeit zu befreien, wenn der die Schuld ausschließende Aspekt im Gesetz nicht vorgesehen ist.

Diese Regelungen bedeuten die Anwendung des Analogie-Prinzips im Strafrecht. Zu den Schuldausschließungsgründen können wir z.B. Fälle der Pflichtenkollision rechnen, die im georgischen Strafgesetzbuch nicht vorgesehen sind, obwohl im Gesetzentwurf der Notstand als Schuldausschlussgrund berücksichtigt war. Dieser Artikel wurde allerdings nicht in das Gesetzbuch aufgenommen.

Ich möchte im Folgenden die Aufmerksamkeit auf eine Frage von prozessualer Bedeutung lenken. Wird eine Person wegen der Rechtmäßigkeit der Tat von der Verantwortlichkeit befreit, so ist meines Erachtens in jedem Fall ihr gegenüber ein Freispruch zu fällen. Das gilt aber nicht für den Fall des Ausschlusses der Verantwortlichkeit wegen Nichtbestehens der Schuld. Denn in diesem Fall ist die begangene Tat rechtswidrig, es liegt eine Rechtsverletzung vor. Deswegen ist hier der

Freispruch unmöglich. In den Fällen der psychischen Krankheit des Täters wird das auch so gehandhabt. Im Falle der psychischen Krankheit wird die Schuld ausgeschlossen, aber das Unrecht ist begangen; das ermöglicht es dem Gericht, dem Kranken gegenüber eine Zwangsmaßnahme medizinischer Art anzuordnen.

In einem anderen Fall, wenn das Unrecht entschuldigt ist (Irrtum u.a.), verbietet sich die Anwendung irgendeiner Zwangsmaßnahme seitens des Gerichts, obwohl es keinen Freispruch fällen kann. In diesem Fall ist das gerichtliche Verfahren nicht durch Freispruch, sondern durch Beschluss einzustellen.

In dieser Hinsicht sind die Worte *Jeschecks* bemerkenswert: „Die gerechtfertigte Tat wird von der Rechtsordnung gebilligt, die entschuldigte nur nachgesehen.“[1]

Im ersten Fall haben wir die Billigkeit, im zweiten die Nachsicht. Die Billigkeit ist dort vorhanden, wo die rechtmäßige Tat begangen wurde, die Nachsicht erfolgt bei der rechtswidrigen, aber entschuldigten Tat.

Das Strafgesetzbuch von 1999, das die psychologische Schuldtheorie abgelehnt hat, hat georgische Juristen angeregt, nach neuen Wegen der Problemlösung im Bereich der Schuld zu suchen. Seit jener Zeit etablierte sich der normative Schuldbegriff in der georgischen Rechtsliteratur. Wie wir wissen, stand die psychologische Schuldtheorie in den 90er Jahren des 19. Jahrhunderts in Deutschland in Zweifel, was damals als Krise der Schuldidee bezeichnet wurde. Seither ist viel Zeit vergangen, und denjenigen, die dieses Problem mehr oder weniger kennen, ist klar, dass die psychische Beziehung des Täters zu seiner Tat zur Folge festgestellt, aber die Schuld ausgeschlossen werden kann.

Nach Ansicht des deutschen Strafrechtswissenschaftlers *Gropp* ist die psychologische Theorie nicht im Stande zu erklären, warum ein seelisch Kranker nicht schuldhaft handelt, wenn er in einem natürlichen Sinne vorsätzlich handeln kann.

Vorsätzlich handelt, wer sich im entschuldigenden Notstand befindet. Die Straflosigkeit der in diesem Zustand handelnden Person wird durch die psychologische Schuldtheorie nicht erklärt. *Gropp* weist auf ein traditionelles Beispiel hin, nach dem die psychologische Schuldtheorie auch die Verantwortlichkeit für die bei unbewusster Fahrlässigkeit begangene Tat nicht erklären kann, weil hier keine psychische Beziehung zur Folge besteht.[2] Dazu würde ich noch andere Fälle hinzufügen, z.B. die Minderjährigkeit. Ein Minderjähriger handelt vorsätzlich, so wie ein Volljähriger. Aber ein Minderjähriger handelt entschuldigt, er ist schuldunfähig; das kann auch nicht durch psychologische Schuldtheorie erklärt werden. Die aufgrund der psychologischen Theorie hervorgerufene Krise der Schuldidee wurde

---

[1] *Hans-Heinrich Jescheck/Thomas Weigend*, Lehrbuch des Strafrechts, Allgemeiner Teil, 5. Aufl. Berlin 1996, S. 476.

[2] *Walter Gropp*, Strafrecht, Allgemeiner Teil. Berlin u.a. 1998, S. 223.

1907 einigermaßen vom deutschen Kriminalisten *Frank*[3] entspannt, der in den Schuldbegriff ein normatives Element – die Rüge – eingeführt hat. Die Schuld ist nach *Frank* eine psychische Beziehung zur Folge, die moralisch zu rügen ist. Dadurch wurde der Krisenzustand der Schuldidee für lange Zeit gelöst.

Dohna[4] hat die Entwicklung des Schuldbegriffs in den 1930er Jahren neu angestoßen. Auf *Hartmanns* Philosophie beruhend hat er den Vorsatz vom Schuldbegriff getrennt, der eine Erscheinung der realen Wirklichkeit ist; gleichzeitig hat er die Schuld als einen rein normativen Begriff erklärt. Nach *Dohnas* Meinung kann man die Erscheinungen verschiedener Wirklichkeit nicht in einem Begriff vereinen: Vorsatz, als Tatsache der realen Wirklichkeit, und die Rüge, als Phänomen der werthaften Wirklichkeit.

„Erst *Dohna*" – schrieb *Welzel* – „trennte in letzterer Beziehung scharf zwischen Vorwerfbarkeit als ‚Wertung' und Vorsatz als dem ‚Objekt der Wertung' und beschränkte den Schuldvorwurf auf die Wertung des Objekts (die Missbilligung der Willensbestimmung)".[5]

Dadurch wurde die Schuld von psychologischen Elementen befreit und der Herrschaft des psychologischen Schuldbegriffs ein Ende bereitet.

Dohna hat dem Vorsatz, den er vom Schuldbegriff getrennt hat, keinen Platz im Aufbau des Verbrechensbegriffs zugewiesen. Der Begründer der finalen Handlungslehre, *Welzel*, hat das, was *Dohna* angefangen hat, zu Ende geführt:

> „Dem damit heimatlos gewordenen Vorsatz wies die finale Handlungslehre den sachgemäßen Platz (als Unterfall des finalen Handlungswillens) im subjektiven Tatbestand der vorsätzlichen Delikte zu und stellte – auch von der Schuldlehre aus – den Zustand her, zu dem die Entwicklung der Unrechtslehre von sich aus gekommen war."[6]

Das war die Grundlinie der Entwicklung der Schuldidee bis in die jüngste Zeit, solange in der deutschen Wissenschaft der rein normative Schuldbegriff nicht endgültig Fuß gefasst hatte. Diese Entwicklung setzt sich auch in Georgien allmählich durch. Dabei finden sich in der georgischen Strafrechtswissenschaft auch eigene Ansätze, die versuchen, in diesem Bereich einige Korrekturen vorzunehmen. Diese Korrekturen betreffen nicht direkt den normativen Schuldbegriff, vielmehr geht es um die Präzisierung des Aufbaus des Verbrechensbegriffs hinsichtlich der aktuellen Entwicklung der Problematik.

Wir haben unsere Aufmerksamkeit auf die Bearbeitung des normativen Verbrechensbegriffs gelenkt, weil aus ihm der neuartige Aufbau des Schuldbegriffs hervorgegangen ist. In diesem Kontext halten wir es für den Verdienst der Vertreter der finalen Handlungslehre, dass sie dem Vorsatz seinen natürlichen Platz zuge-

---

3 *Reinhard Frank*, Über den Aufbau des Schuldbegriffs. Gießen 1907.

4 *Alexander Graf zu Dohna*, Der Aufbau der Verbrechenslehre. Bonn 1935.

5 *Hans Welzel*, Das deutsche Strafrecht, 9. Aufl. Berlin 1965, S. 126.

6 *Welzel* (Anm. 5).

wiesen und ihn in die Tat eingeordnet haben. Der in die Tat eingeordnete Vorsatz hat eine neue Eigenschaft angenommen. Es wurde ein Begriff des „naturgemäßen" Vorsatzbegriffs ausgearbeitet, der den „bösen" Vorsatzbegriff *(dolus malus)* ersetzt hat, der für die psychologische Schuldtheorie kennzeichnend war. Vorsatz, eine Komponente der Tat, ihr unentbehrlicher Bestandteil, kann entweder positiv oder negativ sein. Die Frage, ob der Vorsatz negativ und der Täter schuldig ist, wird bei der Erwägung der Schuld, bei der Wertung des Vorsatzes gelöst. In dieser Hinsicht gehen wir konform. Für streitig halten wir allerdings die Stellung der Fahrlässigkeit im Verbrechensaufbau.

Vorsatz und Fahrlässigkeit wurden traditionsgemäß als psychologische Elemente betrachtet und nebeneinander erfasst. So bezog sich die finale Lehre bei der Einbeziehung psychologischer Elemente in die Tat nicht nur auf den Vorsatz. Vielmehr versuchte die finale Lehre, neben dem Vorsatz auch die Fahrlässigkeit in die Tat einzuordnen. Aber gerade hier stolperten die Finalisten. Es ist ihnen nicht gelungen, in der finalen Handlung einen Platz für die Fahrlässigkeit zu finden. Wenn wir die Meinung der Finalisten teilen und sagen, dass die Tat Zwecktätigkeit ist, so bleibt die durch Fahrlässigkeit hervorgerufene Folge außerhalb einer solchen Tat. Die Frage der Fahrlässigkeit stellte für die finale Theorie ein Hindernis dar, das bis heute unüberwindbar bleibt. Meines Erachtens ist es nur zu überwinden, wenn wir die Frage anders stellen.

Diese Schwierigkeit wurde durch die normative Schuldtheorie hervorgerufen und unserer Ansicht nach konnten auch die Gegner der finalen Theorie sie nicht überwinden. Diese erkennen bereits heute, dass der Vorsatz ein Bestandteil der Tat ist. Gleichzeitig beziehen sie neben dem Vorsatz auch die Fahrlässigkeit in die Tat mit ein.

Gropp vertritt Folgendes:

> „Der normative Schuld(haftigkeits)begriff der h.M. geht zwar von Vorsatz und Fahrlässigkeit als Bestandteilen des Unrechts und damit als Objekt der Wertung der Handlung als schuldhaft aus. Er berücksichtigt das Objekt der Wertung aber auch innerhalb der Schuldhaftigkeit. Auf diese Weise wird es möglich, die tadelnswerte Gesinnung, sei es in Form der aktuellen Beziehung des Täters zur Tat (Vorsatz) oder zumindest der Möglichkeit des Täters hierzu (Fahrlässigkeit), neben weiteren Gesichtspunkten, welche die Schuldhaftigkeit begründen sollen, zu berücksichtigen."[7]

Wie sich herausstellt, ist die Fahrlässigkeit zusammen mit dem Vorsatz nach der herrschenden Doktrin ein Bestandteil des Unrechts. Deswegen ist die Fahrlässigkeit Objekt der Wertung der Tat.

Dieser Standpunkt achtet nicht darauf, dass die Fahrlässigkeit nicht das Objekt der Wertung, sondern selbst Wertung ist. Wenn wir sagen, dass das Verhalten dieser oder jener Person fahrlässiges Unrecht darstellt, werten wir diese Tat (das Unrecht) durch personale Zurechnung. Die Fahrlässigkeit wird nicht durch Erwägung

---

7 *Gropp* (Anm. 2), S. 225.

der Tat (des Unrechts) festgestellt, sie ist vielmehr Erwägung der Schuld, sie ist Rüge. Die Fahrlässigkeit ist immer negative Wertung der Tat. Sie ist die Rüge einer Person, Unrecht begangen zu haben.

Etwas anderes gilt dagegen für den Vorsatz. Der Vorsatz ist keine Wertung. Der Vorsatz ist eine Erscheinung im realen Leben. Deswegen kann sie positiv oder auch negativ sein. Wenn die Fahrlässigkeit immer negative Wertung der Tat ist, so ist der Vorsatz selbst das Objekt der Wertung. Im Unterschied zur Fahrlässigkeit kann der Vorsatz manchmal positiv, manchmal negativ gewertet werden. Daraus ergibt sich die logische Schlussfolgerung: Vorsatz ist immer ein Bestandteil der Tat, Fahrlässigkeit aber ein Schuldelement.

Es bleibt jedoch noch eine Frage zu klären. Nach der normativen Schuldtheorie ist der Vorsatz ein Bestandteil der Tat und bei Erwägung der Schuld ist er das Objekt der Wertung. Was ist jedoch das Objekt bei der Fahrlässigkeit? Wenn die Fahrlässigkeit an sich eine Rüge ist, wie wir jetzt behaupten, so ist zu klären, was hier das Objekt der Rüge ist.

Um diese Frage zu beantworten, kehren wir zum Problem der Tat zurück. Wenn wir die Frage so stellen, müssen wir feststellen, dass keine bis zum heutigen Tag bekannte Handlungstheorie dieses Problem befriedigend erklärt. Gehen wir von der kausalen Handlungstheorie aus, so sind wir gezwungen, die psychologische Schuldtheorie anzuerkennen, was viele Schwierigkeiten nach sich zieht. Der Vorsatz ist in diesem Fall nicht Bestandteil der Tat, sondern ein Schuldelement. Was die Fahrlässigkeit anbetrifft, ist sie an sich eine Rüge und ein Merkmal der Schuld. Bei der finalen Handlungslehre ist der Vorsatz ein Merkmal der Handlung, die Schuld aber ist die Rüge dieses Vorsatzes; dabei geht hier die Fahrlässigkeit in die Tat über, was ein Nachteil dieser Theorie ist, weil die Fahrlässigkeit, abgesehen davon, dass sie Rüge ist, Vorsatz, Zwecktätigkeit und Finalität ausschließt, was den Grundideen der finalen Handlungslehre widerspricht. Bei Berücksichtigung des oben Genannten ist es nötig, den Handlungsbegriff neu zu durchdenken.

Das Problem der Tat hat immer Meinungsverschiedenheiten in der Strafrechtslehre hervorgerufen. Meines Erachtens kann man den Tatbegriff aufgrund der in der Vergangenheit geäußerten Ansichten folgendermaßen bestimmen: Die Tat ist ein Fakt des Soziallebens, das eine Person vorsätzlich oder nicht vorsätzlich begeht.

Wir sind der Meinung, dass so eine Bestimmung des Tatbegriffs von jeglichen Gegensätzen frei ist, was z.B. für die kausale Tattheorie und finale Handlungslehre kennzeichnend ist. Unsere Bestimmung des Tatbegriffs ist von solchen Schwierigkeiten frei.

Nach diesem Begriff ist die Tat eine Tatsache des Soziallebens; sie ist ein im realen Leben erfolgtes Ereignis. Die objektive Seite der Tat ist Handlung oder Unterlassen, Folge und Kausalzusammenhang zwischen ihnen. Was die subjektive

Seite anbetrifft, kann die Tat mit oder ohne Vorsatz begangen werden (gerade „ohne Vorsatz“ und nicht fahrlässig, wie das in der gegenwärtigen Wissenschaft angenommen wird).

Nach der Feststellung, dass so eine Tat (das Unrecht) rechtswidrig begangen wurde, beginnt die Erwägung der Schuld. Wie wir wissen ist die Schuld eine Rüge, Wertung; diese erfolgt durch Beurteilung der Person. Wenn die Tat vorsätzlich begangen wurde, wird dieser Vorsatz gewertet und festgestellt, ob wir die Person für diesen Vorsatz rügen dürfen. Wir müssen feststellen, ob der Vorsatz negativ oder zu rügen ist. Wenn wir die Person rügen dürfen, so ist sie des begangenen Unrechts schuldig.

Ist die Tat ohne Vorsatz begangen, so spielt sich im Wesentlichen derselbe Prozess ab. Die Wertung des Sachverhalts beginnt mit der Frage, ob die Person die Folge vermeiden konnte.[8] Konnte die Person das und hat sie dies trotzdem nicht getan, so wird die nicht vorsätzlich begangene Tat als fahrlässige Schuld gewertet. Fahrlässiges Handeln bedeutet, dass das Verhalten Rüge verdient. Die Fahrlässigkeit ist an sich eine Rüge; man kann nicht die Fahrlässigkeit manchmal positiv und manchmal negativ werten, wie das beim Vorsatz der Fall ist. Daraus ergibt sich die Schlussfolgerung: Wenn der Vorsatz ein Bestandteil der Tat ist, ist die Fahrlässigkeit ein Schuldelement. Bei Feststellung der Tat darf man nicht über die fahrlässig begangene Tat sprechen.

---

8 *Mindia Ugrechelidse*, Gauprtchilebeli bralis problema sischlis samartalschi (Das Problem der fahrlässigen Schuld im Strafrecht), Tiflis 1976, S. 30–54.

2. Sitzung

Entwicklungslinien des Strafprozessrechts

Abgeschlossene Reformen des Strafprozessrechts, insbesondere aus der Sicht Kroatiens

Davor Krapac, Zagreb

I. Einführungsanmerkungen

Obwohl bald nach der Unabhängigkeitserklärung Kroatiens 1991 eine große Strafrechtskommission gegründet wurde, welche bis 1993 einen Entwurf des neuen Strafgesetzes (StGB) sowie der Strafprozessordnung (StPO[1]) vorlegte, sind diese Gesetze in der Republik Kroatien erst im Herbst 1997 promulgiert worden und am 1.1.1998 in Kraft getreten. Die Gründe für diese „Verspätung" sollen nicht Gegenstand dieses Beitrags sein.[2]

Ausgangspunkt der Strafprozessrechtsreform war das traditionelle kroatische Strafprozessrecht, das wiederum seine Wurzeln in der österreichischen StPO von 1873 hat. Dieses Verfahrensrecht „überlebte" im Lauf des 20. Jahrhunderts einige Staaten auf dem Gebiet der heutigen Republik Kroatien. Als ein „nach Wahrheit und Gerechtigkeit strebendes" Strafverfahren bewährte es sich in Kroatien, ähnlich wie auch in anderen kontinentalen Staaten, besonders im Hinblick auf die Konzeption des Vorverfahrens und seine Gliederung in polizeiliche Ermittlung und (gerichtliche) Untersuchung. Im Gegensatz zu der Entwicklung in anderen europäischen Ländern, wie z.B. in Italien, kam es deshalb in Kroatien nicht zu radikalen Eingriffen in die Struktur und in die Funktion des Strafverfahrens.

Die Reform des Strafprozessrechts in Kroatien basierte auf drei „Grundpfeilern", von denen die zwei ersten auf „Außenfaktoren" und der dritte auf „Innenfaktoren" zurückzuführen sind. Der erste Grundpfeiler war die Einlösung der sich aus internationalen Verträgen und aus der kroatischen Verfassung von 1990 ergebenden Garantien der Menschenrechte. Zweite Prämisse war die Restrukturierung der Hauptverhandlung durch Einführung adversatorischer Elemente in das gerichtszentrierte Verhandlungsmodell. Drittens ging es um die Vereinfachung und Be-

---

1 Strafprozessordnung vom 3.10.1997 (Narodne novine – NN), Amtsblatt der Republik Kroatien 110/1997.

2 Vgl. *Davor Krapac/Petar Novoselec*, Landesbericht Kroatien, in: Albin Eser/Barbara Huber (Hrsg.), Strafrechtsentwicklung in Europa 5.2, Freiburg 1999, S. 1168 ff., 1172–1173.

schleunigung des Strafverfahrens, um die Strafjustiz zu „reduzieren“,[3] wobei die Strafjustiz andererseits auch auf die Fälle der organisierten Kriminalität „erweitert“ werden sollte. In diesem Zusammenhang ist auch die Internationalisierung des Strafrechts als weiterer Faktor zu nennen. Denn obwohl die Verpflichtung zur Zusammenarbeit mit dem Internationalen Strafgerichtshof für das ehemalige Jugoslawien keine direkte Anregung für die Reform des Strafrechts darstellte, hatte sie doch Einfluss auf die Reform: Im Jahr 1996 wurde das Verfassungsgesetz über die Zusammenarbeit der Republik Kroatien mit dem Internationalen Strafgerichtshof für das ehemalige Jugoslawien in vielen politischen Kontroversen, welche zum Teil noch heute andauern, erlassen. Das war das erste Gesetz der Republik Kroatien, in dem sie zu Gunsten des Internationalen Straftribunals auf einen Teil ihrer Strafrechtsgewalt verzichtet hat. Mit der Ratifizierung des Rom-Statuts des Ständigen Internationalen Strafgerichtshofs geschah das vor kurzem zum zweiten Mal.

Ausgehend von den drei angeführten „Grundpfeilern“ nahm der kroatische Gesetzgeber folgende neue Bestimmungen in das Strafprozessrecht auf:

a) Er führte die Pluralität der Quellen des Strafverfahrensrechts ein. Das Strafverfahren gegen volljährige Personen ist überwiegend in der StPO geregelt, eine kleinere Anzahl der Vorschriften befindet sich im StGB; die Vorschriften der StPO kommen außerdem subsidiär zur Anwendung sowie innerhalb des gesetzlich vorgeschriebenen Rahmens bei bestimmten Verfahren wie Ordnungswidrigkeiten und Wirtschaftsvergehen.
b) Das Strafverfahren gegen Minderjährige ist im Gesetz über die Jugendgerichte geregelt, welches *lex specialis* gegenüber der StPO ist.
c) Besondere (nichtordentliche) Strafverfahren werden in der StPO geregelt – mit Ausnahme der Bestimmungen im Bereich der internationalen Zusammenarbeit in Strafsachen, wo noch die Vorschriften aus dem Jahr 1976 aus dem ehemaligen Jugoslawien gelten.
d) Das Strafverfahrensrecht wird ergänzt durch das neue Gerichtsverfassungsrecht sowie das neue Polizeigesetz aus dem Jahr 2000.

Der Gesetzgeber bemühte sich, in die StPO von 1997 die Schlüsselelemente des zeitgemäßen „Strafverfahrens für Europa“[4] einzubauen. Er berücksichtigte, dass Kroatien als Transitionsland ein autoritäres System erlebt hat, und legte Wert auf die Einführung solcher Vorschriften, die dem Schutz des Beschuldigten dienen.[5]

---

[3] Vgl. *Stanisław Waltoś*, Die neue polnische Strafprozeßordnung im Vergleich mit dem deutschen Strafprozeßrecht, in: Thomas Weigend/Georg Küpper (Hrsg.), Festschrift für Hans-Joachim Hirsch zum 70. Geburtstag, Berlin 1999, S. 996.

[4] Vgl. *Mireille Delmas-Marty* (Ed.), The Criminal Process and Human Rights. Toward a European Consciousness, Dordrecht 1995.

[5] Z.B. die Erweiterung der Beweisverwertungsverbote, die Formalisierung der Befragung der Verdächtigten durch die Polizei, die Einführung der Pflichtverteidigung für jeden

Weniger Aufmerksamkeit wurde der Änderung des Vorverfahrens für Straftaten im Bereich der organisierten Kriminalität gewidmet. Als allerdings in der Öffentlichkeit die Angst vor der organisierten Kriminalität wuchs, wurde im Herbst 2001 durch Gesetz ein Amt für die Verfolgung der Korruption und der organisierten Kriminalität[6] errichtet. Dieses Gesetz ähnelt den entsprechenden Gesetzen in anderen Ländern: Es führt eine Staatsanwaltschaft mit spezieller Zuständigkeit ein und erweitert die zur Verfügung stehenden Ermittlungsmaßnahmen um die geheime Überwachung von Personen und Räumen sowie um die Möglichkeit des Einsatzes von verdeckten Ermittlern. Das Gesetz sieht darüber hinaus eine „Kronzeugen-"Regelung vor und trifft Maßnahmen zur Gewinnabschöpfung.[7]

Bis jetzt wurden alle Anträge, die auf die Überprüfung der Verfassungsmäßigkeit der neuen StPO zielten, vom Verfassungsgericht der Republik Kroatien abgewiesen. Das ist wahrscheinlich darauf zurückzuführen, dass viele Normen eingeführt wurden, die dem Schutz der Verfahrensbeteiligten dienen. In diesem Sinne beziehen sich auch alle Urteile des Europäischen Gerichtshofs für Menschenrechte, die gegen Kroatien wegen Verletzung von Artikel 6 der Europäischen Konvention zum Schutze der Menschenrechte und der Grundfreiheiten bis jetzt ergangen sind, auf das Zivilverfahren. In den Kommentaren zur StPO wird hervorgehoben, dass die kroatische StPO den völkerrechtlichen Standards entspricht, und dass sie mit den Strafverfahrensordnungen der Länder mit demokratischer Tradition vergleichbar ist.[8]

In diesem Beitrag soll nicht theoretisch erörtert werden, inwiefern die kroatische „Mischung" der Normen zum Schutz des Beschuldigten zur Ermittlung der Wahrheit und zur Verwirklichung der Verfahrensfairness als oberstes Gebot eines menschenrechtskonformen Strafverfahrens[9] beigetragen hat. Ich möchte lediglich die in der kroatischen StPO vorgesehenen Formen und Stadien des Strafverfahrens gegen volljährige Personen darstellen und erläutern, in welchem Maße es sich um einen „Kompromiss zwischen Postulaten der Lehre und den bitteren Notwendigkeiten der Praxis"[10] handelt. Die diesbezügliche Beurteilung wird durch die Tatsache erleichtert, dass der kroatische Justizminister Ende 2000 eine neue Arbeitsgruppe zur

---

inhaftierten Beschuldigten oder die Beschränkung der zulässigen Ausnahmen vom Unmittelbarkeitsprinzip.

6 Das Gesetz über das Amt für die Verfolgung der Korruption und der organisierten Kriminalität vom 5.10.2001 (NN 88/2001).

7 Vgl. *Walter Gropp*, Rechtsvergleichende Beobachtungen, in: Walter Gropp/Barbara Huber (Hrsg.) Rechtliche Initiativen gegen organisierte Kriminalität, Freiburg 2001, S. 936 ff.

8 *Berislav Pavišić*, Kazneni postupak u republici Hrvatskoj (Das Strafverfahren der Republik Kroatien), HLJKPP 2/2000, S. 557.

9 *Thomas Weigend*, Welche Grundprinzipien und sonstigen rechtsstaatlichen Anforderungen des Strafverfahrensrechts sind unverzichtbar?, in: Hans-Joachim Hirsch (Hrsg.), Krise des Strafrechts und der Kriminalwissenschaften? Berlin 2001, S. 261.

10 *Waltoś* (Anm. 3), S. 1000.

Fortsetzung der Reform des Strafverfahrens gegründet hat. Diese Gruppe hat der Öffentlichkeit im Februar 2002 einen Entwurf der Novelle der StPO unterbreitet, mit der – auf Grund kritischer Anmerkungen aus der Gerichtspraxis und der Staatsanwaltschaft – eine Straffung und Vereinfachung der Prozedur erreicht werden sollte. Doch bevor ich zu diesem Punkt komme, möchte ich dem Leser die heutige Struktur und die Formen des Strafverfahrens in Kroatien summarisch darlegen.

II. Formen und Stadien des Strafverfahrens in Kroatien

Gegen volljährige Personen kann im kroatischen Strafprozessrecht je nach der abstrakten Schwere der Straftat das ordentliche oder das vereinfachte Verfahren[11] geführt werden. Das ordentliche Verfahren kommt in Betracht, wenn es sich um eine Straftat handelt, die mit Gefängnisstrafe von mindestens drei Jahren bedroht ist. Das vereinfachte Verfahren erfasst Straftaten, für welche eine Gefängnisstrafe bis zu drei Jahren oder eine Geldstrafe als Hauptstrafe vorgeschrieben ist.

Das ordentliche Strafverfahren bzw. das Verfahren für schwerere Straftaten kann in der Praxis alle vorgeschriebenen Stadien durchlaufen. Es kann aber auch ein Stadium ausgelassen werden. Für die schwersten Straftaten, für die in der Strafgesetzgebung langjährige Haft vorgeschrieben ist, sind grundsätzlich alle vorhergesehenen Verfahrensstadien zwingend: Untersuchung, Anklage mit eventueller Überprüfung der Anklageschrift, die Hauptverhandlung mit Verkündung und Bekanntmachung des Urteils, eventuell das Rechtsmittelverfahren und die Zustellung des Urteils zur Vollstreckung (falls für dieses die Bedingungen erfüllt sind). Für die restlichen (weniger) schweren Straftaten muss das Strafverfahren in den gesetzlich vorgesehenen Fällen nicht alle Stadien durchlaufen bzw. können einige Stadien vereinfacht durchgeführt werden. Das ordentliche Verfahren „überspringt“ das erste Stadium, die Untersuchung, in zwei Konstellationen: Im Fall der Erhebung der so genannten „unmittelbaren Anklage“ für Straftaten, für welche eine Freiheitsstrafe bis zu 15 Jahren vorgeschrieben ist (Art. 191 Abs. 1–4)[12] und im Fall der Erhebung der so genannten „unmittelbaren Anklage“ für Straftaten, für welche eine Freiheitsstrafe bis zu acht Jahren vorgeschrieben ist (Art. 191 Abs. 6). Als Beispiel für die zweite Konstellation kann die Durchführung der Hauptverhandlung in Abwesenheit des Angeklagten gemäß Art. 305 Abs. 2 genannt werden.

Vor dem Gemeindegericht als erste Instanz kann ein ordentliches Verfahren geführt werden, wenn es sich um Straftaten handelt, die mit Freiheitsstrafe von drei bis zehn Jahren bedroht sind (Art. 17 Abs. 1 Ziff. 1a und b), sowie ein vereinfachtes Verfahren für Straftaten, die mit Geldstrafe oder mit Freiheitsstrafe bis zu drei Jahren bedroht sind. Dabei ist das ordentliche Strafverfahren in einigen Fällen be-

---

[11] Im Verfahren gegen Minderjährige gibt es kein vereinfachtes Verfahren.

[12] Artikel ohne Gesetzesbezeichnung beziehen sich auf die StPO.

sonders geregelt (Erhebung der unmittelbaren Anklage gemäß Art. 191 Abs. 6; Durchführung der Hauptverhandlung gemäß Art. 441 Abs. 2 und 3 in Abwesenheit des Angeklagten). Die gemeinsamen Bestimmungen enthalten ferner weitere Regelungen, die für alle ordentlichen Verfahren gelten, unabhängig vom Gericht. Das Verfahren für die leichteren Straftaten[13] wurde erheblich vereinfacht (z.B. beginnt es mit der Hauptverhandlung und die Prozesshandlungen unterliegen weniger komplexen Verfahrensregeln).[14] Die Verfahrensformen im vereinfachten Strafverfahren, die sich von den entsprechenden Formen im ordentlichen Strafverfahren unterscheiden, beziehen sich auf die vereinfachte Überprüfung der Voraussetzungen der Einleitung des Strafverfahrens, auf die Erweiterung der Rechte des Geschädigten, auf die Begrenzung der Maßnahmen zur Sicherung der Anwesenheit, insbesondere der Haft, auf die Vereinfachung der Hauptverhandlung, auf den Urteilsausspruch sowie auf einige Elemente des Rechtsmittelverfahrens. Das Verfahren vor dem Gemeindegericht wird durch die Übertragung auf den Einzelrichter vereinfacht (Art. 18 Abs. 2 und 7).

Eine wichtige Bestimmung in Zusammenhang mit dem vereinfachten Verfahren ist Art. 175 StPO über die Einleitung der Strafverfolgung im Sinne des Opportunitätsprinzips.[15] Das Gesetz sieht diesbezüglich drei Formen vor: das Absehen von der Strafverfolgung (Art. 175 Abs. 4), die bedingte Aussetzung der Strafverfolgung (Art. 175 Abs. 1) und die Verwerfung der Strafanzeige gegen ein Mitglied einer kriminellen Organisation (Art. 176).[16] Damit hat sich der kroatische Gesetzgeber der in vielen Rechtsordnungen zu beobachtenden Tendenz angeschlossen, in das Strafverfahren immer mehr so genannte Konsensualelemente einzuführen. Daraus könnte man aber auch schließen, dass für den Gesetzgeber die Frage der wahrheitsgemäßen Tatsachenfeststellung im Strafprozess erheblich an Wichtigkeit verloren hat.

In Rahmen des vereinfachten Verfahrens unterscheidet man das Strafbefehlsverfahren (Art. 446–450) und Bestimmungen über den Ausspruch gerichtlicher Mahnungen (Art. 451–455). Dabei handelt es sich bei Ersterem um einen besonderen Verfahrenstyp und beim Zweiten um eine besondere strafrechtliche Sanktion. Der Strafbefehl ist neu in der kroatischen Gesetzgebung.

---

13 Straftaten, für welche Geldstrafe oder eine Freiheitsstrafe bis zu drei Jahren vorgesehen sind, bilden die größte Gruppe von Straftaten in der allgemeinen und der besonderen Strafgesetzgebung. Der Anteil dieser Straftaten im Strafgesetz beträgt ca. zwei Drittel.

14 Vgl. *Davor Krapac*, Vereinfachung des Strafverfahrens durch Vermeidung von Verfahrensabschnitten, in: Albin Eser/Günther Kaiser/Ewa Weigend (Hrsg.), Von totalitärem zu rechtsstaatlichem Strafrecht, Freiburg 1992, S. 524.

15 Vgl. *Krapac*, Legalitäts- und Opportunitätsprinzip aus kroatischer Sicht, in: Hirsch (Anm. 9), S. 317.

16 Das Jugendgerichtsgesetz sieht ebenfalls in Art. 63–65 die Anwendung des Opportunitätsprinzips vor.

Die Einführung des Strafbefehlsverfahrens und der richterlichen Mahnung in Zusammenhang mit der Verstärkung des Opportunitätsprinzips werden als Schritte auf dem Weg der Abkehr vom traditionellen Strafzwang gewertet, wozu auch die Entwicklung der Strafen im Besonderen Teil des StGB beiträgt. Es wird jedoch auch bemerkt, dass die beiden Quellen des Strafrechts – das StGB und die StPO – nicht völlig im Einklang sind, und dass diese Divergenz durch die detaillierte und fast autonome Gesetzgebung im Bereich der Ordnungswidrigkeiten noch verstärkt wird. Die neuen Institute des Strafverfahrens mit den Lösungen im StGB und im Ordnungswidrigkeitengesetz zu harmonisieren, stellt deshalb eine der wichtigsten Aufgaben des Gesetzgebers dar.[17]

Die entscheidende Neuigkeit ist die Einführung adversatorischer Elemente in die Hauptverhandlung. Das äußert sich zum einen in Bezug auf die Stellung der Prozessbeteiligten, zum anderen hinsichtlich der Verhandlungsführung. Die diesbezüglichen Normen gelten sowohl für das ordentliche als auch für das vereinfachte Verfahren. Wahrscheinlich wollte der Gesetzgeber damit der Gefahr eines Zwei-Klassen-Systems der Strafprozesse vorbeugen: einer aufwändigen adversatorischen Hauptverhandlung für wenige „show cases“ und einem simplen Alltagsverfahren, in dem der Beschuldigte einem inquirierenden Richter unterworfen ist, der über Schuld und Sanktion entscheidet.[18]

Die StPO hat den Verlauf und die Durchführung der Hauptverhandlung nach dem Vorbild der Verhandlung im akkusatorischen System geregelt, wobei die Äußerung des Angeklagten zu den Tatvorwürfen *(guilty plea)* von größter Wichtigkeit ist. Andererseits wurde die Stellung des Prozessbeteiligten durch die adversatorische Beweiserhebung erheblich verändert. Beweise zu erheben und die Beweisaufnahme durchzuführen wurde zur primären Pflicht der Partei, die den Beweis führt, und erst subsidiär zur Pflicht des Gerichts.[19] Ohne Zweifel „dynamisierte“ dies den Verlauf der Hauptverhandlung und warf auch einige Fragen auf, die unter Punkt III. behandelt werden.

Letztendlich muss auch betont werden, dass es dem Gesetzgeber in erster Linie um die Beschleunigung des Strafverfahrens ging, um dem Grundsatz einer angemessenen Verfahrensdauer gerecht zu werden. Dieses Grundrecht[20] soll durch die

---

[17] *Pavišić* (Anm. 8), S. 565.

[18] *Weigend* (Anm. 9), S. 260.

[19] In dieser Regelung kommt das Bestreben zum Ausdruck, dass der Vorsitzende weniger ein inquirierender Richter, sondern vielmehr ein „Schiedsrichter“ sein soll, der primär über die Einhaltung der Verfahrensregeln wacht. Dabei spielte auch die Neuregelung der Ablehnungsgründe der Beweisanträge der Parteien gemäß Art. 322 Abs. 4 StPO eine große Rolle. Die Ablehnungsgründe sind in Anlehnung an die Bestimmungen des § 244 Abs. 3 der deutschen StPO konstruiert worden.

[20] Siehe Art. 6 Abs. 1 EMRK und Art. 29 der Verfassung. Vgl. auch *Zdenko Konjić*, Trajanje kaznenog postupka i pravo na suđenje bez zakašnjenja u Republici Hrvatskoj (Die Strafverfahrensdauer und das Recht auf gerichtliche Entscheidung in angemessener Frist in der Republik Kroatien), Zagreb 2000. Anhand der statistischen Angaben für das Jahr 1999

angeführte methodische Aufteilung des Verfahrens in verschiedene Stadien gewährleistet werden. Darüber hinaus sollen auch zahlreiche Bestimmungen zur Sicherung eines regulären Verfahrensablaufs und zur Beseitigung unnötiger Verzögerungen die Umsetzung dieses Grundrechts sicherstellen. Unter anderem werden die Anwesenheit des Beschuldigten, verschiedene Fristen zur Vornahme von Prozesshandlungen, die Zustellung von Entscheidungen, Schreiben und Schriftstücken sowie die Durchführung von Entscheidungen geregelt. Auf diese Fragen soll hier jedoch nicht näher eingegangen werden.

III. Rückblick auf einige Fragen aus der Praxis der neuen kroatischen StPO

1. Fragen der Struktur und Funktion des Vorverfahrens

Im Gegensatz zu anderen europäischen Gesetzgebern führte der kroatische Gesetzgeber nicht (wie z.B. der deutsche Gesetzgeber im Jahr 1974) den Grundsatz ein, wonach im Vorverfahren nur die Staatsanwaltschaft und die Polizei ermitteln dürfen. Im kroatischen Strafrecht wurde das Untersuchungsrichterprinzip beibehalten. Daraus ergeben sich bestimmte Fragen hinsichtlich des Vorverfahrens, z.B. inwiefern die Ergebnisse der polizeilichen Ermittlungen vor dem Untersuchungsrichter wiederholt werden können, oder ob dadurch die Verantwortung der Polizei und der Staatsanwaltschaft für das vollständige Erbringen von Beweisen geschwächt wird. Kroatien behielt das Untersuchungsrichterprinzip nicht nur aus traditioneller Verbundenheit mit dem österreichischen Recht, sondern auch aus prinzipiellen und praktischen Gründen bei. Bekanntermaßen steht der Untersuchungsrichter als ein Organ der unabhängigen richterlichen Gewalt für eine „unparteiische“ Entscheidung über die Einleitung des Strafverfahrens.[21] Wenn wir also die Unvoreingenommenheit des Prozessleiters im Beamtensystem einer „unilateralen“ Untersuchung anstreben, wie es im kontinentalen Strafverfahren der Fall ist, dann müssten wir auch bei der Durchführung des Verfahrens, d.h. bei Vornahme der einzelnen Untersuchungshandlungen, bei diesem Postulat bleiben. Falls die Prozesshandlungen seitens der gleichen Staatsorgane vorgenommen werden, denen die Funktion der Strafverfolgung anvertraut wurde, können wir uns deren Objektivität nicht vollständig sicher sein.

(Ministerium für Justiz, Verwaltung und lokale Selbstverwaltung) zeigt sich, dass gemessen an der gesamten Anzahl der Straffälle vor den Gemeindegerichten im Zeitraum von 1997–1999 zwischen 14 und 22 % der Fälle bis zu drei Monate und zwischen 40 und 47 % länger als ein Jahr dauerten.

[21] Die Prozesstheorie verlangt, dass die Entscheidung über die Verhängung von Zwangsmaßnahmen immer in der richterlichen Zuständigkeit liegt – dies gilt aber nicht für die Einleitung des Verfahrens, obwohl diese Entscheidung ebenso wichtig für ein faires Verfahren ist, wie die Erstere. Interessant ist, dass das Rom-Statut des IStGH die Entscheidung über die Einleitung der Untersuchung vor kurzem unter die Kontrolle einer Gerichtskammer gestellt hat (Art. 15 Abs. 3).

Bei der Erarbeitung der StPO kam auch die Befürchtung zum Ausdruck, dass mit einer Abschaffung des Untersuchungsrichters und mit der Übertragung seiner Kompetenzen auf die Staatsanwaltschaft und die Polizei das bestehende System eine Dekonstruktion mit unabsehbaren praktischen Folgen erleiden würde. Insgesamt gesehen hat das Untersuchungsrichterprinzip bis dahin in zufrieden stellender Weise funktioniert.

Das gilt insbesondere für die „Filtration“ der unverwertbaren Beweise, die der Untersuchungsrichter aus den Akten aussondern muss, bevor er diese der Staatsanwaltschaft zur Anklageerhebung übergibt.[23] Diskutiert wurde auch die mitunter zu beobachtende Hilflosigkeit der Polizei oder der Staatsanwaltschaft bei der Konfrontation mit besonders schweren und komplizierten Straftaten, insbesondere im Bereich der organisierten Kriminalität. Dabei tauchte die Frage auf, inwiefern die Verlagerung der funktionalen Zuständigkeit des Untersuchungsrichters auf diese Staatsorgane die Situation verbessern (oder verschlechtern!) würde.

Aus diesem Grund konnte sich das kroatische Recht 1997 nicht zur Aufgabe des Untersuchungsrichterprinzips durchringen. *De lege ferenda* könnte die Bestrebung nach der Einführung konsensualer Verfahrensformen und Verfahrensvereinfachung zu einer Aufweichung dieses Prinzips beitragen. Die *Novelle der StPO vom Februar 2002* sieht die Möglichkeit einer Beendigung des Vorverfahrens durch ein Urteil „nach Lage der Akten“ vor bzw. – ähnlich wie das italienische „patteggiamento“ – durch den Ausspruch einer im Vorfeld zwischen dem Beschuldigten und dem Untersuchungsrichter vereinbarten Strafsanktion.[24]

Laut einer empirischen Untersuchung[25] war in Kroatien im Zeitraum von 1995–1999 die Anzahl der staatsanwaltlichen Entscheidungen über den Verzicht auf die Strafverfolgung nach beendeter Untersuchung immer geringer als die Anzahl der Entscheidungen über die Verwerfung der Strafanzeige. Dies lässt vermuten, dass die Untersuchungsrichter im Vorverfahren den Fall in „ihrer“ Phase besser gelöst haben als die Polizei in der Ihrigen. Dies ist auch aus folgender Tabelle ersichtlich:

Jahr	1995	1996	1997	1998	1999
Anteil eingestellter Untersuchungen	11,2 %	15,0 %	23,7 %	21,7 %	18,8%
Anteil abgewiesener Anzeigen	19,6 %	23,7 %	27,2 %	33,3%	31,0%

[23] Über diesen Mechanismus im kroatischen Recht vgl. *Krapac*, Grundzüge des strafrechtlichen Vorverfahrens im ehemaligen Jugoslawischen Strafprozeß unter besonderer Berücksichtigung des Beweisrechts, Österreichische Richterzeitung 10/1993, S. 225 ff., 229.

[24] *Weigend* (Anm. 9), S. 283.

[25] *Mladen Singer/Slavko Zadnik/Irma Kovčo*, Odluke tijela kaznenog postupka (Entscheidungen der Strafverfahrensbehörde), HLJKPP 2/2000, S. 637 ff., 657.

Andere Vorschläge dieser neuesten Novelle richten sich auf eine detaillierte Regelung des Verhältnisses zwischen der Polizei und der Staatsanwaltschaft im Bereich der Ermittlung von Straftaten sowie auf die Ergänzung der Bestimmungen über Untersuchungshandlungen (z.B. die Verbesserung des Schutzes der Unverletzlichkeit der Privatsphäre). So verbietet der Entwurf dieser Novelle z.B. hinsichtlich der Durchsuchung von Personen bzw. Wohnungen und anderen Räumlichkeiten des Beschuldigten alle zusätzlichen körperlichen Durchsuchungshandlungen. Außerdem wurden die Bestimmungen über den Einspruch präzisiert, den die Zeugen der gerichtlichen Verhandlung in das Protokoll aufnehmen lassen können. Die Novelle sieht auch Beschlagnahmeverbote vor, die § 97 der deutschen StPO entsprechen. Ausgehend von den Empfehlungen des Ministerausschusses des Europarats Nr. R (97) vom 10. September 1997 wurde ferner eine neue Regelung hinsichtlich der Befragung bedrohter Zeugen (Zeugenschutz im Interesse des Zeugen) eingeführt. Die neu vorgeschlagene Regelung geht von den bestehenden allgemeinen Vorschriften über die Zeugenbefragung aus, enthält darüber hinausgehend aber auch eine besondere Art der Zeugenbefragung, durch die einige Gruppen bedrohter Zeugen geschützt werden, entweder durch den Verzicht auf das Kontradiktionsprinzip (z.B. bei der Befragung eines durch die Straftat geschädigten Kindes), oder durch die normative Konstruktion von „Schutzkomponenten" (wie z.B. die „Anonymisierung" des Zeugen, ein beschränktes Aussageverweigerungsrecht, eine besondere Art der Ladung eines Zeugen, die Befragung unter Geheimhaltung seiner Person und ähnliches). Bestimmungen über Maßnahmen zum körperlichen Schutz der Zeugen bleiben den Polizeigesetzen überlassen.

Nach Ansicht der Praktiker haben die bisherigen Bestimmungen des Art. 174 StPO das Verhältnis zwischen der Polizei und der Staatsanwaltschaft im Bereich der polizeilichen Ermittlungen nicht klar geregelt. Umstritten war die Frage, ob die Polizei (und in welcher Frist) *rechtlich* verpflichtet ist, alle vom Staatsanwalt geforderten Ermittlungshandlungen und -maßnahmen vorzunehmen. Die Novelle möchte diesen Zweifel beseitigen. Sie sieht vor, dass die Polizei in einer Frist von 24 Stunden verpflichtet ist, die Staatsanwaltschaft davon zu unterrichten, dass sie selbsttätig mit den Ermittlungen für eine von Amts wegen zu verfolgende Straftat begonnen hat. Die Novelle will auch einige neue Ermittlungshandlungen und -maßnahmen vorschlagen, durch die Grundrechte der Bürger eingeschränkt würden (z.B. Polygraph, Beschaffung von Informationen seitens polizeilicher Vertrauenspersonen, Scheinlieferungen). Außerdem soll die Pflicht der anderen Staatsorgane sowie der Banken verstärkt werden, dem Staatsanwalt auf sein Verlangen Daten, die nicht geschütztes Geheimnis sind, zu übermitteln. Ebenfalls will man auch eine detaillierte Befragung von Verdächtigten seitens des Staatsanwalts vorschlagen. Die Verfasser dieser Novelle hoffen, dadurch eine funktionelle Kohärenz des Vorverfahrens zu erreichen, ohne dabei seine Struktur zu verändern (welche weiterhin in das Stadium der Ermittlung und das der Untersuchung eingeteilt bleiben soll). In welchem Maße die vorgeschlagene Stärkung der Position des Staatsanwalts und der Polizei gegenüber der Position des Untersuchungsrichters zu dessen eventuellem „Aussterben“ beitragen wird, wird sich zeigen.

Die Praxis der kroatischen StPO forderte einerseits die Vereinfachung der Anwendung des Opportunitätsprinzips gemäß den erwähnten Bestimmungen, andererseits die rechtliche Präzisierung einiger besonderer Beweismethoden, insbesondere die Nutzung der so genannten „pentiti“ als Kronzeugen bei Straftaten im Bereich der organisierten Kriminalität.

Schon vor In-Kraft-Treten der StPO 1997 war die kroatische Staatsanwaltschaft der Meinung, dass das Legalitätsprinzip nicht im Sinne einer automatischen Pflicht, ein Strafverfahren einzuleiten, auszulegen ist. Deshalb wurde die Bestimmung des Art. 175[26] „sehr wohl in der Praxis angenommen“, hauptsächlich bei Drogenmissbrauchsdelikten (Art. 173 StGB).[27] Da seitens der Staatsanwaltschaft die in Art. 175 vorgesehenen Optionen zumeist im Sinne der Möglichkeit einer informellen Prozesserledigung aufgefasst wurden, häuften sich die Einwände der Staatsanwälte gegen die gesetzlich vorgeschriebene Kontrolle des Richterrats über die Entscheidungen, die Strafverfolgung bedingt aufzuschieben. Der Einwand wurde damit begründet, dass es sich um eine unnötige Formalität handele, die in der Praxis nie zur Anwendung komme. Diese Kontrolle durch den Richterrat ist deshalb im Novellenentwurf der StPO vom Februar 2002 nicht mehr vorgesehen.

Die Nutzung von „pentiti“ als Kronzeugen zog während des Jahres 2000 in Kroatien in einem „Monster-Prozess“ gegen die Mitglieder einer kriminellen Gruppe in Zagreb große Aufmerksamkeit auf sich. Nachdem die Verteidigung in diesem Fall die Staatsanwaltschaft kritisierte, da sie im Vorverfahren unter strengster Geheimhaltung mit einigen inhaftierten Mitgliedern dieser Organisation verhandelt und psychologischen Druck ausgeübt habe, so dass diese letztendlich als Kronzeugen aufgetreten seien, regelte der Gesetzgeber im schon erwähnten *Gesetz über das Amt für die Verfolgung der Korruption und der organisierten Kriminalität* aus dem Jahr 2001 ausführlich die Position von „pentiti“ im Strafverfahren als „Kronzeugen“.

2. Praxis der reformierten Hauptverhandlung.

Die zwei wichtigsten Änderungen hinsichtlich der Hauptverhandlung durch die Novelle von 1997 wurden schon erwähnt: die Änderung der prozessrechtlichen Relevanz der Äußerung des Angeklagten zum Tatvorwurf (Art. 320 Abs. 3) sowie die kontradiktorische Durchführung des Beweisverfahrens (Art. 320 Abs. 4, 321 Abs. 2, 326 Abs. 1).

---

[26] Die in Anlehnung an § 153a der deutschen StPO gefasst wurde.

[27] Dadurch ist ohne Zweifel die Unmöglichkeit des „full enforcement“ dieser Strafbestimmung ausgedrückt worden; *Krapac* (Anm. 15), S. 320.

Die erste Änderung betraf den Beginn der *Hauptverhandlung*. Die Befragung des Angeklagten nach Verlesung der Anklageschrift hat nunmehr die Bedeutung eines *Verteidigungsmittels* und eines *Beweismittels* (Art. 320 Abs. 4 und 7, 334 Abs. 2). Im Einklang mit dem akkusatorischen Prinzip wollte der Gesetzgeber damit zwei Ziele erreichen: Zum einen sollte es dem Gericht ermöglicht werden, schnell Strafsanktionen zu verhängen, falls sich schon zu Beginn der Verhandlung Einigkeit zwischen Anklage und Verteidiger hinsichtlich aller Punkte der Anklageschrift abzeichnet. Für den Fall, dass die Parteien sich doch nicht über alle Punkte der Anklageschrift einig sind, sollte zweitens durch die Verschiebung der Befragung des Angeklagten auf das Ende des Beweisverfahrens die Verteidigung von der faktischen Beweislast hinsichtlich der Unschuld des Angeklagten befreit werden. Diese faktische Beweislast besteht, wenn es der Anklageseite schon zu Beginn der Verhandlung ermöglicht wird, sich des Angeklagten und seiner Aussage zur Erreichung ihrer Verfahrensziele zu bedienen.

Als zweite Änderung restrukturierte der Gesetzgeber das Beweisverfahren hinsichtlich der Personenbefragung. Diese muss jetzt von den Parteien durchgeführt werden. Erst danach ist der Vorsitzende selbst berechtigt, Fragen zu stellen, falls das Gericht dies im Rahmen seiner Pflicht zur „allseitigen Aufklärung der Sache" gemäß Art. 297 Abs. 3 als notwendig erachtet. Dabei wählte der Gesetzgeber als Befragungsmodell das „Kreuzverhör" (Art. 320 Abs. 4, 326 Abs. 1) sowie die adversatorische Reihenfolge der Beweisaufnahme.[28] Eine solche Regelung ist aus einer rechtsvergleichenden Perspektive bekannt.[29] Sie geht von zwei Prämissen aus: Zum Ersten, dass jede Partei ihre Hypothesen über den Tatbestand am besten entwickeln kann, wenn sie Zeugen oder Sachverständige vor ihrem Prozessgegner befragen kann, und zum Zweiten, dass durch die Übertragung der Beweisinitiative auf die Parteien der Vorsitzende von der psychologischen Last der Durchführung der Beweisaufnahme befreit ist – eine Last, die zur Befangenheit[30] führen kann.

---

[28] Nach der „in der Regel erst die Beweisaufnahme der vom Kläger vorgeschlagenen Beweise durchgeführt wird und danach der von der Verteidigung vorgeschlagenen Beweise und zuletzt der seitens des Rats von Amts wegen Bestimmten" (Art. 321 Abs. 2).

[29] Diese hat ihren Ursprung im angloamerikanischen Strafprozessrecht. *John Henry Wigmore* konstatiert z.B. in seinem monumentalen Traktat über das Beweisrecht (On Evidence in Trials at Common Law, vol. 5, Chadbourn Rev. 1974, Art. 1367), dass das Kreuzverhör „... the greatest legal engine ever invented for discovery of truth ..." darstellt; dieses ist aber auch in einigen europäischen Rechtsordnungen bekannt (z.B. in der spanischen, skandinavischen, italienischen, slowenischen) sowie in der japanischen StPO. Vgl. *Thomas Weigend*, Wechselverhör in der Hauptverhandlung, ZStW 100 (1988), S. 746, 747; *Joachim Hermann*, Ein neues Hauptverhandlungsmodell, ZStW 100 (1988), S. 60–61.

[30] Hier ist offensichtlich die Rede von der Kritik der bekannten inquisitorischen Maxime als theoretische Konstruktion und nicht von einer empirischen Tatsache, die in jedem konkreten Fall gegeben wäre; *Hermann* (Anm. 28), S. 46. Der deutsche Autor *von Tippelkirch* beschrieb schon im Jahr 1856 in einer seiner Arbeiten, wie die Figur des Vorsitzenden, durch eine solche Kumulation von psychologisch unvereinbaren Pflichten in der Beweisaufnahme überlastet, „mehr Mitleid als Respekt" verdient; *Weigend* (Anm. 29),

Die Absicht des Gesetzgebers, die Hauptverhandlung auf die beschriebene Art zu reformieren, hat in den Diskussionen über den Gesetzentwurf in den Jahren 1995–1997 kein großes Interesse in den Reihen der Praktiker und der Wissenschaftler gefunden.[31] Mangels eigener Erfahrung hat der Gesetzgeber deshalb die Äußerung des Angeklagten zum Tatvorwurf am Anfang der Hauptverhandlung im Sinne des Kontradiktionsprinzips konstruiert. Die Äußerung des Angeklagten, „welche Position er gegenüber jedem Punkt der Anklage einnimmt“ (Art. 320 Abs. 3), muss sofort nach Verlesung der Anklageschrift (Art. 320 Abs. 3) und der Belehrung des Angeklagten (Art. 320 Abs. 1 und 2) durch den Ratsvorsitzenden erfolgen. Die Befürworter dieser Regelung erachten sie als Ausdruck der „Waffengleichheit“ und als Beitrag zum Gleichgewicht in der verfahrensrechtlichen Kommunikationsstruktur.

Im Hinblick auf die Regelung des Beweisverfahrens muss man auf Ähnlichkeiten des kroatischen Gesetzes mit der StPO des Kantons Zürich aus dem Jahr 1852 verweisen. Die Zürcher StPO hat sich einerseits mit dem Modell des Wechselverhörs der Zeugen und Sachverständigen am weitesten dem Verfahren der Länder mit *common law*-Tradition (über das im Hauptverhandlungsstadium der passive Richter „wacht“) genähert, und andererseits die letztendliche Verantwortung für die ordnungsgemäße Feststellung des Tatbestands beim Ratsvorsitzenden gelassen, was den Ländern der kontinentalen Rechtstradition[32] entspricht. Mitglieder der Ar-

S. 740. Eine gute Darstellung der Problematik in der Regelung des kontinentalen Beweisverfahrens sowie des angloamerikanischen Beweisrechtsmodells (mit Schwerpunkt auf der Beweiswürdigung) findet sich in *Alan Uzelac*, Istina u sudskom postupku (Die Wahrheit im Gerichtsverfahren), Pravni fakultet, Zagreb 1997, S. 64–107.

[31] Der einzige Autor, der sich in der kroatischen Literatur systematischer mit der Frage der Einführung der Elemente des akkusatorischen Verfahrens, wie z.B. des Dispositions- und des Verhandlungsgrundsatzes, in das Verfahren des gemischten Typs wie das unsere befasste, war *Mirjan Damaška* in dem Artikel „O miješanju inkvizitornih i akuzatornih procesnih formi“ (Über die Verbindung von inquisitorischen und akkusatorischen Prozessformen), HLJKPP 2/1997, S. 381–394. In Deutschland dagegen dauern in Fachkreisen schon Jahrzehnte lang mehr oder weniger heftige Diskussionen für und gegen die Hauptverhandlungsrestrukturierung an. Vgl. *Hermann* (Anm. 29), S. 42; *Weigend* (Anm. 29), S. 734.

[32] Vgl. *Robert Hauser*, Kurzlehrbuch des schweizerischen Straprozessrechts, 2. Aufl. Basel/Frankfurt 1984, S. 235. Es muss darauf hingewiesen werden, dass gemäß diesem Gesetz das Modell des Kreuzverhörs *nicht für den Angeklagten gilt*. Die Zeugen und die Sachverständigen werden in der Hauptverhandlung erst vom Staatsanwalt, der diese vorgeschlagen hat, befragt, und nach ihm geht das Befragungsrecht auf die Verteidigung über; wenn die Beweise der Anklage erschöpft sind, schreitet die Verteidigung zur Beweisaufnahme ihrer Beweise, welche danach durch die Anklage geprüft werden. Der Vorsitzende verbietet unpassende Fragen und schützt jeden Befragten vor Beleidigungen und Belästigung, so dass er gegenüber der Partei, welche nach ausgesprochener Verwarnung mit solchen Fragen fortfährt, anordnen kann, ihre Fragen nur noch durch ihn zu stellen. Die Fragen der Partei kann der Vorsitzende mit eigenen Fragen ergänzen. Nach Beendigung der Befragung, welche von der Partei geführt wird, stellen auch die anderen Mitglieder des Richterrats Fragen. Die Zeugen und Sachverständigen, die auf Eigeninitiative des Gerichts bestellt wurden, befragt zunächst der Vorsitzende, wobei die Parteien das Recht haben,

beitsgruppe des kroatischen Justizministeriums, die den Entwurf der StPO 1997 vorbereiteten, haben diese Konstruktion als die annehmbarste angesehen.

Die ersten Reaktionen der kroatischen Fachöffentlichkeit auf die neuen Vorschriften waren positiv, es wurde aber auch auf einige Unverständlichkeiten und Ungeschicktheiten in der Praxis hingewiesen. Das hatten deren Verfasser auch erwartet. Allerdings hatten sie nicht vorausgesehen, dass ein Dialog mit den Adressaten dieser Vorschriften gänzlich ausbliebe: Im Gegensatz zur früheren Praxis, wo nach Erlass neuer prozessualer Vorschriften stets verschiedene Fachberatungen zwischen Praktikern und Vertretern des Justizministeriums stattgefunden hatten, ermöglichte die damalige Führung der richterlichen Gewalt den Richtern einen solchen Dialog nicht. Stattdessen wurden die Richter, besonders jene der ersten Instanz, hinsichtlich verschiedener Auslegungsfragen sich selbst überlassen.[33]

Im Wege einer Richterbefragung in den zwei größten kroatischen Städten – Zagreb und Split[34] – versuchte man herauszufinden, ob und inwiefern das neue Verhandlungsmodell in der Praxis Probleme bereitet. Die Antworten dieser Richter zeigten, dass die Einführung von „rein" akkusatorischen Elementen in ein traditionelles, gemischtes Verfahren nicht unmöglich ist, sowie, dass die neuen Prozessformen in den meisten Fällen einwandfrei angewendet worden sind. Freilich zeigte sich dabei auch, dass die Einbindung dieser neuen Elemente in die alten Strukturen teilweise problematisch ist.

Die Durchsicht der Beschwerdefälle am Obersten Gerichtshof der Republik Kroatien aus den Jahren 1999 und 2000 ergab eine fast unerhebliche Anzahl von Prozessrügen wegen Verletzung der neuen Vorschriften der StPO über die Hauptverhandlung (Art. 320 Abs. 4, 321 Abs. 2, 322 Abs. 4, 326 Abs. 1 und 334 Abs. 2), wie aus der folgenden Tabelle ersichtlich ist:

Ergänzungsfragen zu stellen. Minderjährige und Geistesgestörte dürfen nur vom Vorsitzenden befragt werden. Bei der Befragung wird simultan Protokoll geführt. Vgl. *Reinhard Moos*, Ausgewogenere Kommunikationsstrukturen der Hauptverhandlung durch Wechselverhör und Teilung in zwei Abschnitte, ZStW 103 (1991), S. 558 ff., 562 ff.

33 Der kroatische Verein für Strafrechtswissenschaft und Praxis hatte die neue Strafgesetzgebung in der Republik Kroatien zum Thema seiner X. Beratung im Jahr 1997. Im Rahmen dieses Themas widmete sich die 1. Arbeitsgruppe zum Strafprozessrecht der neuen Struktur der Hauptverhandlung (vgl. HLJKPP, supplement Nr. 1/1997, S. 99–104). *Marin Mrčela* hat über diese Arbeitsgruppe einen eigenen Kommentar zu den neuen Vorschriften geschrieben (HLJKPP 1/1998, S. 223–263). Eine kritische Betrachtung der neuen Struktur der Hauptverhandlung nahm *Iztok Krbec*, Richter am Komitätsgericht in Pula, auf der Richterkonferenz mit dem Thema „Aktuelles aus der neuen Strafgesetzgebung und des Gesetzes über den Schutz von geistesgestörten Personen" vor (Aufl. „Inženjerski biro", Zagreb 1999, S. 27–48). Nach *Krbec* ist die „Neuigkeit, dass die Befragung des Angeklagten, der den Vorwürfen in der Anklageschrift widerspricht, nunmehr am Ende des Beweisverfahrens stattfindet" eines der Haupthindernisse der Verwirklichung der Beschleunigung der Strafgerichtsbarkeit (S. 48).

34 Vgl. *Davor Krapac/Marin Mrčela*, Nova praksa glavne rasprave u kaznenom postupku (Neue Hauptverhandlungspraxis im Strafverfahren), HLJKPP 2/2000, S. 803–823.

Jahr	1999	2000
Gesamtanzahl der Beschwerdefälle in der Gerichtsstatistik (in denen es bis zum 6.11.2000 zur Entscheidung über die Beschwerde kam)	912	721
Gesamtanzahl der durchgeführten Beschwerdefälle	385	193
Gesamtanzahl der durch Urteil entschiedenen Beschwerden	283	112
Gesamtanzahl der Beschwerden als Prozessrügen	137	38
Gesamtanzahl der Beschwerden als Prozessrügen wegen Verletzung neuer Hauptverhandlungsvorschriften	9	1

Ansonsten zeigten die Gerichtsstatistiken, dass in Kroatien durchschnittlich in ca. 50 % der Fälle ein Rechtsmittel eingelegt wird. Die Aufhebung des erstinstanzlichen Urteils begründeten die Revisions- und Berufungsgerichte in ca. 60 % der Fälle mit falschen oder unvollständig festgestellten Tatsachen, in 30 % der Fälle mit der Verletzung einer Verfahrensnorm (siehe Gerichtsstatistik, Bericht des Justizministeriums der Republik Kroatien vom 1.3.2000).

Die Umfrage hat ergeben, dass die Richter bei der Befragung des Angeklagten zum Tatvorwurf (Art. 320 Abs. 3 StPO) sehr vorsichtig vorgehen. Sie achten darauf, dass dem Angeklagten die Bedeutung dieser Äußerung hinsichtlich des späteren Verhandlungsverlaufs (sog. „Spaltung" der Hauptverhandlung) bewusst ist. Das eventuelle Schweigen des Angeklagten in diesem grundlegenden Moment deuten sie richtig als Leugnung der Begründetheit der Anklage. Eventuelle Zweifel darüber, ob der Angeklagte in Gänze die Bedeutung seiner Äußerung verstanden hat, beseitigen sie durch die Wiederholung des Inhalts der Anklage sowie durch die umfangreiche Erläuterung der Umstände, die zu dem Verdacht geführt haben. Sehr selten – wenn überhaupt – nutzen sie allerdings die gesetzlich vorgesehene Möglichkeit, speziell zu diesem Zweck eine Sitzung einzuberufen.

Das häufig auftauchende Problem, dass der hinsichtlich eines Anklagepunkts geständige Angeklagte seine Äußerung zum Tatvorwurf in einer späteren Aussage ändert (sog. „unbestimmte Verteidigung"), haben die befragten Richter grundsätzlich richtig gelöst: Sie haben diese Aussage des Angeklagten unterbrochen, haben in das Protokoll aufgenommen, dass aus der Aussage die Leugnung der Tatvorwürfe klar hervorgeht, und sind zum Beweisverfahren übergegangen, an dessen Ende die Befragung des Angeklagten stand. Für den Fall, dass Mitangeklagte sich unterschiedlich zum Tatvorwurf äußern, konnte kein einheitliches Vorgehen der befragten Richter festgestellt werden. Die meisten Richter nahmen in diesem Fall jedoch zunächst die Befragung des geständigen Angeklagten vor und stellten die Befragung der übrigen Mitangeklagten an das Ende des Beweisverfahrens, wobei die Mitangeklagten während der gesamten Hauptverhandlung im Gerichtssaal anwesend waren.

Die Umfrage ergab auch, dass die Befragung des Angeklagten trotz des gesetzlich vorgesehenen Kreuzverhörs durch die Parteien vor dem Präsidenten und den Mitgliedern des Rates unterschiedlich durchgeführt wird. Ein Teil der Richter hat nach der Aussage des Angeklagten – nach vorheriger Absprache mit den Parteien – sofort den Angeklagten befragt und danach die anderen Verfahrensbeteiligten zu Wort kommen lassen. Der andere Teil der befragten Richter hat jedoch, ebenfalls nach Absprache mit den Parteien, bereits während der freien Aussage des Angeklagten durch Fragen und Nachfragen interveniert, um Lücken und Widersprüche zu beseitigen. Letztendlich hat ein Teil der Richter (etwa ein Drittel) die Fragen erst nach dem Kreuzverhör durch die Parteien gestellt. Nur diese letztgenannte Variante entspricht dem Geist des neuen kroatischen Hauptverhandlungsmodells.

Hinsichtlich des Beweisverfahrens hat die Umfrage gezeigt, dass die große Mehrheit zuerst die Parteien aufgefordert hat, Vorschläge hinsichtlich der Durchführung ihrer Beweisaufnahme zu unterbreiten, woraufhin die Richter über die Beweisanträge entschieden haben, wobei sie sich an die in Art. 322 Abs. 4 StPO geregelten Ablehnungsgründe gehalten haben.

Letztendlich ergab die Richterumfrage, dass das Kreuzverhör der Zeugen und Sachverständigen im Beweisverfahren für die meisten Richter keine große Schwierigkeit darstellt: Weniger als drei Jahre nach In-Kraft-Treten der StPO sind 62,5 % der befragten Richter des Gemeindegerichts und 84,63 % der befragten Richter des Komitätsgerichts dem Modell gefolgt. Das Kreuzverhör ist also in der Praxis durchführbar geworden. Dabei ist die Umfrage zu zwei wichtigen Ergebnissen gekommen: 20,83 % der Richter des Gemeindegerichts haben die Zeugen und Sachverständigen immer als Erste befragt, ohne Rücksicht darauf, ob eine Einigung der Parteien in diesem Sinne vorlag bzw. ob sie damit einverstanden waren, und in 15,38 % der Verfahren haben die Parteien vor den Richtern des Komitätsgerichts immer dem Vorsitzenden Richter das Recht der Erstbefragung überlassen. Für den Gesetzgeber ergeben sich daraus zwei mögliche Konsequenzen: Erstens, dass in der Hauptverhandlung vor dem Gemeindegericht das Modell des Kreuzverhörs zukünftig nicht als obligatorisch sondern als fakultativ für die Parteien vorgeschrieben werden sollte, und zweitens, dass durch besondere Vorschriften den Parteien eine bessere Vorbereitung der Hauptverhandlung vor dem Komitätsgericht ermöglicht wird, insbesondere hinsichtlich der Bewältigung des Prozess-Stoffs der Staatsanwaltschaft. Ohne die gesetzliche Gewährleistung einer guten Vorbereitung ist eine angemessene Parteiinitiative im Beweisverfahren unmöglich.

Die jetzt vorliegende Novelle der StPO vom Februar 2002 hat die Ergebnisse dieser Umfrage nur zum Teil berücksichtigt. Diese schlägt eine Vereinfachung der adversatorischen Struktur der Hauptverhandlung jedoch nur im Kurzverfahren vor, wobei sie die „Spaltung“ des Verlaufs der Hauptverhandlung aufgibt, je nach Art der Äußerung zum Tatvorwurf (es wird nämlich vorgeschlagen, dass der Angeklagte immer am Anfang des Beweisverfahrens im vereinfachten Verfahren befragt werden sollte, ohne Rücksicht darauf, wie er sich zur Anklage geäußert hat – wobei ihn zuerst der Verteidiger befragen sollte und erst dann der Kläger). Der größte Teil der Bestimmungen über die Hauptverhandlung ist jedoch in der Novelle unverändert geblieben, da der Gesetzgeber anscheinend nur minimale Änderungen erreichen will.[35]

IV. Schlussbemerkung

Abschließend ist denjenigen zuzustimmen, die warnen, dass es noch zu früh sei, eine endgültige Aussage über die erst vor kurzem durchgeführten Strafrechtsreformen in den Transitionsländern[36] zu treffen. Das gilt auf jeden Fall für Kroatien und seine StPO 1997. Dieses Gesetz wurde in den vergangenen fünf Jahren durch die Praxis auf den Prüfstein gestellt, die dabei gefundenen Wege entsprechen jedoch nicht immer den Absichten des Gesetzgebers. Das wird schon aus der Tatsache deutlich, dass seitens der Praktiker bald nach In-Kraft-Treten des neuen Gesetzes eine Novelle der StPO im Sinne einer *lex desiderata* vorgeschlagen wurde. Das letzte Wort über die Fassung der Prozessordnung behält der Gesetzgeber – im Rahmen des krummen Weges seiner Kriminalpolitik. Diese ist einerseits betroffen durch zeitweilige Öffentlichkeitsdebatten aufgrund „schlechter" oder unerwarteter Gerichtsentscheidungen im Strafverfahren und andererseits durch ein stark durch die Medien geprägtes Bild über Kriminalität angeregt. Deswegen ist es oftmals schwierig, eine rational begründete Bewertung von „guten" und „schlechten" Gesetzeslösungen in der Öffentlichkeit zu verteidigen. Dafür benötigt man mehr Untersuchungen, Meinungsaustausch und Kenntnis fremder Erfahrungen, wozu gerade auch dieses internationale Symposium gedacht ist.

---

[35] So ist z.B. vorgesehen, die Protokollierung der summarischen Hauptverhandlung zu modernisieren (die bis jetzt als zu langsam kritisiert worden ist, was sich mit Einführung des Kreuzverhörs noch verstärkte) und einige Ausnahmen von der Urteilsbegründungspflicht einzuführen.

[36] Diese Vorsicht befürwortet *Waltoś* bei der Bewertung der polnischen StPO aus dem Jahr 1997 (Anm. 3, S. 1014).

Die Reform des Strafverfahrensrechts in Polen in den Jahren 1990 bis 2002

Andrzej Gaberle, Krakau

Im Jahr 1989 bestand kein Zweifel darüber, dass das polnische Strafverfahrensrecht einer grundlegenden Reform bedurfte. Die damals geltende Strafprozessordnung von 1969 entsprach der Doktrin des Realsozialismus und der Konzentration der Staatsgewalt und war durch folgende Merkmale charakterisiert:

- die vorrangige Bedeutung des Ermittlungsverfahrens mit sehr weiten Befugnissen des Staatsanwalts (u.a. Anordnung der Untersuchungshaft, vorläufige Einstellung des Verfahrens);
- die erheblich reduzierte Bedeutung des gerichtlichen Verfahrens. Dieses diente weniger den selbständigen Feststellungen des Gerichts als vielmehr der Bewertung der in der Anklageschrift dargelegten Version der Geschehnisse. Dabei führte das Gericht überwiegend keine eigene Beweisaufnahme durch, sondern zog die bereits im Vorverfahren erhobenen Beweise, vor allem Zeugenaussagen, insbesondere in Form von Protokollen, heran;
- die extreme Störung des Gleichgewichts der Prozessparteien, denn die Prozessorgane waren gegenüber dem Beschuldigten nicht nur enorm überlegen, sondern sie konnten diese Überlegenheit im Gerichtsverfahren auch ausnutzen;
- die besondere Sorge um die Interessen des Staates kam nicht nur in der obligatorischen Anordnung einer Entschädigung zum Ausdruck, wenn mit der Straftat ein Schaden am „gesellschaftlichen Vermögen" angerichtet wurde (Art. 363 StPO von 1969), sondern auch in einer erheblichen Reduzierung von Rechten der Verfahrensbeteiligten, die keine Prozessparteien waren, sowie in der Möglichkeit der – willkürlichen – Anfechtung von rechtskräftigen Gerichtsurteilen durch die Staatsorgane im Wege der außerordentlichen Revision.

Der Leitgedanke der StPO von 1969 war es, die Macht des Staates zu repräsentieren und nicht etwa für die Rechte des Verletzten oder für eine gerechte Bestrafung des Täters zu sorgen. Von rechtsstaatlichen Standards war die StPO 1969 um Lichtjahre entfernt.

Eine Reform der Strafverfahrensvorschriften begann im Jahr 1995 mit einer vollkommen neuen Regelung der Untersuchungshaftbestimmungen. Die Anordnungskompetenz wurde ausschließlich dem Gericht übertragen, die Voraussetzungen wurden enger gefasst und Fristen festgelegt. Anstelle der außerordentlichen Revision wurde die Kassation eingeführt, die durch die Prozessparteien eingelegt werden kann. Diese Lösungen wurden in die neue StPO aufgenommen, die sich an folgenden Zielen orientierte:

- dem Gerichtsverfahren den ihm gebührenden Rang wiederzugeben,
- dem Verletzten eine Stellung einzuräumen, die es ihm ermöglicht, seine Rechte geltend zu machen und auf den Verfahrensverlauf Einfluss zu nehmen,
- eine größtmögliche „Waffengleichheit" der Verfahrensbeteiligten anzustreben,
- die Berücksichtigung einfacherer Möglichkeiten, um das Hauptziel des Strafverfahrens – die richtige Reaktion auf die Straftat – zu erreichen.

Vor der Einführung von Reformen musste man sich aber auch bewusst werden, dass die Prinzipien *nullum crimen* und *nulla poena sine lege* nur dann einen Sinn haben, wenn das Strafverfahren dem Prinzip der materiellen Wahrheit und damit dem Gebot der Sachverhaltsermittlung untergeordnet ist. Ist dem nicht so, so kann die Garantiefunktion des Strafrechts zu einer Fiktion und das Strafverfahren zu bloßer „Dekoration" degradiert werden, hinter der sich die Willkür der Behörden und die Ratlosigkeit des Einzelnen verbergen, der nicht begangener Straftaten beschuldigt wird.[1]

Daraus ergibt sich zweierlei: Zum Ersten – wenn das Ziel des Strafverfahrens eine richtige Entscheidung über die Strafverantwortlichkeit sein soll, so müssen sich die Prozessmaximen[2] daran messen lassen, inwiefern sie zur Verwirklichung dieses Zieles beitragen können. Und zum Zweiten – je weniger Gewicht den Rechten des Einzelnen beigemessen wird, desto schwächer wird die Bedeutung dieser Prozessgrundsätze, aus denen sich die Garantien für die Wahrheitsermittlung ergeben. Ich möchte mich auf die Aufzählung der Prozessmaximen beschränken, denen von diesem Standpunkt aus die größte Bedeutung zukommt:

- das Legalitätsprinzip,
- das Kontradiktionsprinzip, das nur bei einer (relativen) Waffengleichheit der Prozessparteien von Bedeutung sein kann, also u.a. dann, wenn dem Angeklagten das Recht auf Verteidigung gewährleistet wird,
- der Grundsatz der Unmittelbarkeit,
- der Grundsatz der freien Beweiswürdigung.

Das Legalitätsprinzip, verstanden als Pflicht, das Verfahren bei hinreichendem Verdacht einer Straftatbegehung einzuleiten und durchzuführen, wirft jedoch Probleme auf. Wird auf diesen Grundsatz verzichtet, so steigt das Risiko einer ungleichen Behandlung der Bürger, was zumindest ein Umgehen der gebotenen Wahr-

---

1 Es ist jedoch daran zu erinnern, dass das Strafprozessrecht als „Kompromiss zwischen den schutzwürdigen Werten" bezeichnet werden kann. Abweichungen vom Prinzip der materiellen Wahrheit können sich deshalb aus der Notwendigkeit des Schutzes anderer Werte ergeben, wie einige Beweisverbote zeigen (z.B. das Aussageverweigerungsrecht).

2 Verstanden als eine Verfahrensrichtlinie, in der das Streben nach Erreichung eines bestimmten Ziels – der Schutz eines bestimmten Werts – ausgedrückt wird.

heitsfindungspflicht bedeutet. Die rigorose Einhaltung des Grundsatzes dagegen zwingt zur Durchführung von Verfahren, deren Gegenstand die Frage der Strafverantwortlichkeit für Taten ist, die keiner Strafe, sondern einer anderen oder gar keiner Reaktion bedürfen, was zu einer unnötigen Belastung der Gerichtsbarkeit und der Staatsanwaltschaft führt. Dies spricht für den Verzicht auf das Legalitätsprinzip zu Gunsten des Opportunitätsprinzips oder zumindest für die Einführung zahlreicher Ausnahmen im Sinne des Opportunitätsprinzips. Solche Lösungen aber kommen nur dann in Frage, wenn die Entscheidung über das Absehen von der Verfolgung ein Organ trifft, das über eine tatsächliche Entscheidungsfreiheit verfügt. Da aber das Organ, dem diese Entscheidungen anvertraut werden, in der Regel die Staatsanwaltschaft ist – in Polen ein zentralisiertes, als ein Instrument der Exekutivgewalt angesehenes Organ –, hat man sich bei der Strafverfahrensreform auf nur wenige Ausnahmen vom Legalitätsprinzip geeinigt. Zu nennen sind hier der Teilverzicht auf Strafverfolgung bei mehreren Taten (Art. 11 StPO, diese Norm entspricht § 154 der deutschen StPO), oder die Übergabe der Sache in ein Schlichtungsverfahren/Mediationsverfahren.

Damit das Gerichtsverfahren den ihm entsprechenden Rang wiedererlangen konnte, bedurfte es der Einführung von entsprechenden Garantien des Kontradiktionsprinzips. Der Angeklagte und der Verletzte dürfen häufiger als früher ihr Recht auf die Teilnahme an den Sitzungen des Gerichts wahrnehmen (Art. 96 § 2 StPO), und dem Verletzten wurde in einem erheblich weiteren Umfang die Möglichkeit der Beteiligung an der Verhandlung als Nebenkläger eingeräumt (Art. 53–55 StPO). Für notwendig hat man allerdings die Einführung der Möglichkeit befunden, dass der Verletzte die Wiedergutmachung bzw. Entschädigung im Wege einer Abrede mit dem Angeklagten erlangen kann. Dies gilt insbesondere dann, wenn dies zu einer Schlichtung des Konflikts zwischen den Parteien und zu einer schnelleren Beendigung des Strafverfahrens führen kann (Art. 320 und 341 §§ 2 und 3 StPO in Verbindung mit Art. 66 § 3 und 673 StGB, Art. 387 § 2 StPO). Denn die Führung eines Streits zwischen den beiden Subjekten kann nicht das Ziel an sich sein.

Die im Ermittlungsverfahren erhobenen Beweise haben im Vergleich zu früher einen geringeren Einfluss auf die Sachverhaltsfeststellung des Gerichts und damit auf die gerichtliche Entscheidung. Diese verringerte Bedeutung des Ermittlungsverfahrens – in dem die Verfolgungsorgane dem Beschuldigten/Angeklagten gegenüber immer überlegen sind – für die gerichtliche Entscheidung über die Verantwortlichkeit des Angeklagten trägt zur Waffengleichheit der Prozessparteien bei. Zu diesem Zweck wurde auch die Möglichkeit eingeschränkt, Protokolle über die im Ermittlungs- bzw. Untersuchungsverfahren durchgeführten Prozesshandlungen (insbesondere Protokolle über die Zeugenaussagen) durch Verlesen in die Hauptverhandlung einzubringen, womit der Rang des Unmittelbarkeitsgrundsatzes als Garantie für die Wahrheitsfindung besonders hervorgehoben wird. Der Notwendigkeit aber Rechnung tragend, das Verfahrensziel möglichst ohne überflüssige

Kosten zu erreichen, wurde die Möglichkeit einer Einschränkung des Beweisverfahrens eingeführt, wenn der Angeklagte bereit ist, auf sein Recht zu verzichten, die für ihn günstigen Umstände zu beweisen. Dafür stehen drei prozessuale Wege zur Verfügung: Der Staatsanwalt kann mit Zustimmung des Beschuldigten die Verurteilung zu einer bestimmten Strafe oder Strafmaßnahme ohne Verhandlung beantragen (Art. 335 StPO), der Angeklagte kann in der Verhandlung einen Antrag auf die Zumessung einer bestimmten Strafe ohne Beweisverfahren stellen (Art. 387 StPO) und das Beweisverfahren in der Verhandlung kann mit Zustimmung der Prozessparteien eingeschränkt werden (Art. 388 StPO). Die Zulässigkeit einer Verkürzung des Verfahrens hängt aber in jedem Fall von dem Geständnis des Angeklagten ab. Weitere Voraussetzung ist, dass die Prozessziele trotz Verkürzung des Verfahrens gewährleistet sein müssen. Es dürfen also unter anderem keinerlei Gründe für die Annahme vorliegen, die Entscheidung könnte nicht den Tatsachen entsprechen.

Wesentliche Änderungen wurden im Hinblick auf das Ermittlungsverfahren vorgesehen. Man hat auf das obligatorische Protokollieren aller Handlungen sowie auf die Erhebung aller Beweise verzichtet – ausreichend ist die Sicherung derselben für das Gericht (Art. 297, 319 StPO). Dem Beschuldigten wurden die Rechte eines Verfahrensbeteiligten eingeräumt (Art. 299 § 1 StPO), die Garantien für das Recht auf Verteidigung wurden verstärkt (u.a. das Recht des Inhaftierten auf freien Kontakt mit dem Verteidiger – Art. 73 StPO). Die Entscheidung über die Einstellung des Verfahrens wurde der gerichtlichen Kontrolle unterworfen. Die vorläufige Einstellung des Verfahrens steht nun dem Gericht zu.

Viel Aufmerksamkeit wurde bei der Reform des Strafprozessrechts der Möglichkeit geschenkt, eine effizientere Gestaltung des Verfahrens zu erreichen, ohne dabei die Richtigkeit der Entscheidungen zu gefährden. Neben den bereits erwähnten Vereinfachungen sei an dieser Stelle die Aufrechterhaltung bzw. die Erweiterung der vorgesehenen Sonderverfahren zu nennen, in denen Bagatelldelikte möglichst schnell abgeurteilt werden können. So ist das Strafbefehlsverfahren als eines der vereinfachten Verfahren für Strafsachen zulässig, bei denen es um Straftaten geht, die mit einer Freiheitsstrafe bis zu drei Jahren bedroht sind. Eingeführt wurden auch Vorschriften, die dem Missbrauch des Rechts auf Verteidigung zwecks Verfahrensverschleppung entgegenwirken sollen, z.B. die Durchführung der Verhandlung in Anwesenheit des Angeklagten – Art. 376 und 377 StPO. Da aber die Rücksicht auf die Prozessökonomie nicht etwa die Garantien für eine richtige Entscheidung zunichte machen darf, wurde die Möglichkeit der Fortführung der Verhandlung ungeachtet der Änderung der Besetzung des erkennenden Gerichts aufgehoben, und die Möglichkeit, dass das Gericht eine Entscheidung trotz Überschreitung der Vertagungsfrist (35 Tage) treffen kann, auf Ausnahmesituationen beschränkt (Art. 404 § 2 StPO).

Bei dieser notgedrungen nur auf die wichtigsten Änderungen beschränkten Darstellung ist zu betonen, dass man bemüht war, eine Mischform des Strafverfahrens zu schaffen – das Inquisitionsverfahren in der Ermittlungsphase einerseits und das kontradiktorische Gerichtsverfahren andererseits. Dabei sollte die Sorge um die Gewährleistung der Richtigkeit des Urteils mit solchen Vereinfachungen in Einklang gebracht wurde, die mit den Grundprinzipien vereinbar sind. Man war auch bemüht, dem Beschuldigten eine solche Prozess-Stellung zu gewähren, die es ihm ermöglicht, seine Rechte geltend zu machen und in größerem Umfang als zuvor auf den Verlauf und das Ergebnis des Verfahrens Einfluss zu nehmen.

Die Verabschiedung der Strafprozessordnung von 1997 bedeutete aber noch lange kein Ende der Strafverfahrensreform in Polen. Aus der Praxis, die die meisten Vereinfachungen begrüßt hatte, werden nunmehr Stimmen nach einer Wiedereinführung von Regelungen der StPO von 1969 laut, die zwar das Verfahren vereinfachen, für die Richtigkeit der Entscheidungen aber eine Gefahr darstellen, da sie eine Einschränkung des Unmittelbarkeitsgrundsatzes sowie eine Einschränkung des Rechts auf Verteidigung bedeuten. Angeschlossen haben sich diesen Stimmen Politiker mit ihren populistischen Parolen und Forderungen nach „Recht und Ordnung“. Im Zuge der mit dem Gesetz vom 20.7.2000 verabschiedeten Novellierung der StPO wurden neben geringen Korrekturen auch wesentliche Änderungen eingeführt, wie die vereinfachten Voraussetzungen für die Verhängung und Verlängerung der Untersuchungshaft. Grundsätzlich eingeschränkt wurde auch das Recht des Verfahrensbeteiligten zur Einlegung der Kassation, ohne dass im Gegenzug den Organen der Exekutivgewalt bei der Anwendung dieses Rechtsmittels Einschränkungen auferlegt wurden. Erheblich erweitert wurden auch die Befugnisse der Polizei hinsichtlich der geheimen Kontrolle von Briefen und Postsendungen etc. sowie der Einführung von Ergebnissen solcher außerhalb des Hauptverfahrens durchgeführten Handlungen in die Entscheidungsgrundlage.[3] Dies bedeutet eine Abkehr von Leitlinien, nach denen man sich bei der Reform des Strafverfahrens in den Jahren 1990–1997 richtete, und eine Rückkehr zu Lösungen der StPO von 1969. Und was noch viel schlimmer ist – die Tendenz, solche Änderungen einzuführen, scheint sich noch zu steigern. Dem Sejm wurde der Entwurf einer Novellierung der StPO vorgelegt, mit dem nahezu alle Einschränkungen des Unmittelbarkeitsgrundsatzes wiederhergestellt und dem Ermittlungsverfahren die Rolle der wichtigsten Etappe des Strafverfahrens auf Kosten des Gerichtsverfahrens eingeräumt wird. Auch die Befugnisse der Staatsanwaltschaft und der Polizei sollen erheblich erweitert werden. Diese Entwürfe näher beschreiben zu wollen, wäre allerdings verfrüht, da sie noch weiteren wesentlichen Änderungen unterzogen werden können.

---

[3] Gesetz vom 27.7.2001, Dz.U. Nr. 100 Pos. 1084.

Die neue Strafprozessordnung von Georgien

Tamar Laljaschwili, Tiflis

Seit nunmehr drei Jahren gilt in Georgien eine neue Strafprozessordnung (StPO), die sich wesentlich sowohl von der vorangehenden, an die Grundsätze der französischen Revolution von 1789 anknüpfende StPO, als auch von der StPO der Sowjetzeit unterscheidet.

In der neuen georgischen StPO finden sich sowohl Elemente des kontinentaleuropäischen als auch des angloamerikanischen Strafprozesses. Dies ist problematisch, da sich die beiden Konzepte teilweise gegenseitig ausschließen. Das führt unweigerlich dazu, dass die georgische Strafprozessordnung gewisse Widersprüche aufweist.

Die Widersprüchlichkeit beginnt schon bei den Grundprinzipien der StPO. So steht z.B. Art. 15 – das Prinzip des kontradiktorischen Verfahrens als eines der grundlegenden Prinzipien des angloamerikanischen Strafprozesses – im Widerspruch zu einigen Artikeln der StPO. In Art. 15 heißt es:

> „Der Strafprozess wird aufgrund der Gleichberechtigung und der Kontradiktion der Parteien ausgeübt."

Im Sinne dieses Prinzips ist ein Teil der georgischen Wissenschaftler und Praktiker der Meinung, dass

> „das Gericht kein Bestandteil des staatlichen Systems der Rechtspflegeorgane ist, sondern ein selbständiger und unparteiischer Schiedsrichter für die wegen Verbrechens angeklagte Person sowie der staatlichen Streitigkeiten. Mit anderen Worten gehört das Gericht weder zur anklagenden noch zur verteidigenden Seite, sondern hat eine unabhängige Stellung im Strafverfahren; z.B. sind die anklagende sowie die verteidigende Seite verpflichtet, Beweise zur Bestätigung oder Ablehnung der Anklage beizubringen. Das Gericht hilft ihnen bei der Beibringung der Beweise nur dann, wenn die Parteien dies beantragen".[1]

Wie realistisch ist die Rolle des Gerichts als „Schiedsrichter" im Strafprozess? Was für eine Rolle spielt das Gericht für die Aufklärung der objektiven Wahrheit? Schließt das Gesetz das Gericht als Organ der Rechtspflege aus?

Art. 49 und 439 StPO bekräftigen die Überlegung, dass das Gericht nicht zu den Rechtspflegeorganen gehört und ihm die Rolle des „Schiedsrichters" zukommt.

---

[1] *Wenedi Benidse*, Sischlis samartlis prozesi, praktikosi mushakebis dasachmareblad (Der Strafprozess, Handbuch für Praktiker), Tiflis 2000.

Gemäß Teil 2 Art. 49 StPO darf das Gericht (der Richter) nicht selbst vorläufige Untersuchungen vornehmen, und auch keine Beweismittel zu Gunsten oder zu Ungunsten des Angeklagten beschaffen.

Laut Teil 4 Art. 439 StPO „sichert das Gericht die notwendigen Voraussetzungen für die Beschaffung und Erhebung der Beweise seitens der Parteien, bleibt selbst unparteiisch und nimmt aus eigener Initiative keine Beweiserhebung vor".

Die erwähnten Artikel, in denen das Prinzip des kontradiktorischen Verfahrens verankert ist, widersprechen dem Prinzip der Öffentlichkeit sowie dem Prinzip der materiellen Wahrheit (Art. 14 und 18 StPO).

Gemäß Art. 14 Abs. 1 StPO ist das Gericht, das im Interesse des Staates und der Öffentlichkeit handelt, verpflichtet, die Straftat und dessen Täter zu ermitteln. Zur Erreichung dieses Zieles ist das Gericht ferner berechtigt, eine Reihe von Prozesshandlungen aus eigener Initiative durchzuführen.

Die Verpflichtung zur Aufklärung der Straftat und zur Identifizierung des Täters wird dem Richter auch durch Art. 18 StPO auferlegt, wodurch das Prinzip der allseitigen, objektiven und vollständigen Untersuchung der Sache bekräftigt wird. Im Sinne dieses Prinzips ist der Richter verpflichtet (zusammen mit den anderen Rechtspflegeorganen), unzweifelhaft festzustellen, ob eine Straftat begangen wurde, von wem sie begangen wurde und sämtliche mit dem Sachverhalt zusammenhängende Umstände des Beweisgegenstands offen zu legen; gemäß Abs. 2 desselben Artikels muss die Untersuchung des Sachverhalts allseitig, objektiv und vollständig sein. Die anklagenden sowie rechtfertigenden, auch die strafschärfenden und -mildernden Umstände des Verdächtigten und Angeklagten sind gleichermaßen aufzuklären.

In Art. 14 und 18 StPO sind also diejenigen Organe (darunter auch das Gericht) festgelegt, deren Pflicht es ist, die Straftat bzw. dessen Täter zu identifizieren und den Beweisgegenstand sowie den ganzen Sachverhalt, d.h. alle anklagenden und rechtfertigenden Umstände des Falls aufzuklären.

Betrachtet man vor diesem Hintergrund erneut Art. 49 StPO, so stellt sich die Frage, wie die dort definierte Aufgabe des Gerichts, keine Untersuchung vorzunehmen, die die Anklage oder die Verteidigung stützen, zu verstehen ist, und wie praktisch die allseitige, objektive und vollständige Untersuchung des Sachverhalts durch das Gericht (den Richter) durchgeführt werden soll, insbesondere wie die Feststellung der belastenden und der rechtfertigenden Umstände des Verdächtigten und Angeklagten geschehen soll.

Teilweise wird das Gesetz dahingehend ausgelegt, dass das Gericht kein Rechtspflegeorgan ist und ihm deshalb keine Aufklärungspflicht zukommt. Gegen diese Überlegung sprechen Art. 14 und 18 StPO: In Art. 14 heißt es, dass der Ermittler, das Ermittlungsorgan, der Untersuchungsrichter, der Richter, das Gericht, die im

Interesse des Staates und der Öffentlichkeit handeln, verpflichtet sind, eine Straftat aufzuklären und den Täter zu identifizieren.

Art. 18 weist darauf hin, dass der Ermittler, der Untersuchungsrichter, der Staatsanwalt, der Richter sowie das Gericht verpflichtet sind, untrüglich festzustellen, ob das Verbrechen begangen wurde, von wem es begangen wurde sowie sämtliche Umstände der Tat aufzuklären. Es ist also Aufgabe des Gerichts, Tat und Täter zu ermitteln und das Urteil auszusprechen. Gemäß Art. 45 StPO ist das Gericht das einzige staatliche Organ, das ermächtigt ist, Recht zu sprechen, einen Prozess zu führen, ein gesetzliches, begründetes und gerechtes Urteil zu fällen und dem Täter gegenüber eine Strafe zu verhängen.

Ausschließlich das Gericht darf also einen Strafausspruch treffen. Berücksichtigt man die Strafzwecke, die in Art. 39 StPO als Wiederherstellung der Gerechtigkeit, Vermeidung neuer Straftaten und der Resozialisierung des Täters definiert sind, dann ist es unverständlich, warum das Gericht kein Bestandteil des Systems der Rechtspflegeorgane sein sollte.

Verschiedene Normen des Hauptteils der georgischen Strafprozessordnung widersprechen dem Kontradiktionsprinzip. Das gilt auch für einzelne Prinzipien des Allgemeinen Teils, die dem kontinental-europäischen Strafverfahren entsprechen:

Laut Teil 1 Art. 439 verläuft die Gerichtsverhandlung als Streitverfahren zwischen der anklagenden und der verteidigenden Partei. In Abs. 2 desselben Artikels heißt es: „Anklagende und verteidigende Parteien haben gleiche Prozessrechte und -möglichkeiten."

Dabei stellt sich die Frage, inwieweit der Strafprozess die Gleichberechtigung der Rechte und Möglichkeiten der anklagenden und der verteidigenden Parteien sicherstellt. Inwiefern ist es möglich, die kontradiktorischen Grundsätze in die Praxis umzusetzen?

Ist es überhaupt möglich, dass die Prozessrechte der Staatsanwaltschaft, die laut neuen Prozessrechtsvorschriften Partei ist und ihre Funktion im Namen des Staates ausübt – hinter der also ein riesiger Staatsapparat steht –, gleich sind wie die der verteidigenden Partei, vertreten durch einen Anwalt, der in den meisten Fällen von der Staatsanwaltschaft bestimmt wird?

Mehrere Vorschriften der StPO widersprechen dem Grundsatz der Gleichstellung hinsichtlich Rechten und Möglichkeiten der Parteien.

In erster Linie soll auf den Umstand hingewiesen werden, dass die Staatsanwaltschaft während der Voruntersuchung nicht alleine agiert. Ihr helfen die Ermittlungs- und Untersuchungsorgane der Ministerien für Innere Angelegenheiten und für Staatssicherheit, die mit zahlreichen technischen Mitteln ausgerüstet sind und operative Dienste (proaktive Ermittlungsmethoden) besitzen.

Im Rahmen der Voruntersuchung verfügt die Staatsanwaltschaft über weitgehende Befugnisse zur Anwendung von strafprozessualen Zwangsmaßnahmen (Art. 133–189 StPO).

Die Kosten der Voruntersuchungsmaßnahmen (wie z.B. Kosten für die Durchführung der Expertisen) übernimmt der Staat.

Liegen gewisse besondere Umstände vor, so muss die Staatsanwaltschaft dem Angeklagten (der laut der StPO gleiche Rechte wie der Staatsanwalt hat) gemäß Art. 81 StPO einen Pflichtverteidiger zur Verfügung stellen.

Zwar sind die Verteidigungsrechte in der aktuellen StPO im Vergleich zur vorherigen ziemlich erweitert, so haben z.B. gemäß Art. 129 Abs. 1 der Anwalt sowie der Geschädigte, die Vertreter der Adhäsionskläger und -beklagten das Recht,

- Personen zu befragen, die bestimmte Informationen zu dem Fall liefern können, wie z.B. in Zukunft in Betracht kommende Zeugen, und auch andere Beweismittel zu beschaffen,
- Auskünfte von Organisationen einzufordern, die verpflichtet sind, eine solche Anfrage zu beantworten,
- Sachverständige zu befragen und Gutachten einzuholen,
- private Ermittlungen durchzuführen und dafür einen Privatdetektiv einzusetzen,

aber alle von der verteidigenden Seite gesammelten Materialien und Gegenstände dürfen der Sache nur als Beweis angehängt werden, nachdem das sachführende Organ nach seiner Sicht die Entscheidung darüber gefällt hat.

Gemäß Art. 130 Abs. 2 StPO bekommen die von dem Anwalt oder einem anderen Prozessbeteiligten vorgelegten Gegenstände oder Materialien erst durch den Beschluss des ermittelnden Organs die Stellung eines Beweises im Prozess.

Grundsätzlich stellt sich die Frage, ob die Staatsanwaltschaft in Anbetracht der ihr kraft Gesetzes auferlegten Rechte überhaupt Prozesspartei sein kann.

Entsprechend dem allseitigen, objektiven und vollständigen Untersuchungsprinzip (Art. 18) ist die Staatsanwaltschaft (ähnlich wie das Gericht) verpflichtet, festzustellen, ob und von wem eine Straftat begangen wurde, die mit dem Sachverhalt verbundenen Materialien allseitig, objektiv und vollständig aufzuklären, die belastenden wie auch die rechtfertigenden, die strafschärfenden und -mildernden Umstände für den Verdächtigten und den Angeklagten offen zu legen. Die Staatsanwaltschaft hat das Recht, nach dem gerichtlichen Urteilsspruch zu Gunsten des Angeklagten eine Berufung/Kassation einzulegen (Art. 518, 546 StPO).

Laut Art. 10 Abs. 2 StPO „ist niemand verpflichtet, seine Unschuld zu beweisen". Diese Regelung wirft die Frage auf, wer denn für den Beweis der Unschuld zuständig ist, wenn die verteidigende Seite dazu kraft Gesetzes nicht verpflichtet ist. Freilich kommt diese Aufgabe der Staatsanwaltschaft und dem Gericht zu, was sich aus den oben genannten Prinzipien ergibt.

Das Prinzip der Ermittlung der objektiven Wahrheit im Verfahren widerspricht dem Prinzip des Verzichts des Anklägers auf die Anklage, das zur Einstellung der Strafsache führt und das eines der wichtigen Elemente des angloamerikanischen Strafprozesses ist. Gemäß Art. 14 Abs. 6 StPO führt der Verzicht eines Anklägers auf die Anklage in den in diesem Gesetz vorgesehenen Fällen zur Einstellung des Verfahrens; in den in Art. 504 Abs. 3 vorgesehenen Fällen zum Freispruch.

Beim Zwischenverfahren ist die Staatsanwaltschaft für die Anklage zuständig. Wenn sie in dieser Phase die Rückverweisung der Sache zur zusätzlichen Untersuchung verlangt, ist das Gericht verpflichtet, der Forderung des Staatsanwalts nachzukommen. Ein Einwand des Geschädigten hat in diesem Fall keine Bedeutung (Art. 426 StPO).

Auch während der Hauptverhandlung ist die Staatsanwaltschaft für die Anklage zuständig. (In Art. 25 StPO ist allerdings die Ausnahme der subsidiären Strafverfolgung vorgesehen, auf die später noch Bezug genommen wird.) Im Fall eines Verzichts auf die Anklage seitens der Staatsanwaltschaft in der Hauptverhandlung ist das Gericht verpflichtet, das Strafverfahren einzustellen oder einen Freispruch zu fällen, auch wenn für das Gericht offensichtlich ist, dass der Verzicht auf die Anklage jeder Grundlage entbehrt (Art. 4 Abs. 8 StPO).

Auch in dem Fall, dass die Anklage von der Staatsanwaltschaft abgeändert wird, ist das Gericht verpflichtet, das Urteil im Rahmen der geänderten Anklage zu fällen, auch wenn für das Gericht offensichtlich ist, dass der Angeklagte die in der ersten Anklageschrift benannte Straftat begangen hat (Art. 4 Abs. 8 StPO).

Es muss gefragt werden, ob durch diese Regelung nicht nur das Prinzip der Ermittlung der objektiven Wahrheit, sondern auch das Prinzip der freien Beweiswürdigung, also nach der inneren Überzeugung, verletzt wird (Art. 19 StPO).

Auch wenn der Ankläger in der Hauptverhandlung auf die Anklage verzichtet oder sie teilweise ändert – das Gericht aber auf Grundlage der dargelegten Beweise von der Schuld des Angeklagten im Sinne der ersten Anklageschrift überzeugt ist –, ist das Gericht verpflichtet, die Strafsache einzustellen oder das Urteil im Rahmen der geänderten Anklage zu fällen bzw. einen Freispruch auszusprechen. Wird unter diesen Umständen die innere Überzeugung des Gerichts nicht völlig ihres Sinns beraubt?

Zwar sieht Art. 25 StPO das Institut der subsidiären Strafverfolgung vor, nach dem der Geschädigte und sein Vertreter das Recht haben, die ursprünglich vom Staatsanwalt formulierte staatliche Anklage zu unterstützen, falls der Staatsanwalt auf die Anklage verzichtet oder diese abändert. In diesem Fall wird das Verfahren nicht eingestellt, der Staatsanwalt darf aber auf die Beteiligung am weiteren Verfahren verzichten.

Auch diese Regelung ist mit gewissen Schwierigkeiten in der Gerichtspraxis verbunden: Verzichtet in einem solchen Fall der Staatsanwalt auf die Anklage, so wird das Gericht völlig von der Stellungnahme des Geschädigten abhängig.

Wenn der Geschädigte aus irgendeinem Grund (bestimmtes Interesse, Angst, Mitleid etc.) die Anklage nicht unterstützt hat und der Staatsanwalt auf die Anklage verzichtet, ist es dem Gericht nicht möglich, unter diesen Umständen die Wahrheit in Bezug auf den Sachverhalt zu ermitteln. Auch wenn das Gericht davon überzeugt ist, dass der Angeklagte die Straftat begangen hat, und auch alle Beweise und Indizien dafür sprechen, ist es trotz seiner inneren Überzeugung verpflichtet, ab dem Moment des Verzichts auf die Anklage seitens des Geschädigten und des Staatsanwalts das Verfahren zu einzustellen und entweder einen Freispruch zu fällen oder einen Beschluss über die Einstellung des Verfahrens zu fassen.

Dasselbe gilt im Fall einer teilweisen Änderung der Anklage seitens der Staatsanwaltschaft, wenn der Geschädigte zustimmt oder auf die Anklage völlig verzichtet. Das Gericht ist verpflichtet, das Verfahren im Rahmen einer neuen Anklage zu behandeln.

Im Folgenden sollen einige Beispiele aus der Gerichtspraxis genannt werden:

In der Voruntersuchung wurde M.S. des Überfalls auf A.D. zwecks Aneignung dessen Vermögens unter Androhung einer für Leib und Leben gefährlichen Gewaltanwendung beschuldigt. Dem lag folgender Sachverhalt zugrunde: Am 18. Mai 1998 hielt der Angeklagte M.S. am rechten Ufer des Flusses Kura das von dem Geschädigten A.D. gefahrene Fahrzeug an; nachdem ein Preis vereinbart worden war, erklärte der Geschädigte A.D. sich bereit, M.S. zu der genannten Adresse zu fahren. Unterwegs nahm M.S. unter Bedrohung mit einer Waffe eine Summe von 90 (neunzig) Lari sowie den Kassettenrekorder des Fahrzeugs an sich.

In der Voruntersuchung wurde die Tat von M.S. als Raub bzw. Überfall zwecks Aneignung fremden Vermögens qualifiziert, in Verbindung mit einer für Leib und Leben gefährlichen Bedrohung.

Während der Voruntersuchung wurde der Sachverhalt aufgrund folgender in der Hauptverhandlung beigebrachter Beweise ermittelt:

- der von dem Geschädigten A.D. mehrfach wiederholten, in sich schlüssigen Aussage, M.S. habe das Geld und den Kassettenrekorder unter Bedrohung mit einer Waffe an sich genommen;
- des Protokolls der unter Einhaltung der strafprozessrechtlichen Vorschriften durchgeführten Hausdurchsuchung bei dem Angeklagten M.S., wonach eine Gaswaffe beschlagnahmt wurde, auf die der Geschädigte vor der Festnahme und Durchsuchung des Angeklagten hingewiesen hatte, obwohl ihm nicht klar war, dass es sich dabei um eine Gaswaffe handelte;
- der Protokolle über die Beschlagnahme von Geld und Kassettenrekorder des Fahrzeugs;

– der Aussagen der Zeugen, an die sich der Geschädigte unmittelbar nach der Tat um Hilfe wandte, und denen er über den unter Bedrohung erfolgten Überfall erzählt hat.

Alle Beweise sprachen für die Begehung einer Straftat unter Anwendung einer Gaswaffe.

In der Verhandlung hat der Geschädigte A.D. die Beweise, die gegen den Angeklagten M.S. angeführt wurden, nicht unterstützt. Die staatliche Anklage wurde teilweise abgeändert und gegen M.S. wurde in der Hauptverhandlung eine gemilderte Anklage erhoben; die Tat des Angeklagten wurde nunmehr als Diebstahl mit Waffe qualifiziert. Laut der in der Hauptverhandlung seitens der Staatsanwaltschaft neu formulierten Anklage erfüllte die von M.S. begangene Tat Merkmale der in Art. 92 Abs. 1 StGB vorgesehenen Straftat. Der Angeklagte hätte das fremde Vermögen nicht unter für Leib und Leben gefährlicher Waffendrohung, sondern ohne jede Gewaltanwendung weggenommen.

Aufgrund der gesamten in der Untersuchung und während der Hauptverhandlung erhobenen Beweise und ihrer Bewertung nach der inneren Überzeugung kam das Gericht zu dem Ergebnis, dass die von M.S. begangene Tat die Merkmale des Art. 92 Abs. 1 des zu jener Zeit gültigen StGB (Raub) erfüllte; ungeachtet dessen konnte das Gericht den Rahmen der vom Staatsanwalt zu Gunsten des Angeklagten geänderten neuen Anklage nicht überschreiten. Im gegebenen Fall wurde auch die subsidiäre Verfolgung ausgeschlossen; der Geschädigte hat die Anklage nicht unterstützt. Trotz der inneren Überzeugung musste das Gericht das Urteil im Rahmen der geänderten Anklage fällen.

In einem weiteren Fall wurde in der Voruntersuchung gegen I.T. und P.K. wegen Wegnahme von Privatvermögen des Geschädigten I.S. nach Absprache mit einer Gruppe von Personen und unter Bedrohung mit einer für Leib und Leben nicht gefährlichen Behandlung (Art. 91 Abs. 2 StGB, alte Fassung) folgende Anklage erhoben:

Am 8. Mai 1999 wurde von den Angeklagten I.T. und P.K. in der Umgebung des Freiheitsplatzes in Tiflis ein PKW angehalten, der von dem Geschädigten I.S. gefahren wurde. Nachdem ein Preis vereinbart worden war, beschloss der Geschädigte I.S., die Angeklagten I.T. und P.K. zu der genannten Adresse zu fahren. Unterwegs kamen I.T. und P.K. auf die Idee, den Geschädigten zu überfallen. I.T., der neben dem Fahrer saß, packte diesen am Kragen, der hinten sitzende P.K. drückte ihm seine Hand in den Rücken. Der Geschädigte hatte den Eindruck, dass er mit einer Waffe berührt wurde. Unter Androhung von Gewaltanwendung forderten die Angeklagten Geld; indem der Geschädigte die an den Rücken gestützte Hand als eine reale Gefahr wahrnahm (überzeugt davon, dass der Angeklagte eine Waffe in der Hand hielt), übergab er den Räubern das gesamte Geld, das er bei sich hatte.

Aus den in der Voruntersuchung erbrachten Beweisen ergab sich eindeutig, dass I.S. davon ausging, mit einer Waffe im Rücken bedroht zu werden, und dies als reale Gefahr für sein Leben und seine Gesundheit empfand.

Ungeachtet dessen ließ das Gericht die Anklageschrift mit dem Tatvorwurf des Diebstahls zu, ohne die vom Geschädigten subjektiv wahrgenommene Lebensbedrohung zu berücksichtigen.

Auf Grundlage des Beweismaterials wurde in der Hauptverhandlung festgestellt, dass der Geschädigte I.S. den festen Gegenstand im Rücken subjektiv als lebensgefährliche Bedrohung mit einer Waffe wahrnahm.

In der Verhandlung wurde deutlich, dass der Anklageschrift eine zu milde rechtliche Einordnung der Tat zugrunde liegt.

Gemäß Art. 452 Abs. 1 StPO darf das Gericht im Fall, dass es von der rechtlichen Einordnung der Tat in der Anklageschrift zu einem schwereren oder anderen Delikt abweichen will, nicht aus eigener Initiative zusätzliche Untersuchungen vornehmen. Unter diesen Umständen ist es völlig auf die Initiative der Parteien angewiesen. Nur auf Antrag des Staatsanwalts, des Geschädigten bzw. seines Vertreters kann das Gericht zwecks Anklageerhebung aufgrund eines schwereren Delikts zu zusätzlichen Untersuchungen zurückverweisen.

Im vorliegenden Fall hat der Staatsanwalt in der Hauptverhandlung beantragt, die Angeklagten gemäß Anklageschrift zu verurteilen. Der Geschädigte I.S. hat die staatliche Anklage unterstützt.

Aufgrund der gesamten Beweise und nach freier Beweiswürdigung ist das Gericht zu dem Ergebnis gekommen, dass das von den Angeklagten I.T. und P.K. begangene Verbrechen schwereren Grades war, als angeklagt wurde. Ungeachtet dessen musste das Gericht das Urteil entsprechend der Anklageschrift fällen.

Gemäß Teil 1 Art. 426 StPO hat das Gericht in folgenden Fällen das Recht, im Zwischenverfahren das Verfahren zu zusätzlichen Untersuchungen zurückzuverweisen:

- wenn die geleistete Ermittlung oder Untersuchung nicht vollständig ist und keine Möglichkeit besteht, sie in der Hauptverhandlung zu ergänzen;
- wenn seitens des Ermittlungsorgans, des Ermittlers, des Untersuchungsführers oder des Staatsanwalts ein grober Verfahrensverstoß vorliegt, was die Fortführung des Verfahrens hindert;
- wenn der Schlussantrag der Staatsanwaltschaft sich wesentlich von der ursprünglichen Anklageschrift unterscheidet, unter anderem bei Zur-Last-Legung eines schwereren Delikts;
- wenn der Staatsanwalt zusätzliche Angeklagte einbeziehen will;
- bei Vorliegen eines Fehlers bei der Verfahrenstrennung bzw. Verfahrensverbindung;
- wenn der Geschädigte eine schwerere Anklage oder eine Anklage, die sich wesentlich von der ursprünglichen unterscheidet, bzw. die Einbeziehung eines anderen Angeklagten beantragt.

Laut Art. 452 StPO aber wird auch nach Eröffnung des Hauptverfahrens seitens des Gerichts zur Nachuntersuchung im Hinblick auf eine schwerere Anklage zurückverwiesen, wenn die anklagende Partei (Staatsanwalt, Geschädigter oder sein Vertreter) einen entsprechenden Antrag stellt oder wenn eine der in Art. 426 genannten Voraussetzungen vorliegt.

Stellt sich im Lauf der Gerichtsverhandlung heraus, dass der Angeklagte wiederholt ein Verbrechen begangen hat, oder ein Verbrechen von einer Person begangen wurde, gegen die keine Anklage erhoben wurde, wird die Strafsache vom Gericht bei begründetem Antrag der anklagenden Partei (Staatsanwalt, Geschädigter oder dessen Vertreter) zur zusätzlichen Untersuchung zurückverwiesen. Besteht zwischen der bereits eingeleiteten Strafsache und der später aufgedeckten Tat keine Verbindung, so benachrichtigt das Gericht den Staatsanwalt durch Beschluss von den neuen Tatsachen zur Entscheidung über die Einleitung einer Strafsache.

Das Gericht ist also nur dann befugt, die Sache aus eigener Initiative zur zusätzlichen Untersuchung zurückzuverweisen, wenn die Untersuchung unvollständig ist oder die Strafprozessvorschriften wesentlich verletzt sind.

Im Zwischenverfahren ist das Gericht auf Ersuchen der Staatsanwaltschaft verpflichtet, zu zusätzlichen Untersuchungen zurückzuverweisen.

Liegt ein entsprechender Antrag des Geschädigten vor, wird die Frage allerdings anders gelöst. Im Gesetz wird ausdrücklich bestimmt, dass der Antrag des Geschädigten begründet sein muss. Spricht sich der Staatsanwalt gegen die vom Geschädigten beantragte Rückverweisung der Sache zur zusätzlichen Untersuchung aus, obliegt dem Gericht die endgültige Entscheidung. Dabei spielt eine entscheidende Rolle, wie fundiert der Antrag des Geschädigten begründet ist.

Ähnlich ist die Situation in der Hauptverhandlung. Der Staatsanwalt ist dabei zuständig für die Anklage; wenn er für die Rückgabe der Sache zur zusätzlichen Untersuchung zwecks der Erhebung einer schwereren oder einer neuen Anklage gegen den Angeklagten ist, muss das Gericht trotz seiner inneren Überzeugungen die Sache zur zusätzlichen Untersuchung zurückgeben.

Aus diesen Darstellungen wird deutlich, vor welche Probleme sich die gerichtliche Praxis bei der Ermittlung der objektiven Wahrheit gestellt sieht.

Reform des Strafverfahrensrechts aus ungarischer Sicht

Károly Bárd, Budapest

I. Die heutige Lage

13 Jahre nach dem politischen Wandel sind die Arbeiten zur Reform des Strafverfahrensrechts vielleicht zu ihrem Ende gekommen. „Vielleicht" muss ich sagen, weil im Moment niemand mit Gewissheit behaupten kann, dass es in Zukunft nicht doch zu weiteren Änderungen kommen wird.

Zurzeit ist das Strafverfahrensgesetz aus dem Jahr 1973[1] in Kraft. Dieses Gesetz ist natürlich seit seinem In-Kraft-Treten erheblich verändert worden, zuerst in der zweiten Hälfte der 1970er Jahre und dann mehrmals im Lauf der 1980er Jahre. Selbstverständlich hat das Gesetz auch bedeutende Änderungen zur Zeit der politischen Wende, in den Jahren 1989 und 1990 erfahren.

Im Januar 2003 ist die neue Strafprozessordnung, das Gesetz Nr. XIX aus dem Jahr 1998 in Kraft getreten. Dieses Gesetz hätte ursprünglich bereits 1999 in Kraft treten sollen. Nach den Wahlen 1998 hatte aber das neu gewählte Parlament das In-Kraft-Treten des Gesetzes ausgesetzt und es dann erheblich abgeändert.[2]

Seitdem gab es wieder Wahlen in Ungarn, und man weiß noch nicht, ob nicht vielleicht das Gesetz von 1998 doch in seiner ursprünglichen Form in Kraft treten wird. Ich werde mich im Folgenden mit diesem Gesetz einschließlich der 2002 erfolgten Änderungen beschäftigen. An Stellen, wo die neue Fassung erheblich von der ursprünglichen abweicht, werde ich auf die Version von 1998 zurückgreifen.

Um die grundlegende Konzeption und die Struktur des neuen Gesetzes beschreiben zu können, bedarf es eines kurzen Überblicks über die gesetzgeberischen Arbeiten, die zu dem Gesetz von 1998 führten. Bereits Anfang der 1990er Jahre war eine umfassende Reform des Strafverfahrens in Aussicht gestellt worden, wobei parallel zu den Vorbereitungsarbeiten auch eine teilweise Änderung des Gesetzes von 1973 als notwendig erklärt wurde.

Die partielle Reform begann bereits 1989, also noch vor den demokratischen Wahlen im Jahr 1990, als das alte Parlament versuchte, das Strafverfahren mit den internationalen Maßstäben, damals vornehmlich mit dem Internationalen Pakt über bürgerliche und politische Rechte in Einklang zu bringen. Durch die Änderung des

---

[1] Gesetz Nr. I aus dem Jahr 1973.

[2] Gesetz Nr. I aus dem Jahr 2002.

Strafverfahrensgesetzes von 1973[3] wurde die Anordnung der U-Haft durch den Richter eingeführt.[4] Des Weiteren wurden, um dem Schweigerecht des Beschuldigten und des Angeklagten Rechnung zu tragen, Polizei, Staatsanwaltschaft und die Gerichte verpflichtet, den Beschuldigten bzw. Angeklagten über die ihm zustehenden Rechte ausdrücklich zu belehren. Um eventuellem Missbrauch vorzubeugen, musste laut den neuen Vorschriften der Beschuldigte in der Ermittlungsphase im Ermittlungsprotokoll mit seiner Unterschrift bezeugen, dass die Belehrung tatsächlich erfolgt war. Ferner wurde ein allgemeines Beweisverwertungsverbot im Fall der Verletzung von Verfahrensvorschriften eingeführt.

Weitere Änderungen erfolgten in Zusammenhang mit der Ratifikation der Europäischen Menschenrechtskonvention: Durch die neuen Vorschriften wurde das ungarische Strafverfahrensrecht mit der Praxis des Europäischen Gerichtshofs für Menschenrechte hinsichtlich des Prinzips der Waffengleichheit, der Unschuldsvermutung sowie der Achtung der persönlichen Freiheit in Einklang gebracht.[5]

Trotz der Änderungen von 1989 und im Lauf der 1990er Jahre behielt das Gesetz von 1973 die Grundzüge eines „sozialistischen“ Verfahrensrechts. Zu den typisch „sozialistischen“ Zügen zähle ich zuerst die bescheidene Rolle des Richters in der Ermittlungsphase im Vergleich zum westeuropäischen Modell: Die Zwangsmaßnahmen, mit Ausnahme der bereits erwähnten Untersuchungshaft und der vorläufigen Zwangsheilbehandlung geisteskranker Beschuldigter, wurden weiterhin von der Ermittlungsbehörde oder vom Staatsanwalt angeordnet.

Ein weiterer „sozialistischer“ Zug ist die Ablehnung des Formalismus des Verfahrens – ein Merkmal, das für die totalitäre Strafjustiz allgemein kennzeichnend ist, sei es nationalsozialistischer oder kommunistischer Natur, was selbstverständlich mit der Herabschätzung juristischen Fachwissens verbunden ist. Aus der Überbetonung der Pflicht zur Erforschung der materiellen Wahrheit folgt auch, dass sogar rechtskräftige Entscheidungen relativ leicht überprüft und abgeändert werden können.

II. Die Quellen der Verfahrensreform

Die Reformarbeiten begannen Anfang der 1990er Jahre. Die erste Phase endete 1994 mit einem Regierungsbeschluss über das Konzept des Strafverfahrens, in welchem die Grundzüge des neuen Gesetzes festgelegt wurden.

Der Beschluss ging davon aus, dass die Abkehr vom „sozialistischen“ Verfahrenstyp die Wiederbelebung einiger Institute der Vorkriegszeit nach sich ziehen

---

3 Gesetz Nr. XXVI aus dem Jahr 1989.

4 Vor der Änderung war im Ermittlungsverfahren der Staatsanwalt zuständig.

5 Gesetz Nr. XCII aus dem Jahr 1994.

würde. In der Begründung des Regierungsbeschlusses wurde jedoch auch davor gewarnt, solche alten Regelungen aus purer Nostalgie wieder einzuführen, obwohl sie den heutigen Zuständen nicht mehr entsprechen. In diesem Sinne wurde die Wiedereinführung der Schwurgerichte, die bereits zur Zeit des Ausbruchs des Ersten Weltkriegs praktisch abgeschafft waren, abgelehnt. Es gab aber auch Befürworter der Wiedereinführung, und noch heute sind manche Praktiker und Professoren der Meinung, dass wenigstens bei politisch motivierten Straftaten, oder dort, wo es um die Beschränkung der Meinungsfreiheit durch das Strafrecht geht,[6] Schwurgerichte entscheiden sollten. Diese Frage ist jedoch praktisch nicht mehr auf der Tagesordnung.

Ähnlich ist die Idee der Wiedereinführung des Untersuchungsrichters abgelehnt worden, obwohl kurz vor und zur Zeit der Wende (1988–1989) noch viele Juristen eine solche Regelung befürwortet hatten. Vor dem Zweiten Weltkrieg gab es in Ungarn die vom Untersuchungsrichter geleitete Voruntersuchung bei den schwereren Verbrechen und sonst, wenn die Parteien dies beantragt hatten. Mit der Begründung, dass in Europa die Tendenz bestehe, auf den Untersuchungsrichter zu verzichten, wurde diese Institution schließlich nicht wieder eingeführt. Außerdem meinte man, die Einführung der Voruntersuchung widerspreche dem Ziel der Verfahrensbeschleunigung.

Im Bereich Gerichtsorganisation ist man allerdings zum Modell der Vorkriegszeit zurückgekehrt, indem ein vierstufiger Gerichtsaufbau eingeführt wurde.[7] Die Frage, ob diese Rückkehr tatsächlich eine weise Entscheidung war, möchte ich hier nicht erläutern.

Als weitere Quelle und Impuls der Reform wurden im Regierungsbeschluss die internationalen Verpflichtungen der Republik Ungarn genannt. Man meinte damit vor allem, dass das ungarische Verfahrensrecht mit der Rechtsprechung des Europäischen Gerichtshofs für Menschenrechte Schritt halten müsse.[8]

Schließlich wurde im Beschluss festgesetzt, dass auch den legitimen Erwartungen der Gesellschaft an eine effektive, funktionstüchtige Strafjustiz Rechnung getragen werden müsse. Damit sollten die mit der Bearbeitung des neuen Gesetzes betrauten Personen gewarnt werden, in der Liberalisierung des Strafverfahrensrechts nicht allzu weit zu gehen.

---

6 Solche Straftaten sind im ungarischen Recht neben den üblichen Delikten die Verunglimpfung nationaler Symbole und der Gebrauch von Symbolen autoritärer Regime.

7 Mit der Verabschiedung der Verfassung im Jahr 1949 wurde das dreistufige Gerichtssystem eingeführt.

8 Zwischen 1991 und 1994 wurde das gesamte ungarische Rechtssystem kritisch überprüft, was 1994 in der Änderung vieler Gesetze, darunter, wie bereits erwähnt, der StPO gipfelte. Doch war man zu Recht der Meinung, dass bei der umfassenden Neuregelung der Rechtsprechung des Europäischen Gerichtshofs für Menschenrechte weiter Rechnung getragen werden müsse.

III. Die Grundprinzipien der Strafverfahrensreform

Nach dem Regierungsbeschluss sollte das neue Gesetz der Funktionsverteilung zwischen Anklage und Richter Rechnung tragen, und der Richter sollte von den Aufgaben des Inquirenten befreit werden. Damit wurde die Annäherung an das Parteiverfahren und zugleich die Abkehr von den Auswüchsen des inquisitorischen Modells betont. Dementsprechend wurde in dem Konzept festgelegt, dass der Hauptverhandlung gegenüber der Ermittlungsphase Priorität zukommen sollte.

Neben dem kontradiktorischen „Grundmodell" waren die Einführung einer Vielzahl von vereinfachten Verfahrensarten und die Erweiterung der Rechte des Verletzten, unter anderem durch die Wiedereinführung des nach dem Zweiten Weltkrieg abgeschafften subsidiären Nebenklägers vorgesehen.

Zugleich war geplant, die Staatsanwaltschaft zur Herrin der Ermittlungsphase zu machen. Zwar hatte die Staatsanwaltschaft auch im Gesetz von 1973 theoretisch die Befugnis, die Ermittlungen teilweise oder sogar völlig selbständig durchzuführen oder zu leiten, jedoch war ihre Tätigkeit eher auf die so genannte Kontrolle der Gesetzlichkeit polizeilichen Handelns beschränkt, eine Funktion, die die Staatsanwaltschaft vor allem als Beschwerdeinstanz wahrnahm, wenn Maßnahmen der Ermittlungsbehörde, d.h. der Polizei, gerügt wurden.

Hinsichtlich des Rechtsmittelsystems war in dem Konzept die Rückkehr zum zweifachen ordentlichen Rechtsmittel vorgesehen, unabhängig von der Wiedereinführung der vierstufigen oder der Beibehaltung der dreistufigen Gerichtsorganisation.

IV. Das durch Gesetz Nr. I von 2002 abgeänderte neue Strafverfahrensgesetz von 1998

Im Folgenden möchte ich kurz darstellen, inwiefern die genannten Prinzipien und Zielsetzungen in die neue Strafprozessordnung umgesetzt wurden.

Hinsichtlich des Verhältnisses zwischen den zwei Hauptphasen des Verfahrens, also dem Ermittlungsverfahren und der Hauptverhandlung, sind keine erheblichen Unterschiede im Vergleich zum alten Gesetz ersichtlich. Die Ergebnisse des Ermittlungsverfahrens können als Urkundenbeweis praktisch in gleichem Umfang verwertet werden wie nach altem Recht.

Ursprünglich wollte man die Verhandlung zum Mittelpunkt des Beweisverfahrens machen und die Einbringung von Protokollen aus dem Ermittlungsverfahren nur ausnahmsweise zulassen. Damit wurde auch die Beschränkung der Rechte des Verteidigers im Ermittlungsverfahren erklärt. Nach altem Recht konnte der Verteidiger an jeder Zeugenvernehmung im Ermittlungsverfahren teilnehmen. Im neuen Gesetz ist das Anwesenheitsrecht des Verteidigers derart geändert worden, dass er lediglich an der Befragung der von ihm selbst oder vom Beschuldigten beantragten

Zeugen teilnehmen kann. Die Vertreter der Rechtsanwaltskammer akzeptierten diese Änderung aufgrund der Erwartung, dass die im Ermittlungsverfahren gemachten Erklärungen in der Hauptverhandlung in engerem Umfang verlesen werden und somit in das Urteil einfließen könnten. Diese Vorstellung wurde im Lauf des Gesetzgebungsverfahrens schrittweise aufgegeben. Nach dem vom Parlament verabschiedeten Gesetz können Erklärungen des Angeklagten und die der Zeugen in gleichem Umfang verlesen werden wie nach der alten Regelung. Das neue Gesetz setzt lediglich der routinemäßigen Verlesung der von Angeklagten gemachten Aussagen gewisse Grenzen, indem es vorschreibt, dass nur diejenigen Teile der früheren Aussage verlesen werden dürfen, die in der Hauptverhandlung gestellte Fragen betreffen, oder Fragen, auf die sich der Angeklagte in seiner Aussage in der Hauptverhandlung eingelassen hat.[9]

Eine Annäherung an den Gedanken des Parteiprozesses sowie die Befreiung des Richters von Aufgaben des Inquirenten sollte durch die Wiedereinführung der fakultativen Vernehmung von Zeugen und Sachverständigen durch die Parteien (Wechselverhör) erreicht werden.[10] Dies kann mit der Genehmigung des Gerichts erfolgen, wenn der Staatanwalt, der Verteidiger oder der Angeklagte dies beantragt.[11]

In der ursprünglichen Fassung, also im Gesetz von 1998, war grundsätzlich das Wechselverhör vorgesehen. Es gab jedoch auch Ausnahmen, so war z.B. im Verfahren gegen Jugendliche die Befragung durch das Gericht – also wie nach altem Recht – vorgesehen, mit anschließendem Fragerecht der Parteien. Ähnliches galt für alle Fälle, in denen die Verhandlung in Abwesenheit entweder des Staatsanwalts oder des Verteidigers durchgeführt wurde. Da in der Mehrzahl der Fälle die Verhandlung ohne den Staatsanwalt oder den Verteidiger stattfinden kann, war das Wechselverhör auch nach dem ursprünglichen Gesetzestext von 1998 praktisch als Ausnahme vorgesehen.[12]

---

9 § 291 des Gesetzes Nr. XIX aus dem Jahr 1998.

10 Die Strafprozessordnung von 1896, die bis nach dem Zweiten Weltkrieg galt, traf eine ähnliche Regelung.

11 §§ 295 und 298 des Gesetzes Nr. XIX aus dem Jahr 1998.

12 Im Fall des Freiheitsentzugs, d.h. wenn sich der Beschuldigte in U-Haft befindet oder wenn eine vorübergehende Zwangsheilbehandlung bei geisteskranken Beschuldigten angeordnet wird, oder wenn der Beschuldigte z.B. wegen einer anderen Straftat bereits eine Freiheitsstrafe verbüßt, ist die Mitwirkung eines Verteidigers obligatorisch; des Weiteren, wenn der Beschuldigte blind, taub oder geistig behindert ist, die ungarische Sprache nicht beherrscht, oder wenn er sich aus anderen Gründen nicht selbst verteidigen kann. In all diesen Fällen ist die Teilnahme des Verteidigers während des gesamten Verfahrens, d.h. bereits im Ermittlungsverfahren, unerlässlich. Hinzu kommen die Fälle, in denen der Verteidiger lediglich an der Hauptverhandlung verpflichtend teilnehmen muss, so z.B. in allen Strafsachen, die vom Komitatsgericht als erstinstanzliches Gericht verhandelt werden, und bei Verhandlung vor dem Kreisgericht, wenn die verhängbare Höchststrafe fünf Jahre übersteigt, ferner wenn ein subsidiärer Nebenkläger auftritt. Die Mitwirkung des Staatsan-

Auch nach den Änderungen von 2002 kann es in den Fällen ein fakultatives Wechselverhör geben, in denen die Anklage für ein Verbrechen erhoben wird, das mit einer Höchststrafe von mindestens fünf Jahren Freiheitsentzug bedroht ist, oder wenn sich der Angeklagte in Untersuchungshaft befindet. Die beiden Fälle überschneiden sich oft, denn die Untersuchungshaft wird normalerweise nicht für Straftaten mit einer Höchststrafe unter fünf Jahren angeordnet oder wenigstens wird sie für die Zeit der Hauptverhandlung nicht verlängert.

Die Rolle des Richters im Ermittlungsverfahren ist tatsächlich gestärkt worden. Es wurde das Institut des Ermittlungsrichters eingeführt, mit den in zahlreichen Ländern üblichen Funktionen. Vor allem entscheidet der Richter über die Eingriffe in die Grundrechte: Eingriffe in die persönliche Freiheit und Bewegungsfreiheit können ausschließlich aufgrund richterlicher Entscheidung erfolgen. Das Gleiche gilt für die Untersuchungshaft, die vorübergehende Zwangsheilbehandlung geisteskranker Beschuldigter, für den Hausarrest oder das Verbot, den Aufenthaltsort zu verlassen.[13]

Auch die Freilassung gegen Kaution unterliegt der richterlichen Entscheidung. Die sich bis 2002 an der Macht befindende Regierung und das Parlament hatten Bedenken gegen diese Regelung aus dem Gesetz von 1998, sie wurde aber nicht abgeschafft. Lediglich der Zeitpunkt des In-Kraft-Tretens der Bestimmung über die Kaution wurde auf das Jahr 2005 verschoben.

Der Richter genehmigt ferner die Beschlagnahme, wenn das Vermögen des Beschuldigten oder ein Teil davon gesperrt wird, wenn zu befürchten ist, dass er durch Veräußerung die Vollstreckung der zu erwartenden Vermögenskonfiskation oder den zivilrechtlichen Anspruch vereiteln würde.

Auch die Telefonüberwachung, Briefüberwachung, die Überwachung der Kommunikation des Beschuldigten im Rahmen eines bereits eingeleiteten Strafverfahrens und andere Methoden der geheimen Informationsbeschaffung, wie z.B. die Anfertigung geheimer Aufnahmen in Privatwohnungen, werden vom Richter auf Antrag der Staatsanwaltschaft angeordnet.[14] Weitere vom Richter anzuordnende Zwangsmaßnahmen sind der Entzug der Reisedokumente, die Durchsuchung von Anwalts- und Notarskanzleien sowie die Durchsuchung von Krankenhäusern und Kliniken.[15]

---

walts ist obligatorisch, wenn die Tat mit mindestens fünf Jahren Freiheitsstrafe bedroht ist, wenn der Angeklagte sich nicht in Freiheit befindet und wenn der Angeklagte geisteskrank ist.

[13] Hinsichtlich der Befugnisse des Ermittlungsrichters vgl. § 207 des Gesetzes Nr. XIX aus dem Jahr 1998.

[14] Bei Gefahr im Verzug kann der Staatsanwalt für höchstens 72 Stunden die Überwachung vorläufig anordnen, muss aber zugleich den Antrag stellen.

[15] Auch in diesen Fällen kann bei Gefahr im Verzug die Durchsuchung vom Staatsanwalt angeordnet werden. Die Genehmigung des Richters muss aber im Nachhinein einge-

Ist zu befürchten, dass ein Beweismittel in der Hauptverhandlung nicht mehr zur Verfügung steht, so obliegt die diesbezügliche Beweissicherung dem Richter.

Auch die Vernehmung so genannter besonders geschützter (anonymer) Zeugen ist Aufgabe des Richters.[16]

Wie bereits erwähnt, hatte der Regierungsbeschluss die Stärkung der Stellung des Verletzten und ausdrücklich die Wiedereinführung des subsidiären Nebenklägers in Aussicht gestellt. Abgesehen von dem Letzteren ist es im Großen und Ganzen bei der alten Regelung geblieben. Das ist teilweise damit zu erklären, dass der Verletzte auch nach altem Recht über verhältnismäßig weitreichende Rechte verfügte. Er konnte bereits nach den Vorschriften des Strafverfahrensgesetzes aus dem Jahr 1973 während der Ermittlungen am Augenschein teilnehmen, bei der Aussage des Sachverständigen und bei einigen anderen Ermittlungshandlungen anwesend sein und hatte nach Abschluss der Ermittlungen praktisch volle Akteneinsicht. Er konnte die Entscheidungen der Ermittlungsbehörde und der Staatsanwaltschaft, darunter auch die Einstellung, anfechten. In der Verhandlung konnte er beantragen, dass Fragen an die Zeugen und an den Angeklagten gestellt werden, und nach Beendigung des Beweisverfahrens konnte er seine Sicht der Dinge darlegen. Der Verletzte konnte auch im Prozess als Zivilpartei auftreten. All diese Rechte stehen dem Verletzten auch nach dem neuen Gesetz zu.

In den Fällen, wo der Verletzte zugleich als Zeuge auftritt, sind seine Interessen nach dem neuen Gesetz tatsächlich wirksamer geschützt als früher. Die Ermittlungsbehörde, die Staatsanwaltschaft und sogar das Gericht in der Hauptverhandlung kann z.B. dem Zeugen gestatten, schriftlich auszusagen. Das kann neben der mündlichen Aussage oder aber auch anstelle der mündlichen Aussage erfolgen.[17] Minderjährige Zeugen sollen nur in Ausnahmefällen in der Hauptverhandlung vernommen werden.

Im Gegensatz zu dem bis 2002 geltenden Recht ist der Zeuge nach dem neuen Gesetz befugt, einen Anwalt zu bevollmächtigen, der bei der Vernehmung des Zeugen anwesend sein kann. Der Anwalt ist vor allem für die Frage wichtig, ob dem Zeugen ein Zeugnisverweigerungsrecht zusteht oder nicht.

Obwohl die Wiedereinführung der subsidiären Nebenklage generell befürwortet wurde, hatte man bereits zu Beginn des Gesetzgebungsprozesses gewisse Vorbehalte. Einerseits war es – auch im Lichte der viktimologischen Bewegung – popu-

---

holt werden. Sollte der Richter die Genehmigung verweigern, so darf das Ergebnis der Durchsuchung nicht als Beweis verwertet werden.

16 Wegen der möglichen intensiven Mitwirkung im Vorverfahren sind Ermittlungsrichter als erkennende Richter ausgeschlossen. Die Ermittlungsrichter werden nicht als solche ernannt, es ist Aufgabe der Präsidenten der Komitatgerichte zu bestimmen, wer von den Richtern die Tätigkeiten des Ermittlungsrichters ausüben kann.

17 Diese Möglichkeit kann im Einzelfall zur Verletzung von Art. 6 Abs. 3d) EMRK (Recht auf Befragung der Zeugen) führen.

lär, die Wiedereinführung in Aussicht zu stellen. Auch kam in dieser Forderung ein gewisses Misstrauen der Staatsanwaltschaft gegenüber zum Ausdruck.[18] Andererseits war man sich im Klaren darüber, dass auch die subsidiäre Nebenklage missbraucht werden und zur unvernünftigen Verlängerung der Verfahren führen könnte.

Schließlich hatte man die Bedingungen des Auftretens des subsidiären Nebenklägers klar begrenzt. Der Verletzte muss zuerst gegen die Zurückweisung der Anzeige oder gegen die Einstellung der Ermittlungen bei der höheren Staatsanwaltschaft Beschwerde einlegen. Nur wenn die Staatsanwaltschaft die Beschwerde verwirft, kann der Verletzte versuchen, die Sache vor das Gericht zu bringen. Es besteht Anwaltszwang, was wahrscheinlich viele abschrecken wird, da sie es sich nicht leisten können. Schließlich kommt es zuerst zu einer Zulässigkeitsprüfung durch das Gericht.

Über die Staatsanwaltschaft besagt das neue Gesetz, dass der Staatsanwalt ermittelt oder durch die Polizei ermitteln lässt.[19] Doch haben die Polizei und andere Ermittlungsbehörden (die Zollbehörde, die Steuerbehörde, das Finanzamt) das Recht, auch selbstständig zu ermitteln. Die Einzelvorschriften lassen ahnen, dass es eigentlich bei der vorigen Praxis bleiben wird: In der überwiegenden Mehrheit der Fälle werden Ermittlungen weiterhin durch die Polizei durchgeführt, und die Staatsanwaltschaft wird sich auf die Aufsicht der Ermittlungen beschränken.[20]

An einem Punkt weicht das neue Gesetz eindeutig von dem Regierungsbeschluss von 1994 ab, und zwar hinsichtlich des Rechtsmittelsystems. Während der Beschluss die Einführung des zweistufigen ordentlichen Rechtsmittelsystems vorsah, ist der Gesetzgeber zur vierstufigen Gerichtsorganisation der Vorkriegszeit zurückgekehrt, ohne das Rechtsmittelsystem anzupassen. Dementsprechend steht den Parteien weiterhin gegen erstinstanzliche Entscheidungen ein einziges ordentliches Rechtsmittel, die Berufung, zur Verfügung. Dadurch, dass eine neue Instanz (die Regionalgerichte) zwischen den Komitatsgerichten und dem Obersten Gericht eingeführt wurde und es bei dem einstufigen Rechtsmittelsystem geblieben ist, veränderte sich die Rolle des Obersten Gerichts dahingehend, dass es nunmehr aus-

---

18 Die Unabhängigkeit der Gerichte war bereits in den 1970er Jahren mehr oder weniger gewährleistet; die Politik griff nicht direkt in die gerichtliche Tätigkeit ein. Allerdings hatte die Politik Einfluss auf das Ermittlungsverfahren. Auf politischen Druck wurden Ermittlungen überhaupt nicht eingeleitet oder eingestellt. Wenn es zur Anklage kam, wurde die Sache zumeist korrekt erledigt – was man für die Staatsanwaltschaft nicht behaupten kann. Durch die Wiedereinführung der Nebenklage hoffte man, willkürlichen Einstellungen entgegenwirken zu können.

19 § 28 Abs. 2 des Gesetzes Nr. XIX aus dem Jahr 1998.

20 Sowohl im alten als auch im neuen Gesetz sind gewisse Straftaten ausschließlich von der Staatsanwaltschaft zu ermitteln, darunter die von Mitgliedern der Ermittlungsbehörde, der Staatsanwaltschaft, von Richtern und all denjenigen begangenen Straftaten, die Immunität genießen, sowie die Straftat der Gewalt gegen eine Amtsperson und die Straftaten gegen die Rechtspflege; siehe § 29 des Gesetzes Nr. XIX aus dem Jahr 1998.

schließlich über außerordentliche Rechtsmittel entscheidet.[21] Dazu gehört die Revision, die im Fall schwerer Verfahrensfehler oder des Verstoßes gegen materielles Recht, der zu Verurteilung oder Freispruch oder zur Verhängung einer im Gesetz nicht vorgesehenen Strafe führte, sowohl vom Staatsanwalt als auch dem Verteidiger und dem Verurteilten eingelegt werden kann.

Außerdem entscheidet das Oberste Gericht auf Antrag des Generalstaatsanwalts über die Wahrung der Gesetzlichkeit. Wenn das Oberste Gericht dem Antrag stattgibt, kann es die angefochtene rechtskräftige Entscheidung nur zu Gunsten des Verurteilten abändern, sonst beschränkt es sich auf die Feststellung der Ungesetzlichkeit. Dieses außerordentliche Rechtsmittel kann nur dann eingereicht werden, wenn andere Rechtsmittel nicht mehr zur Verfügung stehen.

Daneben obliegt es dem Obersten Gericht, Entscheidungen zur Sicherung der Einheit der Rechtsprechung zu fällen. Die Entscheidung wirkt sich jedoch in der Regel auf den konkreten Fall nicht aus. Der Präsident des Obersten Gerichts, der Leiter des Strafkollegs des Obersten Gerichts und der Generalstaatsanwalt können anregen, dass das Oberste Gericht in Fragen von prinzipieller Bedeutung im Rahmen des Vereinheitlichungsverfahrens Stellung nimmt. Auch wenn ein Senat des Obersten Gerichts von der früheren Rechtsprechung abweichen möchte, wird dieses Verfahren eingeleitet.[22]

---

21 Nach der alten Regelung war das Oberste Gericht als ordentliches Rechtsmittelgericht bei Berufung gegen erstinstanzliche Urteile der Komitatsgerichte zuständig.

22 Die außerordentlichen Rechtsmittel sind in Teil IV des Gesetzes Nr. XIX aus dem Jahr 1998 geregelt.

Die Reform des Strafprozessrechts in Russland

Igor L. Petruchin, Moskau

1. Ende der 1990er Jahre wurde offensichtlich, dass Russland einer grundlegenden Gerichtsreform bedurfte, deren Aufgabe es sein sollte, ein wahrhaft demokratisches, humanes und zivilisiertes System von Gerichtswesen und Rechtspflege zu schaffen.

Die von hoch qualifizierten Juristen ausgearbeitete Konzeption der Gerichtsreform wurde vom Präsidenten der Russischen Föderation dem obersten gesetzgebenden Organ des Staates vorgelegt und von diesem 1991 angenommen.

Die Hauptschwerpunkte dieser Konzeption – Gewaltenteilung, eine unabhängige und selbständige Judikative, Parteienprinzip im Prozess, die Unantastbarkeit der Persönlichkeit und des Privatlebens der Beteiligten, gerichtliche Kontrolle im Ermittlungsverfahren – haben in der Verfassung der Russischen Föderation von 1993 ihren Niederschlag gefunden.

Ein wichtiger Aspekt der Gerichtsreform war die Schaffung einer neuen modernen Strafprozessordnung, anstelle der überholten Strafprozessordnung von 1960, in die im Lauf der Zeit über 400 Ergänzungen und Änderungen eingearbeitet worden waren.

Die Vorbereitung der neuen Strafprozessordnung dauerte fast zehn Jahre. 1997 hat die Staatsduma den Entwurf der Strafprozessordnung, der allerdings viel zu wünschen übrig ließ, in erster Lesung verabschiedet. Aber dann ist in der weiteren Arbeit an der Gerichtsreform ein längerer Stillstand eingetreten. Erst Anfang 2001 kam auf Initiative von Präsident *Wladimir Putin* die Gerichtsreform wieder in Bewegung. Die neue Strafprozessordnung der Russischen Föderation wurde im Dezember 2001 verabschiedet und ist am 1.7.2002 in Kraft getreten. Allerdings ist für viele wichtige Bestimmungen ein späterer Zeitpunkt des In-Kraft-Tretens bestimmt, worauf ich im Folgenden noch näher eingehen werde.

Die neue Strafprozessordnung bietet weder radikale noch umfassende Veränderungen. Es gibt zwar viel Neues darin, in ihren Grundlagen aber ist sie noch von Vorstellungen und Idealen geprägt, die den russischen Juristen der jüngsten Vergangenheit vertraut sind.

Die Entwicklung internationaler Beziehungen ermöglichte es, bei der Vorbereitung der Strafprozessordnung in größerem Maße ausländische Erfahrungen zu nutzen und Normen des humanitären Völkerrechts sowie allgemein anerkannte Rechtsprinzipien in das russische Rechtssystem einzubeziehen.

2. Das wichtigste Ziel der Rechtspflege ist laut der neuen Strafprozessordnung der Schutz der Rechte und der gesetzlichen Interessen des Menschen, sei er nun Angeklagter, Opfer oder Zeuge.

Der Verdächtige und der Beschuldigte dürfen bereits vor der ersten Vernehmung mit dem Verteidiger Kontakt aufnehmen. Dadurch können sie rechtzeitig qualifizierte Rechtshilfe erhalten.

Die Dauer der Vernehmungen ist auf acht Stunden, für Minderjährige auf vier Stunden pro Tag begrenzt. Das ist eine der Bedingungen der Freiwilligkeit der Aussage.

Dem Angeklagten steht das uneingeschränkte Recht zu, die Akten mit technischen Hilfsmitteln zu kopieren.

Es wurde eine im Vergleich zur Untersuchungshaft mildere Vorbeugungsmaßnahme eingeführt, und zwar der Hausarrest; dabei ist die Untersuchungshaft nur dann zulässig, wenn der Beschuldigte verdächtigt wird, ein Verbrechen begangen zu haben, das mit mehr als zwei Jahren Freiheitsentzug bestraft wird.

In der Verhandlung vor dem Gericht erster Instanz ist die Verlängerung der Untersuchungshaft auf sechs Monate begrenzt. Danach besteht die Möglichkeit der Verlängerung um jeweils drei Monate.

Der Verurteilte hat jetzt das Recht, an der Verhandlung über seine Rechtsmittel bei oberen Gerichten jeder Instanz teilzunehmen. In der Regel ist der Transport des zur Freiheitsstrafe Verurteilten zum oberen Gericht mit großen Schwierigkeiten verbunden. Deshalb lässt die Strafprozessordnung die Teilnahme des Verurteilten an der Sitzung dieses Gerichts über Videokonferenz zu.

3. Im Gegensatz zu dem oben Gesagten sind aber auch neue wesentliche Einschränkungen der Rechte des Angeklagten eingeführt worden:

- Der Richter des Amtsgerichts (in Kreisen und Städten), und nicht mehr das Richterkollegium, ist jetzt berechtigt, über schwere Straftaten zu verhandeln. Man muss auch betonen, dass ab 2004 das Schöffengericht grundsätzlich abgeschafft wird. Das bedeutet, dass das Volk im Wesentlichen von der Rechtsprechung ausgeschlossen und dem Prinzip der Kollegialität bei der Entscheidungsfindung keine Bedeutung mehr zugesprochen wird.
- Die vorläufige Festnahme wurde von 48 Stunden auf bis zu fünf Tagen heraufgesetzt. Die Inhaftierung des Verdächtigen bis zu zehn Tagen ohne Erhebung der Beschuldigung wurde beibehalten.

Diese Einschränkungen des Rechts auf die Unantastbarkeit der Persönlichkeit stehen im Widerspruch zur Europäischen Konvention zum Schutz der Menschenrechte und Grundfreiheiten sowie zu den Entscheidungen des Europäischen Gerichtshofs für Menschenrechte.

In der neuen Strafprozessordnung wird die Höchstdauer der Untersuchungshaft ab der Gewährung der Akteneinsicht durch den Beschuldigten nicht mehr definitiv festgelegt, was der diesbezüglichen Entscheidung des Verfassungsgerichts der Russischen Föderation vom Juni 1996 widerspricht. Die Festnahme ohne die Festlegung einer bestimmten Frist widerspricht der Verfassung der Russischen Föderation.

Die Strafprozessordnung geht davon aus, dass die Forderung seitens des Haftrichters, des Staatsanwalts und des Gerichts, einen Pflichtverteidiger zu bestellen, für die Rechtsanwaltschaft verbindlich ist.

Etwa die Hälfte aller Strafsachen wird von Pflichtverteidigern übernommen.

Dem Antrag des Beschuldigten auf einen Pflichtverteidiger muss in jedem Fall stattgegeben werden, obwohl diese faktisch unentgeltliche Leistung uneffektiv ist. Der Berufsstand der Rechtsanwälte wird vom Staat förmlich ausgenommen – so unangenehm dieses Wort auch klingen mag. Das Honorar eines Pflichtverteidigers richtet sich nach dem Gehalt von Richtern und Staatsanwälten.

4. Die Strafprozessordnung enthält eine neue Regelung über die Beteiligung des Verteidigers im Vorverfahren.

Jeder Festgenommene muss innerhalb von 48 Stunden dem Haftrichter vorgeführt werden; dabei werden die Gesetzmäßigkeit und die Angemessenheit der Festnahme überprüft und die Entscheidung über die Haft getroffen. Die gerichtliche Verhandlung findet unter Mitwirkung des Rechtsanwalts statt. Für Russland bedeutet diese Regelung eine große Errungenschaft.

Die Beteiligung des Verteidigers ist ab dem Moment der faktischen Festnahme oder der Einleitung eines Strafverfahrens gegen eine bestimmte Person zulässig. Er ist berechtigt, allen Vernehmungen des Verdächtigen und des Beschuldigten sowie allen in deren Anwesenheit durchgeführten Untersuchungshandlungen beizuwohnen.

Beweise und Aussagen des Verdächtigen und des Beschuldigten, die im Vorverfahren in Abwesenheit des Verteidigers ermittelt wurden, gelten als unzulässige Beweise, wenn der Angeklagte die Aussagen vor Gericht widerruft.

Die Forderung des Rechtsanwalts nach Ladung und Vernehmung der Entlastungszeugen ist für das Gericht verbindlich.

5. Das kontradiktorische Verfahren, wie es die Strafprozessordnung vorsieht, erstreckt sich nicht nur auf das schwurgerichtliche Verfahren, wie dies früher der Fall war, sondern auch auf andere Formen des Gerichtsverfahrens.

Das Gericht übt keine Anklagefunktion mehr aus. Früher gehörte dazu unter anderem die Einleitung des Strafverfahrens sowie die Überführung des Angeklagten durch die gerichtliche Untersuchung. Nunmehr kommt den Parteien in der Verhandlung eine aktive Rolle zu. Der Richter stellt als Letzter Fragen an die zu Vernehmenden und ist relativ passiv. Der Staatsanwalt ist im Gericht nur eine der Parteien und kein Aufsichtsorgan. Der Verzicht des Staatsanwalts auf die Anklage zieht obligatorisch eine Einstellung des Verfahrens nach sich.

Verändert der Staatsanwalt die Anklage nachträglich, so ist das Gericht bei seiner Entscheidung an den Rahmen der neuen Anklage gebunden. Im Fall der öffentlichen Klage ist die Mitwirkung des Staatsanwalts in der Verhandlung obligatorisch (2003 eingeführt), in den anderen Fällen wird die Beweiserhebung dem Gericht auferlegt.

Im kontradiktorischen Verfahren spielt das Geständnis des Angeklagten eine wichtige Rolle. Das Geständnis zeugt vom Fehlen eines Streits zwischen Staat und Individuum, was die Notwendigkeit einer weiteren gerichtlichen Beweisaufnahme ausschließt. Dabei muss das Geständnis freiwillig sein und einer zuverlässigen Überprüfung unterworfen werden können. Aber auch in diesem Fall ist das Risiko eines falschen Geständnisses, aus welchen Gründen auch immer, nicht auszuschließen.

In der neuen Strafprozessordnung ist die Frage nach der Rolle des Geständnisses zwar abweichend von der alten Strafprozessordnung, nicht aber eindeutig geregelt. Nach der alten Strafprozessordnung führte das Geständnis in der Verhandlung vor dem Schwurgericht zu einer Verkürzung des Gerichtsverfahrens. Es war möglich, sich auf die Vernehmung des Angeklagten zu beschränken (mit Zustimmung der anklagenden Partei). In der neuen Strafprozessordnung hat das Geständnis keine Verkürzung der gerichtlichen Beweisaufnahme zur Folge. Das bedeutet eine Abkehr vom Parteien- und Dispositionsprinzip und verleiht dem offiziellen Charakter des Gerichtsverfahrens mehr Gewicht.

Die gleiche Frage wird jedoch in Kapitel 40 der Strafprozessordnung auf genau entgegengesetzte Weise gelöst: Bei Straftaten, die mit bis zu fünf Jahren Freiheitsentzug bestraft werden, wird die weitere gerichtliche Beweisaufnahme überflüssig, was eine sofortiges Urteil zulässt, wenn weder der staatliche noch der private Ankläger Einwände haben. Ein solches auf die Spitze getriebenes kontradiktorisches Verfahren ist eher für das angloamerikanische Strafverfahren charakteristisch und birgt die Gefahr der Verurteilung eines Unschuldigen in sich.

6. Die Bestimmungen über Berufung und Revision haben einige Änderungen erfahren. Nach wie vor gibt es in Russland weder Berufung noch Revision als solche, obwohl laut Verfassung jeder das Recht auf Überprüfung seines Urteils durch ein höheres Gericht hat. Die Überprüfung der noch nicht rechtskräftigen Urteile wird in oberer Instanz ohne neue Beweisaufnahme durchgeführt. Diese Form der Berufung nennt man in der russischen Tradition Kassation. Eben diese Form der Überprüfung der Urteile bleibt auch nach der neuen StPO die verbreitetste. Nur gegen Urteile der Friedensrichter hat der Gesetzgeber eine wirkliche Berufung im Sinne einer zweiten Tatsacheninstanz eingeführt. Es ist jedoch zu bedenken, dass die Friedensgerichte selbst sich erst im Prozess der Entstehung befinden und dass zu ihrer Kompetenz nur Straftaten von geringer Schwere gehören. Dabei lässt das Gesetz es zu, dass auf die Vorladung der Zeugen verzichtet wird. Die Urteile aller anderen Gerichte werden auf die alte Art und Weise überprüft.

Die nächst höhere Stufe der Urteilsüberprüfung ist das Aufsichtsverfahren, in dessen Verlauf auf Antrag des Verteidigers oder Staatsanwalts Gesetzmäßigkeit und Begründetheit des Urteils überprüft werden. Dabei darf aber unter keinen Umständen gegen das Verbot „reformatio in peius" verstoßen werden. Dadurch gewinnt dieses Verfahren an humanen Zügen und nähert sich gewissermaßen der französischen Kassation an. Der Europäische Gerichtshof für Menschenrechte betrachtete dieses Aufsichtsverfahren vor den Änderungen durch die neue StPO nicht als wirksames Rechtsmittel, dessen Beschreiten zur erforderlichen Rechtswegerschöpfung notwendig war, weil dieses Verfahren nur von Amtspersonen der oberen Gerichte oder der Staatsanwaltschaft initiiert wurde. Es wird sich zeigen, ob der Straßburger Gerichtshof nun eine andere Position einnehmen wird.

7. Wie oben bereits erwähnt, sollen viele wichtige Bestimmungen der Strafprozessordnung nicht gleichzeitig mit der Strafprozessordnung am 1.7.2002, sondern erst wesentlich später, und zwar am 1.1.2004 in Kraft treten. Das betraf die Einführung der gerichtlichen Kontrolle im Vorverfahren, insbesondere hinsichtlich:

- Untersuchungshaft und ihrer Verlängerung,
- Hausarrest,
- ärztlicher Begutachtung des Verdächtigen und des Angeklagten,
- Durchsuchung und Besichtigung der Wohnung, Letztere ohne Einwilligung der darin wohnenden Personen,
- Beschlagnahme von Dokumenten über Konten und Einlagen in Banken,
- Verhaftung und Beschlagnahme von Korrespondenz in Postämtern.

Diese Verschiebung des In-Kraft-Tretens der oben genannten Bestimmungen wurde jedoch durch die Entscheidung des Verfassungsgerichts hinsichtlich der Freiheitsbeschränkung im März 2002 und danach vom Gesetzgeber selbst am 26.4.2002 aufgehoben.

Trotzdem wurden erst ab Januar 2003 in allen 89 Subjekten der Russischen Föderation Schwurgerichte eingeführt (bis jetzt sind die Schwurgerichte nur in neun Subjekten tätig) und auch die Verhandlung über schwere Verbrechen durch die aus drei Berufsrichtern bestehenden Gerichte erster Instanz.

Die Strafprozessordnung hat also mehr oder weniger den Charakter eines Programms für die Zukunft, zumal eine Reihe wichtiger Bestimmungen, die den gerichtlichen Schutz der Menschenrechte betreffen, vorläufig nicht zur Anwendung kommt.

Es ist nicht auszuschließen, dass die Einführung der besagten Rechtsbestimmungen aus Mangel an Geldmitteln und aufgrund des Widerstands einiger rechtsanwendender Behörden noch eine gewisse Zeit weiter aufgeschoben wird.

Zweifellos ist für die Durchführung einer umfassenden Gerichtsreform Zeit erforderlich. Aber man darf die künftig anzuwendende Strafprozessordnung nicht zu einem bloß aufgeschobenen Programm der Reform verkommen lassen.

Die Reform des Strafverfahrens in der Tschechischen Republik

Dagmar Císařová, Prag

In der Tschechischen Republik gelten im Prozessrecht, wie auch im materiellen Strafrecht, nach wie vor die Rechtsvorschriften aus dem Jahr 1961. Die Strafprozessordnung (Gbl.Nr. 141/1961) von 1961 wurde jedoch nach der Wende im Jahr 1989 wesentlich verändert. So wurden z.B. die Rechte der Verteidigung erweitert – auch wenn die Verteidigung des Beschuldigten durch den Verteidiger bzw. die Rechte des Verteidigers in der bisherigen Strafprozessordnung auch vor der Wende schon ausreichend weit waren. Die Entwicklung in den 1990er Jahren führte ebenfalls zu einer Erweiterung der Rechte des Geschädigten und zur Einführung verschiedener neuer Institute in die Strafprozessordnung.

Da sich zeigte, dass die Strafprozessordnung weiterer Änderungen bedurfte, um den Strafprozess entsprechend den Anforderungen der modernen Zeit zu beschleunigen, entschied man, noch vor der Schaffung einer neuen Strafprozessordnung das alte Gesetz durch eine Novelle wesentlich zu verändern. Im Justizministerium wurde zu diesem Zweck eine Kommission eingesetzt. Nach umfangreichen Diskussionen wurde diese Gesetzesnovelle verabschiedet und ist am 1.1.2002 in Kraft getreten.

Die Grundforderungen der Gesetzesnovelle wurden in drei Gruppen eingeteilt:

1. Erweiterung der Rechte der Subjekte des Verfahrens, insbesondere der Parteien des Beschuldigten und des Geschädigten, sowie eine Neuformulierung der Stellung des Staatsanwalts im Strafprozess.[1]

2. Änderung des Ermittlungsverfahrens, so dass es tatsächlich eine Vorbereitung auf das gerichtliche Verfahren darstellt und nicht Aufgaben erfüllt, die in die Kompetenz des Gerichts fallen – Grundforderung war eine Vereinfachung und Beschleunigung des Stadiums vor dem Gerichtsverfahren.

3. Abänderung des Rechtsmittelsystems; Reduktion des Revisionsprinzips bei der Berufung, das nach sowjetischem Vorbild konzipiert war (auch wenn es diesem nur ähnlich, jedoch nicht gleich war); Beschränkung der Beschwerde aufgrund einer Verletzung des Gesetzes, die nicht dem modernen Verständnis des Prozesses entsprach; Einführung der Revision als außerordentliches Rechtsmittel.

---

[1] Das tschechische Strafprozessrecht kennt im Unterschied zum deutschen den Begriff der Verfahrensparteien (§ 12 Abs. 6 StPO).

Der *Beschuldigte* ist nach tschechischem Recht eine der Verfahrensparteien im Strafverfahren. Die Strafprozessordnung regelt seine Stellung in den §§ 32–34. Die tschechische Strafverfahrenstheorie spricht vom Recht auf Verteidigung in dem Sinne, dass der Beschuldigte das Recht hat, sich selbst zu verteidigen, sich einen Verteidiger zu wählen und von den Organen des Strafverfahrens ein objektives Herangehen zu fordern. Eine Person, die einer Straftat verdächtig ist, kann erst dann als Beschuldigter betrachtet werden und es können gegen sie erst dann die in der Strafprozessordnung vorgesehenen Maßnahmen angewandt werden, wenn gegen sie eine Strafverfolgung eingeleitet wurde (§§ 160 und 314b Abs. 1 StPO).

Der Beschuldigte hat das Recht, zu allen ihm zur Last gelegten Tatsachen und zu entsprechenden Beweisen Stellung zu nehmen, er ist jedoch nicht zur Aussage verpflichtet. Er kann Tatbestände und Beweise für seine Verteidigung anführen, Vorschläge machen, Anträge stellen und Rechtsmittel einlegen. Er hat das Recht, einen Verteidiger zu wählen und sich mit diesem auch während der Maßnahmen der Strafverfolgungsorgane zu beraten. Mit dem Verteidiger kann er sich jedoch im Verlauf seiner Vernehmung nicht hinsichtlich der Antwort auf eine bereits gestellte Frage beraten. Er kann fordern, dass er in Gegenwart seines Verteidigers vernommen wird, und dass sein Verteidiger bei den Maßnahmen im Ermittlungsverfahren anwesend ist (§ 165 StPO). Befindet sich der Beschuldigte in Untersuchungshaft oder im Strafvollzug, so hat er das Recht, mit seinem Verteidiger zu sprechen, ohne dass dabei eine dritte Person anwesend ist. Die genannten Rechte hat der Beschuldigte auch dann, wenn er nicht geschäftsfähig oder in seiner Geschäftsfähigkeit beschränkt ist.

Wenn der Beschuldigte nicht die Mittel besitzt, die Kosten der Verteidigung zu tragen, entscheidet der Vorsitzende des Senats und im Ermittlungsverfahren der Richter, dass der Beschuldigte einen Anspruch auf eine kostenlose Verteidigung oder auf eine Verteidigung gegen eine reduzierte Entlohnung hat. In solchen Fällen übernimmt der Staat die Kosten der Verteidigung ganz oder zum Teil.

Alle im Strafverfahren tätigen Organe haben den Beschuldigten immer über seine Rechte zu belehren und dafür Sorge zu tragen, dass er diese Rechte auch wahrnehmen kann.

Der gesetzliche Vertreter eines Beschuldigten, der nicht geschäftsfähig oder in seiner Geschäftsfähigkeit beschränkt ist, ist berechtigt, den Beschuldigten zu vertreten, insbesondere einen Verteidiger zu bestimmen, für ihn Vorschläge zu machen, Anträge zu stellen und Rechtsmittel einzulegen. Er ist ebenfalls berechtigt, an den Maßnahmen teilzunehmen, für die das Gesetz ein Anwesenheitsrecht des Beschuldigten vorsieht. Der gesetzliche Vertreter kann diese Rechte auch gegen den Willen des Beschuldigten zu dessen Gunsten ausüben.

In Fällen, in denen der gesetzliche Vertreter des Beschuldigten seine genannten Rechte nicht ausüben kann und Gefahr im Verzug vorliegt, kann der Vorsitzende des Senats bzw. im Ermittlungsverfahren der Staatsanwalt für die Ausübung dieser Rechte einen Vormund bestellen.

In den §§ 35–41 StPO wird die Stellung des *Verteidigers* geregelt. Verteidiger in einem Strafverfahren kann nur ein Rechtsanwalt sein.

Der Beschuldigte muss in folgenden Fällen bereits im Ermittlungsverfahren einen Verteidiger haben:

a) der Beschuldigte befindet sich in Untersuchungshaft, im Strafvollzug oder zur Beobachtung in einer medizinischen Einrichtung (§ 116 Abs. 2);
b) der Beschuldigte ist nicht geschäftsfähig oder in der Geschäftsfähigkeit beschränkt;
c) bei Verfahren gegen einen Jugendlichen;
d) bei Verfahren gegen einen Flüchtigen.

Der Beschuldigte muss auch dann einen Verteidiger haben, wenn dies das Gericht oder im Ermittlungsverfahren der Staatsanwalt für nötig erachten, insbesondere wenn sie wegen der körperlichen oder geistigen Behinderungen des Beschuldigten Zweifel an seiner Fähigkeit haben, sich angemessen zu verteidigen.

Wenn das Verfahren wegen einer Straftat läuft, für die das Gesetz eine Freiheitsstrafe mit einer Obergrenze von mehr als fünf Jahren festlegt, muss der Beschuldigte bereits im Ermittlungsverfahren einen Verteidiger haben.

Das Erfordernis eines Verteidigers gilt ebenfalls für die Hauptverhandlung im vereinfachten Verfahren gegen einen festgenommenen Beschuldigten, im Fall des Auslieferungsverfahrens an das Ausland sowie für das Verfahren, in dem über die Anordnung einer Alkoholentzugsbehandlung entschieden wird.

Im Strafvollstreckungsverfahren, in dem das Gericht in öffentlicher Sitzung entscheidet, muss der Beschuldigte in folgenden Fällen einen Verteidiger haben:

a) der Beschuldigte ist nicht geschäftsfähig oder in der Geschäftsfähigkeit beschränkt;
b) bei der öffentlichen Verhandlung über die bedingte Entlassung eines Jugendlichen aus dem Strafvollzug, der zum Zeitpunkt der Verhandlung das 18. Lebensjahr noch nicht vollendet hat;
c) der Beschuldigte befindet sich in Untersuchungshaft oder
d) es bestehen Zweifel an der Fähigkeit des Beschuldigten zu einer angemessenen Verteidigung.

Bei Beschwerden wegen Verletzung des Gesetzes, im Revisionsverfahren und im Wiederaufnahmeverfahren muss der Verurteilte in den folgenden Fällen einen Verteidiger haben:

a) in Fällen gemäß § 36 Abs. 1a oder b StPO;

b) bei Straftaten, für die das Gesetz eine Freiheitsstrafe mit einer Obergrenze von mehr als fünf Jahren festlegt;
c) bei Jugendlichen, die zur Zeit der Hauptverhandlung über die Beschwerde oder über den Antrag auf Wiederaufnahme das 18. Lebensjahr noch nicht vollendet haben;
d) wenn Zweifel bestehen an der Fähigkeit des Beschuldigten, sich angemessen zu verteidigen;
e) bei Verfahren gegen einen verstorbenen Verurteilten;
f) heute auch in Fällen gemäß § 36a Abs. 1 und 2 StPO.

Wenn der Beschuldigte das Recht auf Wahl eines Verteidigers nicht wahrnimmt und wenn auch sein gesetzlicher Vertreter keinen Verteidiger bestimmt, so können seine Verwandten in direkter Linie – seine Geschwister, seine Adoptiveltern, sein Adoptivkind, sein Ehegatte, sein Lebensgefährte wie auch eine beteiligte Person, der in Zusammenhang mit dem Strafverfahren eine Sache gemäß § 42 StPO entzogen wird – einen Verteidiger für ihn bestimmen. Wenn der Beschuldigte nicht geschäftsfähig bzw. in seiner Geschäftsfähigkeit beschränkt ist, so können diese Personen dies auch gegen seinen Willen tun.

Dem Beschuldigten wird eine Frist zur Bestimmung eines Verteidigers gesetzt, wenn er in Fällen der notwendigen Verteidigung keinen Verteidiger hat (§ 36 und 36a StPO). Wird innerhalb der gesetzten Frist kein Verteidiger benannt, so wird dem Beschuldigten unverzüglich ein Verteidiger für die Zeit zugeordnet, für die die Gründe einer Pflichtverteidigung andauern.

Der ernannte Verteidiger ist verpflichtet, die Verteidigung zu übernehmen. Aus wichtigen Gründen kann er jedoch auf seinen Antrag oder auf Antrag des Beschuldigten von seiner Pflicht zur Verteidigung entbunden und ein anderer Verteidiger ernannt werden. Zuständig für die Befreiung von der Pflicht der Verteidigung ist im gerichtlichen Verfahren der Vorsitzende des Senats und im Ermittlungsverfahren der Richter.[2]

Der Verteidiger ist verpflichtet, dem Beschuldigten den nötigen Rechtsbeistand zu gewähren, im Sinne einer erfolgreichen Verteidigung alle gesetzlichen Mittel zu nutzen und vor allem dafür zu sorgen, dass im Verfahren in angemessener Weise und rechtzeitig die Umstände aufgeklärt werden, die gegen die Schuld des Beschuldigten bzw. für eine geringere Schuld sprechen, und dadurch zu einer richtigen Aufklärung und Entscheidung des Falls beizutragen.

Der Verteidiger ist berechtigt, bereits im Ermittlungsverfahren für den Beschuldigten Vorschläge zu machen, Anträge zu stellen und Rechtsmittel einzulegen, in die Akten Einsicht zu nehmen (§ 65 StPO) und gemäß den gesetzlichen Bestimmungen an Untersuchungshandlungen teilzunehmen.

---

[2] Siehe auch §§ 37 und 37a StPO.

Der Verteidiger ist im gerichtlichen Verfahren berechtigt, bei allen Handlungen anwesend zu sein, bei denen der Beschuldigte anwesend sein kann.

Wenn der Beschuldigte nicht geschäftsfähig oder in der Geschäftsfähigkeit beschränkt ist, so kann der Verteidiger gegen den Willen des Beschuldigten in dessen Namen Rechtsmittel einlegen.

Die Bevollmächtigung des Verteidigers erlischt mit der Beendigung der Strafverfolgung, sofern bei seiner Wahl oder seiner Ernennung nichts anderes bestimmt wurde. Auch wenn die Bevollmächtigung auf diese Weise erlischt, ist der Verteidiger noch berechtigt, Revision einzulegen und an dem Revisionsverfahren vor dem Obersten Gericht teilzunehmen, wie auch Gnadengesuche und Anträge auf Strafaussetzung einzureichen.

Der Verteidiger hat in allen Stadien des Strafverfahrens das Recht, im Voraus eine Kopie oder eine Durchschrift des Protokolls (§ 55 StPO) von allen Strafverfahrenshandlungen zu fordern. Die Organe des Strafverfahrens (§ 12 Abs. 1 StPO) sind verpflichtet, seinem Antrag stattzugeben, lediglich bei technischer Unmöglichkeit sind sie berechtigt, den Antrag abzulehnen. Die entstehenden Kosten hat der Verteidiger dem Staat zu ersetzen.

Der *Geschädigte* hat im Unterschied zum deutschen Gesetz weitgehende Rechte, die in der Praxis häufig genutzt werden. Hierzu bestimmt § 43 StPO Folgendes:

Die Person (der Geschädigte), der durch eine Straftat eine Körperverletzung, ein materieller, moralischer oder anderer Schaden zugefügt wurde, hat das Recht, Anträge auf eine Ergänzung der Beweisaufnahme zu stellen, in die Akten Einsicht zu nehmen (§ 65 StPO), an der Hauptverhandlung und an der öffentlichen Berufungsverhandlung teilzunehmen und vor dem Abschluss des Verfahrens zum Fall Stellung zu nehmen.

Eine Person, die sich durch eine Straftat moralisch oder anders geschädigt fühlt, wird nicht als Geschädigter betrachtet, wenn die entstandene Schädigung nicht durch Verschulden des Täters verursacht wurde oder wenn der kausale Zusammenhang zu der Straftat fehlt.

Ein Geschädigter, der nach dem Gesetz gegenüber dem Beschuldigten einen Anspruch auf Ersatz des Schadens hat, der ihm durch die Straftat zugefügt wurde, ist berechtigt zu beantragen, dass das Gericht im Schuldspruch die Pflicht des Schadensersatzes auferlegt (sog. Adhäsionsverfahren).

Der Begriff des Geschädigten ist vom Begriff des Opfers einer Straftat im Sinne des Gesetzes Gbl.Nr. 209/1997 zu unterscheiden. Das Gesetz sieht unter bestimmten Bedingungen die Gewährung einer finanziellen Hilfe seitens des Staates für die Opfer von Straftaten vor. Eine außergerichtliche Vermittlung zwischen Beschuldigtem und Geschädigtem wird jetzt auch im Rahmen des Gesetzes Gbl.Nr. 257/2000 ermöglicht.

Gemäß § 163 StPO ist in einigen Fällen für die Strafverfolgung des Beschuldigten das Einverständnis des Geschädigten notwendig. Die Gesetzesnovelle zur Strafprozessordnung Gbl.Nr.265/2001, die zum 1.1.2002 in Kraft getreten ist, führt in § 163 die Straftaten an, für die ein Einverständnis des Geschädigten mit der Strafverfolgung notwendig ist.

Entscheidend ist in diesen Fällen, in welcher Beziehung zum Geschädigten die Person steht, gegenüber der der Geschädigte als Zeuge ein Aussageverweigerungsrecht hätte, und bei der Straftat der Vergewaltigung gemäß § 241 Abs. 1, 2 StGB, wer in der Beziehung zum Geschädigten Ehegatte oder Lebensgefährte ist bzw. dies zur Zeit der Straftat war. Weiter betrifft dies die Straftat des Vollrausches gemäß § 201a StGB.

Das Einverständnis mit der Strafverfolgung kann der Geschädigte durch eine ausdrückliche Erklärung jederzeit zurücknehmen und dies bis zu dem Zeitpunkt, in dem sich das Berufungsgericht zur abschließenden Beratung zurückzieht. Ein ausdrücklich verweigertes Einverständnis kann jedoch nicht erneut erteilt werden.

Das Einverständnis des Geschädigten mit der Strafverfolgung ist für einige der in § 163 Abs. 1 StPO angeführten Straftaten in folgenden Fällen nicht notwendig:

a) wenn durch die Straftat der Tod eines Menschen verursacht wurde;
b) wenn der Geschädigte wegen einer Geisteskrankheit oder -störung, aufgrund derer er für geschäftsunfähig oder beschränkt geschäftsfähig erklärt wurde, nicht in der Lage ist, das Einverständnis zu erteilen;
c) wenn der Geschädigte das 15. Lebensjahr noch nicht vollendet hat;
d) wenn sich aus den Umständen ergibt, dass das Einverständnis in einer durch Drohungen, Druck, Abhängigkeit oder Untergebenenverhältnis hervorgerufenen Zwangssituation nicht erteilt oder zurückgenommen wurde.

Bereits die vorhergehende Gesetzesnovelle von 1995 erweiterte den Schutz des Geschädigten. Sie führte den Vergleich (Täter-Opfer-Ausgleich) als eine der Möglichkeiten der so genannten Diversion, d.h. der Abwendung des Strafverfahrens, in das tschechische Recht ein.

Die zum 1.1.2002 in Kraft getretene Gesetzesnovelle spezifiziert und erweitert diesen Schutz. Nach bisherigem Recht konnte nur das Gericht (im Ermittlungsverfahren auf Antrag des Staatsanwalts) über die Genehmigung eines Vergleichs entscheiden. Nunmehr kann auch der Staatsanwalt über die Genehmigung eines Vergleichs im Strafverfahren entscheiden.

Der Vergleich (Täter-Opfer-Ausgleich) ist im Unterschied zum deutschen Recht, wo es sich um ein Institut des materiellen Strafrechts handelt, in der Tschechischen Republik ein Institut des Prozessrechts. Gemeinsam mit der bedingten Einstellung der Strafverfolgung handelt es sich um eine besondere Verfahrensform. Im Unterschied zum deutschen Recht, das vor allem den Schutz des Straftäters vor einer Kriminalisierung betont, geht es in der Tschechischen Republik sowohl um die

Problematik der Entkriminalisierung des Täters als auch um den Schutz des Geschädigten, der sein Einverständnis zu dem Vergleich und der bedingten Einstellung geben muss.

Bei Verfahren zu Straftaten, für die das Gesetz eine Freiheitsstrafe mit einer Höchstgrenze von nicht mehr als fünf Jahren festlegt, kann das Gericht (im Ermittlungsverfahren der Staatsanwalt) mit Einverständnis des Beschuldigten und des Geschädigten über die Genehmigung eines Vergleichs und die Einstellung der Strafverfolgung entscheiden, wenn die folgenden Punkte erfüllt sind:

a) Der Beschuldigte erklärt, dass er die Tat begangen hat, derer er beschuldigt wird, und es bestehen keine begründeten Zweifel daran, dass seine Erklärung freiwillig und ernst gemeint getroffen wurde.
b) Der Beschuldigte begleicht dem Geschädigten den durch die Straftat entstandenen Schaden oder nimmt die nötigen Handlungen zu ihrer Begleichung vor, gegebenenfalls beseitigt er auf andere Weise den durch die Straftat entstandenen Schaden.
c) Der Beschuldigte zahlt auf das Gerichtskonto (im Ermittlungsverfahren auf das Konto der Staatsanwaltschaft) einen Betrag, der für einen konkreten Adressaten für gemeinnützige Zwecke bestimmt ist. Dieser Betrag darf im Verhältnis zur Schwere der Straftat nicht offensichtlich unangemessen sein, und wenn das Gericht (bzw. der Staatsanwalt) diese Lösung im Hinblick auf den Charakter und die Schwere der Tat, das Maß, in dem das öffentliche Interesse von der Straftat betroffen wurde, die Person des Beschuldigten und seine persönlichen und materiellen Verhältnisse als berechtigt erachtet.

Von dem für gemeinnützige Zwecke bestimmten Betrag müssen entsprechend einem Spezialgesetz mindestens 50 % an die Opfer von Straftaten fließen. Die Entscheidung über die Genehmigung des Vergleichs wird als eine für das Strafverfahren bedeutende Entscheidung in einem besonderen Register erfasst. Wenn der Vergleich vom Gericht (oder im Ermittlungsverfahren vom Staatsanwalt) nicht genehmigt wurde, nachdem der Beschuldigte eine Erklärung gemäß § 309 Abs. 1 StPO abgegeben hat, dass er die Tat begangen hat, derentwegen er strafverfolgt wird, so kann diese Erklärung im weiteren Verfahren nicht als Beweis verwandt werden.

In § 1 Abs. 1 des Gesetzes über die Staatsanwaltschaft[3] – im Weiteren „GSt“ – wird die *Staatsanwaltschaft* als ein System staatlicher Ämter definiert, das in den gesetzlich übertragenen Angelegenheiten den Staat vertritt, um das öffentliche Interesse zu schützen.

Der Generalstaatsanwalt ist nicht dem Justizminister unterstellt, und das Ministerium führt keine Aufsicht über die Generalstaatsanwaltschaft mehr. Die Abhängig-

[3] Gesetz Nr. 283/1993, am 1.1.1994 in Kraft getreten.

keit vom Ministerium dauert jedoch besonders im Bereich der Ausübung der Verwaltung der Staatsanwaltschaft an (§ 13b GSt).[4]

In den Aufgabenbereich der Staatsanwaltschaft übertragene Angelegenheiten führen nur die Staatsanwälte aus; andere Organe oder Personen dürfen nicht in deren Tätigkeit eingreifen oder sie bei der Ausübung ersetzen oder vertreten (§ 3 Abs. 1 GSt).

Die Staatsanwaltschaft ist im Rahmen der gesetzlichen Bestimmungen *Organ der öffentlichen Anklage im Strafverfahren* und erfüllt darüber hinaus weitere, sich aus der Strafprozessordnung ergebende Aufgaben. Im Einklang mit ihrem im Gesetz festgelegten Aufgabenbereich beteiligt sie sich an der Kriminalitätsvorbeugung und an der Hilfe für Kriminalitätsopfer (§ 4 Abs. 1a, 2 GSt).

Im durch das Gesetz festgelegten Umfang ist der Generalstaatsanwalt den Oberstaatsanwälten übergeordnet, der Oberstaatsanwalt den Bezirksstaatsanwälten im Bereich der Oberstaatsanwaltschaft und die Bezirksstaatsanwälte den Kreisstaatsanwälten im Bereich der Bezirksstaatsanwaltschaft. Der Leitende Staatsanwalt jeder Staatsanwaltschaft ist den Staatsanwälten im gesetzlich festgelegten Umfang übergeordnet (§ 1 Abs. 1a GSt).

Eine übergeordnete Staatsanwaltschaft ist nur in den im Gesetz geregelten Fällen zum Eingriff in die Bearbeitung von Angelegenheiten berechtigt, für die nach dem Gesetz eine untergeordnete Staatsanwaltschaft zuständig ist. Die nächstübergeordnete Staatsanwaltschaft ist berechtigt, das Vorgehen der nächstuntergeordneten Staatsanwaltschaften in ihrem Bereich bei der Erledigung von Angelegenheiten in ihrer Kompetenz zu beaufsichtigen und ihnen zum Vorgehen schriftliche Anweisungen zu geben. Das Vorgehen der nächstuntergeordneten Staatsanwaltschaften kann auch durch Anweisungen, die sich auf mehrere Angelegenheiten einer gewissen Art beziehen, vereinheitlicht werden. Die nächstuntergeordnete Staatsanwaltschaft hat sich an die schriftlichen Anweisungen zu halten. Hiervon sind Anweisungen ausgenommen, die in einem konkreten Fall im Widerspruch zum Gesetz stehen. Wenn die nächstuntergeordnete Staatsanwaltschaft aus diesem Grund die Ausführung der Anweisung ablehnt, teilt sie die Gründe für die Ablehnung der nächstübergeordneten Staatsanwaltschaft unverzüglich schriftlich mit. Wenn diese auf ihrer Anweisung besteht und kein anderes Vorgehen in Betracht zieht, so entzieht sie den Fall der untergeordneten Staatsanwaltschaft und bearbeitet ihn selbst. Die nächstübergeordnete Staatsanwaltschaft kann auch dann einen Fall der nächstuntergeordneten Staatsanwaltschaft entziehen und ihn selbst bearbeiten, wenn die nächstuntergeordnete Staatsanwaltschaft untätig ist oder ihr Vorgehen unbegründet verschleppt (§ 12d GSt).

Die Aufsicht ist definiert als Ausübung der vom Gesetz über die Staatsanwaltschaft festgelegten Befugnisse zur Sicherstellung der Leitungs- und Kontrollbezie-

[4] Vgl. die Novellierung durch Gesetz Nr. 14/2002.

hungen zwischen verschiedenen Stufen der Staatsanwaltschaft und innerhalb der einzelnen Staatsanwaltschaften bei der Ausübung der Aufgaben der Staatsanwaltschaft (§ 12c GSt).

1. Der öffentliche Kläger vertritt im Strafverfahren das öffentliche Interesse, d.h. das Interesse des Großteils der Gesellschaft auf dem Gebiet des Strafrechts in einem bestimmten Staatsgebiet zu einer bestimmten Zeit.

2. Wenn der öffentliche Kläger erachtet, dass sich ein privates Interesse – das Interesse des Beschuldigten – in einem konkreten Fall mit dem öffentlichen Interesse vereinbaren lässt, so entfällt die Gegenüberstellung von Staatsanwaltschaft und Beschuldigtem im Prozess, und der Staatsanwalt wird zum Schützer des privaten Interesses des Beschuldigten. Eine solche Änderung kann jederzeit während des Strafverfahrens eintreten, in der Regel geschieht dies jedoch erst während der Hauptverhandlung, in der durch die Anwendung der Prozessprinzipien (Mündlichkeit, Unmittelbarkeit, Öffentlichkeit) die Wahrheit besser festgestellt werden kann als im Ermittlungsverfahren. Daher ist das öffentliche Interesse ein *veränderliches Interesse*. Wenn der öffentliche Kläger feststellt, dass die Beweiserhebung dafür spricht, dass der Beschuldigte seinen Schutz vor einer ungesetzlichen Verurteilung verdient, so muss er das mit dem Interesse des Beschuldigten, nicht verurteilt zu werden, übereinstimmende öffentliche Interesse schützen.

Die Aufgabe des öffentlichen Klägers ändert sich in den verschiedenen Stadien des Strafverfahrens. Danach unterscheiden wir den Wirkungsbereich im Ermittlungsverfahren und den im gerichtlichen Verfahren.

Die Stellung des Staatsanwalts im Ermittlungsverfahren wird vor allem durch die Strafprozessordnung (Gbl.Nr. 141/1961 in der aktuellen Fassung) geregelt.

Der Staatsanwalt ist ein Organ des Strafverfahrens (§ 12 Abs. 1 StPO). Während der Staatsanwalt im Verfahren vor dem Gericht den Status einer Verfahrensseite hat (§ 12 Abs. 6 StPO), gilt dies für das Ermittlungsverfahren nicht. Er ist verpflichtet, alle Straftaten zu verfolgen, von denen er Kenntnis erlangt, sofern das Gesetz oder ein internationaler Vertrag, durch den die Tschechische Republik gebunden ist, nicht etwas anderes bestimmt (§ 2 Abs. 3 StPO). Sofern keine gegenteilige gesetzliche Regelung gegeben ist, handelt er von Amts wegen. Strafsachen muss er schnellstmöglich und unter voller Beachtung der durch den Grundrechtskatalog sowie durch die die Tschechische Republik bindenden internationalen Verträge über Menschenrechte und Grundfreiheiten garantierten Rechte und Freiheiten verhandeln. Prozesshandlungen dürfen nur in begründeten Fällen, auf gesetzlicher Grundlage und nur im für die Zwecke des Strafverfahrens nötigen Maß in Rechte des Einzelnen eingreifen. Petitionen, die die Erfüllung dieser Pflichten betreffen, sind entsprechend dem Grundsatz der Offizialität und dem Ermittlungsgrundsatz (§ 2 Abs. 4, 5 StPO) von den Organen der Strafverfolgung nicht zu beachten. Durch diese Grundsätze werden bis auf vom Gesetz bestimmte Ausnahmen der staatliche Strafanspruch und das Anklagemonopol der Staatsanwaltschaft erfüllt.

Ausgehend vom Grundsatz der Objektivität (§ 2 Abs. 4 StPO) erforscht der Staatsanwalt im Ermittlungsverfahren entsprechend den strafprozessrechtlichen Vorgaben auch ohne Antrag der Verfahrensbeteiligten gleichermaßen sorgfältig alle Tatsachen, die zu Gunsten und zu Ungunsten des Beschuldigten sprechen.

Im Ermittlungsverfahren ist der Staatsanwalt für die Gesetzlichkeit des Verfahrensablaufs verantwortlich. Das Gesetz verleiht ihm zu diesem Zweck verschiedene Befugnisse, je nach Art des Ermittlungsverfahrens (Überprüfung, Untersuchung, verkürztes Verfahren).

Der Staatsanwalt kann insbesondere ein Polizeiorgan zur Ausführung spezieller, in seinen Kompetenzbereich fallender, zur Aufklärung des Falls und zur Identifizierung des Täters nötiger Handlungen bestimmen. Er ist ferner für die Anwendung operativer Fahndungsmittel (§ 158b–r StPO), die Anordnung der Untersuchungshaft (insbesondere §§ 71 ff. StPO), die bedingte Einstellung der Strafverfolgung (§§ 307 und 308 StPO) und den Vergleich (§§ 309–314 StPO) zuständig.

Zur Überprüfung der Umstände, die auf eine begangene Straftat hinweisen, ist der Staatsanwalt weiter berechtigt:

a) vom Polizeiorgan Akten (einschließlich Akten zu Fällen, in denen kein Strafverfahren eingeleitet wurde), Dokumente, Materialien und Berichte über den Vorgang bei der Überprüfung der Anzeige anzufordern;
b) einem bestimmten Polizeiorgan einen bestimmten Fall zu entziehen und einem anderen Polizeiorgan zu übertragen;
c) die Einleitung der Strafverfolgung zeitweilig auszusetzen.

Außerdem führt der Staatsanwalt die Aufsicht über das Ermittlungsverfahren und ist berechtigt:

a) verbindliche Anweisungen zur Untersuchung von Straftaten zu geben;
b) vom Polizeiorgan Akten, Dokumente, Materialien und Berichte über die begangenen Straftaten anzufordern, um zu überprüfen, ob das Polizeiorgan die Strafverfolgung rechtzeitig einleitet und ordnungsgemäß vorgeht;
c) sich an Handlungen der Polizeiorgane zu beteiligen, persönlich einzelne Handlungen oder die gesamte Ermittlung zu führen und Entscheidungen in allen Angelegenheiten zu treffen; dabei ist er an die Bestimmungen des Polizeigesetzes gebunden und eine Beschwerde gegen seine Entscheidung ist in gleichem Umfang wie gegen die Entscheidung des Polizeiorgans möglich;
d) den Fall an das Polizeiorgan mit der Aufforderung zur Ergänzung zurückzugeben;
e) ungesetzliche oder unbegründete Entscheidungen und Maßnahmen des Polizeiorgans aufzuheben und durch eigene zu ersetzen; bei einem Beschluss über die Einstellung des Falls kann der Staatsanwalt dies innerhalb von 30 Tagen ab Erhalt tun; wenn er die Entscheidung des Polizeiorgans durch eine eigene Entscheidung ersetzt, die der Beschwerde einer berechtigten Person gegen die Ent-

scheidung des Polizeiorgans nicht stattgibt, so ist gegen diese Entscheidung eine Beschwerde in gleichem Umfang wie gegen die Entscheidung des Polizeiorgans zulässig;

f) anzuweisen, dass Handlungen in einem konkreten Fall einer anderen im Polizeiorgan tätigen Person übertragen wird.

In § 175 Abs. 1 StPO werden die ausschließlich dem Staatsanwalt zustehenden Befugnisse genannt:

a) die Entscheidung über die Einstellung (auch bei der Genehmigung eines Vergleichs gemäß § 309 ff. StPO), die bedingte Einstellung oder Unterbrechung der Strafverfolgung und die Abtretung des Falls an ein anderes Organ;
b) die Anklageerhebung;
c) die Entscheidung über die Verlängerung der Untersuchungshaft und über das Verbleiben des Beschuldigten darin, über die Freilassung aus der Untersuchungshaft und über den Antrag des Beschuldigten auf Freilassung aus der Untersuchungshaft;
d) die Anordnung der Sicherstellung von Vermögen des Beschuldigten und die Festlegung, auf welche Finanzmittel und Gegenstände sich diese Sicherstellung nicht bezieht, gegebenenfalls die Aufhebung einer solchen Sicherstellung;
e) die Sicherstellung des Schadensersatzanspruchs des Geschädigten und die Beschränkung oder Aufhebung solch einer Sicherstellung oder Herauslösung von Gegenständen aus dieser Sicherstellung;
f) die Anordnung der Exhumierung von Leichen;
g) die Beantragung der Auslieferung des Beschuldigten aus dem Ausland;
h) die Durchführung einer vorläufigen Untersuchung bei einem Auslieferungsverfahren in das Ausland.

Nur der Staatsanwalt ist berechtigt, eine Anklage zu erstellen und beim zuständigen Gericht einzureichen (§ 176 Abs. 1 StPO) bzw. einen Strafantrag, in Fällen, denen ein verkürztes Ermittlungsverfahren vorausging (§ 179a–f StPO).

Der Staatsanwalt muss der Hauptverhandlung beiwohnen; ohne seine Gegenwart kann die Hauptverhandlung nicht stattfinden (§ 202 Abs. 1 StPO). Er hat das Recht, über die Anberaumung einer öffentlichen Sitzung informiert zu werden (§ 233 Abs. 1 StPO) und daran teilzunehmen (§ 234 Abs. 2 StPO). Handelt es sich um eine öffentliche Sitzung über eine Beschwerde wegen Verletzung des Gesetzes, so ist die Teilnahme eines Vertreters der Generalstaatsanwaltschaft verpflichtend (§ 274 StPO). Dies gilt nicht, wenn das Gericht in nichtöffentlicher Sitzung entscheidet (§ 242 Abs. 2 StPO).

Bei der *Einreichung und Vertretung der Anklage* lässt sich der Staatsanwalt vom Gesetz und von seiner auf Erwägung aller Umstände des Falls gestützten inneren Überzeugung leiten. Bei der gerichtlichen Verhandlung trägt er die Anklage und das Abschlussplädoyer vor und sorgt dafür, dass alle wesentlichen, aus der Sicht der eingereichten Anklage entscheidenden Umstände aufgeklärt werden. Zu diesem Zweck bringt er aus eigener Initiative oder auf Antrag des Vorsitzenden des Senats auch weitere Beweise bei, die bislang nicht beigebracht wurden (§ 180 Abs. 2 StPO).

Bei der *Beweisführung in der Hauptverhandlung* und in einer öffentlichen Sitzung beantragt der Staatsanwalt die Erhebung von Beweisen, die noch nicht in der Anklage beantragt wurden und die sich im Verlauf der Verhandlung vor dem Gericht als notwendig erwiesen haben; in der Regel erhebt er mit Einverständnis oder auf Aufforderung des Vorsitzenden des Senats die Beweise (§§ 203, 215 Abs. 2 StPO), die die Anklage unterstützen (§ 180 Abs. 3 StPO).

Eine sehr bedeutende neue Befugnis des Staatsanwalts ist die Möglichkeit, dass er mit Einverständnis des Vorsitzenden nicht nur dem Beschuldigten Fragen stellen kann (§ 215 StPO), sondern nach der gültigen Fassung des Gesetzes auch fordern kann, dass ihm eine Beweiserhebung ermöglicht wird, insbesondere die Vernehmung eines Zeugen oder eines Sachverständigen (§ 215 Abs. 2 StPO).

Gegen die Entscheidung des Gerichts in der Hauptverhandlung kann der Staatsanwalt in den gesetzlich vorgesehenen Fällen Beschwerde einlegen. Gegen das Urteil des Gerichts in der Hauptverhandlung hat der Staatsanwalt das Recht der Berufung, und dies auch zu Gunsten des Beschuldigten (§ 247 Abs. 1, 2 StPO). In den gesetzlich bestimmten Fällen hat er ebenfalls das Recht, gegen eine Entscheidung eines Gerichts zweiter Instanz Revision einzulegen (§ 265d StPO).

Bis Ende 2001 war das Recht der Staatsanwaltschaft bei außerordentlichen Rechtsmitteln auf die Wiederholung des Verfahrens beschränkt (§ 280 Abs. 1, 2 StPO) sowie auf die in § 389a StPO normierte Pflicht, durch das Justizministerium weitergeleitete oder direkt an sie gerichtete Anträge auf Einreichung einer Beschwerde wegen Verletzung des Gesetzes zu überprüfen. Zuständig ist nicht die im ursprünglichen Verfahren in letzter Instanz tätige Staatsanwaltschaft, sondern die nächsthöhere staatsanwaltliche Stelle. Nach der Untersuchung legt die Staatsanwaltschaft dem Justizminister ihren Standpunkt vor, in dem sie entweder vorschlägt, dem Antrag nicht stattzugeben oder eine Beschwerde wegen Verletzung des Gesetzes einzureichen (§ 389a StPO).

Die ab dem 1.1.2002 gültige Gesetzesnovelle erweitert jedoch die Kompetenz der Staatsanwaltschaft auch in diesem Bereich. Es handelt sich vor allem um das neue Rechtsmittel gemäß § 174a StPO.

Nach dem derzeitig gültigen Gesetz kann der Generalstaatsanwalt – und nicht mehr das Oberste Gericht – innerhalb von zwei Monaten ab Erlangen der Rechtskraft ungesetzliche Beschlüsse untergeordneter Staatsanwälte über die Einstellung der Strafverfolgung oder über die Abtretung des Falls aufheben. Wenn der Generalstaatsanwalt diese Entscheidung aufhebt, so fährt in dem Verfahren der Staatsanwalt fort, der den Fall in erster Instanz entschieden hat. Bis zum 20.3.2002 handelte es sich um etwa 1.300 Fälle, die so gemäß § 174a StPO überprüft wurden. In nur wenigen Fällen wurden diese Entscheidungen aufgehoben.

Neu geregelt wurden ebenfalls die Vorschriften für die Untersuchungshaft (§§ 67 und 68 StPO). Der Beschuldigte darf nur dann in Untersuchungshaft genommen werden, wenn sein Verhalten oder andere konkrete Umstände Anlass zu der Befürchtung geben,

a) dass er flieht oder untertaucht, um sich der Strafverfolgung und der Strafe zu entziehen, insbesondere wenn seine Identität nicht sofort festgestellt werden kann, wenn er keinen ständigen Wohnsitz besitzt oder wenn ihm eine hohe Strafe droht;
b) dass er bislang nicht angehörte Zeugen oder Mitbeschuldigte beeinflussen oder anderweitig die Aufklärung der für die Strafverfolgung wesentlichen Tatsachen verhindern wird;
c) dass er die Straftat wiederholt, derentwegen er strafverfolgt wird, dass er die Straftat zu Ende führen wird, die er bereits versucht hat, oder dass er eine Straftat ausführt, die er vorbereitet oder mit der er gedroht hat, und wenn die bislang festgestellten Tatsachen darauf hinweisen, dass die Tat, derentwegen die Strafverfolgung eingeleitet wurde, begangen wurde und alle Merkmale einer Straftat erfüllt sind, und wenn offensichtliche Verdachtsmomente vorliegen, dass der Beschuldigte diese Straftat begangen hat, und wenn mit Hinsicht auf die Person des Beschuldigten, den Charakter und die Schwere der Straftat, derentwegen er strafverfolgt wird, während der Zeit der Entscheidung der Zweck der Untersuchungshaft nicht durch eine andere Maßnahme erreicht werden kann.

Gemäß § 68 StPO können nur Personen in Untersuchungshaft genommen werden, gegen die ein Strafverfahren eingeleitet wurde. Die Entscheidung über die Untersuchungshaft muss sich auch auf die Tatumstände stützen. Über die Untersuchungshaft entscheidet das Gericht, im Ermittlungsverfahren der Richter auf Vorschlag des Staatsanwalts.

Ein Beschuldigter kann nicht in Untersuchungshaft genommen werden, wenn er wegen einer vorsätzlichen Straftat strafverfolgt wird, für die das Gesetz eine Freiheitsstrafe mit einer Obergrenze von nicht mehr als zwei Jahren festlegt, auch nicht bei einer fahrlässigen Straftat, für die das Gesetz eine Freiheitsstrafe mit einer Obergrenze von nicht mehr als drei Jahren festlegt.

Diese Beschränkung wird in den folgenden Fällen nicht angewandt:

a) Der Beschuldigte ist geflohen oder untergetaucht.
b) Der Beschuldigte ist wiederholt nicht zu einer Vorladung erschienen und konnte auch nicht vorgeführt werden, und seine Teilnahme am Strafverfahren konnte auch nicht anders sichergestellt werden.
c) Die Identität des Beschuldigten ist nicht bekannt und konnte mit den zur Verfügung stehenden Mitteln nicht festgestellt werden.

d) Der Beschuldigte beeinflusste Zeugen oder Mitbeschuldigte oder verhindert anderweitig die Aufklärung der für die Strafverfolgung wesentlichen Tatsachen.

e) Der Beschuldigte fährt fort, Straftaten zu begehen, derentwegen er strafverfolgt wird.

Bedeutenden Änderungen unterlagen die Bestimmungen über das Ermittlungsverfahren. Die besonderen Ermittlungsorgane wurden abgeschafft und durch Polizeiorgane ersetzt.

Die Strafprozessordnung kennt zwei Arten von Ermittlungsverfahren. Neu eingeführt wurde das in den Kompetenzbereich der Polizeiorgane fallende verkürzte Ermittlungsverfahren gemäß § 179a–f.

Die Staatsanwaltschaft ist das einzige Organ, das Anklage erheben und im verkürzten Verfahren einen Antrag auf Bestrafung stellen kann.

Nach den bisherigen Angaben kommt es tatsächlich in etwa 10 % der Fälle zu einer wesentlichen Abkürzung des Verfahrens bei der Polizei. Die Staatsanwaltschaft und das Gericht werden jedoch wegen entscheidend verkürzter Fristen stärker belastet. Das betrifft sowohl die Staatsanwaltschaft hinsichtlich des verkürzten Verfahrens als auch die Richter bezüglich des vereinfachten Verfahrens.

Die außerordentlichen Rechtsmittel betreffend ist anzumerken, dass sich die Revision als ausgesprochen nützlich erwies.

Die Zeit wird zeigen, inwieweit sich die Gesetzesnovelle bewährt.

3. Sitzung

Grundelemente der Strafbarkeit

Zum Aufbau der Straftat, insbesondere zum formellen/materiellen Straftatbegriff

Włodzimierz Wróbel, Krakau

1. Definition der Straftat

In nahezu jedem Lehrbuch des Strafrechts wird am Anfang eine Definition der Straftat formuliert. Dabei geht es nicht um die Auffassung der Straftat als einer ontologischen, sondern als einer normativen Kategorie. Es darf nicht vergessen werden, dass das Strafgesetz keine Legaldefinition der Straftat enthält, auch wenn dieser Begriff im Strafgesetzbuch recht häufig verwendet wird. Insbesondere gilt das für Art. 1 § 1 StGB, in dem festgelegt wird, dass

„der Strafbarkeit nur unterliegt, wer eine Straftat begeht, die durch ein zur Zeit der Begehung der Tat geltendes Gesetz unter Androhung von Strafe verboten ist".

Normativ gesehen beinhaltet diese Vorschrift einige zwingende Voraussetzungen für das Verhängen von Strafen durch die Gerichte.

Die Definition der Straftat ist also eine dogmatische Kategorie. Es geht darum, die gesetzlich vorgesehenen Voraussetzungen für die Strafbarkeit eines konkreten Täterverhaltens zu systematisieren. Die einzelnen Elemente der Straftatdefinition beschreiben einen Teilbereich der Kompetenznorm, kraft derer das Gericht bestimmte Verhaltensweisen konkreten Tätern zurechnen und ihnen gegenüber die im Strafgesetz vorgesehenen Maßregeln verhängen kann.

Man kann allerdings den Eindruck gewinnen, dass die gegenwärtigen Auseinandersetzungen um den Verbrechensaufbau in der polnischen Strafrechtslehre in gewissem Sinne von einem eher ontologischen als normativen Verständnis der Straftat ausgehen. Gleichzeitig muss hervorgehoben werden, dass der Verweis auf den Normativinhalt des Strafrechts – und insbesondere auf die sanktionierte und sanktionierende Norm – zu einem immer häufiger verwendeten Instrument dogmatischer Analysen wird. Diese Perspektive scheint in einem gewissen Grad das Verständnis einzelner Bestandteile der herkömmlichen Straftatdefinition zu modifizieren, indem sie diese Funktionen hervorhebt, die sie im Inhalt der sanktionierten Norm (Verbots-/Gebotsnorm) und der sanktionierenden Norm (der strafrechtlichen sanktionierenden Norm) erfüllen.

2. Der Aufbau der Straftat in der gegenwärtigen Strafrechtsdogmatik

Grundsätzlich wird die Straftat als eine vier- bzw. fünfgliedrige Struktur aufgefasst. Unterschieden werden die Handlung, die Rechtswidrigkeit, die Tatbestandsmäßigkeit, die Schuld und die Strafwürdigkeit, verstanden als mehr als nur geringfügiger Grad der Sozialschädlichkeit.[1]

---

[1] Die Straftat ist nach *Władysław Mącior* „ein rechtswidriges und verschuldetes Handeln oder Unterlassen", wobei die Rechtswidrigkeit eine Konjunktion des formellen und materiellen Elements ist, siehe *Mącior*, Z rozważań nad istotą i etiologią przestępstwa. Problemy nauk penalnych. Prace ofiarowane Pani Oktawii Górniok (Erwägungen zu Wesen und Ätiologie der Straftat. Probleme der Rechtswissenschaften. Festschrift für Prof. Oktawia Górniok), Kattowitz 1996, S. 138. *Arnold Gubiński* geht von drei Elementen der Straftat aus: Tat/Handlung, sozialer Unwert, gesetzliches Verbot unter Strafandrohung, siehe *Gubiński*, Zasady prawa karnego (Grundsätze des Strafrechts), Warszawa 1996, S. 31. *Marian Cieślak* verzichtet dagegen auf die Definition dessen, was eine Straftat ist, weist aber auf die generellen Voraussetzungen für die Strafverantwortlichkeit hin, und zwar: die Tat – rechtswidrig (d.h. tatbestandsmäßig und nicht konträrtypisch), sozialschädlich (mehr als nur geringfügig), verschuldet, siehe *Cieślak*, Polskie prawo karne (Polnisches Strafrecht), Warszawa 1995, S. 138. *Jacek Giezek* versteht unter der Straftat ein menschliches Verhalten, das eine Handlung/Tat darstellt, die die im Strafgesetz festgelegten Tatbestandsmerkmale verwirklicht, formell rechtswidrig ist, da es eine sanktionierte Norm bei mangelndem Konträrtypus verletzt, und mehr als nur geringfügig sozialschädlich ist, sowie verschuldet und mit Strafe bedroht, siehe *Giezek*, Kodeks karny. Część ogólna. Komentarz (Strafgesetzbuch. Allgemeiner Teil. Kommentar), Köln 2000, S. 15. *Andrzej Marek* geht von einer fünfgliedrigen Struktur der Straftat aus: die Tat, die die gesetzlich bestimmten Tatbestandsmerkmale verwirklicht, die rechtswidrig, verschuldet und mehr als geringfügig sozialschädlich ist, siehe *Marek,* Komentarz do kodeksu karnego. Część ogólna (Kommentar zum Strafgesetzbuch. Allgemeiner Teil), Warszawa 1999, S. 8. *Lech Gardocki* nimmt an, dass die Straftat eine menschliche Tat ist, die gesetzlich unter Androhung von Strafe als Verbrechen oder Vergehen verboten, rechtswidrig, verschuldet und mehr als nur geringfügig sozialschädlich ist, siehe *Gardocki,* Prawo karne (Strafrecht), Warszawa 1999, S. 46. Viel ausgebauter ist der von *Andrzej Zoll* vorgeschlagene Verbrechensaufbau. Als Straftat ist nach seiner Meinung eine Tat anzusehen, die a) eine sanktionierte Norm verletzt und nicht unter Umständen begangen wurde, welche die Rechtswidrigkeit ausschließen, also rechtswidrig ist, b) Tatbestandsmerkmale verwirklicht und nicht unter Umständen begangen wurde, welche die Strafbarkeit ausschließen, also strafbar ist, c) deren Sozialschädlichkeitsgrad mehr als nur geringfügig ist, also strafwürdig ist, d) die in einer Situation begangen wurde, in der sich der Täter dem in der Rechtsnorm enthaltenen Gebot entsprechend hätte verhalten können, also verschuldet ist, siehe *Zoll*, Karalność i karygodność czynu jako odrębne elementy struktury przestępstwa (Strafbarkeit und Strafwürdigkeit als gesonderte Elemente des Verbrechensaufbaus), in: Teoretyczne problemy odpowiedzialności karnej w polskim oraz niemieckim prawie karnym (Theoretische Probleme der Strafverantwortlichkeit im polnischen und deutschen Strafrecht), Wrocław 1990, S. 108. In seiner Definition bezeichnet *Leon Tyszkiewicz* die Straftat als das durch den geäußerten Willensakt erfasste menschliche Verhalten, das sozialgefährlich, rechtswidrig und strafbar ist, d.h. im Gesetz bestimmt (typisiert und unter Androhung von Strafe verboten, folglich die sanktionierte Norm verletzend) sowie durch keinen Rechtfertigungsgrund gerechtfertigt, verschuldet ist , d.h. durch keinen Schuldausschließungsgrund entschuldigt, nicht durch das Merkmal der Geringfügigkeit der Sozialschädlichkeit gekennzeichnet ist, siehe *Tyszkiewicz*, O definicji przestępstwa, jej strukturze i elementach

Dieser Aufbau ist nicht nur ein dogmatisches Postulat, er ist vielmehr normativ verankert. Den weiteren, die Voraussetzungen der Strafbarkeit betreffenden Normen im neuen Strafgesetzbuch scheint der Begriff des Verhaltens zugrunde zu liegen. Eine verbotene Tat ist gemäß Art. 115 § 1 StGB

„ein Verhalten, das die im Strafgesetz bestimmten Merkmale aufweist",

und in Art. 12 heißt es, dass als eine verbotene Tat

„zwei oder mehr Verhalten angesehen werden, die in kurzen Zeitabständen nacheinander auftreten und der Verwirklichung eines von vornherein gefassten Vorsatzes dienen".

Der im zitierten Art. 1 § 1 StGB verwendete Tatbegriff scheint bereits eine aufgrund von bestimmten strafrechtlichen Kriterien vorgenommene Qualifizierung des „Verhaltens" zu sein. Nur ausnahmsweise sind noch Stimmen zu hören, die den Begriff der Tat im Verbrechensaufbau in Frage stellen. Solche Meinungen gehen von folgender Feststellung aus: Stellt die Unterlassung keine Tat dar, so darf die Tat nicht der Bestandteil jeder Straftat sein.[2] Dies scheint ein Beispiel für die vorhin erwähnte ontologische Betrachtung der Definition der Straftat zu sein.

Es wird allgemein angenommen, dass eine Voraussetzung der Strafbarkeit die Rechtswidrigkeit des zu bewertenden Verhaltens ist. Diese Rechtswidrigkeit wird entweder als ein Verstoß gegen die „Strafvorschrift", gegen das „strafrechtliche Verbot" oder gegen eine „Vorschrift, die Strafe androht" oder auch als ein Verstoß gegen die gesamte Rechtsordnung verstanden. Dementsprechend bedienen sich manche Autoren des Begriffs der „Strafrechtswidrigkeit" und identifizieren somit die Voraussetzung der Rechtswidrigkeit mit der Tatbestandsmäßigkeit. Andere Autoren führen einen einheitlichen, für das gesamte Rechtssystem geltenden Begriff der Rechtswidrigkeit ein und weisen darauf hin, dass nur einige Tatbestandsmerkmale für die so verstandene Rechtswidrigkeit von Bedeutung sind, während die anderen bereits über die Strafwürdigkeit einer bestimmten Tat entscheiden. Der Streit betrifft insbesondere die subjektiven Merkmale, die für die Anhänger der einheitlich verstandenen Rechtswidrigkeit aus der Sicht der Verbots-/Gebotsnorm bedeutungslos sind.[3]

(Zur Definition der Straftat, ihrem Aufbau und Elementen), Problemy Prawa Karnego, Band 21, Prace Naukowe Uniwersytetu Śląskiego Nr. 1485, Katowice 1995, S. 42.

[2] *Mącior* (Anm. 1), S. 136. In diesem Kontext wurde auch die Richtigkeit der Formulierung des Art. 1 § 1 StGB mit dem Hinweis darauf in Frage gestellt, dass sie ausschließlich die Tat als notwendige Voraussetzung der Strafverantwortlichkeit umfasst. Wenn die Unterlassung keine Tat/Handlung ist, so ist der Wesensgehalt dieser Voraussetzung nicht erfüllt, denn strafbar ist auch die Unterlassung einer gebotenen Tat (und nicht nur die Begehung einer verbotenen Tat), *Wojciech Patryas,* Kilka uwag o nowym kodeksie karnym (Einige Bemerkungen zum neuen StGB), RPEiS LIX, Heft 3 1997, S. 36. Nach Meinung des Autors ist in diesem Zusammenhang die Annahme einer Voraussetzung notwendig, mit der Unterlassungen als Taten qualifiziert werden könnten.

[3] Siehe zur Kritik an einer solchen Auffassung *Zbigniew Jędrzejewski,* Uwagi o pojęciu przestępstwa w projekcie kodeksu karnego (Bemerkungen zum Begriff der Straftat im Entwurf des StGB), Państwo i Prawo 1993, Heft 10, S. 94F.

Zu einer besonderen Sichtweise in den Überlegungen zur Rechtswidrigkeit gelangte man im Zusammenhang mit der Feststellung, die Rechtswidrigkeit sei die Bewertung einer konkreten Tat, und zwar in ihrer sowohl formellen als auch materiellen Dimension. Die formelle Unvereinbarkeit eines konkreten Verhaltens mit dem bestimmten Verbot bzw. Gebot allein entscheidet noch nicht über dessen Rechtswidrigkeit. Eine Straftat stellt nämlich nach Meinung von *A. Zoll*

> „eine Tat dar, welche die durch eine Verbotsnorm geschützten Rechtsgüter von sozialem Wert gefährdet bzw. verletzt, wenn diese Tat bei fehlenden Rechtfertigungsgründen begangen wird, also eine rechtswidrige Tat darstellt".[4]

Kennzeichnend ist, dass die meisten Autoren die normative Grundlage für die Voraussetzung der Rechtswidrigkeit im Inhalt des Art. 1 § 1 sehen, wobei sie diese Voraussetzung von der Voraussetzung der Tatbestandsmäßigkeit unterscheiden.[5] In Wirklichkeit erwähnt diese Vorschrift die Rechtswidrigkeit nicht. Die normative Grundlage für diesen Bestandteil des Verbrechensaufbaus findet sich dagegen in Art. 29 StGB, nach dem keine Straftat begeht,

> „wer eine verbotene Tat in der entschuldbaren irrigen Annahme begeht, dass ein Umstand vorliegt, der die Rechtswidrigkeit (...) ausschließen würde".

Der Gesetzgeber setzt nämlich voraus, dass es so etwas wie die Rechtswidrigkeit gibt, die man allerdings nicht mit der „Strafbarkeit der Tat" identifizieren darf, dem Begriff, dessen sich der Gesetzgeber z.B. in den Vorschriften über die Verjährung bedient.

Der Begriff der Strafbarkeit bleibt übrigens in der Strafrechtslehre nach wie vor umstritten; insbesondere wird die Notwendigkeit seiner Einführung in den Aufbau der Straftat in Frage gestellt, wobei darauf hingewiesen wird, dass es ja auch nichtstrafbare Delikte gibt.[6] Es hat aber den Anschein, dass wir es hier mit rein terminologischen Auseinandersetzungen zu tun haben. Wird nämlich angenommen, dass dieser Terminus die Tatbestandsmäßigkeit bei fehlenden Rechtfertigungsgründen bedeutet,[7] so deckt sich diese Voraussetzung keineswegs mit dem Begriff der Rechtswidrigkeit.

---

4 Vgl. *Andrzej Zoll,* Materialne określenie przestępstwa w projekcie kodeksu karnego (Materielle Bestimmung der Straftat im Entwurf des StGB), in: Stanisław Waltoś (Hrsg.), Problemy kodyfikacji prawa karnego (Probleme der Kodifizierung des Strafrechts), Festschrift für Prof. Marian Cieślak, Kraków 1993, S. 88.

5 Vgl. z.B. *Andrzej Wąsek*, Kodeks karny. Komentarz (Strafgesetzbuch. Kommentar), Band I (Art. 1 bis 31), Gdańsk 2000.

6 *Mącior* (Anm. 1), S. 137. Dieser Autor stellt fest, dass dann, „wenn unter Rechtswidrigkeit der Widerspruch zwischen der sozialschädlichen Tat und der mit Strafe drohenden Rechtsvorschrift verstanden wird, die so verstandene Rechtswidrigkeit auch die Strafbarkeit beinhaltet".

7 Vgl. *Zoll* (Anm. 4), S. 88; *Jerzy Ziętek*, Karygodność i wina jako przesłanki odpowiedzialności w nowym kodeksie karnym (Strafwürdigkeit und Schuld als Voraussetzungen der Verantwortlichkeit im neuen StGB), Prokuratura i Prawo 1998, Nr. 6, S. 15.

Auf der Ebene der Typisierung der verbotenen Tat ordnete die neue Strafkodifizierung die Vorsätzlichkeit und Fahrlässigkeit den Tatbestandsmerkmalen zu. Außerdem normiert sie die Voraussetzungen der Unterlassenstat sowie des fortgesetzten Delikts. Präzisiert wurden in einem gewissen Umfang die gesetzlichen Merkmale der Beteiligung an der Straftatbegehung.

Die Bedingung der schuldhaften verbotenen Tat, in der Strafrechtslehre unumstritten, wenn auch unterschiedlich verstanden, wurde fest im Strafgesetz verankert.

„Keine Straftat begeht der Täter einer verbotenen Tat, dem für die Tatzeit keine Schuld zugerechnet werden kann",

heißt es in Art. 1 § 3 StGB. In Art. 29 erwähnt das StGB auch die „Schuld ausschließenden Umstände". Dabei findet sich in dem neuen Strafgesetz nicht einmal der Versuch, zu bestimmen, was unter Schuld zu verstehen sei. Mit Hilfe der historischen Auslegung – betrachtet man insbesondere die konsequente Abkehr von den im früher geltenden StGB verwendeten Begriffen der vorsätzlichen und der fahrlässigen Schuld – gelangt man zu der Feststellung, dass sich das neue StGB endgültig von der psychologischen Konzeption der Schuld verabschiedet hat. Vorherrschend ist dagegen die Meinung, dass sich die neuen Regelungen des StGB am besten auf dem Boden der reinen Normativlehre erklären lassen, welche die Trennung der subjektiven Seite der verbotenen Tat von der Schuldfrage betont.[8]

Während der Arbeiten am neuen StGB versuchte man, den jeweiligen Grund für den Ausschluss der Strafverantwortlichkeit deutlich zu machen. Es ging insbesondere um eine ausdrückliche Unterscheidung zwischen den Rechtfertigungs- und den Entschuldigungsgründen. Die Idee scheiterte jedoch an der mangelnden Einigung hinsichtlich der Bewertung einzelner Rechtsregelungen. Auf einem anderen Blatt steht, dass bestimmte, den Verbrechensaufbau charakterisierende Begriffe im Text des Strafgesetzes auftreten – wie z.B. „der Irrtum über Rechtfertigungs- bzw. Entschuldigungsgründe". Hieraus ergibt sich sowieso die Notwendigkeit einer Klassifizierung von einzelnen Grundlagen für den Ausschluss der Strafverantwortlichkeit.

Vertieft haben sich dagegen die Unterschiede zwischen dem prozessrechtlichen/formellen und dem materiellrechtlichen Schuldbegriff. Das neue StGB sieht vor, dass es bei Feststellung von Unzurechnungsfähigkeit nicht zum Freispruch des Täters kommt, sondern dass dann lediglich das Verfahren eingestellt wird. Unklarheit herrscht auch hinsichtlich der Klassifizierung der Regelungen über die Nichtbestrafung, und zwar dahingehend, ob die darin enthaltenen Voraussetzungen eine Bedingung für die Strafverantwortlichkeit/Strafbarkeit sind, oder nur für Mangel an

---

[8] *Ziętek* (Anm. 7), S. 16; *Andrzej Zoll*, O reformie prawa karnego (W odpowiedzi W. Mąciorowi) (Von der Reform des Strafrechts [Antwort an W. Mącior]), Państwo i Prawo 1992, Nr. 1, S. 96. Nach Meinung dieses Autors sollte die Einführung der Verschuldungsklausel den Gerichten ausdrücklich suggerieren, dass die subjektive Seite etwas anderes sei als die Schuld, dass trotz Erfüllung der subjektiven Seite die Tat unverschuldet sein kann.

Strafe. Man kann übrigens den Eindruck gewinnen, dass die Schwäche aller vorgeschlagenen Bestimmungen des Verbrechensaufbaus in der Festlegung der Grenze liegt, nach deren Überschreitung die zu bewertende Tat mit Sicherheit eine Straftat darstellt, auch wenn für ihre Begehung keine Strafe zugemessen werden kann.

3. Die materielle Auffassung der Straftat im polnischen Strafrecht

3.1 Die normative Auffassung und die Konsequenzen der materiellen Definition der Straftat

Die normative Grundlage des Elements der Sozialschädlichkeit im Aufbau der Straftat bildet Art. 1 § 2 StGB 1997:

„Keine Straftat ist eine verbotene Tat, deren Sozialschädlichkeit geringfügig ist."

Der Gesetzgeber bediente sich in diesem Fall einer etwas anderen Formulierung, als bei den Rechtfertigungs- bzw. Entschuldigungsgründen, wo es heißt:

„Keine Straftat begeht, wer (...)."

Dies legt eine andere Funktion dieser Vorschrift nahe und lässt darüber hinaus eine Differenzierung von Rechtsfolgen zu. Die Annahme der geringfügigen Sozialschädlichkeit durch das erkennende Organ führt zur Einstellung des Verfahrens (und nicht zum Freispruch des Täters),[9] wobei das Gericht als Sicherungsmaßnahme den Verfall der unmittelbar aus der Straftat erlangten oder solcher Gegenstände anordnen kann, die der Straftatbegehung dienten oder hierfür vorgesehen waren. Besteht die zu bewertende Tat in der Verletzung des Verbots der Erzeugung, des Besitzes, der Veräußerung oder der Beförderung bestimmter Gegenstände, so kann das Gericht ebenfalls deren Verfall anordnen.[10]

Das Gesetz sieht keinerlei formale Einschränkungen bei der Anwendung des Instituts der geringfügigen Sozialschädlichkeit vor, auch wenn allgemein angenom-

---

[9] Das Prozessrecht sieht verschiedene Grundlagen für die Einstellung vor.

[10] Es wird angenommen, dass die Einstellung des Verfahrens wegen geringfügiger Sozialschädlichkeit den Charakter *res iudicata* hat. Das OG vertritt den Standpunkt, dass bei Verfahrenseinstellung wegen des geringfügigen Grads der Sozialschädlichkeit im Fall der Wiederaufnahme des Verfahrens oder der außerordentlichen Kassation dem Täter die Entschädigung des Fiskus für das erlittene Unrecht wegen der Vollstreckung der Strafe zusteht, die nicht gegen ihn hätte verhängt werden sollen, siehe Beschluss des OG vom 23.6.1992 I KZP 18/92 OSNKW 1992, Nr. 9–10, Pos. 62. Auf der anderen Seite ist es auch trotz Einstellung des Verfahrens im Hinblick auf den geringfügigen Grad der Sozialschädlichkeit möglich, dass dem Nebenkläger die Rechtsanwaltskosten ersetzt werden, vgl. *Zbigniew Gostyński,* in: Kodeks postępowania karnego. Komentarz (Strafprozessordnung. Kommentar), Warszawa 1998, Bd. 1 Randziffer 20 zu Art 17.

men wird, dass je höher die untere Grenze der Strafandrohung angesetzt ist, desto seltener solche Straftaten der Fall sein werden.[11]

Von Bedeutung ist die Sozialschädlichkeit der Tat auch als eine Voraussetzung für die bedingte Einstellung des Verfahrens. Gemäß Art. 66 § 1 StGB

> „kann [das Gericht] das Verfahren bedingt einstellen, wenn die Schuld des Täters und die Sozialschädlichkeit der Tat unbedeutend sind (...)".

Und gemäß Art. 53 § 1 StGB über die Richtlinien der gerichtlichen Strafzumessung

> „berücksichtigt [das Gericht] den Grad der Sozialschädlichkeit",

und eine der Voraussetzungen für die Unterbringung des unzurechungsfähigen Täters in einer psychiatrischen Anstalt auf unbestimmte Zeit ist, dass er

> „eine verbotene Tat begangen hat, deren Sozialschädlichkeit bedeutend ist".

Die materielle Bewertung einer konkreten Straftat geschieht also auf verschiedenen Ebenen. Die Aussagen des Gesetzgebers suggerieren, dass sie in allen erwähnten Fällen nach denselben Kriterien formuliert werden soll und dass sie steigerungsfähig ist. Art. 115 § 2 StGB lautet:

> „Bei der Bestimmung des Grads der Sozialschädlichkeit einer Tat berücksichtigt das Gericht die Art und den Charakter des verletzten Gutes, das Ausmaß des angerichteten oder des drohenden Schadens, die Art und Weise und die Umstände der Tatbegehung, das Gewicht und die Bedeutung der vom Täter verletzten Pflichten sowie die Form des Vorsatzes, die Beweggründe des Täters, die Art der verletzten Sorgfaltsregeln und den Grad ihrer Verletzung."

Prozessual kann der geringfügige Grad der Sozialschädlichkeit bereits im Lauf des vorbereitenden Verfahrens festgestellt werden. Der Staatsanwalt beschließt die Ablehnung der Eröffnung des Ermittlungsverfahrens oder die Einstellung des Verfahrens (sowohl in der Sache als auch gegen eine bestimmte Person). Gegen diesen Beschluss des Staatsanwalts steht dem Verletzten (gegebenenfalls auch dem Beschuldigten) die Beschwerde zu. Gibt der vorgesetzte Staatsanwalt der Beschwerde nicht statt, so entscheidet darüber das Gericht. Gegen den Beschluss des Gerichts ist kein Rechtsmittel mehr zulässig. Der geringfügige Grad der Sozialschädlichkeit der Tat kann selbstverständlich auf jeder Stufe des gerichtlichen Verfahrens festgestellt werden.

---

[11] *Ziętek* (Anm. 7), S. 31; *ders.*, Rola stopnia społecznej szkodliwości czynu w nowym kodeksie karnym (Die Rolle des Grads der Sozialschädlichkeit der Tat im neuen StGB), Prokuratura i Prawo 1998, Nr. 9, S. 68 f. Sowohl in der Doktrin als auch in der Rechtsprechung gilt die Anwendung des Instituts der Geringfügigkeit der Sozialschädlichkeit auch auf Verbrechen als zulässig, vgl. das Urteil des OG vom 15.2.1991, WRN 195/90, OSNKW 1991, Heft 7–8, Pos. 43 mit der Anmerkung von *Władysław Sieracki,* WPP 1994, Heft 3–4, S. 122; *Genowefa Rejman,* in: Kodeks karny. Część ogólna. Komentarz (Strafgesetzbuch. Allgemeiner Teil. Kommentar), S. 16.

3.2 Kontroversen um die materielle Auffassung der Straftat in der Rechtsprechung und in der Strafrechtslehre nach 1989

3.2.1 Die Forderung nach Verzicht auf die materielle Auffassung der Straftat im Strafgesetz

Viele Strafrechtslehrer plädierten nach der politischen Wende 1989 für die Entfernung der materiellen Definition der Straftat aus dem Strafgesetz, indem sie argumentierten, dass sie kriminalpolitisch allzu belastet sei, zu „Pathologien" im Bereich des Strafrechts führe, die Garantiefunktionen des Strafrechts abschwäche, ein überflüssiges Element sei und der politischen Steuerung der Justizorgane den Weg ebne.[12]

Das Postulat, aus dem StGB den Begriff der Sozialschädlichkeit zu entfernen, fand nicht genügend Anhänger. Zur Verteidigung dieses Instituts wurden zahlreiche Argumente vorgebracht:

a) Hinsichtlich der These über die totalitäre Verwurzelung der materiellen Definition der Straftat hob man hervor, dass an das materielle Element der Straftat bereits im Kapitel I § 1 der Theresiana oder in Art. 1 des russischen Gesetzes von 1847 angeknüpft wird. Man betonte auch, dass die materielle Auffassung der Straftat in totalitären Systemen

---

[12] Nach Meinung von *Janusz Kochanowski* stellt der Begriff der Sozialschädlichkeit der Tat „nicht nur eine Art Firmenzeichen des marxistischen, klassen- oder konfliktgerichteten Verständnisses des Strafrechts dar [...], er gehört zu den schädlichsten Instituten im bisherigen Strafrecht, das in der Gerichtspraxis die meisten Schäden verursacht hatte, indem es als Dietrich diente, mit dem das Gericht eine grundsätzliche Analyse mit der bloßen Feststellung abbrechen oder vermeiden ließ, dass etwas sozialschädlich oder nicht sozialschädlich ist" (*Kochanowski*, Przeciwko pospiesznej kodyfikacji karnej [Gegen die voreilige Kodifizierung des Strafrechts], Palestra 1990, Nr. 6, S. 15–16). *Marian Filar* sah im Institut der Sozialschädlichkeit der Tat eine „ihrem Wesen nach bolschewistische Idee", die Taten bestrafen ließ, ohne dass sie gesetzlich ausdrücklich bestimmt gewesen wären. Wenn also dieser Begriff im Zuge einer „Sozialisierung" des polnischen Strafrechts aufgetaucht ist, dann sollte er zusammen mit der alten Ordnung in Vergessenheit geraten. Dieser Begriff war keiner guten Sache dienlich und Instrument politischer Manipulation, vgl. *Filar*, Co piszczy w prawie. Półprzestępstwa (Was ist im Recht los. Abgestufte Straftaten), Palestra 1995, Nr. 9–10, S. 53; *ders.*, O niektórych ogólnych zasadach odpowiedzialności karnej w projekcie kodeksu karnego z sierpnia 1990 – polemicznie (Über einige allgemeine Grundsätze der Strafverantwortlichkeit im Entwurf des StGB vom August 1990 – Eine Polemik), Państwo i Prawo 1991, Nr. 4, S. 84. Vgl. auch *Aleksander Tobis*, O niektórych problemach reformy ustawodawstwa karnego (Über einige Probleme der Reform der Strafgesetzgebung), Państwo i Prawo 1989, Nr. 7, S. 114 ff.; *Genowefa Rejman*, Niektóre zagadnienia z dziedziny odpowiedzialności karnej (Einige Probleme aus dem Bereich der Strafverantwortlichkeit), Jurysta 1997, Nr. 8 und 9, S. 4; *Zbigniew Jędrzejewski*, Uwagi o pojęciu przestępstwa w projekcie kodeksu karnego (Bemerkungen zum Straftatbegriff im Entwurf des StGB), Państwo i Prawo 1993, Nr. 10, S. 90 ff.

„das Garantieelement des formalen Widerspruchs eines konkreten Verhaltens mit der Rechtsnorm ersetzen sollte. Wo beide Elemente verbindlich sind, sowohl das formelle als auch das materielle, besteht eine solche Gefahr nicht“.[13]

Auf einem anderen Blatt steht allerdings, dass man sich bei der Lektüre der Kommentare und Lehrbücher des Strafrechts kaum des Eindrucks erwehren kann, dass auf die Frage der materiellen Auffassung der Straftat allzu kompulsiv eingegangen wurde. Den Erwägungen über die gesellschaftliche Gefährlichkeit (heute: Sozialschädlichkeit der Tat) gingen in der Regel umfangreiche historische Ausführungen bis hin zu Aristoteles voran. Diese Suche nach einer Legitimierung der materiellen Definition der Straftat zeugt von einer gewissen axiologischen Unsicherheit. Ein in den historischen Kontext der Auseinandersetzungen um die Sozialschädlichkeit der Tat nicht eingeweihter Leser dieser Kommentare und Lehrbücher kann sich zu Recht fragen: Wieso bedarf es einer solch heftigen Rechtfertigung dieses Instituts im Strafrecht, wenn der materielle Aspekt der Straftat und dessen gesetzlicher Ausdruck so offensichtlich sind?

Es ist wahr, dass insbesondere in der Anfangsphase des totalitären Staates der Begriff der Gesellschaftsgefährlichkeit der Tat zu einer Deformation des Strafrechts führte. Paradoxerweise aber war gerade in dieser Zeit, d.h. in den 1950er Jahren, eine strikt formelle Definition der Straftat nach Art. 1 StGB von 1932 verbindlich, und auf die Gesellschaftsgefährlichkeit der Tat wurde ausschließlich in Prozessregelungen verwiesen.[14] Das Wesen des Problems lag also nicht in den damals geltenden Vorschriften, die sich im Grunde so gut wie kaum von den Lösungen unterschieden, die heutzutage in Österreich bzw. in Deutschland funktionieren. Die Hauptquelle der Deformation war die Anwendungspraxis, woran die Verfasser der damals vorherrschenden Strafrechtsdogmatik einen nicht geringen Anteil hatten.[15]

b) Wenn aber die Auseinandersetzungen um die totalitäre Verwurzelung des Instituts der Gesellschaftsgefährlichkeit der Tat eher eine sozialpsychologische Ana-

---

13 Vgl. *Zoll* (Anm. 4).

14 In Art. 40 StPO in der durch das Dekret vom 21.12.1955 über die Änderung der StPO festgelegten Fassung hieß es: „ist die Gesellschaftsgefährlichkeit geringfügig, so stellt der Staatsanwalt das Verfahren oder die Ermittlungen ein, nach der Anklageerhebung wird das Verfahren durch das Gericht eingestellt“.

15 Dem Versuch, Bewertungen in Bezug auf das Funktionieren bestimmter Rechtsinstitute in einem totalitären Staat in den Kontext des demokratischen Rechtsstaates übertragen zu wollen, haftet ein methodologischer Fehler an, denn die Gegenstände dieser Bewertung sind nicht identisch. Ein und derselbe Begriff des Rechts und der Regelung hat in einem totalitären Staat eine andere Bedeutung als in einem demokratischen Rechtsstaat. Stellt man also die These auf, dass das Institut der Sozialgefährlichkeit zu einer Deformierung des Strafrechts führen kann, so entbehrt es jedweden Sinns, wenn man sich hierbei auf die Beispiele aus der Zeit des totalitären Staates beruft, weil das, was durch dieses Institut deformiert werden sollte, nicht den Charakter des Rechts im rechtsstaatlichen Sinn hatte. Wollen wir diese Frage erörtern, so bewegen wir uns nach wie vor im Kreis des Orwellschen Wahrheitsministeriums.

lyse erfordern, so bleibt der Vorwurf einer Verletzung der Garantiefunktion des Strafrechts nach wie vor aktuell, ungeachtet des Systemkontextes, in dem das Strafrecht zu funktionieren hat. Wenn die gesetzliche Definition der Straftat den Begriff der Sozialschädlichkeit enthält, so bedeutet dies, dass in das Strafrecht eine außerrechtliche, häufig subjektive Bewertung eingeführt wird, deren Kriterien schwer zu bestimmen sind. Um diese Vorwürfe abzuwehren, wird oft darauf hingewiesen, dass neben dem Grundsatz *nullum crimen sine lege* auch der Grundsatz *nullum crimen sine damnum sociali* gilt. Das Legalitätsprinzip wird somit weder verletzt noch ersetzt. Taten, die mit Strafe bedroht sind, müssen sowieso als verbotene Taten beschrieben werden, dem Postulat der hinreichenden Bestimmtheit Folge leistend.[16] Außerdem lässt sich die Anwendung der Strafvorschriften (Subsumtion) nicht von Wertungsprozessen lösen. Die Bewertung der Schuld des Täters ist schließlich auch eine Wertung, die von außerrechtlichen Kriterien abhängig ist.[17]

Tatsache ist dagegen, dass das Institut der Sozialschädlichkeit der Tat – wie jede Generalklausel – eine Gefahr für den Gleichheitssatz darstellen kann. Auch im Hinblick auf den Schutz der Interessen des Verletzten kann sie in Frage gestellt werden. Diese Interessen aber können durch gerichtliche Kontrolle von Entscheidungen über die Einstellung (bzw. Ablehnung der Einleitung) des Verfahrens im Hinblick auf den geringfügigen Grad der Sozialschädlichkeit der Tat hinreichend gesichert werden.

Dass es diese gerichtliche Kontrolle gibt, vermag auch den Vorwurf des politisch motivierten Missbrauchs der Geringfügigkeit der Sozialschädlichkeit erheblich abzuschwächen. Es stimmt, dass dieses Institut in der Vergangenheit oft der Steuerung der Staatsanwälte diente, indem Kategorien von Strafsachen bestimmt wurden, in denen je nach Bedarf die Geringfügigkeit der Gesellschaftsgefährlichkeit der Tat angenommen werden sollte oder auch nicht. Es scheint, dass die Gefahr heute von einer anderen Seite kommt. Es stellt sich nämlich heraus, dass die mit der Bewertung der Sozialschädlichkeit der Tat verbundenen Rechtsinstitute (Einstellung wegen des geringfügigen Grads der Sozialschädlichkeit oder bedingte Einstellung des Verfahrens) zu einer Bagatellisierung von bestimmten Phänomenen des politischen Lebens missbraucht werden. Insbesondere geht es hierbei um Aktivitäten populistischer Gruppierungen (Straßenblockaden, Besetzung gemeinnütziger Gebäude, Verleumdungen und Beleidigungen). In diesbezüglichen Entschei-

---

[16] *Tomasz Kaczmarek*, Materialna treść przestępstwa jako problem kodyfikacyjny (Materieller Inhalt der Straftat als ein Kodifizierungsproblem), in: Andrzej J. Szwarc (Hrsg.), Rozważania o prawie karnym (Erwägungen über das Strafrecht), Festschrift für Prof. Aleksander Ratajczak, Poznań 1999, S. 174; *Barbara Kunicka-Michalska*, Projekt kodeksu karnego w świetle Art. 7 Europejskiej Konwencji o Ochronie Praw i Podstawowych Wolności Człowieka (Der Entwurf des StGB im Lichte des Art. 7 EMRK), in: Tadeusz Bojarski/Edwarda Skrętonicza (Hrsg.), Problemy reformy prawa karnego (Probleme der Strafrechtsreform), Lublin 1993, S. 85–86.

[17] *Kaczmarek* (Anm. 16), S. 175.

dungen der Rechtspflegeorgane ist eine gewisse Ratlosigkeit und Bereitschaft zum Konformismus deutlich spürbar. Und so werden Argumente über die gesellschaftliche Unterstützung für solche Aktionen, über die schädliche Politik der Staats- oder Selbstverwaltungsbehörden in bestimmten Bereichen, über die angebliche Zustimmung der Verwaltungsorgane, die Notwendigkeit einer Erzwingung von bestimmten Maßnahmen seitens der Staatsorgane dargelegt. Der Verweis auf die materielle Auffassung der Straftat in diesem Zusammenhang stellt zweifelsfrei ein äußerst bequemes Alibi für derartige „pathologische" Einfälle der Rechtsprechung dar.

Man kann sich allerdings die Frage stellen, ob angesichts dessen der Übertritt zum Opportunitätsprinzip nicht eine bessere Lösung wäre. Wie es scheint, muss die Antwort darauf, gerade im Hinblick auf die oben erwähnten Gefahren, negativ ausfallen. Sollte die Entscheidung über die Einstellung des Verfahrens auf Erwägungen über die Zweckmäßigkeit der Bestrafung gestützt sein, so könnte man sich nur schwer eine noch bessere Camouflage für den staatsanwaltschaftlichen Konformismus vorstellen. Eine Verifizierung solcher Entscheidungen wäre dann noch schwieriger.[18]

Und wieder scheint der Kern des Problems weniger in der so oder so gestalteten materiellen Definition der Straftat zu liegen, als vielmehr in Systemmechanismen, die die Rechtspflegeorgane vor Konformismus und einer übermäßigen Fügsamkeit gegenüber der Welt der Politik schützen sollten.

c) Als ein Missverständnis ist dagegen der Vorwurf einzustufen, dass es überflüssig sei, sich im Strafrecht der materiellen Definition der Straftat zu bedienen. Ohne Verweis auf die wie auch immer verstandene Strafwürdigkeit bestimmter Verhaltensweisen lässt sich die *ratio legis* (Zweck) deren Kriminalisierung nicht vernünftig erklären. Auch eine sinnvolle Auslegung der Gesetzesbestimmungen ist ohne diese Auffassung nicht denkbar.[19]

Einen charakteristischen Trend in der Analyse des materiellen Wesensgehalts der Straftat in den letzten Jahren stellt der Versuch dar, dem Grundsatz *nullum crimen sine damnum sociali* Verfassungsrang zu verleihen. Vor dem In-Kraft-Treten der Verfassung der Republik Polen von 1997 hob man hervor, dass dieser Grundsatz

---

18 Mit Recht stellt *Andrzej Zoll* fest, dass die materiellrechtliche Lösung die Möglichkeit völlig willkürlicher Entscheidungen einschränkt, sich nicht nach einem sehr allgemein aufgefassten Bestrafungsbedürfnis richtet, sondern relativ konkrete Kriterien für die Feststellung dessen bietet, was der Grad der Sozialschädlichkeit ist. Nach Meinung dieses Autors kommt es z.B. vor, dass die mangelnde Bestrafungsnotwendigkeit nicht aus dem Bagatellcharakter der begangenen Tat resultiert, sondern im Hinblick auf die Person des Täters. Die Prozesslösung liefert keinerlei Kriterien für eine rationelle Wahl zwischen der bedingten Verfahrenseinstellung und der unbedingten Verfahrenseinstellung wegen des geringfügigen Grads der Sozialschädlichkeit, *Zoll*, Materialne określenie przestępstwa (Materielle Bestimmung der Straftat), Prokuratura i Prawo 1997, Nr. 2, S. 14.

19 *Kaczmarek* (Anm. 16), S. 176.

ein Bestandteil des Rechtsstaatsprinzips ist.[20] In der neuen Verfassung fand er allerdings trotz zahlreicher Postulate keinen unmittelbaren Ausdruck.[21] Den Platz für den Grundsatz *nullum sine damo sociali* wollte man somit im Grundsatz der Verhältnismäßigkeit aus Art. 31 Abs. 3 der Verfassung der Republik Polen sehen.[22] Denn nur der sozialethische Unwert der Tat kann die Anwendung von radikalen, die bürgerlichen Freiheiten und Rechte einschränkenden Maßnahmen rechtfertigen, wie sie die Strafsanktionen sind.

Unter Verweis auf die erwähnten verfassungsrechtlichen Regelungen betonte man die Notwendigkeit, das Institut der Geringfügigkeit der Sozialschädlichkeit im StGB zu belassen, indem man feststellte, dass dieses Institut im Prozess der Rechtsanwendung (bei der Bewertung eines konkreten Verhaltens) die Einhaltung der sich aus dem Grundsatz der Verhältnismäßigkeit ergebenden verfassungsrechtlichen Standards gewährleiste. Die Bestrafung von Taten mit einem geringfügigen Grad der Sozialschädlichkeit würde trotz deren Tatbestandsmäßigkeit gegen die erforderliche Notwendigkeit einer Einschränkung von Verfassungsrechten und -freiheiten verstoßen.

Die Verknüpfung des Grundsatzes *nullum crimen sine damno sociali* mit dem Verfassungsgrundsatz der Verhältnismäßigkeit hebt vor allem dessen Garantiecharakter hervor. Die materielle Auffassung der Straftat gewann auf verfassungsrechtlicher Ebene noch eine andere Bedeutung. In den Verfassungsregelungen begann man nämlich nach Geboten zu suchen, die an den Gesetzgeber gerichtet sind und ihn zur Festlegung von entsprechenden Regelungen zum Schutz bestimmter Rechte oder Freiheiten verpflichten. Dieser Strömung ist die Entscheidung des Verfassungsgerichtshofs zuzuordnen, in der die Einschränkung der Strafbarkeit des Schwangerschaftsabbruchs für verfassungswidrig befunden wurde, mit der Begründung, dass der Gesetzgeber auf diese Weise den Rechtsschutz eines Verfassungswerts, wie es das Leben des *nasciturus* ist, über das unentbehrliche, von den Verfassungsregeln verlangte Minimum hinaus verletzt hat. Von ähnlichen Voraussetzungen ausgegangen, nahm der VerfGH die Verfassungsbeschwerde gegen das

---

[20] *Małgorzata Dąbrowska-Kardas,* O dwóch znaczeniach pojęcia społecznego niebezpieczeństwa czynu (Über zwei Begriffe der Sozialgefährlichkeit der Tat), CZPKiNP 1997, Heft 1, S. 25 unter Verweis auf die Entscheidung des VerfGH K 1/92, OTK 1992, Teil II, Pos. 23, S. 3 sowie S 6/91, OTK 1991, Pos. 34, S. 249.

[21] Gemäß Art. 42 Abs. 1 der Verfassung der Republik Polen unterliegt der Strafverantwortlichkeit nur derjenige, der eine zum Zeitpunkt der Begehung unter Strafandrohung verbotene Tat begangen hat. Dieser Grundsatz verhindert nicht die Bestrafung für eine Tat, die im Zeitpunkt ihrer Begehung eine Straftat im Sinne des Völkerrechts darstellte.

[22] Gemäß Art. 31 Abs. 3 der Verfassung der Republik Polen können die Einschränkungen bei der Inanspruchnahme der verfassungsrechtlichen Freiheiten und Rechte nur im Gesetz und nur dann festgelegt werden, wenn sie in einem demokratischen Rechtsstaat für dessen Sicherheit oder für die öffentliche Ordnung oder für den Schutz der Umwelt, der Gesundheit und der öffentlichen Moral oder für die Freiheiten und Rechte anderer erforderlich sind. Diese Einschränkungen dürfen den Wesensgehalt der Freiheiten und Rechte nicht antasten.

Gesetz an, das die Strafbarkeit der Nötigung einschränkt. In diesem Fall aber kam der VerfGH zu der Einsicht, dass die Verfassungsrechte und -freiheiten in diesem Bereich, in dem es zur Aufhebung des Rechtsschutzes gekommen ist, durch andere Regelungen hinreichend geschützt werden.

Beiden Entscheidungen des VerfGH lag die Überzeugung zugrunde, dass man in bestimmten Situationen von den Verfassungsregelungen das Gebot der Pönalisierung von solchen Verhaltensweisen ableiten kann, die bestimmte Verfassungsrechte, insbesondere Grundrechte gefährden können. Der materiellen Auffassung der Straftat kommt dann nicht mehr nur die Garantiefunktion zu. Sie wird vielmehr zur Grundlage für die Formulierung von Postulaten, die sich aus der Schutzfunktion des Strafrechts ergeben, und zwar Postulaten von Verfassungsrang.

Die positive oder negative Bewertung der Einführung des materiellen Straftatbegriffs in das Strafgesetz hängen freilich von der konkreten normativen Gestalt ab, die diesem Institut gegeben wird. Das geltende StGB erlaubt nur die Bewertung einer konkreten Tat vom Standpunkt des Grads der Sozialschädlichkeit aus. Der negative Charakter der Klausel *nullum crimen sine damno sociali magis quam minimo* sowie die gesetzliche Bestimmung objektivierter Kriterien für die Bewertung des Grads der Sozialschädlichkeit bewirken, dass die Vorwürfe einer Verletzung der Garantiefunktion des Strafrechts an Bedeutung verlieren.[23] Und wenn die mögliche Anwendung der bedingten Einstellung des Verfahrens oder der Detention von einem bestimmten Grad der Sozialschädlichkeit abhängig gemacht wird, so hat es den Anschein, dass gesetzlich etwas verbrieft wird, was offensichtlich erscheint und was sonst als ein „Gewicht der strafbaren Handlung" bezeichnet werden müsste. Was die Sozialschädlichkeit der Tat als eine Strafzumessungsrichtlinie angeht, so spielt sie im Hinblick auf die Art, wie sie in Art. 53 § 1 StGB aufgefasst wurde, keine selbständige Rolle. Insbesondere darf sie nicht die Zumessung einer Strafe begründen, deren Übelszufügung den Schuldgrad übersteigen würde.

3.2.2 „Gesellschaftsgefährlichkeit der Tat" oder „Sozialschädlichkeit der Tat"?

Eine der auffälligsten terminologischen Änderungen im neuen StGB war die Einführung des Terminus „Sozialschädlichkeit der Tat" anstelle des bisherigen Ausdrucks „gesellschaftliche Gefährlichkeit der Tat". Erklärt wurde diese Neuerung mit der Notwendigkeit, von der Rechtsprechung Abstand zu nehmen, die die Gesellschaftsgefährlichkeit der Tat von Umständen abhängig machte, die mit der Tat in keinem direkten Zusammenhang standen. Unter anderem ging es um die Lebensführung des Täters vor der Begehung der Straftat, eventuelle Vorstrafen

---

23 *Hans-Heinrich Jescheck,* Część ogólna projektu z 1990 r. polskiego kodeksu karnego w świetle prawnoporównawczym (Der Allgemeine Teil des Entwurfs des polnischen StGB aus rechtsvergleichender Sicht), Państwo i Prawo 1992/2, S. 26.

oder auch die Häufigkeit der Begehung bestimmter Straftaten.[24] Diese Richtung der Rechtsprechung, die sich für eine universelle Konzeption der Gesellschaftsgefährlichkeit der Tat aussprach,[25] war so stark, dass noch im Jahr 1998, d.h. einige Monate vor dem In-Kraft-Treten des neuen StGB, das Oberste Gericht feststellte, dass

> „in besonderen Situationen für die Bestimmung des Grads der Gesellschaftsgefährlichkeit der Tat im Kontext seiner Geringfügigkeit das Alter, der Gesundheitszustand, die Familiensituation und die materielle Lage des Täters, seine Ausbildung und Beruf von Einfluss sein können".[26]

Von viel größerer Bedeutung als die terminologische Änderung selbst[27] war für die Erreichung der oben erwähnten Ziele die Tatsache, dass in das StGB ein Katalog von Umständen eingeführt wurde, die für die Bestimmung des Grads der Sozialschädlichkeit der Tat von Einfluss sein können. Es sind Umstände, die ausschließlich mit der Tat des Täters verbunden sind, wobei sie sowohl subjektiven als auch objektiven Charakter haben, auch wenn sie nicht unbedingt im Tatbestand ausdrücklich bestimmt sein müssen.[28] In der Strafrechtslehre sind – wenn auch recht vorsichtige – Stimmen zu hören, die diesem Katalog das Attribut der Ausschließlichkeit zuschreiben;[29] durch gleiche Unentschiedenheit zeichnet sich auch die offizielle Begründung zum Entwurf des neuen StGB in diesem Punkt aus.[30]

---

[24] *Ziętek* (Anm. 7), S. 10

[25] In der Rechtslehre wurden grundsätzlich drei Konzeptionen hinsichtlich der Bestimmung des Grads der Sozialschädlichkeit vertreten. Im Sinne der universellen Konzeption waren für diese Bestimmung neben den Tatumständen selbst auch das Verhalten des Täters sowohl vor als auch nach der Begehung der verbotenen Tat, seine Persönlichkeit sowie generalpräventive Gründe von Bedeutung. Im Sinne der objektivistischen Konzeption waren für die Sozialschädlichkeit ausschließlich die mit der Tat und dem Erfolg verbundenen Umstände maßgebend. Die in der Rechtslehre vorherrschende gemischte Konzeption geht davon aus, dass der Grad der Sozialschädlichkeit durch die subjektive und die objektive Seite der verbotenen Tat mitbestimmt wird, vgl. *Kazimierz Buchała*, Prawo karne materialne (Materielles Strafrecht), Warszawa 1980, S. 198 ff.

[26] Urteil des OG vom 21.1.1998, V KKN.

[27] Es sei darauf hingewiesen, das der Terminus „Sozialschädlichkeit" auch eine bestimmte Auslegungstradition hatte, die von der Bedeutung abweicht, die ihm die Begründer des neuen StGB geben wollten. Er drückte insbesondere den aus den Umständen objektiver Natur allein resultierenden Unwert der Tat aus, vgl. *Władisław Wollter,* Nieświadomość społecznego niebezpieczeństwa czynu a przestępstwo nieumyślne (Das Unbewusstsein der Gesellschaftsgefährlichkeit der Tat und die fahrlässige Tat), Nowe Prawo 1955, Nr. 1 S. 44; *ders.*, Granica teoretycznej neutralizacji ustawy karnej (Die Grenze einer theoretischen Neutralisierung des Strafgesetzes), Nowe Prawo 1955, Nr. 11, S. 66.

[28] *Ziętek* (Anm. 7), S. 14 ff. Als Beispiel nennt der Autor hier die Begehung der Tat während einer Naturkatastrophe oder die Begehung einer allgemeinen Straftat in Ausübung einer öffentlichen Funktion.

[29] Als einer der wenigen nahm *Gardocki* klar hierzu Stellung (Anm. 1), S. 140; siehe auch *Marian Filar,* Podstawy odpowiedzialności karnej w nowym kodeksie karnym (Grundsätze der Strafverantwortlichkeit im neuen StGB), Palestra 1997, Nr. 11–12, S. 8.

[30] Vielleicht ist diese Unentschiedenheit dafür verantwortlich, dass die Gerichte den erhöhten Grad der Sozialschädlichkeit der Tat nach wie vor mit der Häufigkeit der Begehung von Straftaten einer bestimmten Art begründen.

Ein ebenso wichtiger Grund für den Verzicht auf den Terminus „Gesellschaftsgefährlichkeit der Tat“ war das Wissen um das ihm anhaftende „historische Odium“, und insbesondere um ideologische und politische Interpretationen, die man im totalitären Staat mit diesem Begriff in Verbindung brachte.[31] Und schließlich sollte die Änderung der Bezeichnung für den materiellen Wesensgehalt der Straftat eine Änderung der Kriterien für die Bewertung von solchen Verhaltensweisen signalisieren, die der Gesetzgeber mit einer Strafsanktion erfassen wollte.[32]

Dass der eine oder der andere Name für das materielle Substrat der Straftat benutzt wird, ist letztendlich eine Frage der Vereinbarung, und aufgrund ihrer semantischen Bedeutung dürfen nicht zu weit gehende Schlüsse gezogen werden.[33] Tatsache ist allerdings, dass sich sowohl in der Rechtsprechung als auch in der Lehre eine bezeichnende Verlagerung der Akzente bemerkbar macht. Wird Anfang der 1990er Jahre bei der Bestimmung des materiellen Wesensgehalts der Straftat noch auf die Gefahr für die Machthaber oder für diejenigen Werte hingewiesen, die der Gesetzgeber für schutzwürdig befand,[34] so geht die Tendenz später verstärkt dahin, die Kategorie der Sozialschädlichkeit zu absolutieren. Immer häufiger wird dieser Begriff mit dem Schutz der Verfassungsrechte und -freiheiten in Verbindung gebracht, die über den aktuellen Bedürfnissen des Gesetzgebers stehen. Kennzeichnend ist in dieser Hinsicht die Entscheidung des Obersten Gerichts aus dem Jahre 1994, nach der

> „die Sozialschädlichkeit der Tat nicht vom Standpunkt politischer Interessen der Machthaber bewertet und in diesem Sinne als ‚gefährlich' eingestuft werden darf. Bezieht sich

---

31 Vgl. die Begründung zum Regierungsentwurf des StGB; *Zoll* (Anm. 8), S. 96.

32 *Kaczmarek* (Anm. 16), S. 177.

33 *Jarosław Majewski,* Materialny element przestępstwa w projekcie kodeksu karnego (Das materielle Element der Straftat im Entwurf des StGB), Przegląd Sądowy 1996, Nr. 6, S. 76. Mit Recht bemerkt in diesem Zusammenhang *Gardocki* (Anm. 1), S. 55: „sollte man sich nach der wirklichen Bedeutung dieser Ausdrücke richten, so müsste man sagen, dass manche Straftaten sozialschädlich sind, weil sie ein bestimmtes Gut verletzen, und die anderen dieses Gut nur gefährden, also sozialgefährlich sind“. In seinem Kommentar zum neuen StGB kritisierte z.B. *Adam Strzembosz* die Verwendung des Adjektivs „sozial“ bei der materiellen Bestimmung der Straftat, indem er darauf hinwies, dass man infolgedessen von einer sozialen und einer nichtsozialen Schädlichkeit der Tat sprechen kann, vgl. *Strzembosz*, Klauzule generalne w projekcie kodeksu karnego (redakcja z grudnia 1991) (Generalklauseln im Entwurf des StGB [in der Fassung vom Dezember 1991]), in: Stanisław Waltoś (Hrsg.), Problemy kodyfikacji prawa karnego. Księga ku czci profesora Mariana Cieślaka (Probleme der Kodifizierung des Strafrechts. Festschrift für Prof. Marian Cieślak), Kraków 1993, S. 91.

34 Vgl. *Piotr Kardas/Mateusz Rodzynkiewicz*, Projekt kodeksu karnego w świetle opinii sądów i prokuratur (Der Entwurf des StGB im Lichte der Stellungnahme der Gerichte und Staatsanwaltschaften), WPP 2/95, S. 41. *Majewski* stellt z.B. fest, dass „als Straftat ein Verhalten anzusehen ist, das die anerkannten und rechtlich geschützten Werte angreift und dadurch unmittelbar oder mittelbar die am gegebenen Ort und in der gegebenen Zeit herrschenden und vom Gesetzgeber anerkannten sozial-wirtschaftlichen Beziehungen gefährdet.“, vgl. *Majewski* (Anm. 33), S. 76.

die Gefährlichkeit auf die politischen Interessen einer Gruppe und nicht die der Gesellschaft, so stellt sie keine Sozialschädlichkeit im Sinne des Art. 1 StGB dar".[35]

Wie es scheint, wird mit dieser Absolutierung der Begriff der Sozialschädlichkeit immer stärker ethisch-moralisch gefärbt.[36] Immer häufiger wird die Bezeichnung „Sozialschädlichkeit" durch solche Begriffe abgelöst wie „Tadelnswürdigkeit", „Strafwürdigkeit", „Unwerturteil" der Tat. Es ist daher nicht weiter verwunderlich, dass in dem durch rechte Gruppierungen im Jahr 2001 vorbereiteten und auf dem Gedanken der extrem verstandenen Vergeltung beruhenden Entwurf der Änderungen des Strafrechts die Anpassung der Übelszufügung der Strafe an den Grad der Sozialschädlichkeit zur Hauptrichtlinie für die richterliche Strafzumessung geworden ist und in die allgemeine Definition der Straftat aus Art. 1 § 1 StGB erneut das materielle Element eingeführt wurde.

Der Versuch, den materiellen Wesensgehalt der Straftat von veränderlichen Werten, zu denen sich die jeweilige parlamentarische Mehrheit bekennt, loslösen zu wollen, stellt eine verlockende Versuchung dar und entspricht auch dem Grundsatz, dass das Strafrecht die *ultima ratio* sein und den axiologischen Grundkonsens der Gesellschaft schützen soll. Wenn aber auf der anderen Seite die Sozialschädlichkeit zu den durch die ganze Gesellschaft anerkannten Werten in Beziehung gesetzt wird, so muss gesagt werden, dass dem eine allzu idealisierende Vision dieser Gesellschaft als eines integrierten, einheitlichen Konsenssubjekts zugrunde liegt.[37] Dies beweisen die Auseinandersetzungen um die Strafbarkeit des Schwangerschaftsabbruchs, Verbreitung von Pornografie, Beleidigung religiöser Gefühle oder Sterbehilfe.

Unbeschadet der angenommenen Option einer eher relativen oder einer eher absoluten Auffassung des materiellen Straftatbegriffs muss festgestellt werden, dass Diskussionen über die Angemessenheit des im Strafgesetz verwendeten Ausdrucks vielmehr Diskussionen über den „Inhalt des Strafrechts" sind als über die Bedeutung von konkreten Ausdrücken. Die Aussage des Gesetzgebers zum materiellen Wesensgehalt der Straftat (z.B. durch die Einführung des Prinzips *nullum crimen*

---

[35] Urteil des OG vom 20.1.1994, II KRN 377/93), Wokanda, Nr. 6/1994, S. 10.

[36] Wie *Kunicka-Michalska* mit Recht feststellt, ist diese Tendenz insbesondere in der Rechtsprechung des Obersten Gerichts aus den 1990er Jahren sichtbar, wo hervorgehoben wurde, dass für den materiellen Wesensgehalt der Straftat der Widerspruch zu gesellschaftlichen und moralischen Grundsätzen entscheidend war. Zugleich schloss das OG die Möglichkeit aus, dass solche Taten, die der Verwirklichung der jedermann zustehenden Menschen- und Bürgerrechte dienten, als sozial gefährlich angesehen werden konnten, z.B. das Recht auf Streik (Urteil vom 20.9.1991, II KRN 154/91, OSNKW 1992, Nr. 1–2, Pos. 3), das Recht auf Verbreitung politischer Meinungen (Urteil vom 14.9.1993, II KRN 136/93, OSNKW 1993, Nr. 11–12, Pos. 72, S. 51), das Recht auf individuelle oder kollektive Selbstverteidigung (Urteil vom 27.2.1991, II KRN 69/91, OSNKW 1991, Nr. 4–6, Pos. 21), das Recht auf politische Tätigkeit (Beschluss vom 25.4.1991, WRN 45/91, OSNKW 1991, Nr. 10–12, Pos. 49), die Religionsfreiheit (Urteil vom 10.11.1995, II KRN 137/95, OSNKW 1996, Nr. 1–2, Pos. 13).

[37] Vgl. *Kaczmarek* (Anm. 16), S. 184.

sine damno sociali in das StGB) regt zwangsläufig dogmatische Erwägungen über axiologische Grundlagen des Strafrechts an. Bedenkt man, dass die mit dem Fall des totalitären Systems einhergehenden Änderungen der Rechtskultur und der Werte die Entscheidungsträger im Bereich des Rechts erst allmählich erreichen, so wird die Bedeutung der Wertebezogenheit des Strafrechts deutlich. Erwägungen über den materiellen Wesensgehalt der Straftat modifizieren wesentlich auch die Art und Weise, in der sich die juristische Sprache über das Strafrecht äußert, was rückwirkend auch die Rechtskultur gestaltet.

3.2.3 Der Verzicht auf die Sozialschädlichkeit in den allgemeinen Voraussetzungen der Strafbarkeit in Art. 1 § 1 StGB

Im Gegensatz zu dem früheren Strafgesetzbuch enthält die allgemeine Definition der Straftat in Art. 1 § 1 nicht die Voraussetzung der Sozialschädlichkeit. Beibehalten wurde lediglich das Institut des geringfügigen Grads der Sozialschädlichkeit einer konkreten Tat.

Diesen Standpunkt begründeten die Urheber des StGB damit, dass es der Gesetzgeber sei, der zu entscheiden habe, welche Tat und bis wann die Tat nicht mehr als sozialschädlich anzusehen ist, und dass die Rolle des Gerichts lediglich in der Feststellung des Grads dieser Sozialschädlichkeit besteht. Wenn die Verfassung Strafsanktionen nur für solche Verhaltensweisen zulässt, die die rechtlich geschützten Güter verletzen und somit sozialschädlich sind, so richtet sich das Prinzip *nullum crimen sine damno sociali* an den Gesetzgeber, und es wäre überflüssig, diesen Begriff in das StGB einzuführen.[38] Das Rechtsprechungsorgan ist nicht befugt, die Bewertungen des Gesetzgebers in Frage zu stellen, denn somit würde es in den Zuständigkeitsbereich eingreifen, der dem Parlament vorbehalten ist.[39] Das Gericht kann also nicht prüfen, ob eine (abstrakt aufgefasste) Verhaltenskategorie sozialschädlich ist, sondern lediglich den Grad der Sozialschädlichkeit einer konkreten Tat feststellen.[40] Bei Zweifeln darüber, ob die vom Gesetzgeber als strafbar eingestuften Verhaltensweisen tatsächlich sozialschädlich sind, sollte das Gericht den Verfassungsgerichtshof wegen der eventuellen Unvereinbarkeit von einschlägigen Regelungen des Strafgesetzes mit der Verfassung anrufen.

---

38 Vgl. *Andrzej Zoll*, Ogólne zasady odpowiedzialności karnej w projekcie kodeksu karnego (Allgemeine Grundsätze der Strafverantwortlichkeit im Entwurf des StGB), Państwo i Prawo 1990, Nr. 10, S. 30 ff.; *ders.* (Anm. 8), S. 95 ff.; *ders.* (Anm. 4), S. 85 ff.; *ders.*, Materialne określenie przestępstwa (Materielle Bestimmung der Straftat), Prokuratura i Prawo 1997, Nr. 2, S. 10 ff. sowie *ders.*, in: Kazimierz Buchała/Andrzej Zoll, Kodeks karny. Część ogólna. Komentarz do Art. 1 oraz Art. 115 § 2 StGB (Strafgesetzbuch. Allgemeiner Teil. Kommentar zu Art. 1 und Art. 115 § 2 StGB), Krakau 1998, S. 12 und 623.

39 *Marek* (Anm. 1), S. 7; vgl. auch *Gardocki* (Anm. 1), S. 141; *Kardas*, Anmerkung zum Beschluss des OG vom 9. Januar 1996, Palestra 1997, Nr. 1–2, S. 246 ff.

40 *Ziętek* (Anm. 7), S. 9; vgl. auch *Kardas/Rodzynkiewicz* (Anm. 34), S. 41.

Gegner der oben dargestellten Meinung weisen darauf hin, dass die Richtlinie *nullum crimen sine damno sociali* gleichermaßen an den Richter adressiert sei und somit das Verbot bedeuten könne, den Täter einer verbotenen Tat, die sich im konkreten Fall als überhaupt nicht sozialschädlich erweist, aus der Strafverantwortlichkeit zu entlassen.[41] Bestimmte individualisierende Umstände können nämlich bewirken, dass

> „die Tat entweder keinerlei sozialschädlichen Merkmale aufweist, oder sich gar als eine positive, gesellschaftlich gebilligte Tat erweisen kann".[42]

Es wurde daher angenommen, dass die Feststellung des Mangels an Sozialschädlichkeit zulässig ist, indem das Institut des geringfügigen Grads der Sozialschädlichkeit *a fortiori* angewendet wird.[43]

Vor dem In-Kraft-Treten des neuen StGB vertrat das Oberste Gericht konsequent den Standpunkt, dass es zur Prüfung der mangelnden Sozialschädlichkeit befugt sei.[44] Unter Verweis auf die materielle Definition der Straftat hat das OG Anfang

---

[41] *Kaczmarek* (Anm. 16), S. 179; vgl. auch *Gubiński* (Anm. 1), S. 36.

[42] Ibidem, S. 180; vgl. auch *Przemysław Jakubsk,* Anmerkung zum Urteil des OG vom 25.1.2000, WKN 45/99, OSP 2001, Nr. 7–8, Pos. 119.

[43] *Barbara Kunicka-Michalska*, Z problematyki społecznej szkodliwości czynu (Zur Problematik der Sozialschädlichkeit der Tat), Przegląd Prawa Karnego 1998, Nr. 18, S. 5; *Gardocki* (Anm. 1), S. 139.

[44] Als Beispiel sollen hier zwei Sachverhalte dargestellt werden, in denen das OG den Mangel an Sozialschädlichkeit der Tat angenommen hat:

Fall 1: Dem Täter wurde die versuchte Tätigkeit für einen fremden Nachrichtendienst vorgeworfen. Nach Meinung des Gerichts hat dies keinerlei Schäden verursacht, denn die dem fremden Nachrichtendienst übermittelten Informationen waren wertlos, und andere Informationen konnte er nicht weitergeben, weil er freiwillig auf weitere Tätigkeit verzichtete. Die Vorgehensweise des Täters befand das Gericht für äußerst untauglich, weil sein Verhalten von Anfang an das Misstrauen seiner Gesprächspartner weckte und grundsätzlich kein Interesse an dem Angebot der Zusammenarbeit nach sich zog. Was die subjektiven Elemente anbelangt, hat das Gericht berücksichtigt, dass Grzegorz P. sich in seinem Verhalten nicht danach richtete, den Interessen des polnischen Staates zu schaden oder Vermögensvorteile erlangen zu wollen. Er wollte (recht naiv) an Lucjan P. Rache nehmen. Die Rache/Vergeltung ist nach Meinung des Gerichts offensichtlich pejorativ an sich und sollte in der Regel nicht zu Gunsten dieser Person berücksichtigt werden, die sich von ihr leiten lässt. Allerdings stellte man auch fest, dass dem Angeklagten von Seiten des Lucjan P. ein großes Unrecht widerfahren ist (Lucjan P hat den damals 18-jährigen Angeklagten zuerst verführt, dann sexuell missbraucht, schließlich die Information über ihre intimen Beziehungen im Umfeld des Angeklagten verbreitet und ihn auf diese Weise in Verruf gebracht). Der Angeklagte wollte Lucjan P. kompromittieren, in der irrtümlichen Annahme, dieser sei im polnischen Nachrichtendienst tätig (Urteil des OG vom 15.2.1991, WRN 195/90, OSNKW 1991, Heft 7–9, Pos. 43).

Fall 2: Der Angeklagte kehrte nicht in seine Militäreinheit zurück und blieb ihr eigenmächtig über einen Monat lang fern. Es zeigte sich, dass er zum Zeitpunkt der Straftatbegehung wehrdienstuntauglich war, ohne dass er formal vom Wehrdienst befreit worden wäre. Den Verwaltungsorganen, die den Einberufungsbefehl erließen, wurden grobe Versäumnisse nachgewiesen. Der Angeklagte kehrte freiwillig in seine Einheit zurück. Es sei dabei darauf hingewiesen, dass aufgrund des polnischen StGB diese Wehrdienstuntauglichkeit zur Zeit der Straftatbegehung eine Voraussetzung der außerordentlichen Strafmil-

der 1990er Jahre in mehreren Revisionsverfahren die zur Zeit des totalitären Staates wegen politischer Straftaten verurteilten Personen freigesprochen.[45] Das In-Kraft-Treten des neuen StGB hat die Rechtsprechungslinie des OG kaum verändert. Nur stand das OG vor dem Dilemma, ob bei festgestelltem Mangel an Sozialschädlichkeit der Täter freizusprechen ist, und zwar im Hinblick darauf, dass er gar keine Straftat begangen hat, oder ob das Verfahren einzustellen ist, unter der Annahme, dass in einem solchen Fall *a minori ad maius* das Institut der Geringfügigkeit der Sozialschädlichkeit Anwendung findet.[46] Nach anfänglicher Unschlüssigkeit entschied man sich für die erste Lösung unter Berufung auf die zulässige Analogie und Gründe der Gerechtigkeit.[47] In der Strafrechtslehre sind die Meinungen geteilt.[48]

Will man die Auseinandersetzungen um die Zulässigkeit der Prüfung der mangelnden Sozialschädlichkeit durch das Gericht in ihrem Wesen und somit die Begründetheit des Verzichts auf die Sozialschädlichkeit in allgemeinen Voraussetzungen der Strafbarkeit in Art. 1 richtig verstehen, muss man etwas genauer auf Situationen eingehen, in denen eine atypische Bewertung der Sozialschädlichkeit einer konkreten Tat vorliegt.

Wie bereits erwähnt, sind für die Bestimmung des Grads der Sozialschädlichkeit ausschließlich subjektive und objektive, mit der Tat verbundene Umstände von Bedeutung. Es sind also Umstände, die durch die Tatbestandsmerkmale bestimmt werden sollten. Die Funktion des Tatbestands besteht nämlich in der Beschreibung ausschließlich solcher Verhaltensweisen, die einen bestimmten Unwertsgrad aufweisen, der die Strafsanktion begründet.

Bei seiner Formulierung des Tatbestands ist der Gesetzgeber kaum in der Lage, Merkmale mit Wertungscharakter oder auch solche Merkmale zu vermeiden, die in einem bestimmten Grad (Intensität) verwirklicht werden können (z.B. Ausmaß des

---

derung oder eines Absehens von Strafe ist (Urteil des OG vom 25.1.2000, WKN 45/99, OSNKW 2000, Nr. 5–6, Pos. 47; vgl. auch Beschluss des OG vom 15.5.1995, OSNKW 1995, Nr. 7–8, Pos. 40).

45 *Wąsek* (Anm. 5), Band 1; *Maria Stanowska,* Orzecznictwo Sądu Najwyższego w sprawach rehabilitacyjnych w latach 1988–1991 (Die Rechtsprechung des OG in Rehabilitierungssachen in den Jahren 1988–1991), Archiwum Kryminologii 1993, Band XIX, S. 156 ff.; *Leszek Wilk*, Ocena przestępstw o charakterze politycznym z okresu PRL w świetle aksjologicznych podstaw prawa karnego (Bewertung politischer Straftaten aus der Zeit der Volksrepublik Polen im Lichte der axiologischen Grundsätze des Strafrechts), Przegląd Prawa Karnego 1997, Nr. 16, S. 47 ff. In den Jahren 1988–1991 hat man sich in 52 Fällen unmittelbar auf die materielle Definition der Straftat berufen – Grundlage für den Freispruch war in den meisten Fällen der Mangel an Sozialschädlichkeit der Tat.

46 Dies entspricht auch der früheren Praxis des OG, vgl. das Urteil vom 15.2.1991 WRN 195/90, OSNKW 1991, Heft 7–9, Pos. 43.

47 Urteil des OG vom 25.1.2000 WKN 45/99, OSNKW 2000, Nr. 5–6, Pos. 47.

48 Dafür sprach sich *Wąsek* aus (Anm. 5), S. 30, dagegen *Kunicka-Michalska* (Anm. 43).

zerstörten Vermögens).[49] Es kann nämlich vorkommen, dass ein bestimmtes, formal tatbestandsmäßiges Verhalten in dem Grad seiner Verwirklichung nicht einmal die unterste Grenze der Sozialschädlichkeit (Strafwürdigkeit) erreicht. Es liegt dann ein klassischer Fall der Anwendung des Art. 1 § 2 StGB zwecks Einstellung des Verfahrens vor, der keinerlei Bedenken hervorruft. Die *ratio legis* der Aufhebung der Strafbarkeit in oben beschriebenen Fällen bilden auf der einen Seite verfassungsrechtliche (Subsidiarität des Strafrechts) und auf der anderen Seite kriminalpolitische Gründe (Unzweckmäßigkeit der Bestrafung).[50] Dies wäre also eine materiellrechtliche Methode, mit dem Problem der so genannten Bagatelldelikte umzugehen.

Es scheint allerdings, dass es in mehreren Fällen, in denen die Gerichte den Mangel an Sozialschädlichkeit angenommen haben, nicht um einen atypischen Grad der Verwirklichung der wertenden Tatbestandsmerkmale ging. Man wies eher auf zusätzliche Umstände hin, die die Bewertung der Tat als Ganzes änderten. Es lassen sich hier zwei Fallgruppen unterscheiden:

Kennzeichnend für die Erstere ist die Entscheidung des Obersten Gerichts, in der angenommen wurde, dass eine Tat, die die Tatbestandsmerkmale der Spekulation verwirklicht,[51] in einer Marktwirtschaft nur ausnahmsweise die Merkmale der Sozialschädlichkeit aufzeigen kann.[52] Eine Analyse der Gründe, auf die sich das OG in diesem Fall stützte und die bewertete Tat für sozialunschädlich befand, ergibt, dass durch die Tat nach Meinung des OG tatsächlich kein Rechtsgut verletzt wurde. Der Tatbestand der Spekulation schützte etwas, was in der Marktwirtschaft nicht mehr Gegenstand des Rechtsschutzes war. Die mangelnde Sozialschädlichkeit ergab sich also aus der mangelnden Verletzung oder aus der mangelnden Gefahr für irgendein durch Rechtsnormen zu schützendes Interesse. Entfallen ist also die causa der Strafbarkeit der im Tatbestand der Spekulation beschriebenen Verhaltensweisen.

---

[49] Ein spezifischer Fall, der die Annahme der geringfügigen Sozialschädlichkeit in der Rechtsprechung polnischer Gerichte begründet, ist das Mitverschulden des Verletzten oder besondere Beweggründe, die auf das frühere provokative Verhalten des Verletzten zurückgehen.

[50] *Jerzy Zientek,* Rola stopnia społecznej szkodliwości czynu w nowym kodeksie karnym (Die Rolle der Sozialschädlichkeit der Tat im neuen StGB), Prokuratura i Prawo 1998, Nr. 9, S. 63; *Kazimierz Buchała,* Społeczne niebezpieczeństwo czynu jako dyrektywa sądowego wymiaru kary (Die Sozialgefährlichkeit der Tat als Richtlinie für die gerichtliche Strafzumessung), Krakowskie Studia Prawnicze 1970, S. 153.

[51] In Art. 222 StGB 1969 hieß es: „Wer ohne zum Handel befugt zu sein zum Zwecke des Wiederverkaufs mit Gewinnerzielung Waren in solchen Mengen speichert, die in einem offensichtlichen Missverhältnis zu seinen eigenen Bedürfnissen als Verbraucher stehen, wird mit Freiheitsstrafe bis zu drei Jahren bestraft." Formal galt diese Vorschrift bis zum 31.8.1998.

[52] Beschluss des OG vom 9.1.1996 II KRN 159/95, OSNKW, Heft 3–4, Pos. 20

Gegen diese Entscheidung wurde der Vorwurf einer Aneignung der Legislativbefugnisse durch das OG erhoben. Durch die Annahme des generellen Mangels an Sozialschädlichkeit eines formal die Merkmale des Straftatbestands verwirklichenden Verhaltens habe es praktisch die Geltung der entsprechenden Regelung des StGB „aufgehoben".[53] Hat das OG eine so scharfe Kritik wirklich verdient?

Bei der Beantwortung dieser Frage kann der Verweis auf die Lehre vom materiellen und formellen Aspekt der Rechtswidrigkeit behilflich sein.[54] Eben diese materielle Auffassung der Rechtswidrigkeit gebietet es, bei der Bewertung einer konkreten Tat auch die Wertung zu berücksichtigen, die der formalen Verbots- bzw. Gebotsnorm zugrunde liegt. Resultat dieser Wertungen kann die Annahme sein, dass diese Tat, wenn auch formal normwidrig, so doch nicht rechtswidrig ist. Die materielle Auffassung der Rechtswidrigkeit hat zur Folge, dass zum Tatbestand auch die Gefährdung bzw. Verletzung dieses Rechtsguts gezählt werden kann, zu dessen Schutz die gegebene Norm festgelegt wurde. Verhaltensweisen, die keinerlei Gefahr für das Rechtsgut mit sich bringen oder die Umgangsregeln mit diesem Rechtsgut nicht verletzen würden, würden in Wirklichkeit keine Tatbestandsmerkmale verwirklichen. In einem solchen Fall könnte auch von keinerlei Sozialschädlichkeit die Rede sein.

Der Lehre von der materiellen Rechtswidrigkeit liegt ohne Zweifel die Voraussetzung über die Möglichkeit der Feststellung der mangelnden Sozialschädlichkeit zugrunde. Bei der Prüfung der Tatbestandsmäßigkeit des Verhaltens ist das Gericht somit befugt festzustellen, ein konkretes Verhalten würde das der gegebenen Rechtsnorm zugrunde liegende Rechtsgut weder verletzen noch gefährden, und somit die Tatbestandsmerkmale nicht verwirklichen. Der Mangel an Sozialschädlichkeit einer solchen Tat ist eine sekundäre Sache und sollte nicht als Grundlage für den Freispruch betrachtet werden.[55]

Hinsichtlich der besprochenen Entscheidung des OG kann diesem vorgeworfen werden, dass es eine Abkürzung genommen hat, ohne ausdrücklich auf die mangelnde Verwirklichung der Tatbestandsmerkmale der Spekulation hingewiesen zu

---

[53] *Piotr Kardas,* Anm. zum Beschluss des OG vom 9.1.1996, Palestra 1997, Nr. 1–2, S. 247.

[54] Diese Lehre wurde auch in der polnischen Strafrechtslehre weiterentwickelt.

[55] Und so hat das Gericht in Katowice, das den Besitz von Sprengstoffen mit geringer und begrenzter Sprengkraft ohne die erforderliche Genehmigung zu prüfen hatte, zu Recht angenommen, dass ein solches Verhalten nicht die Merkmale des Straftatbestands „des Besitzes von Sprengstoff ohne die erforderliche Genehmigung" erfüllt (Art. 143 StGB 1969), weil dessen Schutzgegenstand die allgemeine Sicherheit ist, und der Sprengstoff im Besitz des Täters das so bezeichnete Rechtsgut nicht zu gefährden vermochte (Urteil vom 23.10.1997 II Aka 215/97, KSZ 1998, Nr. 4–5, Pos. 78).

haben.[56] Offensichtlich ist dann aber auch die Folge in Gestalt des Freispruchs des Täters und nicht der Einstellung des Verfahrens.

Die enge Verknüpfung zwischen dem materiellen Wesensgehalt der Straftat und der Lehre von der materiellen Rechtswidrigkeit ist deutlich sichtbar gerade im Zusammenhang mit dem „Problem der Reliktvorschriften", einem Überbleibsel des alten Systems, oder den überholten wirtschaftlich-sozialen Verhältnissen. Die Erwägungen über die Sozialschädlichkeit der Tat oder einer bestimmten Verhaltenskategorie können zur Feststellung des Mangels an axiologischen Grundlagen für den weiteren Schutz des gegebenen Rechtsguts führen. Und dies ist eine der Voraussetzungen der Konzeption *desuetudo*, die auf dem Boden der polnischen Normativlehre als eine anerkannte Art und Weise des Außerkrafttretens einer Rechtsnorm angesehen wird. Daraus ergibt sich eine weitere Schlussfolgerung – der vermeintliche Mangel an Sozialschädlichkeit der Tat kann bedeuten, dass der Tatbestand, dessen Merkmale diese Tat verwirklicht, im Hinblick auf *desuetudo* nicht mehr gültig ist, außer Kraft getreten ist. Die Folge sollte auch dann der Freispruch des Täters sein, nur dass dieser Freispruch auf die Aufhebung einschlägiger Rechtsregelungen zurückgehen sollte.

Die zweite Gruppe bilden Fälle, in denen sich die mangelnde Sozialschädlichkeit aus der Annahme von zusätzlichen, positiv zu bewertenden Umständen ergibt, seien sie subjektiver (besonderer Beweggrund für das Täterverhalten) oder objektiver Natur (Nichteintreten eines bestimmten Erfolgs, Erreichung eines sozial wertvollen Resultats).[57]

Die subjektiven Umstände allein könnten nur schwerlich den Mangel an Sozialschädlichkeit begründen, zumal die objektive Voraussetzung der Verletzung oder Gefährdung des Rechtsguts gegeben sein muss. Bei näherer Analyse erweist sich, dass es in den meisten Fällen um eine anomale Motivationslage des Täters oder um das Handeln im entschuldbaren/begründeten Irrtum ging. Der Täter sollte dann nicht wegen der mangelnden Sozialschädlichkeit, sondern aufgrund der normativ verstandenen Schuldklausel freigesprochen werden.

---

[56] Vgl. *Kardas,* Anmerkung zum Beschluss des OG vom 9.1.1996, Palestra 1997, Nr. 1–2, S. 254 ff. Mit Recht weist auch *Wąsek* darauf hin, dass „die Frage des Mangels an Sozialschädlichkeit erst nach der Feststellung zu überprüfen ist, dass die Tat des Täters sämtliche Tatbestandsmerkmale erfüllt. Sollte sich allerdings erweisen, dass die konkrete Tat keine Gefahr für ein rechtlich geschütztes Gut darstellt, so ist dann anzunehmen, dass sie keine Tatbestandsmerkmale enthält", siehe *Wąsek* (Anm. 45), Anm. 45 zu Art. 1.

[57] So ist z.B. der Fall des der Vormundschaft beraubten Vaters zu qualifizieren, der ohne Einwilligung der Mutter das Kind zum Arzt bringt und dabei die Tatbestandsmerkmale des Art. 211 StGB verwirklicht. Nach Auffassung von *Kaczmarek* (Anm. 16), S. 180, ist die oben dargestellte Situation ein Beispiel für die mangelnde Sozialschädlichkeit der Tat. Ähnlich wäre auch das von *Gubiński* (Anm. 1), S. 37 dargestellte Beispiel für den Mangel an Sozialschädlichkeit der Tat zu bewerten: statt Bauabfälle auf die Mülldeponie zu bringen, verkaufen sie die Arbeiter an die Bevölkerung, obwohl diese Abfälle nach wie vor Eigentum des Bauunternehmers sind.

Anders ist es um die bereits erwähnten objektiven Umstände bestellt, da sie in der Tat die Gestalt von außergesetzlichen Rechtfertigungsgründen annehmen.[58]

Sie entspringen dem Gedanken der Güterkollision. Diese Kollision kann von aktuellem (zum Schutz eines Rechtsguts muss ein anderes Rechtsgut geopfert werden) oder von instrumentalem (zur künftigen Erreichung eines Rechtsguts ist das Opfern eines anderen Rechtsguts notwendig) Charakter sein. Die herkömmlichen Konträrtypen sind für die Lösung instrumentaler Kollisionen ohne Zweifel wenig geeignet. Und im Hinblick auf das Prinzip der Subsidiarität legen sie auch einen sehr engen Umfang von zulässigen Handlungen fest.

Ist im Zusammenhang damit eine Lockerung des gesetzlichen Korsetts des bereits bestehenden Konträrtypus (Rechtfertigungsgrundes)[59] durch die ad hoc zu bildenden außergesetzlichen Konträrtypen für die Bewertung eines konkreten Verhaltens zulässig? Das Institut des Konträrtypus muss der Bedingung der Bestimmtheit und der Stabilität Rechnung tragen, auch dann, wenn es außergesetzlicher Natur ist. In den Lösungen dagegen, die sich auf den Mangel an Sozialschädlichkeit beriefen, griff man unmittelbar nach dem Prinzip jedes Konträrtypus, und zwar, dass im Fall einer Güterkollision die Wahl dieses Handelns begründet ist, das sich per saldo als sozial nützlicher erweist. Es sei aber daran gedacht, dass dieser Mangel an Sozialschädlichkeit eines im Rahmen des so verstandenen Konträrtypus bleibenden Handelns den Charakter einer Abwägung hat. Dies macht eine Verletzung (bzw. Gefährdung) eines konkreten Rechtsguts nicht ungeschehen.

Man muss also zu der vorhin gestellten Frage zurückkommen: Ist das Gericht zu einer solchen abwägenden Bewertung einer tatbestandsmäßigen Tat über die Grenzen des Strafgesetzes hinaus befugt?

Es hat nicht den Anschein, als könnte die Lehre von der materiellen Rechtswidrigkeit eine solche Befugnis des Gerichts in diesem Fall begründen. Wenn es zu einer Kollision der rechtlich geschützten Interessen (auch Kollisionen instrumentalen Charakters) kommt, kann nicht von mangelnder Verwirklichung der Tatbestandsmerkmale gesprochen werden. Wird dann eines der kollidierenden Güter gewählt, so bringt die Verletzung der das geopferte Gut schützenden Norm die ma-

---

[58] Auf die Zusammenhänge zwischen der materiellen Auffassung der Straftat und der Möglichkeit, im Strafrecht außergesetzliche Konträrtypen zu kreieren, wurde bereits in der Fachliteratur verwiesen, vgl. *Gubiński* (Anm. 1), S. 37; *Giezek* (Anm. 1), S. 18 ff. In der bereits zitierten Entscheidung des OG (Urteil des OG vom 25.1.2000 WKN 45/99, OSNKW 2000, Nr. 5–6, Pos. 47) wurde hervorgehoben, dass „Art. 1 § 2 StGB (Geringfügigkeit der Sozialschädlichkeit – Anm. des Verfassers) eine Grundlage für die Formulierung von außergesetzlichen Konträrtypen bietet, und die Verwendung des von Art. 1 § 2 abgeleiteten außergesetzlichen Konträrtypus dem lex scripta nicht im Wege steht".

[59] Rechtfertigungsgründe werden in der polnischen Strafrechtslehre als Konträrtypen (kontratypy) bezeichnet. Dadurch wird zum Ausdruck gebracht, dass die Rechtfertigungsgründe typisierte Umstände beschreiben, deren Vorliegen zum Ausschluss der Rechtswidrigkeit der tatbestandsmäßigen Handlung führt.

terielle Rechtswidrigkeit mit sich. Diese Frage wurde übrigens vom Gesetzgeber entschieden. Die Fälle einer Kollision rechtlich geschützter Güter nahmen nämlich die Gestalt von Rechtfertigungsgründen an, und ihre Anwendung ist durch die frühere Verwirklichung der Tatbestandsmerkmale bedingt.[60] Und gerade weil die im Rahmen des Konträrtypus vorgenommenen Verhalten die rechtlich geschützten Güter verletzen oder gefährden, ist jeder Konträrtypus mit dem wie auch immer formulierten Grundsatz der Subsidiarität versehen. Bezweckt wurde nämlich eine optimale Schadensbegrenzung.

Die Lehre von der materiellen Rechtswidrigkeit bietet also keinerlei Grundlagen für die Annahme der mangelnden Sozialschädlichkeit der unter den Umständen einer Kollision rechtlich geschützter Interessen vorgenommenen Taten. Solche Kollisionen vermag nur der Gesetzgeber zu lösen. Das Gericht dagegen hat sich, sollte es zu der Annahme gelangen, dass die Grenzen der gesetzlich vorgesehenen Konträrtypen zu eng gefasst sind, an den Verfassungsgerichtshof mit dem Antrag der Prüfung der Verfassungsmäßigkeit dieser Normen zu wenden, die zu einer nicht rationalen Entscheidung kollidierender Rechtsinteressen und insbesondere zur Strafbarkeit solcher Verhaltensweisen führen, die als sozial nützlich und begrüßenswert angesehen werden sollten.

3.2.4 Die Veränderlichkeit der Bewertung der Sozialschädlichkeit der Tat

Das Problem, mit dem sich das Oberste Gericht gleich nach dem Systemwandel konfrontiert sah, bestand darin, dass kein besonderes Rehabilitierungsgesetz vorhanden war, aufgrund dessen die Verurteilungen wegen politischer Straftaten verifiziert werden konnten, und dass nach wie vor die alten Strafgesetze galten. Das außerordentliche Rechtsmittel zur Aufhebung rechtskräftiger Urteile (damals die außerordentliche Revision) kam jedoch nur im Fall der Rechtsverletzung durch das erkennende Gericht in Betracht. Das OG bediente sich zu diesem Zweck der materiellen Definition der Straftat, wobei es eine Reinterpretation des Begriffs der gesellschaftlichen Gefährlichkeit vornahm. Insbesondere nahm das OG an, dass die gesellschaftliche Gefährlichkeit der Tat im Hinblick auf die durch die Gesellschaft anerkannten Werte und nicht etwa im Licht des vom damaligen Gesetzgeber geschützten Interesses zu bewerten ist.[61] Dies wich wesentlich von dem Inhalt ab, der

---

60 Geht man davon aus, dass das Gericht den Mangel an Sozialschädlichkeit der Tat auch bei Überschreitung der Grenzen des Konträrtypus feststellen kann, so wird deutlich, dass man das Institut der Sozialschädlichkeit im Strafgesetz braucht, zumal der Gesetzgeber für diese Fälle ansonsten lediglich die außerordentliche Strafmilderung oder das Absehen von Strafe vorgesehen hat.

61 Vgl. z.B. das Urteil des OG vom 14.9.1993 II KRN 136/93, OSNKW 1993, Nr. 11–12, Pos. 72, S. 48; Urteil des OG vom 20.3.1996 II KRN 4/96, OSNKW 1996, Heft 11, Pos. 6; Urteil des OG vom 20.1.1994 II KRN 377/93, Wokanda 1994, Nr. 6, S. 10; Urteil des OG vom 27.2.1991 II KRN 69/91, OSNKW 1991, Heft 4–6, Pos. 21; Urteil des OG

dem Begriff der gesellschaftlichen Gefährlichkeit der Tat zur Zeit des Totalitarismus zugeschrieben wurde. Mit einer solchen Reinterpretation gelangte das OG zu dem Schluss, dass die zu bewertenden Verhaltensweisen weder zur Tatzeit noch heute als sozialschädlich anzusehen seien, was zum Freispruch der jeweiligen Täter führte.

Zu der oben dargestellten Situation ließe sich anmerken, dass sie Merkmale eines besonderen Notstands aufweist. Vor allem aber wirft sie – in radikaler Weise – die Frage der Veränderlichkeit der Kriterien für die Bewertung der Sozialschädlichkeit einer Tat auf. Mit Hilfe der zuvor bemühten Lehre von der materiellen Rechtswidrigkeit lässt sich feststellen, dass ein Verhalten, das früher eine Gefahr für bestimmte Rechtsgüter darstellte, im Hinblick auf den Verzicht auf den rechtlichen Schutz dieser Interessen als strafrechtlich irrelevant angesehen werden kann. Kann diese Bewertung jedoch rückwirkend angewandt werden? Lassen sich auf dieser Grundlage die in der Vergangenheit rechtskräftig ergangenen Urteile verifizieren bzw. aufheben? Die Antwort auf diese Fragen, auf die Intertemporalität des Strafrechts bezogen, würde den Rahmen dieses Beitrags sprengen. Es bleibt nur festzustellen, dass der materielle Aspekt der Straftat, insbesondere wenn er seinen gesetzlichen Ausdruck hat, ein äußerst wirksames Instrument bei der Abrechnung mit der Vergangenheit sein kann. Und er bewirkt darüber hinaus, dass man sich über die Veränderungen in der Welt der Bewertungen, auf die sich das Strafrecht beruft, nicht hinwegsetzen darf.

3.2.5 Die Feststellung des geringfügigen Grads der Sozialschädlichkeit einer Tat

In den 1990er Jahren wurde in der Lehre über die Art diskutiert, in der die Geringfügigkeit der Sozialschädlichkeit festgestellt werden sollte, und insbesondere über den Einfluss, den die objektiven und die subjektiven Umstände auf diese Bewertung haben können.[62] Mit dem In-Kraft-Treten des neuen StGB wurde dagegen über den Gegenstand einer anderen Auseinandersetzung entschieden – und zwar über das Verhältnis des Schuldbegriffs zur Sozialschädlichkeit. Es hat sich der Standpunkt durchgesetzt, nach dem die Schuld als ein gesondertes Element des

---

vom 25.4.1991 WRN 45/91, OSNKW 1991, Heft 10, Pos. 49; Urteil des OG vom 12.5.1992 II KRN 39/92, OSNKW 1992, Heft 9–10, Pos. 61.

[62] Die einen waren der Meinung, dass diese Geringfügigkeit sowohl auf der objektiven als auch auf der subjektiven Seite vorliegen müsse (vgl. Urteil des OG vom 21.1.1998 V KKN Prok. Prawo 1998, Nr. 6, Pos. 1; *Giezek* [Anm. 1], S. 20), die anderen wiesen darauf hin, dass die Geringfügigkeit der Sozialschädlichkeit das Resultat der objektiven und subjektiven Umstände ist, vgl. *Władysław Sieracki,* Anmerkung zum Urteil des OG vom 15.2.1991, WRN 195/90, WPP 1994 Nr. 3–4, S. 122; *Gubiński* (Anm. 1), S. 37; *Gardocki* (Anm. 1), S. 140; *Pawel Jakubski,* Anmerkung zum Urteil des OG vom 25.1.2000, WKN 45/99, OSP 2001, Nr. 7–8, Pos. 119.

Verbrechensaufbaus den Grad der Sozialschädlichkeit weder bedingt noch ihn beeinflusst.[63] Dies kam in Art. 66 StGB zum Ausdruck:

> „Das Gericht kann das Verfahren bedingt einstellen, wenn die Schuld des Täters und die Sozialschädlichkeit der Tat unbedeutend sind (...)."

Und Art. 53 legt fest:

> „Das Gericht bemisst die Strafe (...); hierbei achtet es darauf, dass die Übelszufügung durch die Strafe das Ausmaß der Schuld nicht übersteigt, es berücksichtigt den Grad der Sozialschädlichkeit der Tat (...)."

Diese Loslösung des materiellen Wesensgehalts vom Schuldbegriff mag wie ein künstlicher Schritt erscheinen. Dem wird nicht mehr so sein, wenn die normativ verstandene Schuld (in konkret-individueller Bedeutung) als ein Quantum des objektiven Unwerts der Tat verstanden wird – sowohl durch objektive als auch durch subjektive Umstände gestaltet –, das dem Täter vorgeworfen, ihm zugeschrieben werden kann, für das er letztendlich verantwortlich ist.[64] Eben dieser Teil der Sozialschädlichkeit der Tat, für den der Täter verantwortlich gemacht wird, wirkt auf die Strafzumessung im Rahmen des gesetzlichen Strafrahmens für den bestimmten Tatbestand zurück und legt somit die Grenze der Übelszufügung fest, die das Gericht bei der Strafzumessung im Hinblick auf die limitierende Funktion der Schuld nicht überschreiten darf.

Eine solche Betrachtung der Relation Verschulden-Schuld-Sozialschädlichkeit muss zur Annahme der Geringfügigkeit der Schuld im obigen Sinne führen. In einer umgekehrten Situation wird dies dagegen nicht der Fall sein: Selbst eine stark eingeschränkte Fähigkeit, die Bedeutung der Tat zu erkennen oder sein Verhalten zu steuern, wird nicht bewirken, dass sich die vom Täter unter solchen Umständen begangene Tat durch den geringfügigen Grad der Sozialschädlichkeit wird auszeichnen können.

Dieses Verhältnis zwischen der Sozialschädlichkeit und der Schuld erklärt auch, warum die Einstellung des Verfahrens im Hinblick auf den geringfügigen Grad der Sozialschädlichkeit der Tat nicht mit der Feststellung der Täterschuld identisch ist,

---

[63] Charakteristisch ist in dieser Hinsicht die Aussage von *Zoll*: Wenn die Schuld normativ verstanden wird (...), so ist die Zurechnung der Schuld zu diesen Elementen, die auf den Grad der Sozialschädlichkeit Einfluss haben, ein Missverständnis. Die Schuld als Vorwurf der Begehung einer verbotenen Tat in der Situation, in der sich der Täter rechtskonform verhalten konnte, kann sich nur auf eine strafwürdige Tat beziehen, eine Tat also, die nicht nur die bestimmten Straftatbestandsmerkmale verwirklicht, sondern auch einen sozialen Unwert aufweist. Es ist nicht der Grad der Schuld, der auf die Bestimmung des Grads der Sozialschädlichkeit Einfluss hat, sondern es ist der Grad dieser Sozialschädlichkeit (Grad der Strafwürdigkeit), der den Grad der Schuld beeinflusst. Je größer die Strafwürdigkeit der Tat, desto strenger kann der Vorwurf formuliert werden, sich der Rechtsnorm nicht untergeordnet und ein rechtlich geschütztes Gut angegriffen zu haben, siehe *Zoll* (Anm. 8), S. 96; vgl. auch *Ziętek* (Anm. 7), S. 22; *Majewski* (Anm. 33), S. 78.

[64] *Majewski* (Anm. 33), Anmerkung 17 auf Seite 79.

obwohl auf der anderen Seite die Begehung einer tatbestandsmäßiger Tat vorausgesetzt wird, und deshalb die Rechtskraftwirkung.[65]

Wollen wir den möglichen Anwendungsbereich des Instituts des geringfügigen Grads der Sozialschädlichkeit bewerten, so dürfen wir dabei auch nicht vergessen, dass es nur bestimmte Situationen betrifft, in denen aus unterschiedlichen Gründen die Strafbedürftigkeit[66] entfällt. Insbesondere darf man sich dann nicht auf dieses Institut berufen, wenn die Unzweckmäßigkeit der Bestrafung sich aus spezial- bzw. generalpräventiven Gründen ergibt. Vor diesem Hintergrund findet die Prozesslösung (über das Opportunitätsprinzip) eine viel breitere Anwendung, als es beim Institut des geringfügigen Grads der Sozialschädlichkeit der Fall ist. Präventiven Gründen dagegen kann das Institut der bedingten Einstellung des Verfahrens entsprechend Rechnung tragen. Einen besonderen Raum für kriminalpolitische Erwägungen schafft auch die in der StPO vorgesehene Möglichkeit der Verfahrenseinstellung, wenn

> „die Verurteilung des Angeklagten zu einer weiteren Strafe im Hinblick auf die Art und Höhe der Strafe, die gegen ihn wegen einer anderen Straftat bereits rechtskräftig verhängt wurde, offensichtlich unzweckmäßig wäre und das Interesse des Verletzten der Einstellung nicht entgegensteht“.[67]

4. Schlussbemerkungen

1. Festgehalten werden kann, dass die Lehre hinsichtlich des möglichen Aufbaus der Straftat immer aufgeschlossener wird. Unter der Offenheit verstehe ich die Einführung von Bewertungen und außergesetzlichen Umständen in diesen Aufbau, die in concreto die Prüfung des materiellen Substrats der gegebenen Voraussetzung der Strafbarkeit ermöglichen. Wenn die Voraussetzung der Rechtswidrigkeit der Tat formuliert wird, lässt die Lehre von der materiellen Rechtswidrigkeit (Unrecht) prüfen, ob es tatsächlich zu einer Verletzung oder Gefährdung des durch die betreffende Rechtsnorm geschützten Rechtsguts gekommen ist. Wenn im Verbrechensaufbau die Bedingung der Tatbestandsmäßigkeit eines Verhaltens aufkommt, so wird der tatsächliche Grad der Sozialschädlichkeit (Strafwürdigkeit) einer konkreten Tat verifiziert. Ist von Schuld (oder Verschulden) die Rede, so versteht sich von selbst, dass es bei einem normativen Verständnis keine abschließende Auflistung konkreter Situationen geben kann, in denen der Vorwurf entfallen kann. Völlig begründet ist daher die Feststellung, dass der Terminus „materielles Substrat der Straftat“ oder die „materielle Definition der Straftat“ all diese „Klauseln der An-

---

65 Vgl. Urteil des OG vom 8.1.1985 Rw 724/84, OSNKW 1986, Nr. 1–2, Pos. 12.

66 *Andrzej Zoll,* Materialne określenie przestępstwa (Die materielle Bestimmung der Straftat), Prokuratura i Prawo 1997, Nr. 2, S. 13.

67 Art. 11 § 1 StPO.

gemessenheit“ umfassen sollen, von denen auf der Ebene der Rechtswidrigkeit, der Strafbarkeit und der Schuld die Rede ist.

2. Das Erscheinen des materiellen Aspekts auf nahezu allen Ebenen des Verbrechensaufbaus führt zu dem Schluss, dass wir es im Strafrecht mit einem System von Vermutungen zu tun haben, die auf der Verwirklichung der Tatbestandsmerkmale durch ein konkretes Verhalten beruhen. In der Tat ist nur dieser Umstand nachweisbar, auf alle anderen Voraussetzungen wie Rechtswidrigkeit, Schuld oder Strafwürdigkeit schließen (vermuten) wir aus der Tatsache der Verwirklichung von Tatbestandsmerkmalen.[68] Weder die Klausel der Sozialschädlichkeit noch die der Schuld bedürfen des Nachweises für deren Erfüllung,[69] und die aufgezeigte Nichtadäquatheit der vom Gesetzgeber zum Ausdruck gebrachten Bewertungen fällt dem Angeklagten zur Last.

3. Die Tendenz zu einer Verifizierung der in generellen Rechtsnormen ausgedrückten Bewertungen findet auch in der Gesetzgebung und Rechtsprechung ihren Niederschlag. Die Einführung des negativ aufgefassten, den Kreis der Entschuldigungsgründe eröffnenden Schuldgrundsatzes in das StGB, die Akzeptanz der Konzeption *desuetudo*, die Tatsache, dass sich die Gerichte immer wieder auf die Geringfügigkeit oder den Mangel an Sozialschädlichkeit einer konkreten Tat berufen, oder auch die Feststellung der mangelnden Gefahr für das Rechtsgut zeugen zweifelsfrei von einer Abschwächung der Regel *lex scripta*.[70] Diese Änderungen gehen, insbesondere in Polen, ohne Zweifel auf die politische Transformation zurück. Im Hinblick auf das Tempo dieser Änderungen mussten die Gerichte notgedrungen an Stelle des Gesetzgebers die Aktualisierung des alten Rechts vornehmen.

Es hat aber den Anschein, dass die zunehmende Bedeutung des materiellen Elements in der Auffassung der Straftat in einem weiteren Kontext gesehen werden muss. Es ergibt sich aus der wachsenden „Konstitutionalisierung“ des Strafrechts wie auch aus dem Einfluss des Völkerrechts. Es ist hier weder Platz noch Zeit für

---

68 *Majewski* (Anm. 33), S. 81; *Gardocki* (Anm. 1), S. 54. Eine Ausnahme bildet die Situation, in der ein Element des Tatbestands bereits die Rechtswidrigkeitsklausel darstellt. Dann wird die Voraussetzung der Rechtswidrigkeit des Verhaltens tatsächlich unabhängig von der tatsächlichen Verwirklichung der Tatbestandsmerkmale festzustellen sein.

69 Im Unrecht sind also diejenigen Autoren, die der Meinung sind, dass nach Einführung der Verschuldungsklausel in Art. 1 dem Prozessorgan die Pflicht auferlegt wurde, „in jedem Fall prüfen zu müssen, ob sich der Täter hätte rechtmäßig verhalten können“, vgl. *Ziętek* (Anm. 7), S. 22. Auch *Kardas* und *Rodzynkiewicz* scheinen der Überzeugung zu sein, dass dank der eingeführten Lösung die Schuld zu einem „eigenständig im Prozess festgestellten Element des Verbrechensaufbaus“ werden sollte, siehe *Kardas/Rodzynkiewicz* (Anm. 34), S. 42; vgl. auch *Władysław Mącior*, O usiłowaniu reformowania prawa karnego (Über die Bemühungen um die Reform des Strafrechts), Państwo i Prawo 1992, Nr. 10, S. 89.

70 *Tadeusz Bojarski,* Społeczna szkodliwość czynu i wina w projekcie kodeksu karnego (Sozialschädlichkeit und Schuld im Entwurf des StGB), in: Stanisław Waltoś (Hrsg.), Festschrift für Prof. Marian Cieślak (Anm. 33), S. 78.

eingehendere Analysen dieser Frage, dennoch muss festgestellt werden, dass die Tätigkeit der Verfassungsgerichte und internationalen Gerichtshöfe zu einer Stärkung der Position der Rechtsprechungsorgane gegenüber dem Gesetzgeber und in gewissem Sinne auch zu einer Senkung des Prestiges des Gesetzes, auch des Strafgesetzes, beigetragen hat.

Es tritt somit die Frage nach dem Umfang der zulässigen Korrektur des Gesetzgebers auf – wie weit das Gericht in der Anwendung der „Klauseln der Angemessenheit" gehen darf. Die Antwort auf diese Frage scheint in statu nascendi begriffen zu sein. Die materielle Auffassung der Straftat trägt zweifelsfrei zu einer Stärkung des Prozesses einer Gestaltung des „Richterrechts" bei. Selbst dann, wenn die erwähnten „Klauseln der Angemessenheit" ausschließlich der Bewertung eines konkreten Verhaltens dienen, richtet sich das Gericht bei dieser Bewertung doch nach bestimmten generalisierten Kriterien, die dann als die Ratio der Entscheidung dargestellt werden. Es besteht aber kein Zweifel darüber, dass bei einer weiteren Vertiefung der oben besprochenen Prozesse solche verfassungsrechtlichen Instrumente zur Gewährleistung der Einheitlichkeit richterlicher Entscheidungen sowie Prozessgarantien eingeführt werden müssen, die den Gleichheitssatz besser zu schützen vermögen, und zwar sowohl hinsichtlich der Rechte des Angeklagten als auch des Verletzten.

Der Verbrechensbegriff im georgischen Strafrecht

Ketewan Mtschedlischwili-Hädrich, Jena

1. Einführung

Zu der Schaffung einer neuen ideologisch-politischen und sozioökonomischen Ordnung nach dem Zusammenbruch des realen Sozialismus gehört notwendigerweise auch die Transformation des Rechts, einschließlich einer umfassenden Auseinandersetzung mit den strafrechtsdogmatischen Grundlagenproblemen zum Aufbau eines „humanen, liberalen und sozialen Strafrechts".[1] Das Ziel der georgischen Strafrechtswissenschaft ist es, ideologisch belastete Dogmen des Staatssozialismus aus dem Strafrecht zu entfernen und eine logisch aufgebaute Rechtsdogmatik zu entwickeln, die eine Instrumentalisierung des Strafrechts nicht mehr zulässt. Es dürfen jedoch nicht alle Kategorien pauschal als Rudimente des Unrechtssystems beurteilt und aus dem Strafrecht entfernt werden. In der Reformeuphorie darf nicht vergessen werden, dass es traditionelle Rechtsinstitute geben könnte, die den Anforderungen der Rechtsstaatlichkeit gerecht werden.

In diesem Sinne ist die Untersuchung der Strafrechtsprobleme nicht nur mit dem Blick auf die hoch entwickelte deutsche Rechtstheorie, sondern auch auf den Umgang mit dem „Ballast" der sozialistischen Rechtsdogmatik anderer postsozialistischer Länder besonders fruchtbar.

Das nachfolgende Referat befasst sich ausschließlich mit der Problematik des Verbrechensaufbaus in der sowjetischen Strafrechtstheorie. Da das Problem der Gesellschaftsgefährlichkeit eng mit der Straftatsystematik zusammenhängt, werden eine kurze Entstehungs- und Entwicklungsgeschichte dieses strafrechtlichen Instituts sowie die Möglichkeit (Notwendigkeit) der Eingliederung der Gesellschaftsgefährlichkeit in den Verbrechensaufbau behandelt. Vollständig ausgespart wird die Klärung des Verhältnisses zu den deutschen Auffassungen über den Rechtsgüter- oder Gesellschaftsschutz, da ein solcher Vergleich den Rahmen des Beitrags sprengen würde.

---

[1] *Hans-Heinrich Jescheck*, Neue Strafrechtsdogmatik und Kriminalpolitik in rechtsvergleichender Sicht, ZStW 98 (1986), 1 (27).

Um das Bild des geltenden georgischen Strafrechts abzurunden, wird dem Referat eine knappe Darstellung der georgischen Strafrechtsgeschichte des 20. Jahrhunderts hinzugefügt.[2]

2. Herausbildung des sowjetischen Strafrechts in Georgien

Die gesetzlose Zeit

Die Oktoberrevolution brachte keine Änderung für die Entwicklung des Strafrechts, denn nach der Erklärung der Unabhängigkeit vom 26.5.1918 galt in Georgien weiterhin das zaristische StGB, jedoch mit einigen einschneidenden Änderungen. Am 25.2.1921 wurde Georgien Russland wieder angegliedert und damit kam die Aufhebung des zaristischen StGB. Es wurden zwar neue Organe für die „Beseitigung der Kriminalität" gegründet, aber wegen der fehlenden Strafgesetzgebung gab es keine Anhaltspunkte dafür, was verbrecherisch und mit Strafe bedroht war. Die neuen Gerichte mussten sowjetische Dekrete anwenden und, wenn solche fehlten, sich vom „sozialistischen Gewissen" (Art. 22 der Verordnung vom 30.7.1921 über die Volksgerichte Georgiens) leiten lassen. So fing die gesetzlose Zeit, „die Zeit des rechtlichen Vakuums", in Georgien an, die in Russland schon seit der Oktoberrevolution herrschte.

Wegen der absoluten Unbestimmtheit der Sanktionen in Dekreten durch Formulierungen wie „vor das revolutionäre Gericht des Volkes ziehen", „zur strengsten Verantwortung ziehen", „zur Verantwortung des Revolutionären Tribunals ziehen", „mit der vollen Strenge der Revolution bestrafen" usw. war die Rechtsprechung völlig vom „revolutionären Gewissen" des Richters abhängig und führte zu Willkür und Gewalt.

3. Kompetenzverteilung auf dem Gebiet des Strafrechts in der Sowjetunion

Die Unklarheit über die Kompetenzverteilung zwischen dem Gesetzgeber der Union und dem der Teilrepubliken wurde durch den Vertrag über die Bildung der UdSSR von 1924 beendet. Danach hatte die UdSSR die Kompetenz der Grundlagengesetzgebung, also die Feststellung der Grundsätze der Gerichtsverfassung und des Gerichtsverfahrens und auch der Zivil- und Strafgesetzgebung.

---

[2] Da die Darstellung der 1400 Jahre alten georgischen Strafrechtsgeschichte den Rahmen des Referats sprengen würde, wurde sie völlig ausgespart. Interessenten verweisen wir auf die Dissertation *Ketewan Mtschedlischwili-Hädrich*, Der Verbrechens- und Gesellschaftsgefährlichkeitsbegriff im georgischen Strafrecht, Aachen 2000, S. 1–20.

Am 31.10.1924 verabschiedete die UdSSR die „Grundsätze der Strafgesetzgebung der UdSSR und der Unionsrepubliken", die den Allgemeinen Teil enthielten. Zur Kompetenz der Union gehörte ebenfalls die Festlegung von Staats- und Militärverbrechen und die Bestimmung von Deliktarten, um eine einheitliche Strafrechtspolitik in der gesamten Union zu sichern. Alle wichtigen Entwicklungen des georgischen Strafrechts sind deshalb auf die Strafgesetzgebung der Union zurückzuführen.

In Art. 3 dieser Grundsätze wurde den Republiken aber auch das Recht eingeräumt, einzelne Straftaten selbst zu definieren.

Nach seiner Unabhängigkeitserklärung am 26.5.1991 hat Georgien eine unabhängige Legislative geschaffen.

4. Die strafrechtlichen Kodifikationen

Die Strafgesetzbücher Georgiens aus der sowjetischen Zeit von 1922, 1928 und 1961 wiederholten fast Wort für Wort die sowjetrussischen Strafgesetzbücher. Sie enthielten zwar einige Besonderheiten, die in der Regel Klarheit für die Rechtspraxis schaffen sollten, ein grundlegendes Abweichen von den Unionsnormen war jedoch unmöglich.

Eine andere Entwicklungsperiode des georgischen Strafrechts beginnt in den 1990er Jahren mit der erneuten Erklärung der Unabhängigkeit, die dem Gesetzgeber der Republik das Recht der Annahme des Strafgesetzbuchs einräumt. Obwohl das alte StGB von 1961 wegen der politischen und ökonomischen Änderungen den gesellschaftlichen Verhältnissen nicht mehr entsprach, wurde in Georgien nicht die radikale Lösung der Aufhebung des dem bolschewistischen Vorbild entsprechenden Strafrechtssystems gewählt, vielmehr wurde das alte StGB durch verschiedene Änderungen und Ergänzungen der neuen Situation angepasst. Das Strafgesetzbuch der sozialistischen Zeit blieb, wie andere Gesetzeswerke, während der Reformarbeiten zwar in Kraft, jedoch wurden allmählich einige wertausfüllungsbedürftige alte Vorschriften aufgehoben, um die Strafgewalt des Staates einzugrenzen.

Bereits 1991 wurde das Institut für Recht an der Akademie der Wissenschaften Georgiens beauftragt, eine Kommission für die Erarbeitung eines neuen StGB einzuberufen. Als Beispiel dienten die Strafgesetzbücher Deutschlands, Österreichs und der Schweiz. Für diesen Zweck wurden die Allgemeinen Teile dieser Strafgesetzbücher ins Georgische übersetzt. Die Arbeit am StGB wurde allerdings durch den Bürgerkrieg verzögert. Im Jahr 1993 wurde eine neue Kommission zur Ausarbeitung der Gesetze eingesetzt, deren Mitglieder sich einig darüber waren, dass das alte Strafgesetzbuch die veränderten sozialpolitischen und wirtschaftlichen Verhältnisse nicht widerspiegelte. Es sollte also nicht mehr das geltende StGB novelliert werden, sondern eine neue, fortschrittliche Kodifikation ausgearbeitet werden, bei der die Rechtsgüter des Individuums im Vordergrund stehen.

In der Zeit von 1993 bis 1999 entstanden drei Entwürfe. Während dem ersten Entwurf von 1995 das russische StGB von 1994 als Vorbild diente, beruhten der zweite Entwurf sowie der Entwurf des Strafrechtsprofessors *Gamkrelidze* weitgehend auf wissenschaftlichen Errungenschaften der deutschen Rechtsdogmatik.

Sechs Jahre später, am 22.7.1999, wurde ein neues, am deutschen Strafrecht orientiertes Strafgesetzbuch verabschiedet, welches am 1.6.2000 in Kraft trat.

5. Der materielle Verbrechensbegriff

Die Gesellschaftsgefährlichkeit als Schranke der Staatsgewalt

Der materielle Straftatbegriff sowie der Begriff der Gesellschaftsgefährlichkeit (Sozialschädlichkeit) sind zwar als Rechtsinstitute des sowjetischen Strafrechts im Sinne eines klassenbezogenen Ansatzes mit der Bürde der marxistisch-leninistischen Ideologie belastet, jedoch keine Kinder des Sozialismus.[3]

Nach der Verbrechenstheorie, die in der Zeit der Aufklärung aus der Lehre des Sozialvertrags entstand, wurde das Verbrechen als eine Störung des friedlichen Zusammenlebens in der Gemeinschaft verstanden und nicht als Sündhaftigkeit.[4]

Die kriminalpolitische Reformbewegung Europas griff in der zweiten Hälfte des 18. Jh. im Kampf gegen die Überreste des mittelalterlichen Rechtsdenkens das Postulat „keine Strafe ohne Sozialschädlichkeit“ auf und gab ihm die Legitimations- und Begrenzungsfunktion der Strafgewalt. So wurde aufgrund der Forderung

---

[3] Das georgische Rechtsdenken über die Gefährlichkeit der Handlung bedarf einer gründlichen historischen Untersuchung. Der Ursprung des georgischen strafrechtlichen Denkens darüber geht auf anonyme georgische Juristen aus dem 6. Jh. zurück. Nach einer byzantinischen Quelle über eine Gerichtsverhandlung entwickelten georgische Juristen den Ansatz des Verhältnismäßigkeitsprinzips, als sie die Meinung vertraten, dass nur eine solche Strafe eine gerechte Strafe sei, die mit der Gefährlichkeit der Handlung übereinstimme.

[4] Unter dem Begriff Sündhaftigkeit verstand man die Sünde im religiösen Sinne, da die Straftheorie des Mittelalters die staatliche Strafbefugnis auf die göttliche Autorität stützte. Nach der theokratischen Auffassung der Straftat von *Carpzov*, der nach *v. Liszt* ein Jahrhundert lang der Strafrechtspflege Deutschlands den Stempel seines Geistes aufgedrückt hat (*v. Liszt*, Lehrbuch des deutschen Strafrechts, Berlin/Leipzig 1932, S. 56), hat das Verbrechen nicht nur rechtliche Bedeutung als Verletzung staatlicher Normen, sondern ist stets auch Sünde wider Gott (*Carpzov* nach *Eberhard Schmidt*, Einführung in die Geschichte der deutschen Strafrechtspflege, Göttingen 1995, S. 163).

der Sozialschädlichkeit der Handlung den Religionsverbrechen und Sittlichkeitsdelikten der Deliktscharakter abgesprochen.[5]

Die Notwendigkeit der Feststellung des materiellen Gehalts des Verbrechens auf metajuristischer Ebene und die Notwendigkeit der Legitimation und Begrenzung der Strafgewalt durch die materielle Verbrechensbestimmung (unabhängig von seiner inhaltlichen Bestimmung als Rechtsgutsverletzung oder Sozialschädlichkeit) werden in der deutschen Rechtsdogmatik des 20. Jahrhunderts stets hervorgehoben.[6] Es wird betont, dass die Strafe als ultima ratio nur dann angewandt werden darf, wenn das Verhalten wegen seiner besonderen Sozialschädlichkeit strafwürdig und strafbedürftig sei.[7] Durch die materielle Betrachtung könne das Unrecht nach der Schwere der Interessenverletzung abgestuft werden und beim Fehlen einer Interessenverletzung fehle auch die Rechtswidrigkeit.[8, 9]

Gerade aufgrund des materiellen Verbrechensbegriffs wurde in Deutschland in der Reformdiskussion der 1970er Jahre die Strafwürdigkeit bloßer Moralwidrigkeiten und Ungehorsamstaten bezweifelt, was zur Liberalisierung des Sexualstrafrechts und zur Entfernung bloßer Moralwidrigkeiten aus dem Strafrecht führte.[10]

6. Die Ausdehnung der Strafgewalt des Staates mit Hilfe der Gesellschaftsgefährlichkeit

Während der Zeit von der Sowjetisierung Georgiens bis zur Annahme des ersten StGB im Jahr 1926 wurden die Dekrete der Sowjetmacht und das revolutionäre Rechtsbewusstsein der Richter als Rechtsquellen deklariert. Die Anwendung des zaristischen StGB war nicht zugelassen, da nach der marxistisch-leninistischen

---

5 *Knut Amelung*, Rechtsgüterschutz und Schutz der Gesellschaft, Frankfurt 1972, S. 21. Auch Art. 5 der Erklärung der Menschenrechte von 1789 forderte das strafbegründende Merkmal der Sozialschädlichkeit als eine objektive Grenze des Gesetzgebers. Der Sozialschadensgedanke dient seit *Montesquieu* auch dem Prinzip der Proportionalität der Strafen als Maßstab, siehe *Amelung*, a.a.O., S. 21. Den Grund der Kriminalisierung einer Handlung sah ebenfalls *Luden* in der Verletzung des objektiven Rechts, in der Strafwürdigkeit einer Tat, *Heinrich Luden*, Abhandlungen zum deutschen Strafrecht, Bd. 1 (2), Göttingen 1840, S. 129.

6 *V. Liszt* (Anm. 4), S. 147; *Hans-Heinrich Jescheck/Thomas Weigend*, Lehrbuch des Strafrechts, Allgemeiner Teil, 5. Aufl. Berlin 1996, S. 206.

7 *Udo Ebert*, Strafrecht, Allgemeiner Teil, 3. Aufl. Heidelberg 2001, S. 1; *Claus Roxin,* Strafrecht, Allgemeiner Teil, Bd. 1, 3. Aufl. München 1997, 10 f.; *Johannes Wessels/Werner Beulke,* Strafrecht, Allgemeiner Teil, 28. Aufl. Heidelberg 1998 Rn. 9; *Wolfgang Frisch,* An der Grenze des Strafrechts, in: Wilfried Küper (Hrsg.), Festschrift für Walter Stree und Johannes Wessels, Heidelberg 1993, S. 69.

8 *Jescheck/Weigend* (Anm. 6), S. 206.

9 Dass die Berücksichtigung der Sozialschädlichkeit bei der Kriminalisierung von Handlungen Schwierigkeiten mit sich bringt, steht auf einem anderen Blatt.

10 *Roxin* (Anm. 7), S. 10 f.

Rechtsanschauung das Strafrecht als Instrument des Klassenkampfs galt und die „siegreiche Arbeiterklasse" das „Instrument der Unterdrückung" der früheren Machthaber nicht anwenden wollte.

Da diese Dekrete keine Strafgesetze, sondern ideologische Zielsetzungen des Proletariats waren, ohne bestimmte Tatbestände und Sanktionen, galt bis zur Ausarbeitung eines bolschewistischen Strafgesetzbuchs bei der gerichtlichen oder außergerichtlichen Liquidierung der gestürzten Klassen anstatt eines StGB allein das Postulat „keine Gesellschaftsgefährlichkeit (der Handlung oder der Person) ohne Strafe".[11]

Die Legaldefinitionen des Verbrechens in den Kodifikationen bis zur Annahme des StGB von 1961 beinhalteten nur ein Merkmal des Verbrechens – die Gesellschaftsgefährlichkeit. Verpönt und verworfen wurden im vorrevolutionären Russland anerkannte, angelehnt an die fortschrittliche deutsche Rechtsdogmatik geschaffene strafrechtliche Institute.[12] Der Begriff „Schuld" wurde eliminiert und durch den Begriff der subjektiven Seite des Verbrechens ersetzt. Maßnahmen des sozialen Schutzes nahmen den Platz der Strafe ein.

Aus dem materiellen Verbrechensbegriff wurde die strafrechtliche Verantwortlichkeit ohne Begehung eines konkreten Verbrechens aufgrund der Klassenfeindlichkeit der Person abgeleitet.[13] Wegen der Zulassung der Analogie und damit der Zulassung der Bestrafung allein bei Vorhandensein einer Gesellschaftsgefährlichkeit der begangenen Handlung oder der Person verlor der Besondere Teil des StGB seine Bedeutung. Aufgrund der Durchbrechung des Gesetzlichkeitsprinzips durch das Analogieprinzip wurde die Gesellschaftsgefährlichkeit zum „Generaltatbestand" erhoben. Die Forderung – keine Gesellschaftsgefährlichkeit ohne Strafe – ermöglichte weiter die uferlose Ausweitung der Strafbarkeit gegen Regimegegner trotz der Existenz des StGB.

Der einstufige Verbrechensaufbau – Verbrechen als jede gesellschaftsgefährliche Handlung – zeigte seine dogmatischen Schwächen jedoch bei der Definition von Notwehr, Notstand und der Geringfügigkeit der Handlung. Da das Verbrechen allein durch das Merkmal der Gesellschaftsgefährlichkeit charakterisiert wurde, wurden Notwehr und Notstand als Gründe betrachtet, die die Gesellschaftsgefährlichkeit der im *StGB vorgesehenen Handlung* ausschließen. So musste der Gesetzgeber

---

[11] „Gerichtliche oder außergerichtliche Liquidierung" bedeutet die Tötung der Vertreter der gestürzten Klassen. Gerichte sollten nach *Lenin* den Terror nicht beseitigen, sondern ihn prinzipiell begründen, also Vertreter der gestürzten Klassen durch Gerichtsurteile liquidieren lassen. Und das taten sie auch. Für die außergerichtliche Liquidierung der Regimegegner wurde die außerordentliche Kommission zur Bekämpfung der Konterrevolution und Sabotage – WTschK – gegründet. *Lenin*, Tchsulebani, T. 33, S. 232 (Werke, Bd. 33).

[12] Näher darüber *Merab Turava*, Straftatsysteme in rechtsvergleichender Sicht unter besonderer Berücksichtigung des Schuldbegriffs, Mahlow bei Berlin 1998, S. 113.

[13] *Mtschedlischwili-Hädrich* (Anm. 2), S. 32.

dem Tatbestand eine sekundäre Bedeutung geben und dadurch den Rahmen des einstufigen Verbrechensaufbaus sprengen.[14]

Der materielle, nicht tabestandsgebundene Verbrechensbegriff entstand auf der Basis des Rechtsnihilismus, der seinerseits in den Thesen des Marxismus-Leninismus über das Recht wurzelte. Das Recht wurde als der passive Überbau der ökonomischen Beziehungen und als Machtinstrument der herrschenden Klasse betrachtet. Nach der Weltrevolution sollten sowohl das Recht als auch der Staat absterben. Wegen des Ausbleibens der Weltrevolution musste die These über den Aufbau des Sozialismus und über die Bedeutung des sozialistischen Rechts entwickelt werden. Das Recht war nach dieser These kein passiver Überbau der ökonomischen Beziehungen, sondern stand in Wechselwirkung mit dem Staat.

Diese These über die Bedeutung des Rechts im sozialistischen Staat gab den Anstoß zur Weiterentwicklung der bolschewistischen Rechtspolitik vom Rechtsnihilismus zum Rechtspositivismus.[15]

Neben den Wissenschaftlern, die weiter am Rechtsnihilismus festhielten und die Begehung eines Verbrechens für die Bestrafung einer Person für überflüssig hielten, vertraten einige Strafrechtstheoretiker die Ansicht, dass strafrechtlich nur die Handlung sanktioniert werden kann, die einer der im StGB vorgesehenen Straftatbestände entspricht.[16] So wurde der Weg zum dreigliedrigen Verbrechensaufbau (Tatbestandsmäßigkeit, Rechtswidrigkeit und Schuld) und deren Anerkennung in der Strafrechtstheorie geebnet.

7. Wesen und Funktionen der Gesellschaftsgefährlichkeit nach der Anerkennung der herkömmlichen Straftatmerkmale

Nach der Abschaffung der strafbegründenden Analogie in den Grundlagen der Strafgesetzgebung der UdSSR und dementsprechend in den sowjetischen Strafgesetzbüchern verlor die Gesellschaftsgefährlichkeit endgültig die Funktion des Generaltatbestands. Oft als die materielle Rechtswidrigkeit bezeichnet,[17] wurde sie

---

14 *Mtschedlischwili-Hädrich* (Anm. 2), S. 38 ff.

15 *Thea Lyon*, Der Verbrechensbegriff in der Strafrechtswissenschaft der DDR, Bonn 1960, S. 21; *Ulrike Schittenhelm*, Strafe und Sanktionensystem im sowjetischen Recht, Freiburg 1994, S. 98–103; *Klaus Westen*, Probleme der sowjetischen Rechtswissenschaft, in: Berichte des Bundesinstitutes für ostwissenschaftliche und internationale Studien, Köln 1964, S. 3.

16 *A.N. Trainin* nach *O.F. Schischov*, Osnovanija ugolovnoi otvetstvennosti (Grundlage der strafrechtlichen Verantwortlichkeit), in: Ugolovnoe pravo, istorija juriditscheskoj nauki (Strafrecht, Geschichte der Strafrechtswissenschaft), Moskau 1978, S. 46.

17 *Tinatin Cereteli/Giorgi Tkescheliadse*, Modsghwreba danaschaulse (Die Lehre vom Verbrechen), Tiflis 1968, S. 104; *Otar Gamkrelidze*, Sischlis samartlebriwi umartlobis

nicht mehr als die Klassengefährlichkeit der begangenen Handlung und der Person definiert, sondern als die Verletzung oder Gefährdung der Rechtsgüter.[18] Die These – keine Gesellschaftsgefährlichkeit ohne Strafe –, die die Durchbrechung des Gesetzlichkeitsprinzips und die uferlose Ausweitung der Strafbarkeit ermöglichte, wurde zur Strafrechtsgeschichte. Die Gesellschaftsgefährlichkeit wurde zum grundlegenden Kriterium der Kriminalisierung, durch das sich der Gesetzgeber leiten ließ, zum „soziologischen Unterbau"[19] der Straftat. Die humanistische These des Aufklärungszeitalters – keine Strafe ohne Gesellschaftsgefährlichkeit – wurde wiederhergestellt.

Nach diesem kurzen geschichtlichen Überblick über die Rolle der Gesellschaftsgefährlichkeit in der Strafrechtsgeschichte können wir behaupten, dass selbst der Terminus der Gesellschaftsgefährlichkeit nicht begriffsnotwendig auf den Marxismus zurückzuführen ist. Der Fachausdruck, der im Lauf der letzten Jahrhunderte diametral unterschiedliche Rollen gespielt hat, sowohl als Grundlage der Einschränkung als auch als Grundlage der Ausdehnung von Strafgewalt, kann nicht als Rudiment des Staatssozialismus bezeichnet werden.

Durch die Forderung, dass die Gesellschaftsgefährlichkeit ein Merkmal des Verbrechens sein soll, wird versucht, „die Divergenz zwischen dem Formalismus der Rechtsverbote und dem gesellschaftlichen Grund und Bedürfnis nach Strafe" zu beseitigen.[20] Die Hauptfunktion der Gesellschaftsgefährlichkeit wird nun „in der Gegenwirkung zum übermäßigen Formalismus"[21] gesehen.

Das Prinzip *nullum crimen sine periculo sociali* ist eine Ausprägung des Verhältnismäßigkeitsgrundsatzes im Strafrecht. Es nimmt dem Gesetzgeber die Möglichkeit, beliebige unmoralische und sittenwidrige Handlungen unter Strafe zu stellen,[22] und ermöglicht die täterbegünstigende Behandlung der Bagatellkriminalität. Die Berücksichtigung der Geringfügigkeit im materiellen Strafrecht, wie es im StGB Österreichs der Fall ist (und an der Rechtsstaatlichkeit des österreichischen Strafrechts zweifelt man nicht), ist – neben der Prozesslösung des deutschen Strafrechts – ein zweiter Weg der Behandlung der Bagatellkriminalität. Eine konsequen-

---

problema da tanamonacileobis dasdschadobis safudsweli (Das Problem des strafrechtlichen Unrechts und der Grund der Strafbarkeit der Mittäterschaft), Tiflis 1989, S. 132.

18 *Tinatin Cereteli*, Osnovanie ugolovnoj otvetstvennosti (Grundlage der strafrechtlichen Verantwortlichkeit), Pravovedenie 1980, Nr. 2, 84; *Andrzej Zoll*, Die Idee des „gerechten Rechts" und das Strafrecht, in: Albin Eser/Günther Kaiser/Ewa Weigend (Hrsg.), Von totalitärem zu rechtsstaatlichem Strafrecht, Freiburg 1993, S. 98.

19 *Tomasz Kaczmarek*, Der Begriff der gesellschaftlichen Gefährlichkeit im polnischen Strafrecht, ZStW 88 (1976), 1116 (1118).

20 *Marian Cieślak*, Der materielle Verbrechensbegriff im polnischen Strafrecht, ZStW 90 (1978), 504 (506).

21 *Cieślak* (Anm. 20), 509.

22 *Andrzej Zoll*, Der Verbrechensbegriff im Lichte des Entwurfs des polnischen Strafrechts, ZStW 107 (1995), 417 (423).

te Ablehnung der Gesellschaftsgefährlichkeit würde den georgischen Gesetzgeber zur Prozesslösung der Bagatellkriminalität führen. Da die Prozesslösung ebenfalls eigene Schwächen aufweist,[23] scheint uns zweifelhaft, ob die Aufgabe des eigenen dogmatischen Wegs zu empfehlen ist.

8. Verbrechensbegriff und Verbrechensaufbau nach dem sowjetischen Strafrecht unter Berücksichtigung der abweichenden Meinung der georgischen Strafrechtstheorie

Durch die Verankerung herkömmlicher Verbrechensmerkmale in der sowjetischen Strafgesetzgebung und durch das „Tauwetter“ der 1960er Jahre war der Weg für wissenschaftliche Diskussionen über den Verbrechensbegriff und den Verbrechensaufbau endgültig gebahnt. Es wurde nicht mehr über die Notwendigkeit dieser Merkmale diskutiert, sondern darüber, ob und wie sie im Verbrechensbegriff miteinander verbunden sind.

Nach der in der sowjetischen Strafrechtstheorie herrschenden Meinung gab es zwei verschiedene Verbrechensbegriffe: den allgemeinen sozialpolitischen und den juristischen Verbrechensbegriff (Straftatsystem).

Der allgemeine sozialpolitische Verbrechensbegriff beinhaltete die Gesellschaftsgefährlichkeit, die Rechtswidrigkeit, die Schuld und die Strafbarkeit der Handlung. In den Mittelpunkt des Verbrechensbegriffs rückten die Handlung, das Verhalten mit seiner Wirkung auf die Außenwelt, das Tun oder Unterlassen. Die Gesellschaftsgefährlichkeit, die Rechtswidrigkeit und die Schuld dieses Verhaltens waren für das Vorliegen einer Straftat entscheidend.[24] Die Schuld, als die psychische Beziehung des Täters zu seiner Tat, umfasste die Formen Vorsatz und Fahrlässigkeit.

Der juristische Verbrechensbegriff (Straftatsystem) wurde mit dem Straftatbestand gleichgesetzt. Er stellte die „Summe der Verbrechensmerkmale“,[25] den Tatbestand im weiteren Sinne[26] dar, der die einzige Grundlage der strafrechtlichen Verantwortlichkeit bildete. Der Tatbestand wurde in zwei Teile geteilt: in äußere Merkmale des Verbrechens, die das Objekt (die gesellschaftlichen Beziehungen, die verletzt oder gefährdet werden) und die objektive Seite (Handlung, Erfolg,

---

[23] *Hans Joachim Hirsch*, Zur Behandlung der Bagatellkriminalität in der Bundesrepublik Deutschland, ZStW 92 (1980), 218 (222), 226 ff.; *Günther Kaiser/Volker Meinberg*, „Tuschelverfahren“ und „Millionärsschutzparagraph“? NStZ 1984, 343 ff.

[24] *Andrej A. Piontkovskij*, Utschenije o prestuplenii po sovetskomu ugolovnomu pravu (Die Lehre vom Verbrechen nach dem sowjetischen Strafrecht), Moskau 1961, S. 170.

[25] *Reinhart Maurach*, Zur Entwicklung des materiellen Verbrechensbegriffs im sowjetischen Strafrecht, ROW 1957, 142.

[26] *Piontkovskij* (Anm. 24), S. 105, 107, 109.

Kausalität, Zeit, Ort, Mittel der Begehung der Handlung, Gesellschaftsgefährlichkeit) umfassten, und in innere Merkmale, die das Subjekt (zurechnungsfähige und strafmündige Person) und die subjektive Seite (Schuld, Ziel und Motiv) beinhalteten.

Der Einfluss des geisteswissenschaftlichen Naturalismus des 19. Jahrhunderts auf das sowjetische Straftatsystem, das durch objektive und subjektive Elemente charakterisiert ist, ist nicht zu verkennen. Die systematische Ordnung der Tatbestandsmerkmale wurde aus dem französischen Recht übernommen. Um den Wunsch nach einem eigenständigen sowjetischen Verbrechenssystem zu erfüllen, wurde der Struktur der strafrechtlichen Zurechnung französischer Prägung, die ebenfalls den Tatbestand in objektive und subjektive Merkmale einteilt,[27] die Gesellschaftsgefährlichkeit der Handlung hinzugefügt.[28]

Diese herrschende Meinung, die den Tatbestand und das Verbrechen gleichsetzt (Tatbestand als Summe der Verbrechensmerkmale), die nicht eine bloße Gesellschaftsgefährlichkeit der Handlung, sondern den Straftatbestand als die hinreichende Grundlage der strafrechtlichen Verantwortlichkeit erachtet, spielte für die Abschaffung der Analogie eine wichtige Rolle.

Das Verdienst des Systems liegt in der relativ klaren Abgrenzung der strafbaren Handlung von der nicht strafbaren und dadurch in der Einschränkung des freien richterlichen Ermessens.

Die sozialpolitische Definition des Verbrechens als eine gesellschaftsgefährliche, rechtswidrige, schuldhafte und strafbare Handlung wurde von der Mindermeinung (vertreten von den georgischen Strafrechtstheoretikern *Cereteli, Makaschwili* und *Gamkrelidze*), angelehnt an die deutsche neuklassische Verbrechenslehre, zu einem Straftatsystem weiterentwickelt.

Im Unterschied zum deutschen neuklassischen Verbrechensaufbau, dessen weltanschauliche Basis die Philosophie des Neukantianismus bildet,[29] wurde die marxistische Philosophie zur Grundlage des neuklassischen Verbrechensaufbaus der sowjet-georgischen Modifikation.

Die zwei Rechtsfiguren – die Tatbestandsmäßigkeit und die Gesellschaftsgefährlichkeit (die materielle Rechtswidrigkeit) – konstituieren nach dieser Auffassung das Unrecht. Die Straftat ist durch das Unrecht und die Schuld begründet.[30] Der Tatbestand stellt nach der Mindermeinung nicht das Verbrechen selbst dar, sondern umfasst alle im Strafgesetz vorgesehenen Merkmale, die den Unrechtsgehalt der

---

27 *Jescheck* (Anm. 1), S. 7 f.

28 *Piontkovskij* (Anm. 24), S. 165–168.

29 *Walter Gropp*, Strafrecht, Allgemeiner Teil, 2. Aufl. Berlin 2001, S. 117.

30 *Gamkrelidze* (Anm. 17), S. 124–130.

Tat bilden und den Unrechtstypus konstituieren.[31] Er erfüllt die Abgrenzungsfunktion, die systematische Funktion und die Garantiefunktion.

Geleitet von den deutschen Vorbildern bauten georgische Rechtstheoretiker subjektive Unrechtselemente und die Zielsetzung (unter Ablehnung des Finalismus) in das Straftatsystem ein.[32]

Durch das Aufnehmen der Zielsetzung in den Handlungsbegriff entstand neben der herkömmlichen Auffassung des Unrechts eine neue. Die Eingliederung der Zielsetzung in die objektive Seite des Tatbestands ebnete den Weg zur Weiterführung der Frage der subjektiven Unrechtselemente.[33] Heutzutage werden subjektive Unrechtselemente und die Schuld voneinander getrennt und verschiedenen Deliktsebenen zugeordnet.[34]

9. Der Verbrechensbegriff der postsozialistischen Periode

Grundlage der strafrechtlichen Verantwortlichkeit ist laut Art. 7 I des neuen StGB das Begehen eines Verbrechens, also das Begehen einer in diesem Gesetzbuch vorgesehenen rechtswidrigen und schuldhaften Tat. Durch diese Definition hat der Gesetzgeber nach Meinung der georgischen Rechtstheoretiker eine formelle Charakterisierung des Verbrechens eingeführt. Der Begriff der Gesellschaftsgefährlichkeit wurde wegen dessen ideologischer und politischer Belastung aus dem Verbrechensbegriff ausgeschlossen. Ob – angelehnt an die deutsche Rechtsdogmatik – der dreigliedrige Verbrechensbegriff ins georgische Strafrecht eingeführt wurde, wie die Verfechter des Straftatsystems deutscher Prägung behaupten, ist fragwürdig, da die Anerkennung der Verbrechensmerkmale – Tatbestandsmäßigkeit, Rechtswidrigkeit und Schuld – nicht begriffsnotwendig mit dem deutschen Straftatsystem verbunden ist. Diese Merkmale waren bereits von dem sowjetischen Gesetzgeber anerkannt, die herrschende Lehre in der sowjetischen Periode befürwortete jedoch das Straftatsystem französischer Prägung.

Da das georgische Strafprozessrecht über keine entsprechende Norm verfügt wie das deutsche Prozessrecht (§§ 153 ff. StPO), mussten die Verfasserinnen und Verfasser des StGB verständlicherweise das Problem der Bagatellkriminalität im Rahmen des materiellen Strafrechts lösen. Aus diesem Grund verzichteten sie nicht auf eine materielle Komponente bei der negativen Definition der Straftat. Laut Art. 7 II stellt ein Tun oder Unterlassen, das zwar formell die Merkmale eines in diesem Strafgesetzbuch vorgesehenen Delikts enthält, jedoch wegen seiner Geringfügig-

---

31 *Cereteli/Tkescheliadse* (Anm. 17), S. 88, 107; *Gamkrelidze* (Anm. 17), S. 132.

32 *Cereteli/Tkescheliadse* (Anm. 17), S. 136; *Gamkrelidze* (Anm. 17), S. 171; *Turava* (Anm. 12), S. 256.

33 *Gamkrelidze* (Anm. 17), S. 161–180.

34 *Turava* (Anm. 12), S. 256 f.

keit keinen solchen Schaden hervorgerufen oder keine Gefahr eines solchen Schadens geschaffen hat, der die strafrechtliche Verantwortlichkeit des Täters erfordern würde, keine Straftat dar. Die Frage, wann der Schaden geringfügig ist, überlässt der Gesetzgeber der Strafrechtswissenschaft und der Rechtspraxis. Da unter der Gesellschaftsgefährlichkeit die Verletzung oder Gefährdung der Rechtsgüter (Schadenszufügung oder Schadensgefahr) verstanden wird, wird durch den Begriffswechsel inhaltlich nichts Neues gewonnen.

Hier ist fraglich, ob der georgische Gesetzgeber auf den materiellen Verbrechensbegriff verzichtet hat, wie es von den Verfechtern der modernen deutschen Verbrechenslehre behauptet wird. Ist das Verbrechen nur in Art. 7 I StGB definiert oder muss für die Begriffsbestimmung der Straftat Art. 7 II StGB mit einbezogen werden? Oder haben wir einen engen, nur aus formellen Merkmalen bestimmten, und einen weiten (materiellen) Verbrechensbegriff, der die Geringfügigkeitsklausel umfasst? Die Auslegung von Art. 7 StGB in der Strafrechtswissenschaft bleibt abzuwarten.

Anstatt den Begriff der Gesellschaftsgefährlichkeit und die damit verbundenen Schwierigkeiten seiner inhaltlichen Bestimmung aus der Welt zu schaffen, haben andere postsozialistische Länder den Weg der Begriffsänderung beschritten. Der polnische Gesetzgeber hat die wegen der „ideologischen Interpretation und politisch gesteuerten Anwendung“[35] diskreditierte Definition der Gesellschaftsgefährlichkeit mit dem neuen Begriff der Sozialschädlichkeit ersetzt und ihre Merkmale in Art. 115 § 2 aufgeführt:

> „Bei der Bewertung des Grades der *Sozialschädlichkeit einer Tat* berücksichtigt das Gericht die Art und den Charakter des verletzten Gutes, das Ausmaß des angerichteten oder des drohenden Schadens, die Art und Weise und die Umstände der Tatbegehung, das Gewicht und die Bedeutung der vom Täter verletzten Pflichten sowie die Form des Vorsatzes, die Beweggründe des Täters, die Art der verletzten Sorgfaltsregeln und den Grad ihrer Verletzung.“

Da das georgische Strafrecht nicht über eine prozessuale Lösung der Bagatellkriminalität verfügt, wird die polnische Lösung hinsichtlich des Inhalts der Gesellschaftsgefährlichkeit trotz der scharfen Kritik an diesem Begriff in der georgischen Strafrechtstheorie bei der Bestimmung der Geringfügigkeit des Schadens für die georgische Rechtspraxis richtungsweisend sein.

Derzeit wird in der Strafrechtswissenschaft Georgiens nach dem dogmatisch sauberen Handwerkszeug, nach Grundvoraussetzungen der Strafbarkeit gesucht, die durch eine sachgerechte Entscheidung des Einzelfalls die Rechtssicherheit gewährleisten können.

---

35 *Ewa Weigend*, Das polnische Strafgesetzbuch, Freiburg 1998, S. 7.

Auf der Grundlage des geltenden Rechts werden zurzeit sowohl das Straftatsystem französischer als auch das deutscher Prägung vertreten.[36]

Schwierigkeiten werden bei der Anwendung beider Straftatsysteme gesehen. Das Straftatsystem französischer Prägung kann die Anwendung der Maßnahmen medizinischen und erzieherischen Charakters bei zurechnungsunfähigen Tätern und die Aufnahme der Rechtfertigungsgründe in das StGB nicht begründen, da sowohl der zurechnungsunfähige Täter als auch die in Notwehr und in Notstand handelnde Person nicht tatbestandsmäßig handeln. Befürworter des Straftatsystems der deutschen Prägung kritisieren es ferner als ideologisch belastet.[37]

Wenn jedoch ein Straftatsystem sowohl im Strafrecht des rechtsstaatlichen Westens als auch im totalitären Strafrecht der Sowjetunion anwendbar ist, ist fraglich, ob es als rechtsstaatlich oder totalitär beschrieben werden kann.

Die Definition der Straftat als tatbestandsmäßige, rechtswidrige und schuldhafte Handlung[38] ist zwar aus prozessökonomischer Sicht vertretbar, jedoch können gegen eine solche Definition des Verbrechens Einwände erhoben werden. Da das georgische Strafrecht nicht über die Prozesslösung der Bagatellkriminalität verfügt, werden durch das Auslassen der Gesellschaftsgefährlichkeit bei der Definition des Verbrechens zwei rechtlich verschiedene Institute – die Gründe, die die Rechtswidrigkeit ausschließen (Notwehr, Notstand) und die Geringfügigkeit der Handlung – dogmatisch gleichgestellt.

Aus diesem Grund scheint es notwendig, bei der Definition der Straftat noch eine dogmatische Ebene einzubauen und nach der Prüfung der Tatbestandsmäßigkeit und Rechtswidrigkeit die Frage nach der Gesellschaftsgefährlichkeit (Sozialgefährlichkeit, Strafwürdigkeit oder Verhältnismäßigkeit der Bestrafung) zu stellen. In seltenen Fällen, wenn ein Grund vorliegt, durch den die Gesellschaftsgefährlichkeit ausgeschlossen wird, kommt der Richter zum tätergünstigen Ergebnis und verneint das Vorhandensein einer Straftat (oder lehnt die Notwendigkeit der Bestrafung wegen Unverhältnismäßigkeit ab). Dem Richter werden durch die Prüfung der Gesellschaftsgefährlichkeit einer konkret begangenen Tat nicht die Befugnisse des Gesetzgebers zugesprochen, sondern ihm wird die Möglichkeit des Agierens in seinem Machtbereich der Gesetzesauslegung gegeben. Auf diese Weise findet das georgische Strafrecht einen eigenen Weg in der Rechtstransformation, anstatt eines Rechtstransfers.[39] Dieser selbständige Weg baut auf den Traditionen des kontinentaleuropäischen Rechtssystems auf, zu dem auch das georgische gehört.

---

36 *Lamara Surguladse*, Strafrecht, Straftat, Tiflis 1997, S. 69; *Turava* (Anm. 12), S. 253.

37 *Turava* (Anm. 12), S. 181.

38 *Turava* (Anm. 12), S. 256 f.

39 *Turava* (Anm. 12), S. 247–261.

Zum Verbrechensbegriff im rumänischen Strafrecht

Tudor Avrigeanu, Bukarest

Einleitung

Die begrifflichen Strukturen des rumänischen Strafrechtsdenkens haben mit der *vorherrschenden* deutschen Strafrechtssystematik wenig Berührungspunkte; der Einfluss der deutschen Strafrechtswissenschaft auf die rumänische Lehre ist zumindest im Vergleich mit der Lage in den meisten Ländern Osteuropas nach der Wende 1989 wie vor der Wende 1945 als sehr gering einzuschätzen; dies beruht heute wie auch damals nicht (in erster Linie) auf Literaturmangel. Die Darstellung der Grundzüge der rumänischen Verbrechenslehre muss aus diesen Gründen anderen Schemata folgen, als es im Fall einer Darstellung etwa der polnischen oder bulgarischen Verbrechenslehre in legitimer Weise erwartet wird, denn auch die Tradition der rumänischen Strafrechtswissenschaft ist in dogmatischer Hinsicht eine andere und sie führt uns seit den Anfängen im 19. Jahrhunderts nicht nach Deutschland, sondern nach Frankreich und (insbesondere) Italien, im letzten Fall aber auch nur insofern, als die italienische Lehre der deutschen Systematik ab 1930 nicht nachgab. Man braucht nur die andauernden Schwierigkeiten im strafrechtswissenschaftlichen deutsch-französischen Dialog zu bedenken, um dann auch die Schwierigkeiten eines deutsch-rumänischen Dialogs in den Blick zu nehmen. Sie lassen sich den folgenden Worten von *Eser* ohne weiteres entnehmen:

> „Schon ein Blick in die Standardlehrbücher des Strafrechts von Ländern wie Deutschland, England und Frankreich, die alle auf weit zurückreichenden, eigenständigen Rechtstraditionen aufbauen, zeigt die Vielfalt in der Systematisierung der Strafbarkeitsvoraussetzungen. Während dem deutschen Strafjuristen der Verbrechensaufbau nach Tatbestandsmäßigkeit, Rechtswidrigkeit und Schuld schon quasi ‚naturgesetzlich' erscheinen mag, wird sein englischer Kollege ähnliches von der Unterscheidung zwischen actus reus und mens rea und sein französischer Kollege von der Unterscheidung zwischen den éléments légal, matériel und moral behaupten."[1]

Was die Standardlehrbücher in Rumänien betrifft, so muss schon hier hinzugefügt werden, dass dort *keines* dieser Aufbauschemata wiederzufinden ist, was an dem Wesen des Kommunikationsproblems nichts ändert (auch der dortige Verbrechensaufbau erscheint den rumänischen Strafjuristen quasi naturgesetzlich), freilich die Schwierigkeiten sogar verschärft, wenn man in jenen Lehrbüchern auf einen

---

[1] *Albin Eser*, Funktionen, Methoden und Grenzen der Strafrechtsvergleichung, in: Hans-Jörg Albrecht u.a. (Hrsg.), Festschrift für Günther Kaiser, Berlin 1998, 2. Halbband, S. 1499 ff., 1525.

Aufbau stößt, der sich *auf den ersten Blick* von den Strukturen, welche sich von Russland her über ganz Osteuropa erstreckten – *Objekt, Subjekt, objektive Seite, subjektive Seite*[2] –, kaum unterscheidet. Während die große Mehrheit der Länder Osteuropas nach der Wende diesen Aufbau ausdrücklich aufgegeben und zu den traditionellen Strukturen deutscher Herkunft zurückgefunden hat, hält man in Rumänien weiterhin daran fest. Das erklärt sich dadurch, dass dieser Aufbau in Rumänien – anders als in anderen Ländern – vor 1945 und ohne jeglichen Einfluss etwa aus der Sowjetunion fest verankert war. Bezieht man sich heute in Rumänien auf diesen Aufbau, dann knüpft man – ähnlich wie in Deutschland, Frankreich oder England – an eine Tradition an. Interessant ist dabei, dass diese rumänische Tradition – *auf den zweiten Blick* – in vielem auf die deutsche Strafrechtswissenschaft[3] hinweist, freilich auf die älteren Strukturen des 19. Jahrhunderts, obwohl sich eine systematische Bezugnahme auf Autoren wie *Köstlin* oder *Berner* ebenso wenig feststellen lässt; was die Inhalte angeht (z.B. den Straf- oder den Schuldbegriff), so sind Bezüge zu heutigen Lehren in Deutschland nicht zu übersehen. Man kann dies zunächst einmal kaum erklären.

Berücksichtigt man die oben erwähnten Einflussquellen der rumänischen Autoren, so könnte der Weg zu einer Erklärung durchaus präzisiert werden: Es handelt sich um die strukturelle Tradierung der „alten" Zurechnungslehre im französisch-italienischen Raum (I.). Einige (geistes-)geschichtliche Grundzüge der Strafrechtswissenschaft in Rumänien unter Berücksichtigung ihrer *westlichen* Einflussquellen sollen unmittelbar darauf folgen (II.), womit die besondere Bedeutung der Frage nach dem materiellen Verbrechensbegriff (III.) deutlich ans Licht kommt, was im Hinblick auf manche theoretische Entwicklung diesmal *im Osten* skizziert wird; als roter Faden dient in beiden Sektionen der fundamentale Gegensatz zwischen Freiheit und Empirie in der Strafrechtswissenschaft. Anders als oftmals angenommen, soll – so lautet die am Ende formulierte These – gerade ein vertieftes Verständnis des materiellen Verbrechensbegriffs die Grundlage für die Entwicklung einer „formellen" Verbrechenslehre bieten.

---

[2] Zu den verschiedenen Varianten dieses Aufbaus *Friedrich-Christian Schroeder*, Die Gliederung der Straftat in der Sowjetunion und in der DDR, in: Festschrift für Hans-Heinrich Jescheck, Bd. II, Berlin 1985, S. 1249 ff.; *ders.*, Rechtfertigung und Entschuldigung im deutschen Strafrecht im Vergleich zum Sowjetsystem, in: Albin Eser/Günther Kaiser (Hrsg.), Drittes deutsch-sowjetisches Kolloquium über Strafrecht und Kriminologie, Baden-Baden 1987, S. 7 ff.

[3] Siehe *Christian Reinhold Köstlin*, Neue Revision der Grundbegriffe des Criminalrechts, Tübingen 1845, S. 223 ff., 335 ff. („Die beiden Seiten der Handlung als Totalitäten für sich"); *Albert Friedrich Berner*, Lehrbuch des Deutschen Strafrechts, 18. Aufl. Leipzig 1898, S. 75 ff., 116 f.; siehe dazu *Günther Stratenwerth*, Zur Systematik des (revidierten) Allgemeinen Teils des Schweizerischen Strafgesetzbuches. Mélanges en honneur du Professeur Jean Gauthier, SchwZStrR 1996, 3 ff.

I.

Auffallend sind zunächst die französischen Stimmen, die noch um 1850 von einer „universellen, für alle Länder und für alle Juristen geltenden Strafrechtswissenschaft" *Joseph Ortolans* sprachen, noch zu den Zeiten, als in Deutschland die so genannten Hegelianer den Ton angaben. Die französischen Strukturen – trotz unzähliger Ausdifferenzierungen und Varianten – sind in den Grundzügen bis heute unverändert geblieben, und es ist kein Wunder, dass sich ein erfahrener Rechtsgelehrter der jüngsten Zeit zu einer wichtigen Feststellung veranlasst sieht:

> „Die französische Straftatlehre weist allerdings insofern eine erstaunliche Ähnlichkeit mit der alten deutschen Imputationslehre des 19. Jahrhunderts auf, als sie sich auf eine Feststellung des Zusammenhanges zwischen dem objektiven Geschehen und dem Willen des Täters, d.h. zwischen dessen äußeren Verhalten und seiner Subjektivität, beschränkt."[4]

Es gibt sogar weitere Hinweise, welche in dieselbe Richtung führen: Man nimmt einerseits zur Kenntnis, dass die Interpreten des *Code pénal* im Lauf des 19. Jahrhunderts unter einem „beträchtlichen und beständigen Einfluss von *Kant*" gestanden haben[5] und wird andererseits auf die Bedeutung der Zurechungslehre *Pufendorfs* für das französische Denken hingewiesen.[6]

Doch anders als in Frankreich finden in Deutschland in der zweiten Hälfte des 19. Jahrhunderts grundsätzliche Veränderungen vor allem durch *Franz v. Liszt* statt, und für den Gedanken einer wahren *Subjektivität* des Täters bleibt in dem auf den naturalistischen Positivismus gestützten Straftatsystem kein Platz mehr. Die Folgen sind gravierend: 1911 stellt *Emile Garçon* anlässlich der französischen Übersetzung des den Zerfall der strafrechtlichen Hegel-Schule vollendenden Lisztschen Lehrbuchs eine „klare Differenz zwischen dem deutschen und dem französischen *génie*" fest[7]. Zunächst die Strukturen der „alten" Zurechnungslehre (man denke nur an die tradierten Ausdrücke *imputatio facti* und *imputatio iuris*), dann die diese Strukturen mit neuem Inhalt (gerade, was die oben erwähnte „Subjektivität" angeht) ausfüllenden Rechtsphilosophien *Kants* und *Hegels* geraten von nun an in Ungnade – in Deutschland offen, in Frankreich stillschweigend – und mit ihnen zugleich eine wichtige Kommunikationsbrücke zwischen den (auch: von nun an!)

---

4 *Enrique Bacigalupo*, Die Europäisierung der Strafrechtswissenschaft, in: Bernd Schünemann u.a. (Hrsg.), Festschrift für Claus Roxin, Berlin/New York 2001, S. 1369.

5 *Jean-Marc Varaut*, Contenu doctrinal du code pénal de 1810, RIDP 1980, 87 ff., 88: „l'influence considérable et constante de *Kant* sur les commentateurs du droit pénal au cours du XIXe siècle".

6 *Pierrette Poncela*, Le droit pénal en folie ou l'impossible verité, Rev.sc.crim. 1986, S. 63 ff., 64.

7 Für die (viel zitierten) Sätze *Ortolans* und *Garçons* sowie für eine umfassende dogmengeschichtliche Darstellung siehe *Peter Hünerfeld*, Zum Stand der deutschen Verbrechenslehre aus der Sicht einer gemeinrechtlichen Tradition in Europa, ZStW 93 (1981), 979 ff.

verschiedenen Traditionen folgenden Strafrechtswissenschaften.[8] Ähnliches geschieht mit der traditionellen, maßgeblich durch *Giovanni Carmignani* und *Francesco Carrara* geprägten Zurechnungslehre in Italien, welche eine (verbesserte[9]) Fortführung der Zurechnungslehre *Pufendorfs* darstellte,[10] die den Angriffen des naturwissenschaftlichen Positivismus zwar standhält, doch ab 1930 immer mehr an Boden zu Gunsten der aus Deutschland kommenden, systematischen Einflüsse verliert. Was diese Lehre darüber hinaus auch enthielt, zeigt ebenfalls ein moderner Interpret *Carraras*: die Straftat, verstanden „als Hindernis der Freiheit des anderen und zugleich als Verletzung der äußeren Ordnung der Gesellschaft", weshalb die Strafe „als Wiederherstellung dieser Ordnung notwendig ist, worin *Carrara* sowohl mit *Kant* als auch mit *Hegel* übereinstimmt".[11]

Auf die weitere Entwicklung in der französischen oder italienischen Strafrechtsdogmatik braucht hier nicht weiter eingegangen zu werden, denn für die rumänische Strafrechtswissenschaft bleiben bis heute diese Grundlinien maßgeblich. Die „alte" Zurechnungslehre der *imputatio facti* und *imputatio iuris* findet noch in führenden Strafrechtslehrbüchern einen wortgetreuen Niederschlag,[12] dem (damaligen wie auch heutigen) Verständnis von Straftat und Strafe liegen die gleichen Grundsätze zugrunde und – was am wichtigsten erscheinen mag – die Kommunikationsschwierigkeiten mit der deutschen Strafrechtswissenschaft werden *aus dieser Sicht* auch erheblich geringer, wenn man gerade die gewaltige Renaissance derselben „alten" *Zurechnungslehre* bedenkt und dabei sowohl den Rückgriff auf die Rechtsphilosophien *Kants* und *Hegels*[13] – mit besonderem Nachdruck auf deren Bedeu-

---

[8] Als *Hellmuth Mayer* (Les fondements du droit pénal allemand actuel, RIDP 1967, 61 ff., 62) ein Bild von den „Grundsätze[n] des aktuellen [sic!] deutschen Strafrechts" nach außen und gerade vor den der deutschen Strafrechtswissenschaft gegenüber äußerst skeptisch eingestellten Strafrechtlern französischer Tradition vermitteln wollte, fand er deutliche Worte: „der Ausgangspunkt des deutschen juristischen Denkens befindet sich immer im Werk *Immanuel Kants* (Le point de départ de la pensée juridique allemande se trouve toujours dans l'œuvre *d'Emmanuel Kant*)".

[9] Siehe dazu *Alessandro Giuliani*, Imputation et justification, Arch. phil. droit 22 (1977), 85 ff., 89, 93 mit Anm. 1: „*Carrara* a ajouté l'imputation légale à la bipartition (imputation morale – imputation physique) proposé par *Pufendorf*". Zur herausragenden Bedeutung der auf *Daries* zurückzuführenden Trias imputatio facti – adplicatio legis ad factum – imputatio iuris, siehe *Joachim Hruschka*, Verhaltensregeln und Zurechnungsregeln, Rechtstheorie 22 (1991), S. 451 f.

[10] Zu *Carraras* Zurechnungslehre aus moderner Sicht siehe grundlegend *Tullio Padovani*, Francesco Carrara e la teorie del reato, Riv. it. dir. proc. pen. 1988, 867 ff.

[11] *Sergio Cotta*, Il pensiero di Francesco Carrara nell'incontro di filosofia e scienza, Riv. it. dir. proc. pen. 1989, 882 ff., 883.

[12] Siehe nur *Costică Bulai*, Manual de drept penal, partea generală (Lehrbuch des Strafrechts AT), Bukarest 1997, S. 153.

[13] *Michael Köhler*, Strafbegründung im konkreten Rechtsverhältnis. Die Aufhebung der abstrakten Straftheorie am Leitfaden der Hegelschen Rechtsphilosophie, in: Wilfried Küper (Hrsg.), Festschrift für Karl Lackner, Berlin/New York 1987, S. 11 ff.; *ders*., Le droit pénal entre public et privé, Arch. phil. droit 41 (1997), 199 ff.; *Hellmuth Mayer*, Kant, Hegel und das Strafrecht, in: Paul Bockelmann u.a. (Hrsg.), Festschrift für K. Lackner,

tung gerade für die strafrechtliche Zurechnung in einem demokratischen Rechtsstaat[14] – als auch die kritische Einstellung gegenüber der in Deutschland noch herrschenden Straftatsystematik.[15]

II.

Anfang des 20. Jahrhunderts wird die moderne rumänische Strafrechtswissenschaft im Zeichen der theoretischen Widersprüchlichkeit geboren. *Ioan Tanovicea-*

Frankfurt 1969, S. 54 ff.; *Wolfgang Naucke*, Die Zerbrechlichkeit des rechtsstaatlichen Strafrechts, Baden-Baden 2000; *Wolfgang Schild*, Die Aktualität des Hegelschen Strafbegriffs, in: Erich Heintel (Hrsg.), Philosophische Elemente der Tradition des politischen Denkens, Wien/München 1979, S. 199 ff.; *ders.*, Der strafrechtsdogmatische Begriff der Zurechnung in der Rechtsphilosophie Hegels, ZphF 35, 1981, 445 ff.; *ders.*, Die staatliche Strafmaßnahme als Symbol der Strafwürdigkeit. Zur Verbrechens- und Strafphilosophie von Immanuel Kant, in: Michael Kahlo u.a. (Hrsg.), Festschrift für E.A. Wolff, Wien/New York 1998, S. 429 ff.; *ders.*, Die unterschiedliche Notwendigkeit des Strafens. Zur Geschichte der Philosophie von Hobbes bis Hegel, KJPh, Beiheft 1/1998, 81 ff.; *Kurt Seelmann*, Anerkennungsverlust und Selbstsubsumption. Hegels Straftheorien, Freiburg/München 1995; *ders.*, Hegel und die Zurechnung von Verantwortung, in: Guido Britz u.a. (Hrsg.), Festschrift für Heinz Müller-Dietz, München 2001, S. 857 ff.; *Ernst Amadeus Wolff*, Das neuere Verständnis von Generalprävention und seine Tauglichkeit für die Antwort auf Kriminalitätsformen, ZStW 97 (1985), 786 ff.; *ders.*, Die Abgrenzung von Kriminalunrecht zu anderen Unrechtsformen, in: Winfried Hassemer (Hrsg.), Strafrechtspolitik. Bedingungen einer Strafrechtsreform, Frankfurt 1987, S. 137 ff.; *Rainer Zaczyk*, Staat und Strafe – Bemerkungen zum sogenannten „Inselbeispiel" in Kants Metaphysik der Sitten, in: Götz Landwehr (Hrsg.), Freiheit, Gleichheit, Selbstständigkeit. Zur Aktualität der Rechtsphilosophie Kants für die Gerechtigkeit in der modernen Gesellschaft, Göttingen 1999, S. 73 ff.

[14] *Klaus Günther*, Individuelle Zurechnung im demokratischen Verfassungsstaat, Jahrbuch für Recht und Ethik 2 (1994), 143 ff., 146 ff. (zur Staatsphilosophie *Kants*); *Urs Kindhäuser*, Personalität, Schuld und Vergeltung. Zur rechtsethischen Legitimation der Kriminalstrafe, GA 1989, 493 ff.; *ders.*, Handlungs- und normtheoretische Grundfragen der Mittäterschaft, in: Joachim Bohnert u.a. (Hrsg.), Festschrift für Alexander Hollerbach, Berlin 2001, S. 627 ff., 638, 642 (zum Strafbegriff *Hegels*).

[15] Zur Rehabilitierung der „alten Imputationslehre" insbesondere *Joachim Hruschka*, Strukturen der Zurechnung, Berlin 1976, S. 460; *ders.*, Vorpositives Recht als Gegenstand und Aufgabe der Rechtswissenschaft, JZ 1992, 429 ff., 432; *Michael Köhler*, Der Begriff der Zurechnung, in: Thomas Weigend/Georg Küpper (Hrsg.), Festschrift für Hans Joachim Hirsch, Berlin/New York 1999, S. 65 ff.; in der Sache übereinstimmend *Rainer Zaczyk*, Schuld als Rechtsbegriff, in: Ulfrid Neumann/Lorenz Schulz (Hrsg.), Verantwortung in Recht und Moral, ARSP-Beiheft 74, Stuttgart 2000, S. 103 ff.; gegen die herkömmliche Auffassung kritisch am radikalsten *Kindhäuser*, Zur Logik des Verbrechensaufbaus, in: Harald Koch (Hrsg.), Herausforderungen an das Recht: Alte Antworten auf neue Fragen? Berlin 1998, S. 77 ff.; *Heiko Hartmut Lesch*, Unrecht und Schuld im Strafrecht, JA 2002, 602 ff., 605 f.: „das derzeit vorherrschende Straftatsystem *Liszt-Beling-Radbruch*scher Provenienz ist eigentlich gar kein System, sondern ein bloßes Sammelsurium ganz heterogener, nicht miteinander auf einen Nenner zu bringender Versatzstücke, die man von Beginn an aus den mannigfaltigsten Gründen immer wieder verschoben und/oder hinzugefügt hat".

nu gilt als erster Autor von überragender Bedeutung[16] und, auch nach seinem eigenen (und oft betonten) Selbstverständnis, als Anhänger des strafrechtlichen Naturalismus; die Idee einer auf Freiheit gegründeten Verantwortung des Täters hätte ihm von daher fremd sein sollen. Dies ist freilich nicht der Fall: vielmehr sind bei ihm gleichwohl Passagen (gerade an entscheidenden Stellen) zu finden, welche über die unmittelbare Intention hinausgehen und zugleich ein eindrucksvolles Bekenntnis gerade für die Idee der Freiheit darstellen, wie z.B. im Kapitel über die Schuld:

> „Das moderne Strafrecht, welches den Menschen als Subjekt der Straftat ansieht, kann weder den Bewusstlosen, der dem Tier gleich ist, noch den Gezwungenen, der ein bloßes Werkzeug ist, bestrafen. Es fordert vielmehr, dass der Mensch ganz ist, also frei und bewusst, denn anders ist die Tat nicht mehr die Seinige, sondern etwas Fremdes (alienum), welches er nicht verantwortet."[17]

Damit wird offenbar nichts anderes ausgedrückt als der Grundgedanke der Zurechnungslehre: Ein Vorgang wird einem freien Subjekt als *seine* Tat – d.h. als Ausdruck seiner Freiheit – zugerechnet, weshalb er sie auch zu verantworten hat.

Diese Gedanken bedeuten einen völligen Abschied vom Naturalismus; freilich bleibt die Frage nach der näheren Bestimmung der Freiheit eines Rechtssubjekts im Zurechnungsbereich ohne eine entsprechende Bestimmung des Rechts selbst durch diese Freiheit in der Luft. Die Alternativen (zumindest in dem für Rumänien bestimmenden französisch-italienischem Strafrechtsraum) bewegen sich zwischen den Grundpolen: entweder Recht ohne Freiheit (Naturalismus) oder aber Recht und Freiheit kraft Natur und Gottes Willen, von daher freilich auch inhaltsvolle Strafrechtsnormen (so die auf alte Naturrechtsvorstellungen zurückgreifende Lehre *Carraras*). Am Firmament erscheint nun unter diesen (wenig erfreulichen) Umständen in Italien eine Denkrichtung, deren Bedeutung für die weitere Entwicklung in Rumänien von größter Wichtigkeit ist. Als Ursprung des neuen Ansatzes gilt der 1910 (ein Jahr *vor* dem Erscheinen *Kelsens* Hauptprobleme der Staatsrechtslehre!) erschienene Aufsatz mit dem Titel „Das Problem und die Methode der Strafrechtswissenschaft" von *Arturo Rocco*.[18] Dabei handelt es sich um den radikalen Anspruch, den lang andauernden Kampf zwischen den aus der Naturrechtslehre schöpfenden Klassikern und den dem naturwissenschaftlichen Positivismus folgenden Anhängern der *scuola positiva* zu beenden und eine gültige Methodenlehre für die Strafrechtswissenschaft zu liefern. Den Klassikern gegenüber wird geltend gemacht, die Strafrechtswissenschaft habe sich nur mit dem *geltenden positiven Recht* zu beschäftigen und das Naturrecht sei endgültig aus der Diskussion zu verbannen. Dabei sind die auf *Carrara* zurückgehenden Strukturen der Zurechnungslehre wei-

[16] Hauptwerk: Curs de drept penal (Strafrechtskurs), 2 Bde., Bukarest 1912; nach dem Tod des Autors (1918) wird dieses Werk wiederaufgelegt als Tratat de drept şi procedură penală (Lehrbuch des Strafrechts und Strafprozessrechts) mit weit angelegten Anmerkungen und Fortführungen von einem Autorenkollektiv unter der Leitung von *Vintilă Dongoroz*, 5 Bde., Bukarest 1924–1927.

[17] *Ioan Tanoviceanu/Vintilă Dongoroz*, Lehrbuch (Anm. 16), Bd. I Rdn. 595, S. 693.

[18] Veröffentlicht in Rivista italiana di diritto penale 1910, 497 ff. (I), 561 ff. (II).

terhin als gültig zu betrachten; die deutsche Systematik wird ausdrücklich abgelehnt. Was die Positivisten angeht, so lautet die Kritik noch schärfer: Strafrechtswissenschaft als Wissenschaft vom (positiven) Strafrecht sei eben eine Rechts- und keine Naturwissenschaft. Als Grundthese soll von nun an gelten, dass jeder Versuch, die strafrechtlich relevanten Begriffe *naturalistisch* aufzufassen, falsch sei, und alle diese Begriffe vielmehr *normativ* zu verstehen seien, andererseits aber, dass jede „metaphysische“ Überlegung aus der Strafrechtswissenschaft restlos zu verbannen ist. Man mag dabei nicht nur an die Vorwegnahme einer „Reinen (Straf)Rechtslehre“ denken,[19] sondern auch an die entsprechende aktuelle Debatte in der deutschen Strafrechtswissenschaft um Naturalismus und Normativismus.

Wenn der Satz zutrifft, dass „eine Strafrechtswissenschaft, die Dogmatik sein will, nichts mit der Reinen Rechtslehre anfangen (kann), außer daß sie mit ihrer Hilfe erkennt (und erkennen muß): alle ihre Begriffe sind normativ“,[20] dann ist die in der ersten These steckende Wahrheit von der durch die zweite These durchgeführten Verbannung (auch) der Rechtsphilosophie zu trennen, um hier die notwendigen Korrekturen anzusetzen: Gerade dieser Weg ist in Rumänien beschritten worden. Das Anliegen *Rocco*s findet begeisterte Zustimmung bei vielen Strafrechtswissenschaftlern,[21] unter ihnen *Vintilă Dongoroz*, der die Lehre und die Gesetzgebung von damals bis heute entscheidend geprägt hat. Der normativierenden Betrachtungsweise stimmt er völlig zu, allerdings fällt seine Stellungnahme zur Rechtsphilosophie gar nicht so drastisch aus, und in seinem 1939 erschienenen Großlehrbuch wird ein (sowohl in quantitativer als auch in substantieller Hinsicht) beachtlicher Teil auf die Begründungsfragen fallen. Mancher zeitgenössische Kritiker meint deswegen, *Dongoroz* habe ein „Zurück zu Kant“ gefordert und darüber hinaus seien in seiner Lehre auch „Hegelianisierende Einflüsse“ festzustellen;[22] das

---

[19] Siehe in dieser Hinsicht die Kritik von *Giuseppe Maggiore*, Normativismo e antinormativismo nel diritto penale, Archivio penale 1949, 3 ff.; *ders*., Arturo Rocco e il metodo „tecnico-giuridico“, in: Studi in memoria di Arturo Rocco, Bd. I, Milano 1952, S. 3 ff.

[20] *Wolfgang Schild*, Reine Rechtslehre und Strafrechtswissenschaft, in: Agostino Carrino/ Günther Winkler (Gesamtred.), Rechtserfahrung und Reine Rechtslehre, Wien/New York 1995, S. 59 ff.; siehe ebendort *Kurt Seelmann*, Kelsen und das Strafrecht, S. 83 ff.

[21] Siehe auch *Jean Moruzi*, Evoluția școalelor penale și noile tendințe doctrinare in dreptul penal (Die Entwicklung der strafrechtlichen Schulen und die neuen Lehrtendenzen im Strafrecht), Bukarest 1929; *ders*., La crise de la méthode technique-juridique du droit pénal, RIDP 1934, 1 ff., 9: „L'élaboration de la méthode technique-juridique qui caracterise la seconde phase de l'école classique, ne fait qu'insister sur le caractère juridique du droit pénal. Cette méthode énonce le principe que le droit pénal doit être ramené à une théorie juridique, à une exploration scientifique de la discipline scientifique de la discipline juridique des délits et des peines sous leur aspect juridique.“; zur Verbindung mit der auf Vergeltung basierenden Straftheorie S. 12: „Combattre la méthode juridique pénale équivant à méconnaître la peine répressive et son rôle prépondérant dans le Code pénal d'un Etat civilisé.“

[22] *Petre Pandrea*, Criminologia dialectică (Die dialektische Kriminologie), Bukarest 1945, S. 35.

Gleiche wird auch von seinen Anhängern behauptet.[23] Einen direkten Weg zu *Kant* und *Hegel* findet er allerdings nicht. Er steht aber in geistiger Nähe zu dem damals wie auch heute als maßgeblich geltenden (leider für das Strafrecht überhaupt kein Interesse aufbringenden) Rechtsphilosophen *Mircea Djuvara*, der sich zu „einem durch *Fichte* und *Hegel* weiterentwickelten und den wissenschaftlichen Zeitfragen angepassten *Kant*"[24] bekannte und aus der Rechtsphilosophie *Kants* das Thema seines Lebens machte.[25] Gleichzeitig wusste er auch manchen genialen Zeitgenossen zu schätzen und „das riesengroße neue Licht, das *Kelsen* in die Rechtswissenschaft mitgebracht hat"[26] anzuerkennen. Dass dieser Kantianer (nicht: *Neu*kantianer!) stets und konsequenterweise die Rechtsperson als „Bündel von Relationen", „logisches Zuschreibungssubjekt", dem nämlich „Rechte und Pflichten zugeschrieben werden", begreift und von dem „biologischen Individuum" streng unterscheidet (und zwar deswegen, weil „meine juristische Person weder mit meiner physischen noch mit meiner psychologischen Person zu verwechseln ist"[27]), verwundert daher nicht. Einer Übertragung dieser Zusammenhänge auf die Strafrechtswissenschaft hätten keine ersichtlichen Schwierigkeiten im Wege gestanden und sie war – so mag man spekulieren – nur noch eine Frage der Zeit. Was die Philosophie des Deutschen Idealismus für die Strafrechtswissenschaft leisten kann, formulierte bereits 1940 der (auf *Hegel* aufbauende) Philosoph *Constantin Rădulescu-Motru*:

> „Die Rechtsordnung setzt vor allem die Persönlichkeit des Menschen voraus. Nur dann wird der einzelne zum Rechtssubjekt und nur dann kommt eine Rechtsordnung zustande, wenn der einzelne als freie und der eigenen Freiheit bewusste Person begriffen und ihm im Strafrecht die Verantwortung für seine Tat vorgehalten wird."[28]

Doch Zeit für eine solche theoretische Entwicklung in der rumänischen Strafrechtswissenschaft gab es zunächst nicht mehr. *Djuvara* starb 1944 und kurz darauf änderten sich die politischen Umstände. Eine auf Freiheit gegründete Rechtsphilosophie hatte von nun an ebenso wenig wie die Reine Rechtslehre ein Existenzrecht in der Forschung und Lehre. Der „bürgerliche" Strafrechtslehrer *Dongoroz* selbst, in Isolierung und Vergessenheit geraten, durfte nur im Rahmen eines kleinen Insti-

---

[23] *Eugen Cristescu*, Introducere în ştiinţa dreptului penal (Einführung in die Strafrechtswissenschaft), Bukarest 1938, S. 81 ff.

[24] *Mircea Djuvara*, Eseuri de filosofie juridică (Rechtsphilosophische Schriften), hrsg. von Nicolae Culic, Bukarest 1998, S. 315.

[25] Dies entsprach einer allgemeineren kulturellen (wenn auch nicht der einzigen) Tendenz in Rumänien zu jener Zeit, siehe statt vieler *Ioan Petrovici*, Kant şi cugetarea românească (Kant und das rumänische Denken), in: ders., Scrieri istorico-filosofice (Geschichtsphilosophische Schriften), Bukarest 1925, S. 207 ff.; *Paul Schuster-Stein*, Kants Philosophie in Rumänien, in: Kant-Studien 86 (1995), S. 70 ff. mit weiteren Nachweisen.

[26] *Mircea Djuvara*, Teoria generală a dreptului. Drept natural, izvoare şi drept pozitiv (Allgemeine Rechtslehre. Naturrecht, Rechtsquellen und positives Recht), Bukarest 1930 (Neuauflage 1995), S. 508 f.

[27] *Djuvara* (Anm. 24), S. 63 f., 149, 192.

[28] Responsabilitatea penală (Die strafrechtliche Verantwortlichkeit), Bukarest 1940, S. 5.

tuts (aus der Universität wurde er verwiesen!) einige junge Forscher schulen; schreiben durfte oder wollte er während der 1950er und frühen 1960er Jahre jedenfalls nicht. Nur die politische Abkehr von der Sowjetunion und die dabei erfolgte scheinbare Wiederkehr zur Tradition setzte diesem Schweigen ein Ende. Mehr noch: *Dongoroz* bekam den Auftrag, einen StGB- und einen StPO-Entwurf zu verfassen. Beide wurden nach kurzer Beratung verabschiedet und traten am 1. Januar 1969 in Kraft. Sie gelten, wohl auch dank der ihnen innewohnenden Wissenschaftlichkeit, bis heute. Er selbst starb 1976, nach der Herausgabe eines Großlehrbuchs zum StGB und zur StPO zwischen 1969 und 1972; die damaligen jungen Forscher wurden zu angesehenen Professoren, welche in der heutigen Lehre den Ton angeben, freilich, indem sie die Substanz der alten Lehre weiterhin tradieren.

Die Aktualität dieser Inhalte findet im Verständnis der Strafe und der Schuld einen deutlichen Niederschlag. Schon 1939 beharrte *Dongoroz* in langatmigen Passagen darauf, dass die Strafe der „Wiederherstellung der Rechtsordnung" diene und damit „der Erhaltung der Gesellschaft", denn anders würde sich „das Opfer allein die Gerechtigkeit aussuchen und damit neue Ungerechtigkeit schaffen" und auch hinsichtlich der anderen Bürger „bestünde kein Vertrauen mehr in die Rechtsordnung". Dies (und nicht etwa die Abschreckung potentieller Straftäter!) wurde damals von ihm als „Generalprävention" bezeichnet, wobei freilich im gleichen Gedankenzug die Idee der *Gerechtigkeit* auftritt. Diese Linie geht noch weiter zurück, bis zu einer der schönsten (und zugleich aktuellsten) Stellen in der rumänischen Strafrechtsliteratur, wo auf das Wesen der *Schuld* geschlossen wird:

> „Die Gesellschaft lebt durch die Kooperation ihrer Mitglieder. Diese Kooperation wird durch bestimmte Normen gesichert. Wer diese Normen bricht, gefährdet das Leben der Gesellschaft; dieser Akt (d.h. der Normbruch) veranlasst eine Reaktion der Gesellschaft zu ihrer Erhaltung (...) durch Strafe stellt die Gesellschaft ihre verletzte Ordnung wieder her und schützt zugleich diese Ordnung für die Zukunft; die Gesellschaft braucht die Strafe zur Erhaltung ihrer gegebenen Ordnung."

Freilich

> „bestraft wird nur derjenige, der *schuldhaft* handelt. (...) Man kann demjenigen keine Tat vorwerfen, der keinen Vorwurf verdient. Und wer das Verwerfliche an dieser Tat nicht gekannt und nicht hätte kennen können, oder derjenige, bei dem das Verhältnis zwischen seiner Psyche und seiner Tat fehlt, derjenige *verdient* den durch die Strafe *ausgedrückten Vorwurf* nicht. Von diesem Einzelnen *kann nicht gesagt werden*, dass er bei der Erhaltung der Gesellschaft *nicht mitwirken will*. Gegen einen Unschuldigen ist die Strafe *unvernünftig*, denn sie hat keinen Grund und Zweck."[29]

Kurz und zugleich moderner[30] gefasst heißt dies: Die Erhaltung der Gesellschaft ist nur über den Bestand der Normen zu gewährleisten, und derjenige, der diese

---

29 *Traian Pop*, Drept penal comparat (Vergleichendes Strafrecht), Bd. III, Cluj 1924, S. 25.

30 Vgl. statt vieler *Wolfgang Frisch*, Straftat und Straftatsystem, in: Jürgen Wolter/ Georg Freund (Hrsg.), Straftat, Strafzumessung und Strafprozess im gesamten Strafrechtssystem, Heidelberg 1996, S. 135 ff.; *ders.*, Schwächen und berechtigte Aspekte der Theorie der positiven Generalprävention. Zur Schwierigkeit des „Abschied[s] von Kant und

Normen bricht, bringt die Gesellschaft gerade *dadurch* in Gefahr, dass er einen Ausweg aus ihrer (der Gesellschaft eigenen) normativen Welt *symbolisch* signalisiert – dagegen tritt die den Vorwurf „ausdrückende" Strafe auf. Diese *Kommunikation* – die gerade *das Vernünftige* an der Bestrafung ist (man denke an die von *Hegel* angeprangerte Alternative einer „unvernünftigen Sequenz zweier Übel"[31]) – läuft über *Fakten*, welche äußerlicher (das objektive „Verhalten") wie auch innerlicher *Natur* („Verhältnis zwischen Psyche und Tat") sind, *per se* aber keine rechtliche Bedeutung haben, sondern eine solche erst kraft normativer Zuschreibung erhalten, genauer: die Bedeutung *eines gegen das geltende Recht gerichteten Willens*.[32]

Einige in der rumänischen (alten wie modernen) Lehre angewendeten Schlüsselelemente öffnen von hier aus den Weg zum Verständnis der Zurechnungsstrukturen *(imputatio facti* und *imputatio iuris).* Auf der objektiven Ebene geht es nicht bloß um die Verletzung von Rechtsgütern, sondern um die „Verletzung der *Sozialverhältnisse, in denen die Güter stehen*": so eine erste Formel betreffend das Objekt und die objektive Seite des Verbrechens, welche einerseits als Feststellung der Normwidrigkeit eines Verhaltens „im Blick auf Personen, also auf spezifische Regeln einer Sozialität"[33] verstanden werden kann und damit den Weg zur modernen Lehre der objektiven Zurechnung (von der Vielfalt der Varianten dieser Lehre in der heutigen deutschen Strafrechtswissenschaft einmal abgesehen) frei macht, auch wenn man in Rumänien diese Terminologie noch nicht benutzt. Andererseits ergibt sich bereits aus dieser Formel Wichtiges über das *Subjekt*: Wer nicht einfach *natürliche Gegebenheiten*, sondern darüber hinaus *gesellschaftliche* Verhältnisse zu verletzen vermag, kann auch kein bloßes *natürliches* Wesen sein, das *Kausalprozesse* in der *Natur* auslöst, sondern muss auch in *gesellschaftliche* Verhältnisse involviert

---

Hegel", in: Bernd Schünemann/Andrew von Hirsch/Nils Jareborg (Hrsg.), Positive Generalprävention: kritische Analyse im deutsch-englischen Dialog, Heidelberg 1998, S. 125 ff.; *Günther Jakobs*, Der strafrechtliche Handlungsbegriff. Kleine Studie, München 1992; *ders.*, Das Schuldprinzip, Opladen 1993; *ders.*, Das Strafrecht zwischen Funktionalismus und „alteuropäischem" Prinzipiendenken, ZStW 107 (1995), 843 ff.; *ders.*, Zur gegenwärtigen Straftheorie, in: Klaus M. Kodalle (Hrsg.), Strafe muß sein! Muß Strafe sein? Würzburg 1998, S. 29 ff.; *ders.*, Strafrechtliche Zurechnung und die Bedingungen der Normgeltung, in: Ulfrid Neumann/Lorenz Schulz (Hrsg.), Verantwortung in Recht und Moral, ARSP-Beiheft 74, Stuttgart 2000, S. 57 ff.; *Urs Kindhäuser*, Strafe, Strafrechtsgut und Rechtsgüterschutz, in: Klaus Lüderssen/Cornelius Nestler-Tremel/Ewa Weigend (Hrsg.), Modernes Strafrecht und Ultima-ratio-Prinzip, Frankfurt 1990, S. 29 ff.; *ders.*, Rechtstreue als Schuldkategorie, ZStW 107 (1995), 701 ff.

31 *Georg W.F. Hegel*, Grundlinien der Philosophie des Rechts, § 99.

32 Selbst das geltende StGB spricht für diese Deutung. Das Wort „Verbrechen" erscheint zum ersten Mal in Art. 1 StGB, unter der Überschrift „Zweck des Strafgesetzes": Das Strafgesetz hat danach den Staat, die Person, ihre Rechte und Freiheiten, das Eigentum sowie auch die ganze Rechtsordnung gegen Verbrechen zu schützen.

33 So *Günther Jakobs*, Strafrechtliche Zurechnung und die Bedingungen der Normgeltung, in: Ulfrid Neumann/Lorenz Schulz (Hrsg.), Verantwortung in Recht und Moral, ARSP-Beiheft 74, Stuttgart 2000, S. 66.

sein, und das heißt vor allem: in *Kommunikationsprozesse*. Ein zweites (wesentliches) Lehrelement vollzieht die Übertragung dieses Befundes von der soziologischen in die rechtliche Terminologie, nämlich die *Lehre vom Strafrechtsverhältnis*. Streitige Einzelheiten sollen hier unberücksichtigt bleiben;[34] wesentlich ist vielmehr das dabei völlig Unbestrittene, nämlich: Die strafrechtliche Verantwortung setzt voraus, dass der Täter als *Subjekt eines Rechtsverhältnisses* und darin als Träger einer *Rechtstreuepflicht* in Betracht gezogen wird.[35] Ob das objektiv Normwidrige auch als Verletzung dieser Pflicht gedeutet wird, hängt von den auf die Fähigkeiten des Einzelnen Bezug nehmenden *Kriterien* der subjektiven Zurechnung *(imputatio iuris)* ab – Vorsatz und Fahrlässigkeit – und hiermit ist man zugleich bei der Schuld. Da es sich um einen auf den *Verdienst* des Subjekts bezogenen *Vorwurf* handelt, wird das Subjekt gerade in seiner *Freiheit* ernst genommen und die Schuld, welche gemäß ihrer heutigen Standarddefinition lautet: „Einstellung des Täters zu seiner Tat und zur Rechtsordnung",[36] kann auch nur als Ausdruck der auf *Freiheit* basierenden *Verantwortung* dieses Täters als eines *Rechts*subjekts verstanden werden. Es wird nun ersichtlich, dass die ganze Konzeption von einer entscheidenden Frage abhängt, nämlich von der Frage nach der Konstitution der Rechtssubjektivität selbst, also nach dem Begründungszusammenhang zwischen dem Einzelnen und dem Recht. Im Rahmen einer formellen Zurechnungslehre kann diese Frage nun nicht mehr beantwortet werden. Man muss die Antwort in der Rechts- und Staatsphilosophie suchen, was in strafrechtlicher Terminologie ausgedrückt nichts anderes bedeutet, als die Suche nach dem materiellen Verbrechensbegriff als Grundlage jeder formellen Verbrechenslehre.[37]

---

34 Siehe dazu ausführlich *Mioara Ketty Guiu*, Raportul juridic de drept penal (Das Strafrechtsverhältnis), Revista de drept penal 4/1996, 28 ff.

35 *Vintilă Dongoroz*, Drept penal (Strafrecht), Bukarest 1939, Rdn. 11 ff., S. 23 ff.; *Bulai* (Anm. 12), S. 56 f.; *Constantin Mitrache*, Drept penal român (Rumänisches Strafrecht), Bukarest 1998, S. 37. Davon bleiben diejenigen ausgeschlossen, von denen – so die tradierte Formel in der rumänischen Lehre – „keine Einsicht in die Notwendigkeit der Rechtsbefolgung zu erwarten ist", d.h. keine *Motivierung um der Normbefolgung* willen. Hierunter fallen Geisteskranke, Kinder und Menschen, die sich in existentiellen Ausnahmelagen befinden (Notstand).

36 Siehe zur Schuld sowie insgesamt zur Verbrechenslehre jüngst *George Antoniu*, Vinovaţia penală (Die strafrechtliche Schuld), Bukarest 1994; zur Entwicklung einer äußerst konsequenten, die Tradition mit der Modernität verbindenden Lehre grundlegend *ders.*, Raportul de cauzalitate în dreptul penal (Das Kausalverhältnis im Strafrecht), Bukarest 1968; Reflecţii asupra conceptului de infracţiune (Überlegungen zum Verbrechensbegriff), Studii şi cercetări juridice (Juristische Studien und Forschungen) 2/1980, S. 143 ff.; Despre esenţa, scopul şi funcţiile pedepsei (Zu Wesen, Zweck und Funktionen der Strafe), Revista de drept penal (Zeitschrift für Strafrecht) 2/1998, 9 ff.

37 Siehe dazu jetzt *Wolfgang Naucke*, Der materielle Verbrechensbegriff im 19. Jahrhundert, in: Diethelm Klippel (Hrsg.), Naturrecht im 19. Jahrhundert, Goldbach 1997, S. 269 ff.

III.

Die Debatte um den so genannten materiellen Verbrechensbegriff in Gestalt der berühmt-berüchtigten Gesellschaftsgefährlichkeit der Handlung war nach der Wende in Osteuropa überall zu spüren und die Strafrechtswissenschaft in Rumänien stellt keine Ausnahme dar; auch nach dem rumänischen StGB wird das Verbrechen durch Gesellschaftsgefährlichkeit definiert und auch in Rumänien hat man darüber gestritten, ob die Bagatelltaten weiterhin außerhalb des Strafrechts gehören (so Art. 18^1 StGB) oder ob eine dem deutschen Strafrecht nahe stehende Lösung wieder (wie ursprünglich 1969) aufzunehmen sei. Die Argumentation für die eine oder andere Antwort folgt den längst bekannten Linien,[38] und von daher erübrigt es sich, hier darauf näher einzugehen. Freilich hat man in Rumänien – aus nun leicht zu erkennenden Gründen – nicht darüber gestritten, ob das Verbrechen weiterhin durch die Gesellschaftsgefährlichkeit zu bestimmen ist und (insbesondere) ob dies schon für einen materiellen Verbrechensbegriff genügt: beides erscheint nahezu selbstverständlich. Mancherorts wird gefordert, den materiellen Verbrechensbegriff als eine dem realen Sozialismus typische Konstruktion zu verabschieden,[39] nicht aber in Rumänien. Hinzu kommt auch, dass das Verbrechen auch noch durch die Pflichtverletzung (die Pflicht bezieht sich auf die Rechtstreue) definiert ist und der Gedanke des Rechtsgüterschutzes zwar nicht verschwindet, aber gleichwohl in den Hintergrund tritt.[40] Ob ein solches Verständnis sich mit dem Gedanken eines demokratischen Rechtsstaats verträgt, lässt sich jedenfalls fragen.

Angesichts des fürchterlichen Missbrauchs beider Termini durch die beiden Haupttypen des Totalitarismus in der Geschichte des 20. Jahrhunderts ist manche Zurückhaltung vor solchen Formeln verständlich: Man *kann* die Rechtstreue zur Bluttreue mittels einer auf Blutsgemeinschaft basierten Rechtsordnung mutieren (nach *Kelsen* war bekanntlich auch jene Ordnung eine *Rechtsordnung*), und man

---

[38] Siehe statt vieler *Andrzej Zoll*, Der Verbrechensbegriff im Lichte des Entwurfs des polnischen Strafgesetzbuches, ZStW 107 (1995), 417 ff.

[39] Zu diesen Aufforderungen und deren Begründung siehe *Jan Musil*, Die Bestrebungen zu einer demokratischen Strafrechtsreform in der Tschechoslowakei, ZStW 103 (1991), 1021 ff., 1030; *Siegfried Lammich*, Das neue russische Strafgesetzbuch von 1996, ZStW 109 (1997), 417 ff., 422; völlig unmissverständlich *Jaan Sootak* (Anm. 45), S. 81: „Der materielle Verbrechensbegriff wurde abgeschafft. Der Begriff der Gesellschaftsgefährlichkeit ist aus dem StGB der Estnischen Republik vollständig gestrichen worden.; siehe aber später auch *ders.*, Straftheorien als Prüfstein der Strafrechtsreform – Entwicklung und Änderung der rechtlichen Dimension, Rechtstheorie 31 (2000), 467 ff.; zur Kritik der verschiedenen osteuropäischen Auffassungen zur Gesellschaftsgefährlichkeit siehe *Felix Herzog*, Nullum Crimen Sine Periculo Sociali oder Strafrecht als Fortsetzung der Politik mit anderen Mitteln, in: Klaus Lüderssen/Cornelius Nestler-Tremel/Ewa Weigend (Hrsg.), Modernes Strafrecht und Ultima-ratio-Prinzip, Frankfurt 1990, S. 105 ff.; zur Gesellschaftsgefährlichkeit im Ausgang von *Kant* siehe ebendort *Rainer Zaczyk*, Der Begriff „Gesellschaftsgefährlichkeit" im deutschen Strafrecht, S. 113 ff.

[40] Siehe dazu besonders auf Osteuropa bezogen *Wolfgang Frisch*, Wesentliche Strafbarkeitsvoraussetzungen einer modernen Strafgesetzgebung (Anm. 45), S. 201 ff., 205 ff.

kann im Rahmen einer ähnlich gedachten Rechtsordnung auch eine durch beständige Androhung und allgegenwärtige Bespitzelung organisierte Welt „Gesellschaft" nennen und – eben unter *Macht*vorrang – ihre Schutzwürdigkeit proklamieren. Freilich ist damit nur wenig gewonnen. Ob das Recht selbst als Willkür- und Machtausfluss oder aber als Ergebnis einer Verständigung zwischen als frei und vernünftig gedachten Subjekten erscheint, bleibt noch offen, und auch, ob man unter der Gesellschaft eine durch zentralistisch geplantes Verhalten der *Unterwürfigen* (wie es vor der Wende der Fall war) bestimmte Veranstaltung oder aber (wie heute proklamiert) eher eine durch massenhaft-anonyme und dezentral organisierte Kommunikation zwischen den (freien) *Bürgern* versteht. Anders gesprochen: Dass der Einzelne zwar die Pflicht hat, für Rechtstreue zu sorgen, und dass das Verbrechen als Verletzung dieser Pflicht angesehen werden kann, besagt *nichts* über die *Begründung*, mithin auch *nichts* über die *Grenzen* dieser Pflicht, deren Grenzen aber für jede Strafrechtsdogmatik von entscheidender Bedeutung sind. Daraus ergibt sich, dass eine solche Definition für *den* Verbrechens*begriff* einerseits unerlässlich, andererseits weit davon entfernt ist, diesem Begriff einen Sinn zu verleihen. Sie hat nichts mit einem *materiellen* Verbrechensbegriff zu tun, sondern bleibt vielmehr auf der *formellen* (abstrakten) Ebene, welche erst dann verlassen wird, wenn man nach den die Gesellschaft und ihr Recht formenden Grundsätzen sucht.

Kant versteht das Verbrechen als Gefährdung des „gemeinen Wesens" bzw. als „Verletzung der Staatssicherheit im Besitz des Seinen eines jeden"[41] und bei *Hegel* ist ausdrücklich von der „Gefährlichkeit der Handlung für die Gesellschaft"[42] die Rede. Das damit Gemeinte ist selbstverständlich nur in Bezug auf die hinter diesen Bestimmungen stehende und auf die wirkliche Freiheit des Einzelnen basierende Rechts- und Strafrechtsphilosophie zu verstehen. Auch in den sowjetischen Strafgesetzbüchern der Revolutionszeit erscheint das Verbrechen unter der Etikette der *Gesellschaftsgefährlichkeit*: dahinter steht freilich völlig Verschiedenes. Schon vom *Strafrecht einer Gesellschaft überhaupt* (d.h. von einer durch das Strafrecht in ihrem Bestand garantierten Gesellschaft) hätte damals gar keine Rede sein können;[43] vielmehr hatte das Strafrecht einen *ideologisch bestimmten Sozialentwurf* mit *Gewalt* durchzusetzen und diese Gewalt war von den jeweiligen *Machthabern gegen* die jeweils *aktuelle Gesellschaft* anzuwenden. Weil alles in den Rahmen des *Klassenkampfs* eingebettet wird, fungiert das Strafrecht als *Klassengewalt*, wobei der Verbrecher als Vertreter der Feindklasse eben als *Feind* zu bekämpfen ist. Dass

---

41 *Immanuel Kant*, Metaphysik der Sitten, in: Wilhelm Weischedel (Hrsg.), Werke VII, S. 452 bzw. S. 487.

42 *Hegel* (Anm. 31), § 218.

43 So auch die sozialistische Lehre des Strafrechts als (vorläufiger) *Zwangsordnung*, siehe *Hans-Lundwig Günther*, Diskussionsbeitrag, ZStW 103 (1991), 854: „Das Strafrecht soll als *Wegbereiter und Vorreiter der notwendigen gesellschaftlichen Veränderungsprozesse* fungieren und die Bevölkerung zu *sozialistischem Bewußtsein erziehen*." (Hervorhebung vom Verfasser.)

das sowjetische Strafgesetzbuch von 1926 nichts mehr von *Strafe* (geschweige denn von *Schuld*) weiß, sondern nur *Maßnahmen* einsetzt, ist daher völlig konsequent. Die ideologisierenden Definitionen der Gesellschaftsgefährlichkeit von diesen sowjetischen Anfängen bis hin zu den ersten Strafvorschriften in den besetzten Gebieten Osteuropas (wo die bestehende „bürgerliche" Gesellschaft ebenso mit Gewalt zu bekämpfen war) hatten vor allem zu zeigen, dass dem Verbrechen damit eine *symbolische Bedeutung* zukommt: es ist ein *Protest gegen den Sozialentwurf der Machthaber*, mithin eine *Kampfhandlung* gegen die Machthaber (mögen diese sich auch als Klassenvertreter verstehen, welche die Diktatur über alle anderen ausübt). Das Legalitätsprinzip wird abgeschafft. Die Rede vom Recht wird unter solchen Umständen problematisch.[44]

Als die politische Strenge und die Rede von der „gesamten sozialistischen Gesellschaft" anstelle der vom harten „Klassenkampf" in den Vordergrund tritt, kann eine Debatte um die Gesellschaftsgefährlichkeit zumindest auf der Ebene der Dogmatik anfangen. Hier wird die Wissenschaft (einmal das Legalitätsprinzip wieder etabliert) nach Anhaltspunkten in der (vorsozialistischen) Tradition sucht. Die hier anzutreffenden Hinweise beziehen sich auf die durch *v. Liszt* eingeführte *materielle Rechtswidrigkeit*.[45] Da bei *v. Liszt* darunter die Verletzung oder Gefährdung des durch das Recht geschützten Gutes zu verstehen war (damit der Hintergrund der von den Schuldformen Vorsatz und Fahrlässigkeit getrennten *formellen Rechtswidrigkeit*), können sich darauf vor allem diejenigen Stellungnahmen berufen, welche die Gesellschaftsgefährlichkeit von Vorsatz und Fahrlässigkeit – beide verstanden als Schuldformen – trennen.[46] Was die rechtsphilosophische Dimension angeht, so bietet sich die *Tradition der Aufklärung* als über die ideologiegebundenen Hinweise hinausgehende Begründungsquelle an, wenn auch die Hinweise dar-

---

[44] Der spätere Nürnberger Strafrichter *Henri Donnedieu de Vabres* (La politique pénale des États autoritaires, Paris 1938, S. 13) notiert: „Es handelt sich offensichtlich um nichts anderes, als eine Regulierung der Gewalt *(une régularisation de la violence)*. Aber kann man hierbei von einem Recht sprechen? Nein, sondern nur von einer Technik, einer Verwaltungsmethode, einer Disziplin, wenn es richtig ist, dass das Recht auf die Harmonisierung der individuellen und kollektiven Interessen nach den Grundsätzen der Gerechtigkeit gerichtet ist."

[45] Siehe die Beiträge von *Imre Békés*, *Petar Novoselec* und *Andrzej Wąsek*, in: Albin Eser/Günther Kaiser/Ewa Weigend (Hrsg.), Von totalitärem zu rechtsstaatlichem Strafrecht. Kriminalpolitische Reformtendenzen im Strafrecht osteuropäischer Länder, Freiburg 1993 (am deutlichsten *Békés*, S. 146: „Gleichwohl entspricht die Legaldefinition der Gesellschaftsgefährlichkeit dem Begriff der materiellen Rechtswidrigkeit, weil sie nichts anderes zum Inhalt hat als die Verletzung bzw. Gefährdung von rechtlich geschützten Interessen."); *Friedrich-Christian Schroeder*, Kommentar, ebendort, S. 129.

[46] Eine solche Argumentation ist bei *G.A. Krigera/N.F. Kuznetzowa/I.M. Tkacewski*, Sov'etskoe Ugolovnoe pravo (Sowjetisches Strafrecht), Moskau 1988, S. 48 zu finden; ähnlich *Ivan Nenov*, Nakazatel'no pravo (Strafrecht), Sofia 1963, S. 274 f. (für die starke sachliche Übereinstimmung mit *v. Liszt*, siehe auch S. 283 f.).

auf spärlich (dafür aber eindeutig) sind.[47] Da in dieser Tradition als Ausgangspunkt nämlich „das empirische Subjekt in seinen positiven und negativen Möglichkeiten"[48] ins Zentrum gestellt wird, ist dieser Vorgang auch in sich schlüssig: Die freie Subjektivität hat eben im Rahmen des gewählten Referenzsystems auch keinen Platz. In derselben Hinsicht ist dann auch auf die (wechselvollen) Verhältnisse zur französischen *défense sociale nouvelle* hinzudeuten.[49]

Doch gibt es gegen diese Annahmen auch beachtliche Argumente, die nicht lange verborgen bleiben. Die Berufung auf die (heute völlig überwundene) Ansicht *v. Liszt*s war aber auch in Osteuropa eine Mindermeinung, da für die meisten Autoren die Gesellschaftsgefährlichkeit von den Schuldformen Vorsatz und Fahrlässigkeit nicht trennbar war,[50] damit auch mit dem Gedanken der materiellen Rechtswidrigkeit nicht mehr austauschbar. Interessanter vielleicht als das Ergebnis selbst ist das dazu führende Hauptargument: Es handelt sich dabei (d.h. bei der Gesellschaftsgefährlichkeit, verstanden als *Sozialgehalt* jedes Verbrechens) eben um eine

---

47 *Erich Buchholz*, Gesellschaftsgefährlichkeit und Strafzwecke im Strafrecht der DDR, ZStW 99 (1987), 162 ff., 164 f.; *Igor Andrejew*, Das polnische Strafrecht, in: Edmund Mezger/Adolf Schönke/Hans-Heinrich Jescheck, Das ausländische Strafrecht der Gegenwart, 6. Bd., Berlin 1982, S. 7 ff., 14 („Das Ideengut des Strafrechts der Aufklärung steht dem strafrechtlichen Denken der Gegenwart sehr nahe. "); *ders.*, Zur vergleichenden Darstellung des Strafrechts der sozialistischen Staaten, ZStW 99 (1987), 152 ff., 159 („Der materielle Begriff der Straftat besitzt eine lange Tradition; er leitet sich aus alten Forderungen der Aufklärung her."). Auch nach der Wende führt *Wąsek*, in: Eser/Kaiser/Weigend (Hrsg.) (Anm. 45), S. 188, die „Sozialschädlichkeit" über die materielle Rechtswidrigkeit *v. Liszts* auf die Aufklärung zurück.

48 *Michael Köhler*, Entwicklungslinien der deutschen Strafgeschichte, Budapest 1998, S. 4 f.; siehe auch *Kurt Seelmann*, ZStW 101 (1989), 335 ff., 351: „Die Strafrechtsliteratur der Aufklärung ist sicher nicht der große Sprung von der Finsternis ins Licht, als der sie in der Strafrechtsgeschichte lange behandelt wurde".

49 Als *Jacques Bellon* (Droit pénal soviétique et droit pénal occidental, Paris 1961, S. 187 ff.) die Idee einer solchen Annäherung entwirft (freilich begründet durch manche an Propaganda grenzende Einschätzung), will *Marc Ancel*, ebendort, S. 7 ff., davon gar nichts hören, und die Gründe dafür sind gewichtig: Die Neue Sozialverteidigung dans son expression française „versteht es keinesfalls, den Begriff des Strafrechts und die Erfordernisse des Rechtsstaates auszulöschen". 1981 heißt es freilich anders: „die Sowjetunion hat sich durch die neueste Gesetzgebung in vielerlei Hinsicht der Sozialverteidigung angeschlossen" und jetzt: „sieht man neuerdings, wie die berühmtesten Strafrechtler und Kriminologen der Sowjetunion und Osteuropas wie die Professoren *Piontkovskij* und *Andrejew* oder der eminente Kriminologe *Kudrjawtsew* ihr Interesse und ihre Sympathie für die Neue Sozialverteidigung verkünden" (Défense sociale nouvelle, 3. Aufl. S. 156 f.).

50 *Kostadin Ljutow*, Die Gesellschaftgefährlichkeit der Handlung im Strafrecht der VR Bulgarien, Sofia 1960 (bulg., Resumée auf Deutsch, S. 215 ff.), S. 217; *Aleksandar Stajic*, L'infraction et la responsabilité pénale, in: Marc Ancel/Nicola Srzentic (Hrsg.), Le droit pénal nouveau de la Yougoslavie, Paris 1962, S. 40 f.; *Nina F. Kuznecova*, Prestupleniie i prestupnost' (Verbrechen und Kriminalität), Moskau 1969, S. 63 (dies sei auch die damalige h.L.); *Erich Buchholz*, Tatbestandslehre in der DDR, ZStW 101 (1989), 943 ff., 945; in Rumänien: *Ion Oancea*, Drept penal. Partea Generală (Strafrecht AT), Bukarest 1971, S. 162; *Matei Basarab*, Drept penal, partea generală (Strafrecht AT), 2. Aufl., Iaşi 1995, S. 80.

gesellschaftliche und nicht um eine *natürliche* Gefährlichkeit.[51] *Marc Ancel* selbst bemerkt mit Befremden manche „Annäherungsversuche der sowjetischen Autoren an die neoklassische Dogmatik, oft sogar in ihrer deutschen Spielart", welche „das Gewicht auf die Rückkehr zu den traditionellen Auffassungen der vergeltenden Strafe, der Verantwortlichkeit und der Schuld gelegt haben. Man gewinnt das verlorene Feld wieder, freilich nicht gegenüber dem Entwurf *Ferri*, sondern gegenüber den neoklassischen Entwürfen vom Ende des 19. Jahrhunderts".[52]

Tatsächlich bleiben die Grenzen der strafrechtlichen Aufklärung auch im Osten nicht lange verborgen, und man denkt immer mehr an die in dem „alten" Vergeltungsgedanken steckende Wahrheit.[53] Eine neue Lehrwende tritt ein, deren Inhalt durch ein Muster äußerst komprimierter und tiefgehender Einsicht eines bedeutenden russischen Strafrechtslehrers deutlich zu machen ist, um so mehr, als es sich dabei um den Grundgedanken einer von der *Wissenschaft* durchdachten *Strafrechtsreform* handelt: „Die Verwandlung des Menschen in ein Objekt naturwissenschaftlicher Betrachtung hat es möglich gemacht, die folgende Aufgabe strafrechtlich relevant werden zu lassen: die Persönlichkeit des Straftäters zu erkennen, seine kriminellen Eigenschaften zu erkennen und seine Persönlichkeit zu bessern. Auf diese Weise wurde das Problem der Kriminalität, das vornehmlich ethischer Natur ist, mit natürlichen, ja sogar biologischen Prozessen in Verbindung gebracht", so dass „man den Menschen als Objekt behandelt, als Objekt der Behandlung, Erziehung und Besserung" und dadurch „den Unterschied zwischen Mensch und Objekt, zwischen Mensch und Sache"[54] nicht mehr beachtet. Welche *Rechtsphilosophie* dieser Strafrechtsreform hätte zugrunde liegen sollen, wird ersichtlich: „Eine ethisch orientierte Beziehung zwischen Staat und verantwortlichem Täter soll die utilitaristische Machtausübung über den Menschen als Objekt verschiedener Zwe-

---

51 So ausdrücklich *Mitrache* (Anm. 35), S. 70.

52 *Marc Ancel*, La défense sociale nouvelle, 2. Aufl. Paris 1966, S. 172 (= 3. Aufl. 1981, S. 186); *ders.*, in: Marc Ancel/Andrej A. Piontkovskij/M. Tchkhikvadze, Le système pénal soviétique, Paris 1965, S. IV: „Les modes même de raisonnement au-delà de la dialectique positiviste, rejoignent ou retrouvent spontanément, dans une grande mesure, la dogmatique italo-allemande de la fin du siècle dernier."

53 Ausführlich zu den Auseinandersetzungen um die vergeltende Strafe in der sowjetischen und dann russischen Literatur siehe *Ulrike Schittenhelm*, Strafe und Sanktionensystem im sowjetischen Recht. Grundlinien der Kriminalpolitik von den Anfängen bis zum Ende des Sowjetstaates, Freiburg 1994, S. 301 ff.; zum materiellen Verbrechensbegriff in der neuen russischen Gesetzgebung siehe auch *Friedrich-Christian Schroeder*, Das neue russische Strafgesetzbuch, JZ 1997, 19 ff., 20 (im Kontext des neuen russischen StGB); *Léonid Golovko*, Le nouveau code pénal de la Russie, Rev.sc.crim. 1997, 561 ff.

54 *Alexander M. Jakovlev*, Das Strafgesetz: Konkretisierung der Strafe oder Gleichheit vor dem Gesetz? ROW 1985, 1 ff., 6 unter Hinweis auf *Albert Schweitzer*, Kultur und Ethik, München 1925, S. 151: „Das Verhängnis, daß Ethik, in dem Maße als sie mit dem Naturgeschehen in Einklang gebracht wird, aufhört, Ethik zu sein, erfüllt sich nicht nur da, wo Ethik aus Naturphilosophie entwickelt wird, sondern auch da, wo sie aus der Biologie erklärt wird." Es handelt sich – wie im Text ausdrücklich bemerkt – um den Grundgedanken des wissenschaftlichen StGB-Einwurfs für die (damalige) Sowjetunion!

cke ersetzen. Die Strafe greift dann nicht mehr in das Innenleben ein, sondern berücksichtigt die Persönlichkeitsrechte des Täters als eines vernünftigen und verantwortlichen Subjekts und wird damit seiner menschlichen Würde gerecht." Der Schluss kann nach all dem nur ein einziger sein, und er deutet auf eine unmissverständliche, in ganz Osteuropa erst nach der politischen Wende möglich gewordene Richtung hin: „Nicht zurück zu Kant! Vorwärts zu Kant!"[55] Das Gleiche kommt in Rumänien dann zum Ausdruck, wenn man die strafrechtliche Verantwortung mit der „Anerkennung des Grundsatzes, dass das objektive Recht nicht von der Willkür abhängen darf, sondern in der Vernunft begründet werden muss"[56] verbindet.

Es bleibt nun die Tatsache festzustellen, dass man weder in Rumänien, noch (soweit ersichtlich) in den anderen Ländern Osteuropas dieses Programm konsequent entfaltet hat, ja in den meisten Fällen ein solcher Ansatz nicht einmal ausdrücklich thematisiert wurde. Angesichts der schon verbreiteten, sowohl die rechtsphilosophischen Strafrechtsgrundsätze als auch deren Fortführung in die Systematik der Verbrechenslehre umfassenden Diskussion in der heutigen deutschen Strafrechtswissenschaft – deren Aktualität nicht zuletzt durch die Leidenschaftlichkeit des darüber geführten Streits deutlich ans Licht kommt – lässt eine entsprechende Entwicklung auf sich warten. Für die Erwägung, dass diese Diskussion auch in Osteuropa nicht fehl am Platz wäre, spricht nicht nur die immer noch alltägliche Aktualität der Wende zur Freiheit, sondern auch die schon eingesehene Tatsache, dass es hierbei „nicht zuletzt (...) um das Tat- und Schuldstrafrecht einer freiheitlichen Republik, oder in europäischer Wendung: um einen zentralen Grundsatz des Strafrechts in einem Bund freier Republiken [geht]".[57]

---

55 *Jakovlev* (Anm 54), 6 f. Der schon am Anfang (S. 2) aufgestellten These, wonach „das Strafgesetz retrospektiv auf die begangene Tat hin orientiert ist" (denn „die Aufgabe des Strafgesetzes besteht ja gerade darin, Fragen der Verantwortlichkeit für diese Tat zu entscheiden, während im Hinblick hierauf das Ziel der Abschreckung (General- und Spezialprävention) nur als abgeleitet und zweitrangig erscheint"), wird somit ein adäquater Anhaltspunkt verliehen; zur Bedeutung der Ausrichtung der Strafbegründung auf der damit innerlich verbundenen Gerechtigkeitsidee bereits *ders.*, Die Grundlagen der strafrechtlichen Verantwortlichkeit und die Persönlichkeit des Täters, in: Hans-Heinrich Jescheck/ Günther Kaiser/Albin Eser (Hrsg.), Zweites deutsch-sowjetisches Kolloquium über Strafrecht und Kriminologie, Baden-Baden 1984, S. 57 ff., 69 f.; siehe auch die unverkennbar kantische Freiheitsargumentation im Beitrag von *Tamas G. Savgulidze* über „philosophische und psychologische Grundlagen der strafrechtlichen Verantwortlichkeit", ebendort, S. 19 ff., 24, 25 f. Hingegen befremdlicher *Novoselec* (Anm. 45), S. 167: „Es muß gesichert sein, daß die Menschenrechte und individuellen Freiheiten sowie die elementaren Bedingungen des sozialen Zusammenlebens geschützt werden. Primäre Aufgabe des Strafgesetzbuchs braucht nicht die Verwirklichung der Gerechtigkeit zu sein, obwohl auch dieses Ziel nicht vernachlässigt werden darf." Wie der erwähnte Schutz von der „Verwirklichung der Gerechtigkeit" denn möglich wäre, bleibt allerdings unklar.

56 *Mioara Ketty Guiu*, Despre noţiune şi temeiul răspunderii penale (Zu Begriff und Grund der strafrechtlichen Verantwortung), Dreptul (Das Recht), 10-11/1994, 74 ff., 77.

57 *Köhler* (Anm. 15), S. 81.

Grundelemente subjektiver Verantwortlichkeit im neuen kroatischen Strafrecht

Petar Novoselec, Zagreb

1. Das Schuldprinzip im früheren jugoslawischen und heutigen kroatischen Strafrecht

Am 19.9.1997 wurde das kroatische Strafgesetz verabschiedet und trat am 1.1.1998 in Kraft. Obwohl es sich um ein neues, eigentlich das erste vollständige kroatische Strafgesetz handelte, das an die Stelle der bis dahin geltenden, aus der jugoslawischen Gesetzgebung übernommenen Strafgesetze trat,[1] wurde die Kontinuität mit dem jugoslawischen Strafrecht nicht völlig unterbrochen. Dies ist auch hinsichtlich der Schuldproblematik ersichtlich. Obwohl auf diesem Gebiet das neue Gesetz gewisse, nicht unbedeutende Neuigkeiten brachte, können seine Lösungen ohne Kenntnis des früheren Strafrechts nicht verstanden werden. Die Kontinuität ist noch stärker bei der Strafrechtswissenschaft zu bemerken, wo jetzt wie früher Einflüsse der deutschen Strafrechtsdogmatik spürbar sind.

Seit dem Bruch mit der UdSSR im Jahr 1948 wurde das Schuldprinzip im jugoslawischen Strafrecht mit Nachdruck bejaht. Anlässlich des Strafgesetzbuchs von 1951, mit dem sich das damalige Jugoslawien vom sowjetischen Einfluss zu befreien suchte und zu diesem Zweck das schweizerische Strafgesetzbuch von 1937 als Vorbild nahm, lobte der damalige Zagreber Professor *Stanko Frank* die neuen Bestimmungen dieses Gesetzes über die Schuld.[2] Dabei betonte *Frank*, das Schuldprinzip solle die Rechtssicherheit verbürgen, was in einem sozialistischen

---

[1] Im ehemaligen Jugoslawien wurde die Gesetzgebungskompetenz auf dem Gebiet des materiellen Strafrechts zwischen der Föderation und den Teilrepubliken aufgeteilt. So galten seit dem 1.7.1977 auch in der ehemaligen Sozialistischen Republik Kroatien zwei Strafgesetze: das Strafgesetz der Sozialistischen Föderativen Republik Jugoslawien und das Strafgesetz der Sozialistischen Republik Kroatien, die als Einheit betrachtet wurden und nur zusammen angewendet werden konnten. Nachdem die Republik Kroatien am 26.6.1991 ihre Unabhängigkeit erklärt hatte, übernahm sie das Bundesstrafgesetz als eigenes (später in „Grundstrafgesetz der Republik Kroatien" umbenannt). Obwohl bei der Reform 1997 eine einheitliche Kodifikation für Kroatien entstand, beharrte man unberechtigterweise auf dem Titel „Strafgesetz" statt „Strafgesetzbuch". Näher dazu *Davor Krapac/ Petar Novoselec*, Strafrechtsentwicklung in Europa 5.2 (Landesbericht Kroatien), Freiburg i.Br. 1999, S. 1165 ff. und *Petar Novoselec*, Das neue kroatische Strafgesetz von 1998, ZStW 111 (1999), 521 ff.

[2] *Stanko Frank*, Problem krivnje (Das Schuldproblem), Arhiv za pravne i društvene nauke 1/1951, 84 ff.

Land in der Nachkriegszeit sicherlich ein bedeutender Schritt vorwärts war. Er verglich die Schuldauffassung im jugoslawischen Strafgesetzbuch mit derjenigen im angloamerikanischen Strafrecht und kam zu dem Schluss, dass das Schuldprinzip im jugoslawischen Strafrecht konsequenter umgesetzt worden sei. Dies bekräftigte er mit dem Hinweis auf die Regelung der Verantwortlichkeit für eine besondere Tatfolge im jugoslawischen Strafgesetzbuch, wonach für diese Folge Fahrlässigkeit erforderlich war, während die ganze Problematik im angloamerikanischen Strafrecht in Einklang mit der alten Theorie *versari in re illicita* behandelt wurde. Seiner Meinung nach waren auch die Definitionen des Vorsatzes und der Fahrlässigkeit im jugoslawischen Strafgesetzbuch, insbesondere aber die Annahme der unbewussten Fahrlässigkeit, eine bessere Lösung im Vergleich zu den nicht scharf voneinander abgetrennten Schuldarten des amerikanischen Strafrechts, wo außerdem die Ablehnung der unbewussten Fahrlässigkeit zur Anerkennung der *strict liabiliy* als einer Form der objektiven Verantwortung führte.

Seitdem war das Schuldprinzip sowohl in der Strafgesetzgebung als auch in der Strafrechtswissenschaft unantastbar. Trotzdem gab es in den 1960er Jahren Versuche, die Schuld im Sinne eines rein spezialpräventiv ausgerichteten Strafrechts umzuinterpretieren. Unter dem Einfluss der damals modernen *défense sociale nouvelle* behauptete *Bavcon*, die Schuld sei nicht mehr eine moralische Kategorie, sondern sie reduziere sich auf ein Verantwortungsgefühl und stelle einen Ausdruck des gesellschaftlichen Bewusstseins dar; als solche sei sie nur ein Mittel der Unterwerfung des Einzelnen unter die Regeln des Zusammenlebens in der Gesellschaft.[3] Da er aber die Schuldfähigkeit als „ein in seiner Grundauffassung problematisches Rechtsinstitut“ betrachtete[4] und dementsprechend alle Sanktionen gleichstellen wollte, näherte er sich einer Verneinung des Schuldprinzips an. Doch stieß diese Auffassung schon damals auf Kritik.[5] Sie wurde bald vergessen und von *Bavcon* selbst verworfen.[6] Ihr größter Mangel bestand darin, dass sie, wie übrigens die ganze *défense sociale nouvelle*, auf einer vagen kriminalpolitischen Ebene blieb und keine klaren Lösungen im Rahmen der Strafrechtsdogmatik bot.

Eine kopernikanische Wende im Hinblick auf das Schuldprinzip beabsichtigte der kroatische Gesetzgeber mit dem Strafgesetz von 1997. Er definierte das Schuldprinzip in Art. 4 wie folgt:

> „Es darf niemand bestraft werden, noch dürfen gegen ihn andere strafrechtliche Sanktionen verhängt werden, wenn er der begangenen Tat nicht schuldig ist.“

---

3 *Ljubo Bavcon*, Neki teoretski problemi krivične odgovornosti (Einige theoretische Probleme der strafrechtlichen Verantwortlichkeit), Jugoslovenska revija za kriminologiju i krivično pravo 3/1965, 305 ff.

4 A.a.O., S. 316.

5 Vgl. *Milan Popović*, Simpozijum o problemima krivične odgovornosti (Symposium über die Probleme der strafrechtlichen Verantwortlichkeit), Gledišta 11/1965, 1552.

6 Vgl. *Ljubo Bavcon*, Dilemmas und Entwicklungstendenzen des jugoslawischen Strafrechts, ZStW 89 (1977), 496.

Die Schuld ist also nicht nur Voraussetzung der Strafe, wie nach der klassischen Formel *nulla poena sine culpa*, die in dieser Form auch im österreichischen und slowenischen Strafgesetzbuch angenommen wird, sondern aller strafrechtlichen Sanktionen, zu denen nach Art. 5 des kroatischen Strafgesetzes neben den Strafen so genannte warnende Sanktionen (bedingte Verurteilung und gerichtliche Verwarnung), Sicherungs- und Erziehungsmaßregeln zählen. Dabei betonten die Autoren des neuen Textes in der amtlichen Begründung, die neue Definition sei eine Rarität in der gegenwärtigen europäischen Strafgesetzgebung.[7] Dem könnte man hinzufügen: nicht nur eine Rarität, sondern ein Unikum. Aber was originell ist, braucht noch nicht gut zu sein.

Hier muss zuerst erwähnt werden, dass ein so feierlich verkündetes Schuldprinzip in demselben Strafgesetz nicht konsequent durchgeführt wurde. Wird die Schuld nur in einem formalen Sinne verstanden, d.h. als Inbegriff von Schuldfähigkeit, Vorsatz oder Fahrlässigkeit und Unrechtsbewusstsein (Elemente, die in Art. 39 nicht glücklich als „Inhalt der Schuld" genannt sind), ist das Schuldprinzip bei den durch Massenmedien begangenen Delikten (Art. 48) verneint. Diese Bestimmung sieht eine subsidiäre Verantwortlichkeit der verantwortlichen Schriftleiter, Verleger, Drucker, Hersteller oder Importeure vor, wenn der Verfasser unbekannt bleibt oder aus anderen Gründen nicht bestraft werden kann. In diesen Fällen ist es möglich, dass eine so verantwortlich gemachte Person im Sinne der allgemeinen Regeln über die Schuld und Teilnahme nicht schuldig ist, z.B. der verantwortliche Schriftleiter wusste nicht, dass der Inhalt eines von ihm genehmigten Artikels verleumderisch war.[8] Diese seinerzeit aus Art. 27 des schweizerischen Strafgesetzbuchs übernommene Lösung kann mit dem Schuldprinzip nicht in Einklang gebracht werden. Glücklicherweise beriefen sich Gerichte sehr selten auf Art. 48, und nach dem Vorentwurf der letzten Novelle[9] (im weiteren Text: Vorentwurf 2002) soll er aufgehoben werden.

Die in Art. 4 enthaltene Definition des Schuldprinzips ist noch weniger haltbar, wenn man von einem materiellen Schuldbegriff ausgeht. Entweder als Strafbegründungsschuld oder als Strafmaßschuld ist die Schuld immer eng mit der Strafe verbunden und rechtfertigt diese. Wenn also die Schuld zur Voraussetzung *aller* Strafsanktionen gemacht wird, ist dies nur unter der Bedingung möglich, dass all diese Sanktionen punitiv sind, oder mit anderen Worten: dass ein monistisches Sanktionensystem vertreten wird. Es scheint, dass die Autoren des Entwurfs ein

---

[7] Vlada Republike Hrvatske, Konačni prijedlog Kaznenog zakona, Zagreb, lipanj 1997 (Die Regierung der Republik Kroatien, Der Schlussentwurf des Strafgesetzes, Zagreb, Juni 1997), S. 144.

[8] Ein Fall aus der kroatischen Gerichtspraxis (Landgericht Bjelovar, Kž-868/89).

[9] Im September 2002 unterbreitete eine vom Justizministerium gegründete Expertengruppe der Regierung den Vorentwurf einer umfangreichen Novelle des Strafgesetzes. Dieser wurde im November 2002 von der Regierung angenommen und liegt nun dem kroatischen Parlament als Gesetzentwurf vor.

solches Konzept im Sinne hatten, denn sie beriefen sich auf das englische Modell.[10] Dieses aber wurde ebenso wenig durchgeführt, weil das Strafgesetz eine klare Linie zwischen den Strafen und den Sicherungsmaßregeln zog. Der Strafzweck wurde unter anderem als „gesellschaftlicher Vorwurf wegen der begangenen Straftat" (Art. 50) bezeichnet, was für die Sicherungsmaßregeln offensichtlich nicht gilt, denn ihr Zweck ist in Art. 74 nur durch die Prävention definiert. Die Schuld als Vorwurf kann auch nicht als Voraussetzung der Erziehungsmaßregeln verstanden werden, deren Zweck als „Einfluss auf die Erziehung des Jugendlichen, die Entwicklung seiner gesamten Persönlichkeit und die Stärkung seiner persönlichen Verantwortung" in Art. 5 des Jugendgerichtsgesetzes beschrieben wird.[11]

So haben sich die neue Definition des Schuldprinzips und das Beibehalten des dualistischen Sanktionensystems im kroatischen Strafgesetz als ein unüberwindlicher Widerspruch erwiesen. Das ist der Grund, warum im Vorentwurf 2002 eine Rückkehr zur klassischen Definition des Schuldprinzips vorgeschlagen wird („niemand darf bestraft werden, wenn er der begangenen Tat nicht schuldig ist").

2. Der Übergang von einer psychologischen zu einer normativen Schuldtheorie

Noch im früheren jugoslawischen Schrifttum wurden auf den Spuren der älteren deutschen Strafrechtswissenschaft lebhafte Diskussionen darüber geführt, ob an die Stelle der damals herrschenden psychologischen Schuldauffassung eine normative treten sollte.[12] Nach der Begründung des Schlussentwurfs[13] wurde dieser Schritt im neuen kroatischen Strafgesetz getan. Dieser Schluss bedarf aber einer näheren Erörterung.

Nach der bis zum 1.1.1998 geltenden Strafgesetzgebung wurde eine auf den Vorsatz oder die Fahrlässigkeit reduzierte Schuld zusammen mit der Zurechnungsfähigkeit unter den Oberbegriff der strafrechtlichen Verantwortlichkeit subsumiert. Diese Regelung stammte noch aus dem jugoslawischen Strafrecht, wo sie in der

---

10 Vgl. Anm. 7, S. 157.

11 Bedenken dagegen, das Jugendstrafrecht auf die Schuld zu stützen, äußerte mit Recht *Ante Carić*, Prilog raspravi o novom hrvatskom Kaznenom zakoniku (Beitrag zur Diskussion über das neue kroatische Strafgesetzbuch), Hrvatski ljetopis za kazneno pravo i praksu (HLJKPP) 1/1995, 61 ff.

12 Für die psychologische Schuldtheorie insbesondere das damals bekannte Lehrbuch von *Nikola Srzentić/Aleksandar Stajić*, Krivično pravo FNRJ, opšti deo (Das Strafrecht der Sozialistischen Föderativen Republik Jugoslawien, Allgemeiner Teil), 3. Aufl. Belgrad 1961, S. 209, sowie *Tahović, Jovanović, M. Đorđević* und *Karanović* für eine psychologisch-normative Schuldtheorie, dagegen *Frank, Bačić, Radovanović, Marjanović, Singer, Bavcon-Šelih* und *Atanacković*.

13 Vgl. Anm. 7, S. 145. So auch *Željko Horvatić*, Novo hrvatsko kazneno pravo (Das neue kroatische Strafrecht), Zagreb 1997, S. 229.

Tat ein Relikt der alten psychologischen Schuldlehren war, wie z.B. bei *v. Liszt*, der die Zurechnungsfähigkeit als bloße Voraussetzung der Schuld von der Schuld selbst scharf trennte.[14] Sie war in erster Linie deswegen kritikwürdig, weil die strafrechtliche Verantwortlichkeit als ein naturalistischer, d.h. wertend neutraler Begriff über den Vorwurf als Wesen der Schuld nichts aussagte. Außerdem ist dieser Begriff kein Synonym für die Schuld als Element der Straftat, sondern vielmehr eine Feststellung, dass der Täter gerade für eine Straftat und nicht etwa für irgendeine andere Verfehlung verantwortlich gemacht wird. In diesem Sinne unterscheidet sich die strafrechtliche Verantwortlichkeit von einer disziplinarischen, politischen, moralischen usw. Aus allen diesen Gründen ersetzte das neue kroatische Strafgesetz den Begriff der strafrechtlichen Verantwortlichkeit mit dem der Schuld, was offensichtlich auf der Linie einer normativen Schuldauffassung liegt.[15]

Nach der Begründung des Schlussentwurfs aus dem Jahre 1997 folgte das neue kroatische Strafgesetz einer psychologisch-normativen Schuldauffassung, was aus Art. 39 ausdrücklich hervorgeht. Dieser Artikel mit dem Titel „Inhalt der Schuld" zählt drei Schuldmerkmale auf: Schuldfähigkeit, Vorsatz oder Fahrlässigkeit und Unrechtsbewusstsein.[16] Die Einbeziehung des Unrechtsbewusstseins in die Definition stimmt zweifellos mit einer normativen Schuldauffassung überein, Entschuldigungsgründe aber haben keinen Platz gefunden. Kann unter diesen Bedingungen überhaupt von einer normativen Schuldauffassung die Rede sein?

Diese Frage ist insbesondere mit der Neuregelung des Notstands verbunden. Im früheren jugoslawischen Strafrecht wurde der Notstand nur als Rechtfertigungsgrund konzipiert, wobei genügte, dass der entstandene Schaden den Schaden nicht überwog, der durch die drohende Gefahr voraussehbar war. Doch war seit langem klar, dass eine Rechtfertigung nicht in allen Fällen, in denen der entstandene Schaden den drohenden nicht überwiegt, in Betracht kommt. Bei einer Schulddefinition wie im schon erwähnten Art. 39 StGB, in der alle Schuldelemente taxativ, aber ohne Entschuldigungsgründe aufgezählt sind, konnte man die Schuld nicht aufgrund eines entschuldigenden Notstands nach dem Vorbild des deutschen Rechts verneinen. Andererseits wollte man das Fehlen von Entschuldigungsgründen nicht einfach in die Schulddefinition einschließen, weil die Entschuldigungsgründe in der bisherigen kroatischen Dogmatik völlig unbekannt waren. Angesichts dieser Schwierigkeiten sträubte sich der einst führende kroatische Theoretiker Professor *Bogdan Zlatarić* (gestorben 1977) gegen die Einführung der normativen Schuldauffassung in das damalige jugoslawische Strafrecht. Aus demselben Grund verzichte-

---

[14] Vgl. *Hans Achenbach,* Historische und dogmatische Grundlagen der strafrechtssystematischen Schuldlehre, Berlin 1974, S. 40.

[15] Dem hat der slowenische Gesetzgeber keine Rechnung getragen, als er in Art. 15 des neuen StGB von 1994 die strafrechtliche Verantwortung als Oberbegriff für die Schuldfähigkeit und die Schuld beibehalten hat.

[16] Der Titel ist nicht glücklich, denn es geht nicht um den Inhalt der Schuld, sondern um Schuldelemente.

te auch der slowenische Gesetzgeber in seinem Strafgesetzbuch von 1994 auf eine differenzierende Regelung des Notstands und blieb bei der alten aus dem früheren jugoslawischen Recht übernommenen einheitlichen Regelung, obwohl er auch den Übergang zu einer normativen Schuldauffassung verkündete. Der kroatische Gesetzgeber wollte im neuen Strafgesetz zu den Differenzierungstheorien übergehen. Er fand eine Lösung darin, dass er die zweite Notstandsart (Art. 30 Abs. 2), die dem entschuldigenden Notstand im deutschen Strafrecht entspricht, analog der Notwehrüberschreitung als Grund für obligatorisches Absehen von Strafe ausformte. Dies versuchte man damit zu begründen, dass der Täter unter dem psychischen Druck handelte, ein Rechtsgut zu bewahren, womit das Unrecht und die Schuld so gemildert seien, dass man auf die Bestrafung verzichten könne. Die Schwäche dieser Lösung besteht aber darin, dass mit der Schuld auch der Vorwurf erhalten bleibt und es zu einem verurteilenden Urteil kommt, was in diesen Fällen nicht zu rechtfertigen sei.

Eine normative Schuldauffassung ist also im geltenden Strafgesetz nicht konsequent durchgeführt. Deswegen haben sich die Autoren des Vorentwurfs 2002 dazu entschlossen, bei der zweiten Notstandsart eine Schuld ausschließende Wirkung vorzusehen. Die neu vorgeschlagene Bestimmung des Art. 30 Abs. 2 StGB sollte demnach lauten:

> „Wer eine rechtswidrige Tat begeht, um eine gegenwärtige unverschuldete Gefahr von sich oder einem anderen abzuwenden, die auf eine andere Weise nicht abgewendet werden konnte, handelt ohne Schuld, wenn der entstandene Schaden nicht unverhältnismäßig schwerer wiegt als der drohende Schaden."

Gleichzeitig aber musste die Aufhebung des Art. 39 StGB vorgeschlagen werden, denn mit der neuen Notstandsregelung wurde auch die ganze bisherige Schuldauffassung geändert. Erst wenn dieser Vorschlag angenommen wird, wird man vom Übergang zu einer normativen Schuldauffassung sprechen können. Im Vergleich zum deutschen Strafrecht ist dieser Übergang nicht vollständig, denn die Überschreitung der Notwehr bleibt weiterhin nur ein Grund für fakultative Strafmilderung (eine generelle Ermächtigung) oder für fakultatives Absehen von Strafe (wenn die Grenzen der Notwehr aus Verwirrung oder Gereiztheit überschritten sind). Diese Wirkungen geben aber der Notwehrüberschreitung andere Konturen als im deutschen Recht. Wichtig ist, dass mit der Aufhebung des Art. 39 ein freier Raum geschaffen wird, der es ermöglicht, in Zukunft weitere Entschuldigungsgründe einzuführen (z.B. Handeln auf dienstliche Anordnung).

Analysieren wir jetzt die drei Schuldelemente, die nach Art. 39 StGB den „Inhalt der Schuld" darstellen, d.h. Schuldfähigkeit, Vorsatz oder Fahrlässigkeit und Unrechtsbewusstsein.

3. Die Schuldfähigkeit

Praktische Folge der neuen Konzeption des Schuldprinzips, wonach die Schuldfähigkeit Voraussetzung aller strafrechtlichen Sanktionen ist, ist der Ausschluss der schuldunfähigen Täter von strafrechtlichen Sanktionen.[17] Dies wurde damit begründet, die schuldunfähigen Täter sollten mit Kindern gleichgestellt werden, denn sie seien ganz „außerhalb des Strafrechts".[18] Deswegen ist gleichzeitig mit dem neuen Strafgesetz das Gesetz über den Schutz der Personen mit seelischen Störungen in Kraft getreten, das unter anderem die Zwangsbehandlung der schuldunfähigen Täter vorsah. Für solche ist eine Verdoppelung des gerichtlichen Verfahrens vorgesehen: Zuerst muss im Strafverfahren festgestellt werden, ob der Täter eine rechtswidrige Tat im Zustand der Schuldunfähigkeit begangen hat, und dann, in einem speziellen zivilen (außerstreitigen) Verfahren, ob die Bedingungen für die Zwangsbehandlung erfüllt sind. Damit wollte man die schuldunfähigen Täter mit anderen gefährlichen, aber „nichtkriminellen" Geisteskranken gleichstellen, um ihre Brandmarkung als „Kriminelle" zu vermeiden. Da aber die forensischen Psychiater darauf hinwiesen, dass sich die Gefährlichkeit der schuldunfähigen Täter von der der anderen Geisteskranken unterscheide,[19] änderte man das Gesetz über den Schutz von Personen mit seelischen Störungen so, dass man die Behandlung der schuldunfähigen Täter im Kapitel VII getrennt regelte. Danach kann das Zivilgericht einen ungefährlichen schuldunfähigen Täter freilassen, wenn er aber gefährlich ist, je nach dem Grad seiner Gefährlichkeit eine ambulante Behandlung oder eine Zwangsunterbringung anordnen. So hat man eine Sicherungsmaßregel, die man vermeiden wollte, durch die Hintertür in das Gesetz kommen lassen. Es ist aber nicht klar, inwiefern ein Zivilverfahren bessere Garantien für die Rechte von Geisteskranken leisten können sollte als ein Strafverfahren – abgesehen davon, dass die Verfahrensökonomie durch die Verdoppelung des Verfahrens außer Acht gelassen wird.[20] Der größte Widerspruch besteht aber darin, dass die Zwangsbe-

---

[17] Die ganze Problematik ist ausführlich in der Monographie von *Zlata Đurđević*, Pravni položaj počinitelja kaznenih djela s duševnim smetnjama (Die Rechtsstellung der Straftäter mit seelischen Störungen), Zagreb 2002 dargestellt.

[18] Vgl. Anm. 7, S. 144. Kritisch dazu *Đurđević* (Anm. 17), S. 238.

[19] Dies wird damit begründet, dass die Gefährlichkeit der schuldunfähigen Täter vor allem durch die Prognose einer zukünftigen Straftat bestimmt sei, vgl. *Miroslav Goreta*, Kritički osvrt na položaj neubrojivih bolesnika u novom hrvatskom zakonodavstvu – psihijatrijski pristup (Ein kritischer Rückblick auf die Stellung der schuldunfähigen Täter in der neuen kroatischen Strafgesetzgebung – das psychiatrische Herangehen), HLJKPP 2/1999, 567. Vgl. auch *Đurđević* (Anm. 17), S. 239 ff.

[20] Vgl. *Franjo Bačić*, Kazneno pravo, opći dio (Das Strafrecht, Allgemeiner Teil), Zagreb 1998, S. 457. Gegen die Aussonderung der schuldunfähigen Täter aus dem Strafrecht äußerten sich auch die Kroatische Gesellschaft für forensische Psychiatrie und die Kroatische Gesellschaft für klinische Psychiatrie in der gemeinsamen Sitzung vom 25.10.1993, vgl. *Miroslav Goreta/Vlado Jukić*, Zakon o zaštiti osoba s duševnim smetnjama – ideje, norme, implementacija, evalvacija (Gesetz über Personen mit seelischen Störungen – Ideen, Normen, Umsetzung, Evaluation), Zagreb 2000, S. 146.

handlung als Sicherungsmaßregel nur für schuldunfähige Täter abgeschafft ist, während sie für vermindert schuldfähige Täter in Art. 75 StGB beibehalten ist, weil sie schuldig sind. Da die Voraussetzungen und der Vollzug dieser Maßregel in beiden Fällen gleich oder zumindest ähnlich sind, gibt es keinen Grund für eine solche Inkonsequenz.[21]

Obwohl die neue Regelung hinsichtlich der schuldunfähigen Täter theoretisch schwer haltbar ist und praktisch nicht unbedeutende Schwierigkeiten bereitet, wollten die Autoren des Vorentwurfs 2002 sie aus Opportunitätsgründen nicht ändern. Nachdem das Gesetz über den Schutz von Personen mit seelischen Störungen in Kraft getreten ist, engagierten sich Richter, Staatsanwälte und Psychiater sehr, ihm zur Durchsetzung zu verhelfen, so dass eine erneute Änderung auch eine neue Belastung für die Praxis darstellen würde.

Da die Schuldfähigkeit nur in einem Strafverfahren festgestellt werden kann, schrieb das Strafgesetz die notwendigen Voraussetzungen vor. Die Schuldunfähigkeit ist durch eine biopsychologisch normative Methode festzustellen. Als ein neues biopsychologisches Merkmal sind jetzt – neben der Geisteskrankheit, der vorübergehenden Geistesstörung und dem Schwachsinn – andere schwere seelische Abartigkeiten hinzugefügt (Art. 40 Abs. 2 StGB). In Art. 41 ist die *actio libera in causa* („selbstverschuldete Schuldunfähigkeit“) normiert, wobei man eine vorsätzliche von einer fahrlässigen *actio libera in causa* unterscheidet. Ist der Täter vermindert schuldfähig, kann er milder bestraft werden, aber nur wenn er diesen Zustand nicht selbst verschuldet hat (Art. 42 StGB). Wie gesagt, es kann gegen einen vermindert schuldfähigen Täter neben der Strafe die Zwangsbehandlung als Sicherungsmaßregel angeordnet werden, die höchstens drei Jahre dauern darf.

4. Vorsatz und Fahrlässigkeit

Wie bis hierher ersichtlich ist, sind Vorsatz und Fahrlässigkeit im kroatischen Strafgesetz ausschließlich als Schuldelemente behandelt. Der Standpunkt der neueren deutschen Dogmatik, wonach der Vorsatz als subjektiver Teil zum Tatbestand gehört, blieb in der früheren jugoslawischen sowie in der heutigen kroatischen Strafrechtswissenschaft unberücksichtigt. Anders ist es bei den Fahrlässigkeitsdelikten, wo das personale Unrecht von einigen Autoren angenommen wurde, d.h. die

---

[21] Vgl. *Franjo Bačić,* Nacrt Kaznenog zakonika Republike Hrvatske (iz listopada 1995. godine), Kritičke primjedbe na opći dio (Kritische Betrachtungen über den Allgemeinen Teil des Entwurfs des kroatischen Strafgesetzbuchs vom Oktober 1995), HLJKPP 2/1995, 324. Ein Versuch, die Kohärenz des Systems zu retten, ist der Vorschlag zur Aufhebung auch der Sicherungsmaßregeln gegen vermindert schuldfähige Täter (so *Velinka Grozdanić/Anita Kurtović,* Smanjena ubrojivost prema novom zakonskom uređenju [Die verminderte Schuldfähigkeit nach der neuen gesetzlichen Regelung], HLJKPP 2/1999, 527), der aber kein Echo fand. Vgl. auch *Đurđević* (Anm. 17), S. 257.

Fahrlässigkeit wird nicht nur als Schuldart, sondern auch als Teil des Tatbestands angesehen.

Der Gesetzestext (Art. 44 StGB) unterscheidet zwei Arten des Vorsatzes: den direkten Vorsatz (der Täter ist sich der begangenen Tat bewusst und will ihre Begehung) und den indirekten Vorsatz, womit der *dolus eventualis* gemeint ist (der Täter ist sich bewusst, dass er die Tat begehen kann und er willigt darin ein). In der Literatur aber, offensichtlich unter dem Einfluss der deutschen Dogmatik, unterscheidet man drei Formen des Vorsatzes: *dolus directus* ersten Grades, *dolus directus* zweiten Grades und *dolus eventualis.*[22] Theoretisch ist diese Diskrepanz nicht zu groß, denn beide Arten des *dolus directus* können unter die gesetzliche Definition des *dolus directus* subsumiert werden. Leider folgt die Rechtsprechung nur dem Gesetzestext, so dass die Subtilität der erwähnten Dreiteilung nicht zum Ausdruck kommt.

Ebenso ist die Fahrlässigkeit in Art. 45 StGB durch ihre zwei Arten definiert: die bewusste Fahrlässigkeit (der Täter ist sich bewusst, dass er die Tat begehen kann, nimmt jedoch leichtfertig an, dass es nicht zur Tat kommen wird, oder dass er sie vermeiden wird) und die unbewusste Fahrlässigkeit (der Täter ist sich nicht bewusst, dass er die Tat begehen kann, obwohl er nach den Umständen und persönlichen Eigenschaften wissen musste und konnte, dass die Tat begangen werden kann). Die Doktrin hat aber bemerkt, dass auf diese Weise die Fahrlässigkeit nicht vollständig erfasst sei, so dass eine Ergänzung der gesetzlichen Definition geboten sei. Dem diente der Begriff der Sorgfaltspflichtverletzung. Dabei unterscheidet man zwischen einem objektiven und einem subjektiven Maßstab, d.h. zwischen der Verletzung der objektiven und der subjektiven Sorgfaltspflicht.[23] Das ist gerechtfertigt, ist aber nicht in Einklang mit dem Gesetz, das die Fahrlässigkeit nur im Rahmen der Schuld normiert, während die objektive Sorgfaltspflichtverletzung unzweifelhaft zur Rechtswidrigkeit gehört. Diese auch die ältere deutsche Rechtsprechung und Lehre kennzeichnende systematische Inkonsequenz[24] kann zwar als notwendiges Übel akzeptiert werden, führt aber zu der Frage, ob die Fahrlässigkeit wahrlich nur eine Schuldart ist. Da diese Problematik in der kroatischen Doktrin noch nicht hinreichend geklärt ist, verzichteten die Autoren des Vorentwurfs 2002 darauf, die Konzeption der Fahrlässigkeit zu ändern.

Das Schuldprinzip ist in Art. 43 Abs. 2 StGB bei den Erfolgsdelikten ähnlich wie in § 18 des deutschen StGB umgesetzt, d.h. hinsichtlich der „schwereren" Folge wird Fahrlässigkeit verlangt. Wie schon gesagt, sah *Stanko Frank* seinerzeit darin einen wichtigen Beweis für die konsequente Umsetzung des Schuldprinzips. Dieser

---

[22] Vgl. *Bačić* (Anm. 20), S. 234 ff.; *Željko Horvatić/Petar Novoselec*, Kazneno pravo, opći dio (Das Strafrecht, Allgemeiner Teil), 2. Aufl. Zagreb 2001, S. 274 ff.

[23] Vgl. *Bačić* (Anm. 20), S. 243 ff.; *Horvatić/Novoselec* (Anm. 22), S. 287 ff.

[24] Vgl. *Hans-Heinrich Jescheck/Thomas Weigend*, Lehrbuch des Strafrechts, Allgemeiner Teil, Berlin 1996, S. 564, Fn. 8.

Schluss ist vielleicht übertrieben, insbesondere wenn man bedenkt, dass die Fahrlässigkeit hinsichtlich der besonderen Folge in der Praxis häufig als selbstverständlich vermutet und deswegen sehr selten begründet wird. Die genannte Vorschrift ist im Vorentwurf 2002 in zweierlei Hinsicht verbessert. Zuerst ist die „schwerere" durch *besondere* Folge ersetzt. Eine schwerere Folge impliziert eine vorherige Grundfolge, schließt also diese Rechtsfigur bei den Tätigkeitsdelikten aus, es sei denn, dass die Folge im weiteren Sinne, d.h. als die Handlung selbst verstanden wird. Dies ist nicht der Fall im kroatischen Strafgesetz, denn es kennt zahlreiche durch den Erfolg qualifizierte Tätigkeitsdelikte. Außerdem ist es in bestimmten Fällen möglich, dass hinsichtlich der Folge auch der Vorsatz in Betracht kommt, insbesondere wenn die Folge an sich nicht strafbar ist (z.B. wenn durch schwere Körperverletzung der Verletzte dauernd entstellt ist, ist es egal, ob die dauernde Entstellung vorsätzlich oder fahrlässig verursacht ist). Deswegen muss nach dem neu vorgeschlagenen Text die besondere Folge *wenigstens* durch Fahrlässigkeit verursacht werden.

5. Das Unrechtsbewusstsein

Das Unrechtsbewusstsein als Schuldelement war in jugoslawischen Strafgesetzen unbekannt. Die „strafrechtliche Verantwortlichkeit" umfasste nur die Schuldfähigkeit und die Schuld, die ihrerseits auf Vorsatz und Fahrlässigkeit reduziert wurde. Deswegen hatte auch der Verbotsirrtum keine Schuld ausschließende Wirkung. Nach Art. 10 StGB von 1951, der dem Art. 20 des schweizerischen StGB nachgebildet wurde, konnte ein Täter, dem *aus gerechtfertigten Gründen* das Unrechtsbewusstsein fehlte, milder bestraft oder von der Strafe befreit werden. Diese Regelung wurde speziell von den Vertretern der psychologischen Schuldlehre verteidigt,[25] aber schon damals als unhaltbare Kompromisslösung kritisiert. Allmählich hat man eingesehen, dass der Grundsatz *error iuris nocet* den Verhältnissen in einer modernen Gesellschaft mit einer umfassenden rechtlichen Reglementierung und einer starken Mobilität der Bevölkerung nicht mehr entspricht. Man entdeckte einen Widerspruch im Strafgesetz, weil ein und dieselbe Situation, d.h. das fehlende Unrechtsbewusstsein bei der Schuldunfähigkeit die Schuld ausschloss, beim Verbotsirrtum jedoch nur die Strafzumessung beeinflusste. Lange aber wurde die alte Regelung beibehalten und erst im StGB von 1997 aufgegeben. Nach Art. 39 dieses Gesetzes ist eine der Schuldvoraussetzungen, dass der Täter „sich bewusst war, dass seine Tat verboten war, oder das wissen musste und konnte".

Während *Stanko Frank* als erster Kritiker der alten Regelung verlangte, dass „der Täter sich seiner Tat als psychischer, aber auch als sozialer Erscheinung bewusst

---

[25] Näher dazu *Petar Novoselec*, Der Verbotsirrtum im jugoslawischen Strafrecht, JOR 24 (1983), 89 ff.

sein muss“,[26] also die Vorsatztheorie vertrat, ging die spätere Entwicklung in Richtung der Anerkennung der Schuldtheorie.[27] Diese Theorie ist heute im neuen kroatischen StGB ausdrücklich eingenommen. Das geht nicht nur aus der Definition der Schuld in Art. 39 hervor, wonach ein potentielles Unrechtsbewusstsein genügt, sondern auch aus der Bestimmung über den Verbotsirrtum, von der noch die Rede sein wird.

6. Der Irrtum

Das neue kroatische StGB regelt ausdrücklich vier Formen des Irrtums: den Tatbestandsirrtum (Art. 47 Abs. 1 und 2), den Irrtum über die Umstände, welche die Rechtswidrigkeit ausschließen (Art. 47 Abs. 3 und 4), den Irrtum über die Rechtswidrigkeit der Tat (Art. 46) und den Irrtum über die Umstände, derentwegen das Gesetz das Absehen von Strafe vorsieht (Art. 30 Abs. 3).

Das bisherige Strafrecht kannte zwei Formen: den Tatirrtum und den Rechtsirrtum. Es ging also um die klassische Dichotomie des *error facti/error iuris*. Der Tatirrtum teilte sich weiter in den „Tatirrtum im engeren Sinne“ (Tatbestandsirrtum) und den „Tatirrtum im weiteren Sinne“ (Erlaubnistatbestandsirrtum), die die gleiche Wirkung hatten: sie schlossen den Vorsatz immer aus, ermöglichten aber die Bestrafung wegen Fahrlässigkeit, wenn der Irrtum vermeidbar gewesen wäre. Das neue kroatische StGB gab die Zweiteilung der Irrtümer auf. Anstatt vom Tatirrtum spricht es jetzt von Tatbestandsirrtum und Irrtum über die Umstände, welche die Rechtswidrigkeit ausschließen, und anstatt vom Rechtsirrtum vom Irrtum über die Rechtswidrigkeit der Tat. Dies wird damit erklärt, dass es für die Natur und Wirkung eines Irrtums unerheblich sei, ob er sich auf die Tatsachen oder das Recht beziehe. Entscheidend sei vielmehr, ob er sich auf die Tatbestandsmerkmale oder die Merkmale der Rechtfertigungsgründe einerseits oder auf die Rechtswidrigkeit andererseits beziehe.

Im Tatbestandsirrtum befindet sich der Täter, der bei der Begehung einer Straftat einen Umstand nicht kennt, der zum gesetzlichen Tatbestand gehört. In diesem Fall ist der Vorsatz ausgeschlossen, der Täter ist aber wegen der fahrlässigen Straftat zu bestrafen, wenn der Irrtum vermeidbar ist und wenn das Gesetz auch die Strafbarkeit für die Fahrlässigkeit vorschreibt (Art. 47 Abs. 1 und 2 StGB). Das ist theoretisch unbestritten, nur kann die Frage gestellt werden, ob eine solche Vorschrift überhaupt erforderlich ist, wenn man davon ausgeht, dass der Tatbestandsirrtum die negative Seite des Vorsatzes ist und das Strafgesetz schon den Vorsatz in Art. 44 definiert. In der Praxis ist aber die Abgrenzung des Tatbestandsirrtums vom

---

26 *Frank* (Anm. 2), S. 152.

27 So *Franjo Bačić* schon 1978 in der damaligen Auflage seines Lehrbuchs Kazneno pravo, opći dio (Strafrecht, Allgemeiner Teil), S. 276.

Irrtum über die Rechtswidrigkeit nach wie vor schwierig. Dieses klassische Problem wird mit der wachsenden Anzahl von *delicta mere prohibita* gravierend. So erfüllt z.B. den Tatbestand der unerlaubten Verwertung urheberrechtlich geschützter Werke nach Art. 230 Abs. 1 StGB, wer ein Werk ohne Zustimmung des Autors verwendet. In welchem Irrtum befindet sich der Eigentümer einer Videothek, der Videokassetten eines Verlags ausleiht, ohne zu wissen, dass die Zustimmung des Verlags zu diesem Zweck erforderlich ist?[28] Begeht eine Steuer- oder Beitragshinterziehung (Art. 286 StGB), wer über das Bestehen einer Steuerschuld irrt?[29]

Ähnliche Probleme entstehen bei den zahlreichen Straftaten, die in der gesetzlichen Beschreibung Begriffe wie „rechtswidrig" oder „gesetzwidrig" enthalten (z.B. bei Freiheitsberaubung in Art. 124: „Wer einen anderen *rechtswidrig* einsperrt ..."). Diese Begriffe stellen keine echten Tatbestandsmerkmale dar und sind letzten Endes überflüssig. Deswegen ist ein Irrtum über sie kein Tatbestandsirrtum, sondern nur Irrtum über die Rechtswidrigkeit.

Der Irrtum über die Umstände, welche die Rechtswidrigkeit ausschließen (Erlaubnistatbestandsirrtum) ist jetzt, wie schon früher, in Einklang mit der eingeschränkten Schuldtheorie geregelt. Die Neuheit besteht darin, dass der Gesetzgeber versuchte, den theoretischen Unterschied zwischen diesem und dem Tatbestandsirrtum zum Ausdruck zu bringen. Deshalb schrieb er vor, der unvermeidbare Tatbestandsirrtum schließt die Schuld (eigentlich: den Vorsatz) aus; im Fall des unvermeidbaren Irrtums über die Umstände, welche die Rechtswidrigkeit ausschließen, „gibt es keine Straftat". Diese Lösung ist mit Recht auf Kritik gestoßen.[30] Es ist wirklich unklar, warum es bei diesem Irrtum „keine Straftat gibt" und wonach sich dieser Irrtum vom unvermeidbaren Tatbestandsirrtum unterscheidet, bei dem zusammen mit der Schuld auch die Straftat fehlt. Die Lehre von den negativen Tatbestandsmerkmalen als eine mögliche Lösung wurde von den kroatischen Strafrechtswissenschaftlern abgelehnt.[31] So suchten die Autoren des Vorentwurfs 2002 einen Ausweg mit Hilfe der rechtsfolgenverweisenden Schuldtheorie. Nach ihrem Vorschlag sollte Art. 47 Abs. 3 StGB lauten:

> „Der Täter kann wegen vorsätzlicher Begehung nicht bestraft werden, wenn er irrtümlich Umstände annimmt, bei deren Vorhandensein die Tat gerechtfertigt wäre."

Der Vorsatz bleibt also erhalten, ist aber nicht strafbar. Abs. 4, wonach der Täter im vermeidbaren Irrtum wegen fahrlässiger Straftat zu bestrafen ist, wenn die fahrlässige Begehung strafbar ist, bleibt unberührt.

---

28 Der Fall stammt aus der kroatischen Gerichtspraxis (Landbericht Bjelovar, Kž-384/1998).

29 Akzeptiert man in diesem Fall mit der herrschenden Meinung den Tatbestandsirrtum, soll dies auch für den vorhergehenden Fall gelten. Es ist interessant, dass in dieser Frage *Roxin* seine Ansicht änderte (Strafrecht, Allgemeiner Teil, 3. Aufl. München 1997, S. 411).

30 Vgl. *Franjo Bačić*, Marginalije uz novi Kazneni zakon, opći dio (Marginalien über den AT des neuen Strafgesetzes), HLJKPP 2/1997, 425.

31 Vgl. *Horvatić/Novoselec* (Anm. 22), S. 207.

Der Irrtum über die Rechtswidrigkeit der Tat (Verbotsirrtum) ist jetzt in Art. 46 ganz nach dem Vorbild des § 17 deutsches StGB geregelt, so dass der vermeidbare Irrtum über die Rechtswidrigkeit die Schuld völlig ausschließt, der vermeidbare Irrtum hingegen nur die Möglichkeit der Strafmilderung bietet. Gleichzeitig wurde aus § 9 österreichisches StGB die Definition der Vermeidbarkeit dieses Irrtums in Art. 46 Abs. 3 übernommen. Damit wurde die bisherige, aus dem schweizerischen Strafrecht übernommene Kompromissregelung des „Rechtsirrtums" aufgegeben, wonach dieser, wenn er „auf gerechtfertigten Gründen" beruhte, nur ein Grund für das fakultative Absehen von Strafe war. Leider hat die neue Regelung fast keine Anwendung bei den kroatischen Richtern gefunden.[32] Diese stehen noch immer unter dem Einfluss der Regel *error iuris nocet*, und es wird Jahre dauern, bis diese Haltung überwunden sein wird. Das Problem ist noch schwerwiegender, wenn man bedenkt, dass das Gesetz über die Ordnungswidrigkeiten von 2002 die Regelung des Irrtums über die Rechtswidrigkeit buchstäblich aus dem Strafgesetz übernahm, denn dieser Irrtum kommt bei den Ordnungswidrigkeiten häufiger vor als bei den Straftaten, und die Richter, die über die Ordnungswidrigkeiten befinden, sind noch weniger bereit, sich mit solchen Finessen zu quälen.

Da das neue Strafgesetz in Art. 30 Abs. 2 den Notstand als Grund für obligatorisches Absehen von Strafe vorsieht, musste der Gesetzgeber auch eine Antwort auf die Frage suchen, wie der Täter behandelt werden soll, der irrtümlich annimmt, dass er sich in einem solchen Notstand befindet. Er übernahm in Art. 30 Abs. 3 die Lösung aus § 10 Abs. 2 österreichisches StGB, wonach der Täter wegen Fahrlässigkeit zu bestrafen ist, wenn sein Irrtum auf Fahrlässigkeit beruht und die fahrlässige Begehung mit Strafe bedroht ist. Damit sind viele Komplikationen entstanden, weil die Wirkung dieses Irrtums im österreichischen Recht (Entschuldigung) anders ist als im kroatischen (Absehen von Strafe). Wenn man den Vorschlag im Vorentwurf 2002 annimmt, d.h. wenn diese Art des Notstands die Schuld ausschließt, wird der bestehende Art. 30 Abs. 3 StGB ohne Schwierigkeiten angewendet werden können.

7. Die Schuld juristischer Personen

Europaweit setzt sich immer mehr die Auffassung durch, dass von juristischen Personen ausgehende Straftaten durch die Bestrafung allein der unmittelbaren, individuellen Täter nicht wirkungsvoll bekämpft werden können, sondern dass auch

---

[32] Eine empirische Untersuchung zeigte, dass es in der Zeit vom 1.1.1998 bis 1.1.2002 an den vier größten kroatischen Amtsgerichten (Zagreb, Split, Rijeka, Osijek) weder einen Fall des Freispruchs wegen unvermeidbaren Irrtums über die Rechtswidrigkeit noch einen Fall der Strafmilderung wegen vermeidbaren Irrtums über die Rechtswidrigkeit gab (vgl. *Velinka Grozdanić*, Svijest o protupravnosti kao element krivnje [Bewusstsein der Rechtswidrigkeit als Schuldelement], Zbornik Pravnog fakulteta u Zagrebu 3–4/2002, 586.

die juristische Person als solche bestraft werden sollte. Das war der Grund, warum sich auch die Republik Kroatien dazu entschloss, die strafrechtliche Verantwortlichkeit von juristischen Personen einzuführen. Zu diesem Zweck wurde Anfang 2002 vom Justizministerium eine aus Straf- und Wirtschaftsrechtlern zusammengesetzte Expertengruppe gegründet, die einen Vorentwurf des Gesetzes über die Verantwortlichkeit juristischer Personen für Straftaten verfasste.[33] Als Modelle dienten der französische Code pénal von 1992, das slowenische Gesetz über die strafrechtliche Verantwortlichkeit juristischer Personen von 1999 und Art. 30 des deutschen Ordnungswidrigkeitengesetzes. Inzwischen wurde dieser Vorentwurf von der Regierung angenommen und als Gesetzesvorlage dem Parlament unterbreitet. Bei der ersten Lesung im Parlament im Juni wurden jedoch zahlreiche Einwände geltend gemacht, so dass man in diesem Augenblick nicht mit Sicherheit vorhersehen kann, ob der Entwurf überhaupt angenommen werden wird.

Das größte Problem, mit dem sich die erwähnte Expertengruppe auseinandersetzen musste, war gerade die Schuldfrage. Ist die Schuld einer juristischen Person überhaupt möglich? Man könnte sagen, dass drei dahingehend relevante Modelle in Betracht kommen: die objektive Verantwortung der juristischen Person,[34] die Zurechnung des Organverschuldens an diese[35] und die Verantwortung einer juristischen Person für eine über die Schuld des individuellen Täters hinausgehende eigene Schuld.[36] Die objektive Verantwortung wurde *a limine* zurückgewiesen. Sie wäre nicht nur im Widerspruch mit dem in Art. 4 StGB verkündeten Schuldprinzips, sondern auch schon deswegen praktisch unanwendbar, weil alle Straftaten als vorsätzliche oder fahrlässige definiert sind und dieser Unterschied ebenso bei den juristischen Personen, wenn sie diese Straftaten begehen, beachtet werden müsste. Die eigene Schuld der juristischen Person ist in der Theorie noch nicht genug ausgearbeitet und muss letzten Endes wiederum auf die Schuld des individuellen Täters zurückgeführt werden. Deswegen entschieden sich die Autoren des Entwurfs

---

33 Näher über den Entwurf *Petar Novoselec*, Odgovornost pravnih osoba za kaznena djela – značajna novost u hrvatskom pravnom sustavu (Die Verantwortlichkeit juristischer Personen für Straftaten – eine bedeutende Neuigkeit im kroatischen Rechtssystem), in der Sammlung: Zbornik, Opatija 2002, 40. susret pravnika, S. 104–131 und *Anita Kurtović*, Kaznena odgovornost pravnih osoba (Die strafrechtliche Verantwortlichkeit juristischer Personen), in der Sammlung: Aktuelna pitanja kaznenog zakonodavstva, IV. savjetovanje – 2002, Zagreb 2002, S. 45–69.

34 So in der deutschen Strafrechtswissenschaft besonders *Schünemann*, Die Strafbarkeit der juristischen Personen aus deutscher und europäischer Sicht, in: Bausteine des europäischen Wirtschaftsstrafrechts, Madrid-Symposium für Klaus Tiedemann, Köln u.a. 1994, S. 285 ff.

35 Am konsequentesten wurde diese Auffassung in der Entscheidung des französischen Kassationshofs vom 2.12.1997 zum Ausdruck gebracht, vgl. Jurisprudence II 10023, Responsabilité pénale des personnes morales, La semaine juridique, Édition générale, N° 8–9, S. 331–334.

36 In diesem Sinne das „Organisationsverschulden" von *Klaus Tiedemann* (Die „Bebußung" von Unternehmen nach dem 2. Gesetz zur Bekämpfung der Wirtschaftskriminalität, NJW 1988, 1172).

für das Zurechnungsmodell. Danach soll die Verantwortlichkeit der juristischen Person kumulativ neben der des Einzelnen, der so genannten „verantwortlichen Person", stehen. Die juristische Person ist für die Straftat der verantwortlichen Person zu bestrafen, wenn durch diese Straftat Pflichten der juristischen Person verletzt worden sind oder die juristische Person bereichert worden ist oder werden sollte. Die Verantwortlichkeit der juristischen Person basiert auf der Schuld der verantwortlichen Person. Wenn also die verantwortliche Person schuldunfähig ist oder weder vorsätzlich noch fahrlässig handelt, oder wenn sie sich in einem die Schuld ausschließenden Irrtum befindet, kann ebenso wenig die juristische Person für schuldig erklärt werden. Dabei entstehen große Schwierigkeiten, wenn die verantwortliche Person nicht zu identifizieren ist. Die Empfehlung des Europarates von 1988[37] verlangt auch in solchen Fällen, dass die juristische Person verurteilt werden muss, was mit dem Zurechnungsmodell schwer in Einklang gebracht werden kann. Um dem Vorwurf des Doktrinarismus zu entgehen, sah der kroatische Entwurf trotzdem vor, dass die juristische Person auch dann verantwortlich gemacht werden kann, wenn aus rechtlichen oder anderen Gründen das Strafverfahren nicht eingeleitet oder geführt werden kann.

---

37 Responsabilité des entreprises pour infractions, Recommandation N° R (88) 18 adoptée par le Comité des Ministres du Conseil de l'Europe le 20 octobre 1988 et exposé des motifs, Strasbourg 1990 (unter I.2).

Grundelemente der subjektiven Verantwortlichkeit im slowenischen Strafrecht

Damjan Korošec, Ljubljana

1. Einführung

Das zurzeit gültige slowenische Strafgesetzbuch (im Folgenden zitiert als: StGB) ist im September 1994 vom Parlament verabschiedet worden[1] und seit dem 1.1.1995 in Kraft. Es wurde im Jahr 1999 unwesentlich geändert und ergänzt.[2] Aus Gründen der Übersichtlichkeit und Einheitlichkeit der Strafrechtsordnung bemüht man sich nach wie vor, alle strafbaren Handlungen ausschließlich durch das StGB zu erfassen. Daher gibt es in Slowenien weiterhin keine Straftatbestände außerhalb des StGB.

Der Allgemeine Teil (AT) des StGB beruht auf der objektiv-subjektiven und formell-materiellen Konzeption der Straftat, sowie auf einem dreistufigen allgemeinen Verbrechensbegriff (Tatbestandsmäßigkeit, Rechtswidrigkeit, Schuld).[3] Ich darf einführend betonen, dass das StGB (zumindest implizit) als aktives Subjekt, also die Person, die eine strafrechtlich tatbestandsmäßige Handlung begehen kann, generell jeden Menschen (physische Person) versteht. Strafrechtliche Sanktionen dürfen nur gegen Täter einer tatbestandsmäßigen und rechtswidrigen Handlung verhängt werden (Strafe nur bei vorhandener Schuld), der zum Zeitpunkt der Tat zumindest 14 Jahre alt war.[4] Diese Regelung wird als solche in Slowenien nicht kritisiert, außergewöhnlich heftiger Kritik ausgesetzt ist jedoch ihr Verhältnis zur slowenischen strafrechtlichen Einwilligungsfähigkeit.[5] Nach Art. 183 StGB (Besonderer Teil – BT) ist die Einwilligungsunfähigkeit des potentiellen Straftatopfers in sämtliche *(sic!)* sexuelle Handlungen allgemein an das Lebensalter von 15 Jah-

---

1 Amtsblatt der Republik Slowenien – GBl. Nr. 63/94 vom 13.10.1994.

2 GBl. Nr. 23/99 vom 8.4.1999.

3 Art. 7 StGB definiert die Straftat als „rechtswidrige Handlung, die das Gesetz wegen ihrer Gefährlichkeit als Straftat bestimmt und gleichzeitig ihre Bestandteile sowie die Strafandrohung festlegt“.

4 Analog Art. 71 StGB.

5 Siehe z.B. *Zoran Kanduč*, *Damjan Korošec*, *Marko Bošnjak*, in: Inštitut za kriminologijo pri Pravni fakulteti v Ljubljani in Urad za žensko politiko (Institut für Kriminologie an der juristischen Fakultät Ljubljana und Amt für Frauenpolitik) (Hrsg.), Spolnost, nasilje in pravo (Sexualität, Gewalt und Recht), Ljubljana 1998.

ren gebunden.[6] Somit ist ein wichtiger Teil der generellen Einwilligungsfähigkeit nach positivem slowenischem Strafrecht höher gesetzt als die Grenze zur Strafmündigkeit. Dieser Unterschied wird zunehmend als „paradox", „systemstörend" und „der freien Entfaltung der Persönlichkeit [als impliziter Verfassungsgarantie] (potentiell) im Wege stehend" angegriffen. Da es scheint, dass diese Problematik kriminalpolitisch und potentiell auch verfassungsrechtlich die Grenzen des BT sprengt, darf man sie meiner Meinung nach auch unter dem Titel „Grundelemente der Strafbarkeit" einführend zumindest erwähnen.

Zusätzlich zum Menschen als aktivem Subjekt des materiellen Strafrechts kennt das StGB seit 1995 im Rahmen des Instituts (im Grunde der Fiktion!) der strafrechtlichen Verantwortlichkeit juristischer Personen[7] auch die juristische Person als möglichen Straftäter einiger Straftaten. Wie später noch kurz darzustellen sein wird, kann nach der so genannten klassischen Identifikationstheorie die juristische Person strafrechtlich in Slowenien nur für diejenigen im Gesetz aufgezählten Straftaten zur Verantwortung gezogen werden, die ein Mensch als Täter im Namen, auf Rechnung oder zu Gunsten der juristischen Person verübt hat.

2. Die strafrechtliche Verantwortlichkeit im engeren Sinne

Die Bestimmungen über die strafrechtliche Schuld[8] in der slowenischen Verfassung und in Art. 4 StGB („gegen den Täter einer Straftat darf eine Strafe nur verhängt werden, wenn er schuldig ist") werden in unzähligen Normen des slowenischen (materiellen) Strafrechts konkretisiert. Im AT des StGB findet man Normen über die strafrechtliche Verantwortlichkeit der physischen Person (Art. 15), die sozusagen hemisphärisch definiert wird: mit der Zurechnungsfähigkeit und der Schuld. Strafrechtlich verantwortlich sei, so geht aus Art. 15 Abs. 1 StGB hervor, wer zurechnungsfähig und schuldig ist. Nach Art. 15 Abs. 2 StGB gilt derjenige als schuldig, der „die Straftat mit Vorsatz oder aus Fahrlässigkeit begangen hat, wobei ihm bewusst war oder ihm bewusst sein musste und konnte, dass seine Tat verboten ist". Die Zurechnungsfähigkeit wird in Art. 16 StGB als intellektuelle und willentliche Normalität des Täters, die Schuld in ihren beiden Erscheinungsformen – dem Vorsatz und der Fahrlässigkeit – definiert. Die Straftat wird laut Art. 17 StGB

---

[6] Bei Art. 183 StGB handelt es sich um die Inkriminierung mit dem Titel: „Der sexuelle Angriff auf die Person unter 15 Jahren". Inkriminiert wird hier neben dem Geschlechtsverkehr jede Art von sexuellen Handlungen, auch bei eventueller Einwilligung des Opfers (Abs. 1).

[7] Kapitel II. – „Die Straftat und die strafrechtliche Verantwortlichkeit", Art. 33 – „Die Verantwortlichkeit juristischer Personen".

[8] Die vorliegende Darstellung des slowenischen Strafrechts bezüglich der Schuld ist die überarbeitete und stark verkürzte Fassung von *Damjan Korošec*, Das materielle Strafrecht Sloweniens, JOR 42 (2001), 111–129.

vorsätzlich begangen, „wenn sich der Täter seiner Tat bewusst war und sie verüben wollte“ (direkter Vorsatz)[9] bzw. „wenn sich der Täter der Möglichkeit, dass aus seiner Tat eine verbotene Folge entsteht, bewusst war und einwilligte, dass so eine Folge entsteht“ (Eventualvorsatz). Fahrlässigkeit liegt laut Art. 18 StGB vor, „wenn sich der Täter der Möglichkeit, dass aus seiner Tat eine verbotene Folge entsteht, bewusst war und leichtfertig meinte, dass er sie abwenden können wird oder sie nicht entstehen wird“ (bewusste Fahrlässigkeit) bzw. „wenn sich der Täter der Möglichkeit, dass aus seiner Tat eine verbotene Folge entsteht, nicht bewusst war, sich jedoch den Umständen und seinen persönlichen Merkmalen nach dessen bewusst sein musste und konnte“ (unbewusste Fahrlässigkeit).

Nach Art. 15 Abs. 3 StGB ist nur vorsätzliches Handeln strafbar, wenn nicht das Gesetz fahrlässiges Handeln ausdrücklich mit Strafe bedroht. Im BT des StGB werden beide Formen der Fahrlässigkeit prinzipiell mit gleicher Strafe bedroht.

Im positiven slowenischen Strafrecht werden zwei Grundformen des *Irrtums* unterschieden. Die Bestimmungen des Art. 20 StGB sind dem Tatbestandsirrtum, die Bestimmungen des Art. 21 StGB dem Verbotsirrtum gewidmet. Beide Formen des Irrtums haben einen potentiellen Einfluss auf die strafrechtliche Verantwortlichkeit des Täters (konkret: die intellektuelle Komponente der Schuld). So ist nach Art. 20 Abs. 1 StGB der Vorsatz des Täters ausgeschlossen, „wenn ihm bei der Begehung der Tat ein Umstand nicht bewusst war, der zum gesetzlichen Tatbestand gehört“ (Tatbestandsirrtum im engeren Sinn) bzw. „wenn er irrig angenommen hat, dass Umstände bestehen, in denen die Tat erlaubt wäre, bestünden sie wirklich“ (Tatbestandsirrtum im weiteren Sinn, angenommene Rechtfertigung). Die Strafbarkeit wegen fahrlässiger Begehung der Tat bleibt in beiden Fällen unberührt (Art. 20 Abs. 2 StGB). Bei fahrlässig begangenen Straftaten scheint sich die Frage der Vermeidbarkeit des Tatbestandsirrtums nach slowenischer Strafrechtslehre mit der Frage der unbewussten Fahrlässigkeit zu decken.

Nach Art. 21 Abs. 1 StGB ist „der Täter nicht strafrechtlich verantwortlich, wenn ihm aus entschuldbaren Gründen nicht bewusst war, dass diese Tat verboten ist“.[10] Nach Art. 21 Abs. 2 StGB ist der Täter jedoch strafrechtlich verantwortlich, wenn er so einen Irrtum hätte vermeiden können; in diesem Fall darf die Strafe gemildert werden. Aus diesen Bestimmungen des StGB über den Verbotsirrtum schließt die

---

[9] Der BT des StGB schließt in die Tatbestandsmerkmale einiger Straftatbestände bestimmte Formen von besonderer Absicht des Täters ein und weist somit auf eine besondere Form des (direkten) Vorsatzes hin: Der so genannte dolus coloratus. Dieser Vorsatz wird im AT aber nicht gesondert definiert oder auch nur erwähnt.

[10] Welche Umstände zum gesetzlichen Tatbestand einer Inkriminierung gehören, hängt von der konkreten Norm des BT des StGB ab, deren Bruch dem Täter vorgeworfen wird. Wenn in einer Inkriminierung ein Begriff vorkommt wie z.B. „rechtswidrig“, „verboten“, „unerlaubt“ oder ähnliches, so ist nach einheitlicher slowenischer Strafrechtsdogmatik (der wohl auch die Rechtspraxis folgt) ein Irrtum über diesen Umstand wegen seiner Ausdrücklichkeit als Tatbestandsirrtum und nicht als Verbotsirrtum zu deuten.

slowenische Strafrechtspraxis, dass nach slowenischem Strafrecht die Einsicht des Täters, dass er Unrecht tut, nicht zum Vorsatz gehöre und so seine strafrechtliche Verantwortlichkeit für vorsätzliche Straftaten trotz seines ausgewiesenen, vor Gericht bewiesenen (vermeidbaren) Verbotsirrtums möglich sei. Diese Ansicht scheint auch von einem einflussreichen Teil der slowenischen Strafrechtsdogmatik unterstützt zu werden.[11, 12]

Der AT des StGB regelt nicht die *Handlung auf dienstliche Weisung* bzw. ihre Strafbarkeit. Nach der neueren slowenischen Strafrechtslehre sind solche Fälle grundsätzlich nach den (für solche Fälle entsprechend angepassten) Regeln des Verbotsirrtums zu bewerten, also im Rahmen der Schuld als drittem Element des allgemeinen Verbrechensbegriffs (nach der Tatbestandsmäßigkeit und der Rechtswidrigkeit der Tat und ihrer Folgen). Die slowenische Strafrechtslehre kritisiert die Tatsache, dass der Gesetzgeber im BT des StGB (Art. 283) eine besondere Bestimmung der Strafbarkeit des strafrechtlich tatbestandsmäßigen Handelns auf militärischen Befehl (und nicht etwa der Rechtswidrigkeit der Ausführung des Befehls oder der Schuld des Befehlsausführenden) widmet.[13] Diese Bestimmung sei nach Meinung der Kritiker besonders aus der Sicht des allgemeinen Verbrechensbegriffs unklar. Da sie bei allen „nicht schweren" Straftaten den Verbotsirrtum des Befehlsausführenden in dem hauptsächlich aus Rekruten bestehenden, also nicht professionellen slowenischen Heer voraussetze, sei sie darüber hinaus kriminalpolitisch zumindest zweifelhaft. Vor allem aber sei diese Norm des StGB nicht strafrechtlich systemkonsequent, da sie sich nur auf eine Möglichkeit der dienstlichen Weisung (im Rahmen des Militärs) beziehe, alle andere Formen solcher Weisungen werden im Strafrecht dagegen nicht ausdrücklich geregelt.

Zum Thema Grundelemente der subjektiven Verantwortlichkeit darf ich noch einige Worte dem schon erwähnten Institut der Opfereinwilligung (und dem in manchen Punkten verwandten Institut der medizinischen Tätigkeit) widmen. Wie im modernen Strafrecht üblich, wird die Opfereinwilligung (und die medizinische Tä-

---

[11] Dieser Problematik widmen sich die slowenischen Strafrechtstheoretiker leider nicht eingehender.

[12] Besonders zu betonen ist, dass allgemein in der slowenischen Strafrechtspraxis Irrtümer äußerst selten vom Strafgericht als erwiesen (und strafprozessrechtlich bewiesen) anerkannt werden. Deswegen werden sie in der Praxis fast nie als Schuldausschließungsgrund und auch kaum als Umstand bei der Bemessung der Strafe berücksichtigt. Die strafjustiziellen Maßstäbe der Vermeidbarkeit des Verbotsirrtums sind in Slowenien so streng, dass praktisch kaum Strafurteile rechtskräftig geworden sind, wo ein Täter wegen der Unvermeidbarkeit eines Verbotsirrtums freigesprochen worden wäre. Diese Tatsache wird von der slowenischen Strafrechtstheorie hin und wieder heftig als unbegründet kritisiert.

[13] Die Bestimmung des Art. 283 StGB lautet wörtlich: „Der Untergebene wird nicht bestraft, wenn er die Straftat auf Befehl oder Kommando des Vorgesetzten begeht und sich dieser Befehl oder dieses Kommando auf die Militärpflicht bezieht, außer wenn es sich um ein Kriegsverbrechen oder ein anderes schweres Verbrechen handelt, oder wenn er wusste, dass die Ausübung des Befehls oder des Kommandos eine Straftat bedeutet."

tigkeit) auch im slowenischen StGB (AT) nicht erwähnt. Die genannten Institute werden in der slowenischen Strafrechtslehre traditionell nicht etwa als Rechtfertigungsgründe, sondern als besondere, die Verantwortlichkeit – als vager Oberbegriff für alle in Frage kommenden Elemente – ausschließende Gründe behandelt, und dazu noch mit großer Skepsis. Der Wille des Geschädigten wird außerhalb der klassischen Tatbestandsmerkmale prinzipiell entweder gar nicht erforscht, oder es wird jeder Einfluss auf die Strafbarkeit des Täters von der Hand gewiesen. Das gilt insbesondere für die medizinische Tätigkeit, wo die Einwilligung des Patienten in den medizinischen Eingriff keinen Einfluss auf die strafrechtliche Verantwortlichkeit des Arztes haben soll.[14] Hervorzuheben ist jedoch, dass das zuletzt erschienene zentrale slowenische Strafrechtslehrbuch zum AT von *Bavcon* und *Šelih* aus dem Jahr 1996 im Kapitel „Opfereinwilligung" (und an anderen Stellen) zwar immer noch nur einige knappe Sätze über die Problematik des Willens des Geschädigten *tempore criminis* enthält, im Vergleich mit den vorigen Ausgaben (und im Vergleich mit der bisherigen slowenischen Doktrin der Opfereinwilligung im Strafrecht als solchem) aber eine Aussage beinhaltet, die man als radikal neu bezeichnen kann. „Allgemeiner Grundsatz des zeitgenössischen Strafrechts ist, dass die Existenz der Straftat in der Regel vom Willen des Geschädigten abhängt", schreibt *Bavcon.*[15] Nur bei Gütern, die der Verfasser „Rechtsgüter von universeller Bedeutung"[16] nennt, soll eine Ausnahme in der Form der strafrechtlichen Verfolgung *ex officio* erlaubt sein. Diese beiden Auffassungen sind besonders hinsichtlich der Tatsache interessant, dass Slowenien immer noch keine besondere Inkriminierung der eigenmächtigen – d.h. ohne Einwilligung oder über diese hinaus gehenden – ärztlichen Heilbehandlung besitzt, und der Wille des Patienten als solcher auch im Rahmen anderer Straftatbestände mehr oder weniger unwesentlich (geblieben) ist. Derartige neue Auffassungen im zentralen Lehrbuch des materiellen Strafrechts könnten objektiv den Weg für eine neue Inkriminierung der eigenmächtigen Heilbehandlung oder aber eine Wende in der Auslegung der Körperverletzungstatbestände hinsichtlich der Heilbehandlung anbahnen.

3. Das Institut der „geringen Bedeutung der Tat" (Art. 14 StGB) – die slowenische materiellrechtliche Regelung der Bagatellfälle

Das slowenische materielle Strafrecht übernahm mit im Grunde nur unwesentlichen Veränderungen aus dem ehemaligen Strafrecht der SFR Jugoslawien das (po-

---

[14] Siehe z.B. *Damjan Korošec*, Die strafrechtliche Relevanz der Opfereinwilligung aus der Sicht der slowenischen Lehre, ZStW 110 (1998), 548–560.

[15] *Ljubo Bavcon*, in: Ljubo Bavcon/Alenka Šelih, Kazensko pravo – splošni del (Strafrecht – Allgemeiner Teil), ČZ Uradni list RS, Ljubljana 1996, S. 202.

[16] Op.cit. (Anm. 15), ibidem.

sitivrechtliche) Institut der materiellrechtlichen Bagatellität der Tat.[17] In Art. 14 des neuen StGB (AT) findet man nun unter dem Titel „Handlung von geringer Bedeutung“ folgende strafrechtliche Bestimmung:

> „Keine Straftat ist die Tat, die zwar nach dem Gesetz tatbestandsmäßig, jedoch von geringer Bedeutung ist. Die Tat ist von geringer Bedeutung, wenn ihre Gefährlichkeit geringfügig ist wegen der Natur oder der Schwere der Tat, oder weil aus der Tat kein oder nur ein geringfügiger Schaden entsteht, oder wegen der Umstände, unter denen sie begangen wurde, oder wegen geringen Grades der strafrechtlichen Verantwortlichkeit des Täters oder wegen seiner persönlichen Merkmale.“

In der slowenischen Strafrechtsdogmatik sowie in der strafrechtlichen Rechtsprechung wird diese Norm des AT des StGB einheitlich als Rechtswidrigkeits-Ausschließungsgrund (Rechtfertigungsgrund) verstanden, ähnlich wie die Notwehr oder der (im slowenischen Strafrecht ausschließlich rechtfertigende) Notstand nach Art. 11 bzw. 12–13 StGB. Das bedeutet unter anderem logisch zwingend, dass die Notwehr gegen solch eine tatbestandsmäßige Handlung nicht erlaubt ist und dass alle Formen der (erfolgreichen) Beteiligung (die Mittäterschaft, die Anstiftung und die Beihilfe) bei so einer Handlung nicht rechtswidrig sein können. Die Notwendigkeit oder zumindest die Nützlichkeit solch eines positivrechtlichen Instituts des StGB neben ähnlichen strafprozess-ökonomischen Instituten des Strafprozessrechts nach der StPO (der begrenzten Opportunität der Strafverfolgung bei besonders leichten Straftaten sowie bei den Straftaten minderjähriger Täter und des Instituts der formellen Wiedergutmachung vor der Anklage) wurde in Slowenien in der Vergangenheit nicht in Frage gestellt. In den letzten Jahren wird jedoch seitens einiger slowenischer Strafrechtsdogmatiker[18] die Kritik immer lauter, dass die Formulierungen des zitierten Art. 14 StGB im Licht des allgemeinen Verbrechensbegriffs nicht einheitlich seien und einer Neudefinition bedürften.

Aus der Sicht des allgemeinen Verbrechensbegriffs, der – wie bereits erwähnt – nach slowenischer Strafrechtslehre aus drei Hauptelementen besteht (der Tatbestandsmäßigkeit der Tat, der Rechtswidrigkeit der Tat und ihrer Folgen und der Schuld des Täters), betonen in letzter Zeit einige slowenische Strafrechtstheoretiker, dass die einzelnen Maßstäbe aus Art. 14 StGB für die Geringfügigkeit der Gefährlichkeit der Tat auf verschiedene Elemente des klassischen allgemeinen Verbrechensbegriffs zielten und deswegen nicht unbedingt die Rechtswidrigkeit der Tat im Vordergrund des Art. 14 StGB stehen solle.

Wenn die Maßstäbe der Natur und der Schwere der Tat sowie der Schädlichkeit der Tatfolgen und der Umstände, in denen die Tat begangen wurde, nach Meinung dieser Theoretiker noch relativ logisch im Rahmen des zweiten Elements des allgemeinen Verbrechensbegriffs – der Rechtswidrigkeit – behandelt werden könnten, so gehörten die offensichtlich personenbezogenen, also subjektiven Maßstäbe des

---

17 Die Darstellung des genannten Instituts ist der Darstellung des neuen slowenischen Strafrechts in *Korošec* (Anm. 8), S. 111–129 entnommen.

18 *Ljubo Bavcon*, aber auch z.B. *Damjan Korošec, Aleksander Karakaš, Vid Jakulin.*

Grades der strafrechtlichen Verantwortlichkeit des Täters und seiner persönlichen Merkmale ihrer Meinung nach logisch in den Rahmen des dritten Elements des allgemeinen Verbrechensbegriffs – der Schuld. Im slowenischen Strafrecht wird die Rechtswidrigkeit als Element des allgemeinen Verbrechensbegriffs im Gegensatz zur Schuld als nicht personenbezogen, also objektiv verstanden, vor allem aber als Voraussetzung für die Schuld. Die Prüfung der Rechtswidrigkeit muss in jedem konkreten Fall vor der Prüfung der Schuld erfolgen. So könne die Schwere der strafrechtlichen Verantwortlichkeit des Täters – die nach der Ansicht der erwähnten Theoretiker nicht anders als die Schuld verstanden werden könne –, logisch nicht auf die Rechtswidrigkeit der Tat als solche Einfluss haben. In diesem Sinne kritisieren diese slowenischen Strafrechtstheoretiker die Norm des Art. 14 StGB und fordern eine Neudefinition des Instituts der geringen Bedeutung der Tat im StGB in der Richtung, dass nicht mehr die Rechtswidrigkeit der Bagatellfälle ausgeschlossen werden sollte, sondern lediglich die Strafbarkeit im Sinne der Strafwürdigkeit des Täters.

Es ist einleuchtend, dass eine Norm des AT des positiven materiellen Strafrechts – wie sie die so genannte geringe Bedeutung der Tat in Art. 14 StGB regelt, die sich in einem Satz implizit auf mehrere Elemente des allgemeinen Verbrechensbegriffs bezieht – objektive und subjektive Momente der Straftat bewertet, schon wegen der Systematik des StGB und der Verhältnisse zu anderen Instituten, die präziser und umfassender die Gründe für den Ausschluss der Rechtswidrigkeit (der Notstand, die Notwehr, der kompulsive Zwang) bzw. für den Ausschluss der Schuld (Irrtümer) regeln, auf Kritik stößt. Die jetzige Formulierung des Art. 14 StGB und somit das Institut der geringen Bedeutung der Tat im materiellen Strafrecht scheint tatsächlich nicht genügend überdacht zu sein. Wie sie am besten neu formuliert werden soll, muss das zukünftige slowenische Strafrecht zeigen.

4. Die Verantwortlichkeit juristischer Personen für Straftaten

Das slowenische Strafrecht kennt das Institut der strafrechtlichen Verantwortlichkeit juristischer Personen; seit 1995 wird diese Form der strafrechtlichen Verantwortlichkeit – obwohl damals wie heute strafrechtstheoretisch mit großer Skepsis verfolgt und teilweise heftig kritisiert – positivrechtlich geregelt.[19]

Im AT des StGB führt die Bestimmung des Art. 33 Abs. 1 das Institut der strafrechtlichen Verantwortlichkeit juristischer Personen in das Strafgesetzbuch ein, überlässt jedoch dessen genauere rechtliche Regelung einem besonderen Gesetz. Trotz allem wird schon im selben Absatz die Ausgangskonzeption dieser Verant-

---

19 Siehe auch *Korošec* (Anm. 8), S. 111–129 und *Ivan Bele*, Kazenski zakonik s komentarjem – splošni del (StGB – Kommentar des Allgemeinen Teils), Ljubljana 2001, S. 249–254.

wortlichkeit festgelegt, und zwar nach der so genannten klassischen Identifikationstheorie. Die juristische Person kann strafrechtlich nur für diejenigen Straftaten zur Verantwortung gezogen werden, die der Täter im Namen, auf Rechnung oder zu Gunsten der juristischen Person verübt hat. Bestimmungen weiterer Absätze desselben Artikels erklären, dass zukünftige Gesetze oder (subsidiär) andere Gesetze nach der Enumerierungsmethode die Straftaten bestimmen werden, bei denen die Strafbarkeit juristischer Personen überhaupt in Frage kommt (Abs. 3), weitere Strafen, verwarnende Sanktionen, Maßregeln der Besserung und Sicherung, Rechtsfolgen der Verurteilung (Abs. 2) und die Regeln des besonderen Verfahrens gegen juristische Personen (Abs. 4).

Das konkretisierende Gesetz, das von den Bestimmungen des oben zitierten Art. 33 StGB gefordert wird, wurde unter dem Namen Gesetz über die Verantwortlichkeit juristischer Personen für Straftaten[20] (hier zitiert als: GVjPSt) nach langen politischen und strafrechtstheoretischen polemischen Diskussionen und unter scharfer Kritik seitens der herrschenden Strafrechtslehre Mitte 1999 vom Parlament verabschiedet. Es ist am 22.10.1999 in Kraft getreten. Neben allgemeinen Vorschriften (Art. 1–3) beinhaltet es materiellrechtliche Bestimmungen (Art. 4–26), prozessrechtliche Bestimmungen (Art. 27–42) und einige Schlussvorschriften (Art. 43 und 44 GVjPSt).

Ausgehend von den Bestimmungen des Art. 33 StGB wird in Art. 4 GVjPSt bestimmt:

> „Für die Straftat, die der Täter im Namen, auf Rechnung oder zu Gunsten der juristischen Person begangen hat, ist diese verantwortlich: 1. wenn die begangene Straftat die Ausführung eines rechtswidrigen Beschlusses, Auftrags oder Bewilligung ihrer Führungs- oder Aufsichtsorgane bedeutet; 2. wenn ihre Führungs- oder Aufsichtsorgane den Täter beeinflussten oder ihm ermöglichten, die Straftat zu begehen; 3. wenn sie über den rechtswidrig erlangten Vermögensvorteil verfügt oder die Früchte der Straftat benutzt haben; 4. wenn ihre Führungs- oder Aufsichtsorgane die Aufsichtspflicht über die Rechtmäßigkeit des Handelns ihnen untergeordneter Arbeiter unterlassen haben."

Nach Art. 5 Abs. 3 GVjPSt ist die juristische Person für fahrlässig begangene Straftaten (des Einzeltäters) nur unter den Bedingungen des Art. 4 Punkt 4 GVjPSt (wenn die Führungs- oder Aufsichtsorgane der juristischen Person die Aufsichtspflicht über die Rechtmäßigkeit des Handelns ihnen untergeordneter Arbeiter unterlassen haben) verantwortlich. In allen anderen Fällen ist für die Verantwortlichkeit der juristischen Person die Grundvoraussetzung nur eine Straftat des Einzeltäters, die nach Art. 5 Abs. 1 GVjPSt strafrechtlich sowohl tatbestandsmäßig, vorsätzlich als auch rechtswidrig ist, jedoch seitens des Einzeltäters nicht unbedingt schuldhaft verübt sein muss.

Art. 25 GVjPSt zählt die *Straftaten* des BT des StGB auf, für die auch juristische Personen verantwortlich sein können. Zurzeit gibt es in Slowenien keine anderen

---

20 GBl. Nr. 59/99 vom 23.7.1999.

Gesetze (Nebenstrafrecht), die zusätzliche Straftaten definieren bzw. aufzählen würden, für die juristische Personen verantwortlich sein können.

Laut Art. 2 GVjPSt können der Staat und lokale Selbstverwaltungsträger (insbesondere Gemeinden) als „Personen des öffentlichen Rechts" nicht für Straftaten verantwortlich sein. Alle anderen in- und ausländischen juristischen Personen des privaten (und zumindest theoretisch auch des öffentlichen) Rechts können laut Art. 8 GVjPSt auch für bloß versuchte Straftaten des Einzeltäters (wenn der Versuch für ihn strafbar ist) und – wie schon oben erwähnt – laut Art. 5 Abs. 1 GVjPSt auch dann für Straftaten verantwortlich sein, wenn der Einzeltäter selbst nicht strafrechtlich verantwortlich ist (z.B. wegen Unzurechnungsfähigkeit), wenn nur jeweils die Straftat nach den allgemeinen Regeln des slowenischen StGB auf dem Territorium der Republik Slowenien begangen wurde (Art. 3 Abs. 1 GVjPSt i.V.m. Art. 120 Abs. 1 und Art. 126 Abs. 1 StGB).

Slowenische juristische Personen sind laut Art. 3 Abs. 2 und 3 GVjPSt auch für Straftaten verantwortlich, die *im Ausland* begangen werden, und zwar unter folgenden Voraussetzungen: Wenn die Straftat gegen die Republik Slowenien oder einen slowenischen Staatsbürger oder eine slowenische juristische Person gerichtet ist, kann die juristische Person nur verantwortlich sein, wenn sie ihren Sitz auf dem Territorium der Republik Slowenien hat oder dort ihre Tätigkeit ausübt. In solch einem Fall kann auch eine *ausländische juristische Person* für die Straftat verantwortlich sein. Wenn die Straftat gegen einen fremden Staat, Staatsbürger oder eine fremde juristische Person gerichtet ist, kann nur eine slowenische juristische Person für die Straftat verantwortlich sein, diese allerdings unabhängig von allen Einschränkungen der territorialen und personalen Gültigkeit des slowenischen StGB.[21]

Für die Straftaten der juristischen Personen sind im GVjPSt folgende *Strafen* vorgesehen: die Geldstrafe (Art. 13; sie darf laut Art. 17 auch zur Bewährung ausgesetzt werden), der Entzug des Vermögens (auch des ganzen Vermögens; Art. 14) und die Liquidation der juristischen Person (die so genannte Todesstrafe für die juristische Person, vorgesehen in Art. 15). Die schwerste Strafe – die Liquidation der juristischen Person – darf verhängt werden, wenn die Tätigkeit der verurteilten juristischen Person gänzlich oder überwiegend für das Ausüben von Straftaten ausgenutzt wurde (Art. 15 Abs. 1). Zu dieser Strafe darf zusätzlich auch die Strafe des Entzugs des Vermögens verhängt werden (Art. 15 Abs. 2).

Laut Art. 16 GVjPSt muss das Gericht bei der Strafbemessung neben allgemeinen Regeln des slowenischen Strafrechts (Art. 41 StGB) auch die wirtschaftliche Bedeutung der juristischen Person mit einbeziehen. Die Strafen zu den einzelnen Straftaten sind übrigens in Art. 26 GVjPSt tabellarisch vorgeschrieben.

---

21 Wie diese in den Bestimmungen der Art. 120–125 StGB geregelt sind.

Grundelemente der subjektiven Verantwortlichkeit im estnischen Strafrecht

Jaan Sootak, Tartu

1. Bisherige Rechtslage

Im estnischen Strafrecht bilden die Voraussetzungen der subjektiven Verantwortlichkeit neben den anderen Grundelementen der Verantwortlichkeit einen Teil des Verbrechensaufbaus als Gesamtsystem. Da der Begriff der Verantwortlichkeit auch Fragen der Strafzumessungsschuld umfasst, sind selbstverständlich auch die Grundsätze der Strafzumessung einzubeziehen.

Das bisher in Estland geltende und vom sowjetischen Recht stark geprägte Strafrecht beruht auf der „Vier-Elemente-Deliktsstruktur", die wie folgt aussieht:

Abbildung 1: Verbrechensbegriff nach sowjetischem Strafrecht

Objekt des Verbrechens : Die gesellschaftlichen Verhältnisse, die durch das Verbrechen als einer gesellschaftsgefährlichen Tat verletzt werden	**Subjekt** des Verbrechens : a) allgemeine Merkmale (Zurechnungsfähigkeit, Alter) b) spezielle Merkmale (Spezialsubjekt)
Objektive Seite des Verbrechens : a) Tat b) Erfolg c) Kausalzusammenhang	**Subjektive Seite** des Verbrechens : a) Vorsatz b) Fahrlässigkeit c) andere subjektive Elemente, z.B. Beweggrund oder Zweck

Die geschilderte Struktur heißt gleichzeitig *allgemeiner Tatbestand.*[1] Alle Elemente des Verbrechens sind gleichwertig – wenn nur eines der genannten Elemente

[1] Siehe näher *Friedrich-Christian Schroeder*, Die Gliederung der Straftat in der Sowjetunion und in der DDR, in: Theo Vogler (Hrsg.), Festschrift für Hans-Heinrich Jescheck, Berlin 1985, S. 1249 ff.; *Jaan Sootak*, Verbrechensbegriff und Tatbestand: Erfahrungen der russisch-sowjetischen Strafrechtswissenschaft und deren Auswirkungen auf Estland, Osteuropa Recht 1998, Nr. 1, 57 ff.; *Priit Pikamäe/Jaan Sootak*, Estonian Criminal Law: Reform as a Path to Independence, European Journal of Crime, Criminal

fehlt, ist der allgemeine Tatbestand nicht erfüllt und damit ist die Strafbarkeit des Täters ausgeschlossen.

Die subjektiven Voraussetzungen der Strafbarkeit bilden zwei Elemente des allgemeinen Tatbestands: Subjekt und subjektive Seite. Der Täter wird bestraft, wenn er als zurechnungsfähiges Subjekt vorsätzlich oder fahrlässig die objektive Seite eines im Besonderen Teil des StGB beschriebenen Tatbestands ausführt. Dem liegt der psychologische Schuldbegriff zugrunde; die Fälle des Verbotsirrtums behandelt man nach der Vorsatztheorie.

2. Verbrechensaufbau des neuen StGB

Heute ist in Estland die Strafrechtsreform auf der Gesetzesebene fast vollständig vollzogen – ein neues StGB wurde am 6.6.2001 verabschiedet[2] und ist nach Maßgabe des Anwendungsgesetzes am 1.9.2002 in Kraft getreten.[3] Als Teile der Reform gibt es außerdem schon ein Bewährungsgesetz,[4] ein Strafregistergesetz,[5] ein Gefängnisgesetz[6] und eine Ordnungswidrigkeitenprozessordnung;[7] im Parlament wird der Entwurf der Strafprozessordnung beraten.

Einer der Hauptzwecke der Reform war die Abkehr von dem bisherigen sowjetischen Strafrecht und der Aufbau eines modernen rechtsstaatlichen Rechtssystems.[8] Es wurde entschieden, hinsichtlich des Verbrechensaufbaus die deutsche Strafrechtsdogmatik als Muster heranzuziehen. Darüber hinaus können wir im estnischen Strafrecht von einem finalistischen Verbrechensbegriff sprechen. Aufgrund der grundsätzlich neuen Lösungen im positiven Recht und in der Strafrechtsdogmatik enthält das neue StGB als Besonderheit mehrere Bestimmungen, die keine regelnde Wirkung haben, sondern zu didaktischen Zwecken in das Gesetz aufgenommen wurden. Die wichtigsten Änderungen werden zunächst definiert. So enthält das StGB z.B. eine Definition der Straftat (§ 2 II), des Tatbestands (§ 12 I) und der Rechtswidrigkeit (§ 27). Das ganze Kapitel 2 des Allgemeinen Teils ist nach dem Verbrechensaufbau gegliedert: Abschnitt 1 (Tatbestand), Abschnitt 2 (Rechtswidrigkeit), Abschnitt 3 (Schuld).

Reform as a Path to Independence, European Journal of Crime, Criminal Law and Criminal Justice 1 (2000), S. 61 ff.

2 Riigi Teataja I (Staatsanzeiger) 2001, 61, 364. Eine englische Übersetzung findet man unter: Penal Code, Estonian Legal Translation Center, http://www.legaltext.ee

3 Riigi Teataja I 2002, 56, 347.

4 Riigi Teataja I 1998, 4, 62.

5 Riigi Teataja I 1997, 87, 1467.

6 Riigi Teataja I 2000, 58, 376.

7 Riigi Teataja I 2002, 50, 313.

8 Entscheidung des Parlaments über die Rechtskontinuität (Staatsanzeiger 1992, 52, 651).

Nach dem neuen StGB sieht der Verbrechensaufbau nunmehr wie folgt aus:

A. Tatbestand (Kap. 2 Abs. 1)

1. Begriff: Tatbestand ist die sich im Besonderen Teil dieses Gesetzes, in anderen Gesetzen oder in den völkerrechtlichen Konventionen befindliche Beschreibung der strafbaren Tat (§ 12 I);
2. objektiver Tatbestand: Tat, Erfolg und Kausalzusammenhang (§ 12 II);
3. subjektiver Tatbestand: Vorsatz, Fahrlässigkeit, Beweggrund oder Zweck (§ 12 III);
4. zum subjektiven Tatbestand gehört auch der Irrtum über Tatumstände (§ 17).

B. Rechtswidrigkeit (Kap. 2 Abs. 2)

1. Begriff: Rechtswidrig ist die Tat, wenn sie tatbestandsmäßig ist und wenn ihre Rechtswidrigkeit aufgrund dieses Gesetzes, eines anderen Gesetzes oder einer internationalen Konvention nicht ausgeschlossen ist (§ 27);
2. Notwehr (§ 28);
3. Notstand (§ 29);
4. Pflichtenkollision (§ 30);
5. irrige Annahme des Vorhandenseins (§ 31 I) oder des Fehlens (§ 31 II) rechtfertigender Umstände.

C. Schuld (Kap. 2 Abs. 3)

1. Schuldprinzip (§ 32);
2. Schuldfähigkeit: ein bestimmtes Alter und das Fehlen seelischer Störungen (§ 33);
3. seelische Störungen (§ 34) und verminderte Schuldfähigkeit (§ 35);
4. Rauschzustand (§ 36);
5. Schuldfähigkeit juristischer Personen (§ 38);
6. Schuldausschluss wegen fehlenden Unrechtsbewusstseins:
   a) bei Fahrlässigkeit (§ 38);
   b) beim Verbotsirrtum (§ 39);
7. Schuldausschluss wegen Rücktritts vom Versuch (§§ 40–43) bei gegebenem Unrechtsbewusstsein.

Die Voraussetzungen der subjektiven Verantwortlichkeit erscheinen also auf allen drei Ebenen des Deliktsaufbaus: Tatbestand, Rechtswidrigkeit, Schuld.

3. Tatbestand

Die Änderungen liegen hier vor allem an zwei Stellen:

a) Der Übergang vom psychologischen zum normativen Schuldbegriff, wonach der Vorsatz keine Schuldform mehr ist, sondern ein Element des subjektiven Tatbestands.[9] Ein Überbleibsel der bisherigen Strafrechtsdogmatik findet sich bei der Fahrlässigkeit – auf der einen Seite bleibt sie noch als Schuldform auf der Ebene des Tatbestands erhalten (§ 12 III), auf der anderen Seite zeigt der auf der Ebene der Schuld angesiedelte § 38, dass es sich beim fahrlässigen Delikt um eine selbständige Erscheinungsform der Straftat handelt.

b) Der Irrtum über Tatumstände (§ 17) ist eindeutig auf der Ebene des Tatbestands angesiedelt, wodurch auch die andere Irrtumsform – der Verbotsirrtum – ihre klare Einordnung auf der Schuldebene (§ 39) gefunden hat. Der Verbotsirrtum ist entsprechend der Schuldtheorie geregelt (die Schuld ist bei einem unvermeidbaren Irrtum ausgeschlossen; siehe auch unten 5.c).

Eine der wichtigsten Änderungen ist die Einführung einer neuen Vorsatzform – der Absicht. Das bisherige Strafrecht (§ 8) kannte zwei Vorsatzformen: den direkten und den eventualen (bedingten) Vorsatz. Das neue StGB sieht in § 16 drei Vorsatzformen vor. Absichtlich (§ 16 II) ist die Tat begangen, wenn es dem Täter darauf ankommt, die Tatbestandsmerkmale zu verwirklichen, und er dabei weiß oder sich zumindest damit abfindet, dass der tatbestandliche Erfolg eintritt. Absicht liegt auch dann vor, wenn der Täter sich vorstellt, dass die Erfüllung eines Tatbestandsmerkmals notwendige Bedingung für das Erreichen seines Zwecks ist. Direkter Vorsatz liegt vor, wenn der Täter weiß, dass er die Tatbestandsmerkmale verwirklicht, und er das auch will oder sich zumindest damit abfindet (§ 16 III).[10] Die Tat ist mit Eventualvorsatz (§ 16 IV) begangen, wenn der Täter die Erfüllung des gesetzlichen Tatbestands für möglich hält und sich damit abfindet.

4. Rechtswidrigkeit

Eindeutig ist die Frage des Irrtums über die die Rechtswidrigkeit ausschließenden Umstände geregelt (§ 31). Bei irriger Annahme des rechtfertigenden Umstands fehlt der Vorsatz, und die Strafbarkeit folgt dann den Regeln der Fahrlässigkeit.

---

[9] Dabei bleiben natürlich Vorsatz und Fahrlässigkeit als Schuldformen und die Doppelstellung des Vorsatzes als dogmatische Figuren unberührt. Näher *Hans-Heinrich Jescheck/Thomas Weigend*, Lehrbuch des Strafrechts. Allgemeiner Teil. 5. Aufl. Berlin 1996, S. 243, 430.

[10] Zur Begründung der Abgrenzung zwischen Absicht und direktem Vorsatz näher *Erich Samson*, Absicht und direkter Vorsatz im Strafrecht, Juristische Arbeitsblätter 1989, 450.

Bei irriger Vorstellung des Fehlens rechtfertigender Umstände macht der Täter sich wegen versuchter Tatbegehung strafbar.[11]

5. Schuld

a) Schuldprinzip

Auch das bisherige Strafrecht sah zwar die Schuld als Grundlage der Verantwortlichkeit an und bestimmte, dass nur derjenige zur strafrechtlichen Verantwortung gezogen werden darf, der schuldhaft, d.h. vorsätzlich oder fahrlässig, eine strafbare Tat begeht (§ 3 I). Dabei blieb man aber beim psychologischen Schuldbegriff und machte die Verantwortlichkeit der Person davon abhängig, ob durch ihr Verhalten der allgemeine Tatbestand erfüllt war oder nicht (siehe Abb. 1).

Die von der Strafrechtsreform durchgeführte prinzipielle Änderung ist der Übergang zum normativen Schuldbegriff mit allen daraus resultierenden Konsequenzen. Das bedeutet, dass dem Schuldprinzip bei der Frage der Verantwortlichkeit eine entscheidende Rolle zukommt. Während der Diskussionen wurde den Verfassern des Entwurfs des StGB vorgeworfen, dass ein neuer Schuldbegriff eingeführt würde, ohne jedoch eine gesetzliche Bestimmung der Schuld zu liefern. Die Legaldefinition der Schuld wurde jedoch für das Gesetz als überflüssig abgelehnt; in der Literatur wird die Schuld allerdings im Sinne der klassischen Begriffsbestimmung des normativen Schuldbegriffs definiert. Danach bedeutet der Schuldvorwurf, dass dem Täter vorgeworfen wird, er habe sich für ein rechtwidriges Verhalten entschieden, obwohl er zu Gunsten des Rechts entscheiden und sich entsprechend hätte verhalten können.[12]

Nach § 32 I darf eine Person nur dann bestraft werden, wenn sie sich schuldhaft verhalten hat. Der Täter ist der rechtswidrigen Tat schuldig, wenn er schuldfähig ist und die im vorhandenen Abschnitt (Kap. 2 Abs. 3) enthaltenen Schuld ausschließenden Gründe nicht gegeben sind. Der Täter wird nach seiner Schuld bestraft, unabhängig von der Schuld der anderen Täter (§ 32 II).

---

[11] Ob dabei auf die eingeschränkte Schuldtheorie, die rechtsfolgenverweisende Schuldtheorie usw. zurückgegriffen wird, haben in Zukunft die Strafrechtswissenschaft und die Rechtsprechung zu entscheiden. Siehe z.B. *Walter Gropp*, Strafrecht. Allgemeiner Teil. 2. Aufl. Berlin 2001, S. 446 ff.; *Hans-Heinrich Jescheck/Thomas Weigend* (Anm. 9), S. 462 ff.

[12] Z.B. *Jaan Sootak*, Kriminaalpoliitika (Kriminalpolitik), Tallinn 1997, S. 116; *Erich Samson*, Kriminaalõiguse üldosa (Allgemeiner Teil des Strafrechts), Tallinn 2001, S. 210. Der gleiche Schuldbegriff liegt auch der Kommentierung des neuen StGB zugrunde: *Jaan Sootak/Priit Pikamäe,* Karistusseadustik. Kommenteeritud väljaanne (Kommentar zum Strafgesetzbuch), Tallinn 2002, § 32 Kommentar 3.

b) Schuldfähigkeit

Neben der Einführung des normativen Schuldbegriffs führt das neue StGB auch einen neuen Begriff der *Schuldfähigkeit* ein, wobei dieser Begriff sich vom Begriff der *Zurechnungsfähigkeit* klar unterscheidet (siehe auch unten 5.c).

Der Täter ist schuldfähig, wenn er bei Begehung der Tat zurechnungsfähig und mindestens 14 Jahre alt ist (§ 33). So wird *Schuldfähigkeit* als Oberbegriff und *Zurechnungsfähigkeit* als Unterbegriff verstanden.

c) Zurechnungsfähigkeit

Das neue StGB bleibt bei der Bestimmung der Zurechnungsfähigkeit bei der bisherigen Regelung bezüglich ihrer medizinischen Grundlagen. Der Täter war zum Zeitpunkt der Tat zurechnungsunfähig, wenn eine Geisteskrankheit, eine vorübergehende schwere psychische Störung, Schwachsinn oder eine andere psychische Störung vorlag (§ 34). Im Unterschied zum bisherigen StGB (§ 11) stellt das neue Gesetz fest, dass der Täter wegen der beschriebenen Störungen unfähig war, das *Unrecht seiner Tat* einzusehen oder nach dieser Einsicht zu handeln. Das bisherige Gesetz beschränkte sich auf die Feststellung, dass der Täter unfähig war, *seine Tat* zu verstehen oder sein Tun zu steuern. Durch die Reform kam erneut die Diskussion zwischen Juristen und Psychiatern auf, wer über die Zurechnungsfähigkeit und deren Umfang entscheidet – ob es als eine empirische Feststellung Aufgabe des Arztes ist, oder ob es sich vielmehr um eine normative Wertung handelt, für die der Richter zuständig ist.[13]

Als neues Institut führt das StGB die verminderte Zurechnungsfähigkeit ein (§ 35). Wenn die Fähigkeit des Täters, das Unrecht seiner Tat einzusehen oder nach dieser Einsicht zu handeln, aus den in § 34 bezeichneten Gründen erheblich beschränkt war, kann die Strafe gemildert werden.

Nach dem bisherigen StGB (§ 12) schloss der Rauschzustand die Verantwortlichkeit nicht aus. Das neue StGB ergänzt diese Bestimmung mit der Feststellung, dass die Schuld nicht ausgeschlossen ist, wenn der Rauschzustand vorsätzlich oder fahrlässig herbeigeführt wurde. Strafrechtlich erheblich ist diese Lösung nur in den seltenen Fällen, in denen man feststellen kann, dass der Rauschzustand nicht einmal fahrlässig verursacht wurde. In anderen üblichen Fällen ist die Schuld nicht

---

13 Die Anhänger der letztgenannten Meinung (darunter auch der Verfasser dieses Aufsatzes) stützen sich hierbei auch auf die deutsche Literatur, z.B. *Jescheck/Weigend* (Anm. 9), S. 442, darunter auch auf die in die estnische Sprache übersetzte Literatur: *Ulfrid Neumann*, Juristide keel (Sprache der Juristen), Akadeemia 2001, Nr. 4, 791; Original: *Ulfrid Neumann*, Sprache der Juristen, Universitas 1996, Nr. 2, 148 ff.; näher *Jaan Sootak*, Süüvõime karistusseadustikus (Schuldfähigkeit im Strafgesetzbuch), Juridica 2002/II, 85–86; *Arno Aadamsoo*, Süüdimatuse meditsiinilised kriteeriumid (Die medizinischen Kriterien der Zurechnungsunfähigkeit), Juridica 2002/II, 102.

ausgeschlossen. Die Verantwortlichkeit in diesen Fällen lässt sich zweifach begründen. Entweder akzeptiert man, dass der im Rauschzustand (z.B. mit einer Blutalkoholkonzentration von 2–3 ‰) handelnde Täter sich selbst in den Rauschzustand gebracht hat und deswegen bei der Begehung der Tat zurechnungsfähig war. Diese Begründung hält aber nur so lange stand, wie die Psychiater alle Taten, die im Rausch begangen sind (bis auf den so genannten pathologischen Rausch), als im zurechnungsfähigen Zustand begangene Taten ansehen.[14] Eine andere Begründung dieser Lösung geht davon aus, dass der im Rauschzustand handelnde Täter zwar zurechnungsunfähig war, der Staat aber aufgrund der Tatsache, dass der Täter selbst den Rauschzustand verursacht hat, ihm sein objektives Unrecht auch subjektiv vorwerfen kann.[15]

d) Schuldausschließungsgründe

Wenn der Täter bei der Begehung der Tat zurechnungsfähig war und die Altersgrenze von 14 Jahren erreicht hat, kann die Schuld doch wegen Schuld ausschließender Gründe fehlen. Diese Gründe sind im StGB erschöpfend geregelt, und zwar nicht nur im Allgemeinen, sondern auch im Besonderen Teil.

So ist die Untergrenze der Verantwortlichkeit bei der Fahrlässigkeit in § 38 in der Weise geregelt, dass der Täter ohne Schuld handelt, wenn er wegen mangelnder psychischer oder physischer Fähigkeiten kein Unrechtsbewusstsein hatte.

§ 39 enthält eine klassische Bestimmung des Verbotsirrtums nach dem Muster des finalistischen Verbrechensbegriffs. Die Schuld des Täters ist ausgeschlossen, wenn er bei der Begehung der Tat die Einsicht, Unrecht zu tun, nicht hatte und der Irrtum unvermeidbar war. Damit ist der Übergang von der Vorsatztheorie zur Schuldtheorie bei der Betrachtung des Verbotsirrtums eingeleitet.

Während bisher der Rücktritt von der Begehung der Straftat pauschal die strafrechtliche Verantwortlichkeit ausschloss (§ 16 des bisherigen StGB), enthält das neue StGB eine detaillierte Regelung (§§ 40–43) für die Fälle des Rücktritts vom unbeendeten und beendeten Versuch sowie für die Fälle der Mittäterschaft.

Ein persönlicher Schuldausschließungsgrund befindet sich auch im Besonderen Teil des neuen StGB. So sehen die §§ 306 II und 307 II vor, dass die Nichtanzeige der geplanten oder begangenen Straftat und die Hehlerei wegen fehlender Schuld nicht strafbar sind, wenn die genannten Taten durch die Angehörigen (Elternteil, Kind, Ehegatte/in u.a.) des Täters begangen sind.

---

[14] So ist heute die herrschende Meinung der estnischen Psychiater, die auch durch die finnischen Kollegen unterstützt werden.

[15] So *Erich Samson/Madis Ernits/Priit Pikamäe/Jaan Sootak*, Karistusseadustiku üldosa eelnõu (Entwurf des Allgemeinen Teils des Strafgesetzbuchs), Tallinn 1999, § 36 Begr. 3–6.

Zusammenfassend kann man die Grundlagen der Verantwortlichkeit im Kontext der Schuldfähigkeit und der Schuldausschließungsgründe im Allgemeinen Teil des StGB folgenderweise darstellen (siehe auch Abb. 2):

1. Schuldundfähigkeit wegen
   a) Zurechnungsunfähigkeit (§§ 33 Alt. 1, 34) oder
   b) Altersgrenze (unter 14 Jahre: § 33 Alt. 2) oder
   c) Rauschzustand ohne Vorsatz oder Fahrlässigkeit (§ 36).
2. Schuldfähigkeit, aber kein Unrechtsbewusstsein und deswegen Schuldausschluss
   a) bei Fahrlässigkeit wegen individueller Unzumutbarkeit (§ 38) oder
   b) wegen unvermeidbaren Verbotsirrtums (§ 39).
3. Schuldfähigkeit und vorhandene Einsicht des Unrechts der Tat, aber Schuldausschluss wegen Rücktritts vom Versuch (§§ 40–43).

Abbildung 2: Schuldfähigkeit und Schuld ausschließende Gründe

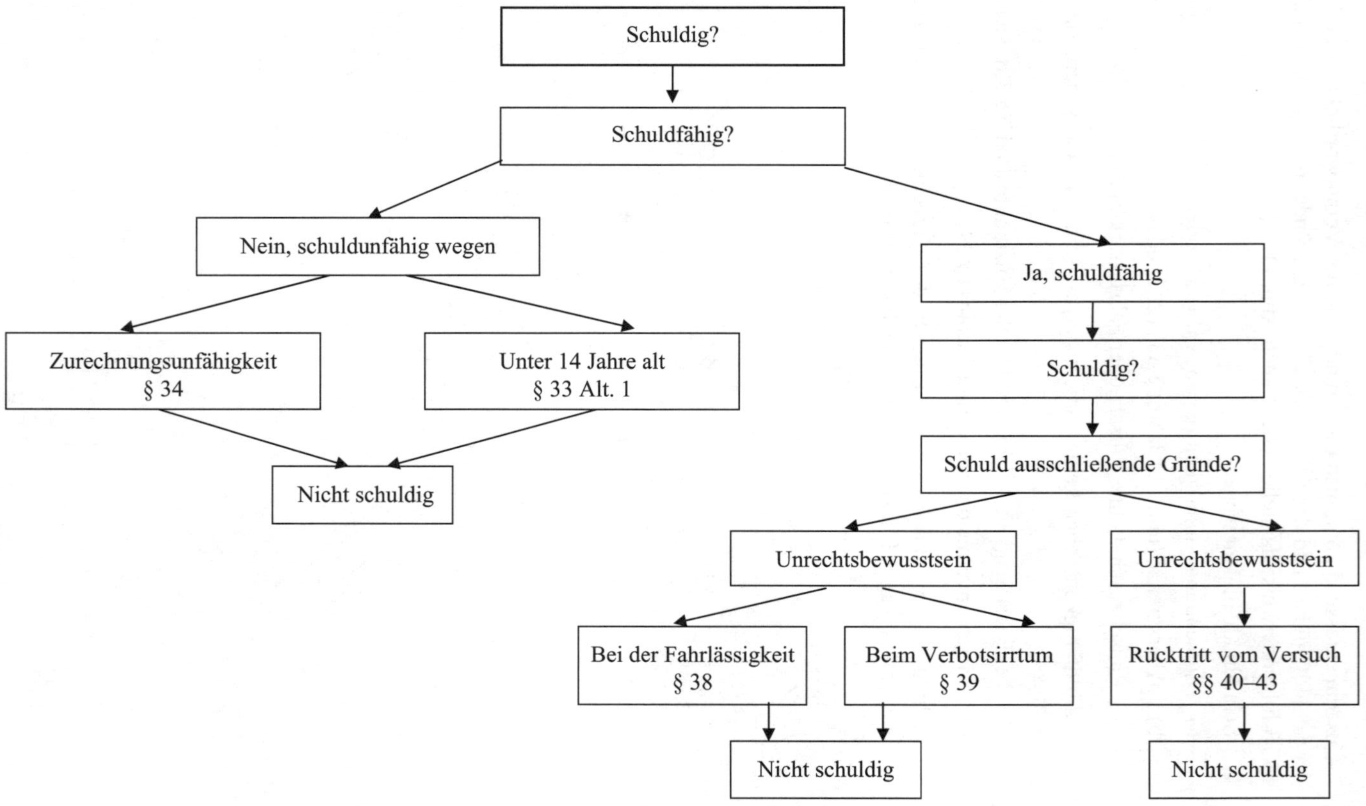

6. Strafzumessung

Nach dem geltenden StGB soll das Gericht bei der Bestrafung als Grundsätze der Strafzumessung die Schwere und Art der Straftat, die Person des Täters und die die Verantwortlichkeit mildernden und erschwerenden Umstände berücksichtigen (§ 36 I). Das Gericht muss aber auch die Strafzwecke der General- und der Spezialprävention beachten (§ 20 II).

Das neue StGB führt für die Strafzumessungsgründe in § 56 ein festes System ein, wonach Grundlage der Strafzumessung die Schuld des Täters ist. Dabei muss man die mildernden und erschwerenden Umstände, die Art des Vorsatzes und der Fahrlässigkeit, aber auch die Möglichkeit, den Verurteilten von der Begehung weiterer Straftaten abzuhalten und das Interesse der Verteidigung der Rechtsordnung berücksichtigen.

Es geht also um folgende Rangordnung der Strafzumessungsgründe:

1) Schuld des Täters
   a) mildernde und erschwerende Umstände (§§ 57–58);
   b) Art des Vorsatzes oder der Fahrlässigkeit: Absicht, direkter Vorsatz, Eventualvorsatz (§ 16), bewusste oder unbewusste Fahrlässigkeit (§ 18).
2) Spezialprävention: Gebot, den Verurteilten von der Begehung weiterer Straftaten abzuhalten.
3) Generalprävention: Interesse der Verteidigung der Rechtsordnung.

4. Sitzung

Sanktionen und Strafverfolgung

Die Abschaffung traditioneller und die Einführung neuer Sanktionen in Bulgarien

Lazar Gruev, Sofia

1. Problemstellung

Das gegenwärtig in Bulgarien geltende Strafgesetzbuch wurde 1968 verabschiedet. Die jüngste Novelle (Staatsanzeiger Nr. 45/2002) stellt die 44. Novelle dieses Gesetzes dar. Dabei berührten die zahlreichen Änderungen zumeist nicht das Sanktionensystem.

In der Zeit vor 1989 erfolgten in diesem Bereich wesentliche Novellen in den Jahren 1982 und 1986. Bis dahin war die Freiheitsstrafe auf maximal 15 Jahre bemessen (Art. 39 Abs. 1), in Ausnahmefällen wurden Freiheitsstrafen bis zu 20 Jahren (Abs. 2) verhängt. Durch die Novelle wurde das Strafmaß auf 20 Jahre im Regelfall bzw. auf 30 Jahre im Ausnahmefall erhöht.

Trotz seiner unzweifelhaften Bedeutung war das Sanktionensystem in den letzten Jahren selten Gegenstand eingehender wissenschaftlicher Forschung.

Abgesehen von dem sich daraus ergebenden Forschungsbedarf waren zwei weitere Punkte ausschlaggebend für die Entscheidung, das strafrechtliche Sanktionensystem näher zu untersuchen:

- Neben der Straftat ist die Strafe das zweitwichtigste Institut im Strafrecht. Die Erforschung ihrer besonderen Merkmale stand grundsätzlich immer im Mittelpunkt des Interesses der Rechtswissenschaftler. Wie *Müller-Dietz* richtig bemerkt, bestünden im Bereich der öffentlichen Sanktionen immer zwei wichtige Momente, die das Wesen jedes strafrechtlichen Systems bestimmten: die Voraussetzungen, bei denen eine Strafe verhängt werden könne (und müsse) und der Sinn und Ziel dieser Strafe.[1] Diese Schlussfolgerung wäre schwer zu widerlegen.
- Außerdem würden alle Anstrengungen zur dringend notwendigen Verbesserung des bulgarischen Strafrechtssystems ins Leere laufen, wenn sie nicht durch Veränderungen der Strafsanktion einhergingen. Es steht außer Frage, dass die soziale Effizienz der Strafgesetzgebung maßgeblich durch die Regelung der zahlreichen und komplizierten Probleme im Bereich der Folgen der Straftat bestimmt wird.

---

1 *Heinz Müller-Dietz*, Strafe und Staat, Frankfurt a.M. 1973, S. 6.

Offen gesagt könnte man das bulgarische Sanktionensystem als überholt, konservativ und nur schwer veränderbar bezeichnen. Im Folgenden sollen einige Probleme in diesem Zusammenhang aus einem relativ ungewöhnlichen Blickwinkel betrachtet werden.

In erster Linie werde ich auf die Wechselbeziehung der zwei wichtigsten Bereiche des Sanktionensystems eingehen – die Strafen und sonstigen gesetzlichen Maßnahmen – und auf das Bestreben des Gesetzgebers in jüngster Zeit, die Reaktionsmöglichkeiten auf Straftaten zu erweitern. Ich werde versuchen, diese Analyse in die Darstellung der gegenwärtigen bulgarischen Regelung einzubinden sowie einige Anregungen zu ihrer Änderung zu liefern, die – dessen bin ich mir voll bewusst – äußerst diskutabel sind.

Danach werde ich auf die Abschaffung der Todesstrafe und die sich daraus ergebenden Änderungen im Sanktionensystem zu sprechen kommen.

Drittens werde ich knapp die Rolle der Wiedergutmachung im bulgarischen Strafrecht darstellen.

2. Die Strafen im gegenwärtig gültigen Strafgesetzbuch

Zunächst stellt sich die wichtige Frage nach dem Stellenwert jeder Strafe im Sanktionensystem.

Die Ausgangspunkte für diese Analyse sind folgende:

- Stand und Entwicklung der Kriminalität und Prognosen für die Zukunft;
- die sorgfältige Beurteilung des Einflusspotentials jeder einzelnen Strafe auf die Entwicklung der Kriminalität, d.h. die Beurteilung ihrer tatsächlichen sozialen Wirkung.

In Art. 37 des Allgemeinen Teils des bulgarischen Strafgesetzbuchs sind folgende Strafen vorgesehen: lebenslange Freiheitsstrafe, Freiheitsstrafe, gemeinnützige Arbeit ohne Freiheitsentzug, Einziehung des vorhandenen Vermögens, Geldbuße, Zwangsansiedlung ohne Freiheitsentzug, Entzug des Rechts, bestimmte staatliche und öffentliche Stellen zu bekleiden, Entzug des Rechts, einen bestimmten Beruf oder eine bestimmte Erwerbstätigkeit auszuüben, Entzug des Wohnrechts an einem bestimmten Ort, Entzug des Rechts an verliehenen Orden, Ehrentiteln und Auszeichnungen, Entzug des militärischen Dienstgrads, öffentliche Rüge, lebenslange Haft ohne Ersatz.

Aus den in Art. 37 StGB aufgezählten Strafen ergeben sich folgende wichtige *Schlussfolgerungen*:

Das bulgarische Sanktionensystem hat besondere Merkmale, die es wesentlich von anderen Systemen unterscheidet.

In *erster Linie* fallen die große Anzahl und die relative Vielfalt der Strafen auf, die im Gesetz als mögliche Folge einer Straftat vorgesehen sind. Es sei an dieser Stelle vermerkt, dass das deutsche Strafgesetzbuch[2] nur drei Arten von Strafen als mögliche Folge einer Straftat vorsieht, wobei zwei von ihnen – die Freiheitsstrafe und die Geldstrafe – als Hauptstrafen und das Fahrverbot als Nebenstrafe gelten.

Die *zweite Besonderheit* des bulgarischen Strafrechts im Vergleich zu anderen Rechtsordnungen ist die fehlende gesetzliche Einteilung der Strafen in Haupt- und Nebenstrafen, die für die meisten strafrechtlichen Systeme in Westeuropa typisch ist. Es stimmt zwar, dass die sorgfältige Analyse der Normen im Besonderen Teil darauf schließen lässt, dass die Einziehung und auch manche Strafen, die mit dem Entzug bestimmter Rechte verbunden sind, ihrem Wesen nach Nebenstrafen darstellen, soweit sie ausschließlich neben anderen Strafen – zumeist neben der Freiheitsstrafe – vorgesehen sind.

Die *dritte Besonderheit* im Vergleich zu der Gesetzgebung westeuropäischer Länder ist die Tatsache, dass zwei Typen von lebenslanger Haft parallel als selbständige Strafen bestehen: mit und ohne Ersatz.

Die *vierte Besonderheit* besteht darin, dass die Strafen, die nicht mit Freiheitsentzug verbunden sind, trotz ihrer großen Zahl (zehn von insgesamt zwölf) nur wenig zur Anwendung kommen, besonders, was ihre selbständige Anwendung betrifft. Lediglich in knapp über 60 Normen im Besonderen Teil hat der Gesetzgeber die Möglichkeit der selbständigen Anwendung einer Strafe vorgesehen, die nicht mit Freiheitsentzug verbunden ist, und in ca. 170 Fällen sind solche Strafen als Alternative zum Freiheitsentzug vorgesehen. Dieser Umstand bestimmt auch die *fünfte Besonderheit*, wonach die Freiheitsstrafe immer noch dominant ist, und zwar „mit einem großen Vorsprung“ vor allen anderen Strafen (auch zusammen genommen), die im StGB[3] vorgesehen sind.

Ich betone das ausdrücklich, weil die gerichtliche (und auch die gesetzgeberische) Praxis anderer Länder entgegengesetzte Trends aufweist. In der Literatur wird eindeutig darauf hingewiesen, dass „sich die Entwicklung der Sanktionen (in Deutschland) in den letzten hundert Jahren vor allem durch die Einschränkung des Anwendungsbereichs der Freiheitsstrafe charakterisiert“.[4] Diese Schlussfolgerung wird inzwischen auch durch die Statistik bestätigt. Wenn 1882 der Anteil der verhängten und vollzogenen Freiheitsstrafen in Deutschland bei 76,8 % aller Strafen lag, so ging er 1965 auf 23 % zurück, um sein niedrigstes Niveau 1989 mit ledig-

---

2 Vgl. §§ 38–44 StGB.

3 Hier ist natürlich der Großteil der Urteile gemeint, durch die der Vollzug der Freiheitsstrafe ausgesetzt wird (Art. 66 StGB), ein Umstand, der den gezogenen Schluss in keiner Weise erschüttert.

4 Vgl. *Heinz Schöch*, Empfehlen sich Änderungen und Ergänzungen bei den strafrechtlichen Sanktionen ohne Freiheitsentzug?, München 1992, S. C 20.

lich 5,6 % zu erreichen.[5] Die genannten Prozentzahlen sind wirklich beeindruckend angesichts der Tatsache, dass im Besonderen Teil des deutschen StGB, und zwar in allen Normen, die Freiheitsstrafe wenigstens als Alternative zur Geldstrafe vorgesehen ist. Dieser Trend lässt sich zum einen mit der beträchtlichen Erweiterung des Anwendungsbereichs der Geldstrafe und zum anderen mit der Verbesserung der Verfahren bei den außerordentlich wichtigen Alternativen zur Freiheitsstrafe erklären.

3. Die „sonstigen Maßnahmen" im Strafgesetzbuch

Neben den Strafen sieht das Sanktionensystem des StGB bei einer Straftat auch die Möglichkeit der Anwendung der so genannten „sonstigen Maßnahmen" vor.[6] Wie die Strafen sind auch die Maßnahmen vielfältig und breit gefächert im Hinblick auf die zu erreichenden Ziele. Zur Einteilung der Maßnahmen lassen sich verschiedene Kriterien anwenden:

Das *erste Kriterium* bezieht sich auf die Frage, ob es sich um eine Maßnahme handelt, die die Strafe völlig ersetzt, also statt einer Strafe verhängt wird. Hier lassen sich die im StGB vorgesehenen Maßnahmen in *zwei* große Gruppen einteilen.

Für die *erste* Gruppe ist typisch, dass die Maßnahmen statt einer Strafe angewendet werden. Dies ist der Fall beim Absehen von Strafe bei Minderjährigen, die die Straftat aus Leichtfertigkeit (Art. 61 StGB) begangen haben; beim Verhängen einer Ordnungsstrafe (Geldbuße – Art. 78a StGB); beim Absehen von Strafe in Verbindung mit dem Verhängen einer Disziplinarstrafe (Art. 406 Abs. 4 StGB) gegenüber einem Wehrpflichtigen.

Die *zweite* Gruppe von Maßnahmen ist dadurch charakterisiert, dass sie in der Regel neben der Strafe zur Anwendung kommen. Beispiele dafür sind die medizinischen Zwangsmaßnahmen; die Fälle der besonderen Einziehung nach Art. 53 StGB (Einziehung des Tatgegenstands oder des Tatmittels); die Maßnahmen bei der Aussetzung einer bereits verhängten Strafe (Strafe auf Bewährung) gemäß Art. 67 und 64 StGB.

Zweites Einteilungskriterium ist das jeweils zuständige Organ. Die im StGB vorgesehenen sonstigen Maßnahmen lassen sich einteilen in:

– Maßnahmen, die ausschließlich vom Gericht angeordnet werden dürfen: Ordnungsstrafe, Geldbuße (Art. 78a StGB), medizinische Zwangsmaßnahmen (Art. 89 StGB), Erziehungsmaßnahmen (Art. 64 und 67 StGB);

---

[5] *Schöch* (Anm. 4), S. C 121; vgl. dazu auch *Günther Kaiser*, Kriminologie, Lehrbuch, 2. Aufl. Heidelberg 1988, §§ 115, 116; *Heinz Zipf*, Kriminalpolitik, 2. Aufl. Karlsruhe 1980, S. 198 ff.

[6] Es sei noch einmal betont, dass dieser Ausdruck hier als Oberbegriff verwendet wird, der die übrigen Sanktionen umfasst.

- Maßnahmen, die entweder vom Staatsanwalt oder vom Gericht verhängt werden: z.B. Erziehungsmaßnahmen für Minderjährige (Art. 61 StGB);
- Maßnahmen, die vom Gericht, dem Staatsanwalt oder von einer anderen Behörde verhängt werden: z.B. Disziplinarstrafe eines Wehrpflichtigen nach der Strafprozessordnung.

Die im StGB vorgesehenen sonstigen Maßnahmen sind also *sehr vielfältig*. Auch wenn einige von ihnen sich hinsichtlich eines Kriteriums überschneiden, so handelt es sich doch um eine große Anzahl selbständiger Maßnahmen.

Allen Maßnahmen gemeinsam ist der *Grund* für ihre Anwendung. Unabhängig von Art, Inhalt oder Zielsetzung und Zuständigkeit können alle Maßnahmen nur im Zusammenhang mit einer Straftat verhängt werden. Ohne das Begehen einer Straftat, ohne den Verstoß gegen das Strafgesetz lassen sich weder die Strafen noch die „sonstigen" im StGB vorgesehenen Maßnahmen anwenden.

Dieser Grundsatz ist die Gewähr dafür, dass auch in Zukunft das Strafrecht an die Straftat und die von ihr ausgehende Gefahr anknüpft. Dies soll Ausgangspunkt für ein humanes, zweckmäßiges und gerechtes Sanktionensystem sein.

4. Schlussfolgerungen hinsichtlich des Sanktionensystems

Die vorstehenden Aussagen erlauben einige Schlussfolgerungen hinsichtlich der im StGB vorgesehenen Sanktionen.

Der *erste Schluss* lautet, dass die im bulgarischen Strafgesetz vorgesehenen Sanktionen einen dualen Charakter haben. Diese Dualität ergibt sich aus der Tatsache, dass als mögliche Folge einer Straftat neben der Strafe auch sonstige Maßnahmen angewendet werden können.

In dieser Vielfalt der Reaktionsmöglichkeiten behält die Strafe ihre vorrangige Rolle. In der Regel ist sie das typische Abwehrinstrument für die Begehung einer Straftat. Die Gerechtigkeit der Strafe gehört zu den Grundsätzen des bulgarischen Strafrechts. Gerecht ist eine Strafe, die der Tatschwere und der Schuld des Täters entspricht. Zugleich soll aber die Strafe nicht nur gerecht, sondern auch zweckmäßig sein und ein Mittel zum Erreichen der durch das Gesetz vorgegebenen Ziele darstellen.

Das vorstehend Gesagte sollte nicht die Rolle der sonstigen Abwehrinstrumente oder der so genannten sonstigen Maßnahmen schmälern. Ganz im Gegenteil: Ihr Entstehen, ihre Regelung und Entwicklung soll als ein Schritt nach vorne bei der Verbesserung des Sanktionensystems, als eine Bereicherung der Reaktionsmöglichkeiten im Einzelfall angesehen werden.

Dieses System lässt sich gerade deswegen als zweispurig bestimmen, weil bei ihm „zwei Spuren", „zwei Wege" als Abwehrreaktion möglich sind.

Mit dieser ersten Schlussfolgerung ist allerdings lediglich der Typ des Systems bestimmt. Dies kann jedoch nicht befriedigen, will man die Besonderheit des bulgarischen Sanktionensystems erfassen.

Der *zweite Schluss* besteht darin, dass das bulgarische Sanktionensystem bei einer begangenen Straftat ein *eigenartiges* duales System darstellt. Dies soll im Folgenden erläutert werden.

Bei einem „klassischen" dualen System bleiben die wichtigsten Merkmale und Funktionen der beiden Hauptkomponenten – Strafe und sonstige Maßnahmen – erhalten. Trotz der gewissen Annäherung und Wechselwirkung lassen sich die Systemkomponenten kaum gegeneinander austauschen. Bei einer Straftat wird eine Strafe verhängt. Die Strafzumessung richtet sich nach dem gesellschaftlichen Gefährdungsgrad und der Schuld des Täters bei der Tatbegehung. Die sonstigen Maßnahmen sind lediglich als eine Ergänzung zu der verhängten Strafe aufzufassen. Sie erschließen zusätzliche Abwehrmöglichkeiten, wobei der Akzent hauptsächlich auf die besonderen Eigenschaften des Täters gelegt wird. Diese Maßnahmen dienen in erster Linie der Erweiterung der Prävention und der Sicherung der Stabilität der Gesellschaft. Ein solches „klassisches" System sieht keinen Ersatz einer Strafe durch eine andere Maßnahme vor. In dieser Hinsicht kommt die Wissenschaft in Deutschland zu folgendem Schluss: „Insgesamt trägt das deutsche Sanktionensystem hinsichtlich seiner Zielrichtung deutlich die Züge eines Kompromisses. (...) Das Zusammenspiel der unterschiedlichen Strafzwecke wirkt auch als ein System von ‚checks and balances', das im Ergebnis zu einer Humanisierung und Rationalisierung der strafrechtlichen Rechtsfolgen führen kann."[7]

Davon ausgehend lässt sich das Sanktionensystem im bulgarischen Strafrecht nicht anders beschreiben als ein eigenartiges duales System. Jede der Systemkomponenten ist dabei gleich mit den beiden Hauptfunktionen „belastet": Einerseits soll sie eine gerechte Vergeltung für die begangene Straftat darstellen, d.h. es wird dabei von dem Grundsatz der Verhältnismäßigkeit ausgegangen, und zum anderen soll das Ziel der Prävention erreicht werden, wobei sowohl die Spezial- als auch die Generalprävention gemeint ist. Die Strafen und die anderen Maßnahmen nähern sich einander an, so dass sie in bestimmten Fällen grundsätzlich austauschbar sind und man von einer engen Verflechtung „beider Spuren" sprechen kann.

Diese Ausführungen lassen sich durch mehrere Beispiele bekräftigen. Es ist allgemein bekannt (deswegen erübrigt sich auch ein erneuter Kommentar), dass bei manchen im StGB geregelten Fällen, insbesondere bei dem so genannten Absehen von Strafe, statt einer Strafe eine sonstige Maßnahme denkbar wäre, d.h. auf eine *Straftat* soll nicht unbedingt mit Strafe reagiert werden. Ferner wird gemäß Art. 92 Abs. 3 StGB die medizinische Zwangsbehandlung des zu einer Freiheitsstrafe Ver-

---

[7] *Hans-Heinrich Jescheck/Thomas Weigend*, Lehrbuch des Strafrechts, AT, 5. Aufl. Berlin 1996, S. 744.

urteilten – eine Maßnahme, die durchaus die Heilung des Täters bezweckt – „während des Strafvollzugs durchgeführt". (Die Dauer der medizinischen Zwangsmaßnahme wird von der Dauer der Freiheitsstrafe abgezogen, Anm. d. Verf.). Nach den Bestimmungen des Art. 59 Abs. 3 StGB wird beim Vollzug der Strafe „Entzug von Rechten" nach Art. 37 Abs. 1 Punkt 6 und 7 die Zeit abgezogen, in der für dieselbe Straftat dem Verurteilten im Verwaltungsweg die Ausübung dieser Rechte entzogen wurde (Anm. d. Verf.). Wird eine Ordnungsstrafe gemäß Art. 78a StGB verhängt, so kann nach dem Wortlaut der Bestimmung das Gericht, das die Geldbuße nach Abs. 1 verhängt, auch die Ordnungsstrafe „Entzug des Rechts auf Ausübung eines bestimmten Berufs oder einer bestimmten Erwerbstätigkeit" bis zu drei Jahren verhängen, wenn für die jeweilige Straftat ein solcher Entzug von Rechten vorgesehen ist.

Zusammenfassend lässt sich feststellen, dass die Eigenartigkeit unseres Sanktionensystems auf der Hand liegt. Neben den genannten Merkmalen wird diese Aussage durch ein außerordentlich wichtiges Merkmal bekräftigt, das hier gleichzeitig als der *dritte Schluss* benannt werden soll: die Vielfalt.

Das gilt *erstens* für die Strafen. Wie bereits ausgeführt, unterscheiden sie sich nach Anzahl, Besonderheiten und typischen Merkmalen ziemlich stark von den Strafsystemen in den meisten westeuropäischen Ländern. *Zweitens* sind die im Gesetz vorgesehenen sonstigen Maßnahmen zahlenmäßig viel und ihrem Wesen nach unterschiedlich.

Die umfassende Analyse der Strafen und sonstigen Maßnahmen ergibt aber, dass in manchen Fällen das Bestreben nach Bereicherung und Weiterentwicklung einer der beiden Systemkomponenten teilweise zu meiner Auffassung nach inakzeptablen Ergebnissen geführt hat. Ich meine damit die übertriebene „Zerstückelung" mancher Strafen unter Einbeziehung staatlicher Zwangsmaßnahmen, die eher zusätzlichen Folgen als einer Strafe ähnlich sind, wenigstens was ihr effektives Potential anbetrifft, die Funktion einer Strafe zu erfüllen. Andererseits sind manche der gesetzlich vorgesehenen Erziehungsmaßnahmen angesichts ihrer tatsächlichen Wirkung und Schwere eher einer Strafe ähnlich. In vielen Fällen werden sie auch als solche wahrgenommen.

Drittens sind einige der für die westeuropäischen Systeme typischen Maßnahmen bei uns als selbständige Strafen konzipiert. Die Diskussionswürdigkeit dieser Frage werde ich mit einem konkreten Beispiel belegen.

Der Entzug des Rechts auf die Ausübung eines bestimmten Berufs oder einer bestimmten Erwerbstätigkeit wird in Art. 37 Abs. 1 Punkt 7 StGB geregelt. Diese Strafe kommt in den gesetzlich vorgesehenen Fällen zur Anwendung, „wenn sich die Bekleidung des entsprechenden Amtes oder die Ausübung eines bestimmten Berufs oder einer Erwerbstätigkeit mit dem Charakter der begangenen Straftat nicht vereinbaren lässt" (Art. 50 Abs. 1 StGB). Für Minderjährige stellt das nach Art. 63 StGB eine der drei möglichen Strafen dar. Mit Ausnahme der gemeinsamen

Anwendung mit der lebenslangen Haft ist diese Strafe immer befristet. Nach Fristablauf kann der Verurteilte wieder von den Rechten Gebrauch machen, die ihm durch das Urteil entzogen wurden (Art. 51 StGB).

Dieselbe Folge – Entzug des Rechts auf die Ausübung eines bestimmten Berufs oder einer bestimmten Erwerbstätigkeit – ist auch im deutschen Strafgesetz vorgesehen. Ihrem Wesen nach ist sie aber keine Strafe, sondern eine Sicherungsmaßnahme. Sie findet auf Angeklagte Anwendung, die die Straftat im Rahmen eines Amtsmissbrauchs oder einer groben Dienstpflichtverletzung begangen haben.

Das Strafmaß liegt meistens zwischen einem Jahr und fünf Jahren, im Einzelfall ist aber auch die Möglichkeit für einen *lebenslangen* Entzug dieser Rechte vorgesehen. Grundsätzlich stellen die Sicherungsmaßnahmen, obwohl sie in einem bestimmten Zusammenhang mit der Straftat stehen, auf den Täter ab. Nach dem gesetzgeberischen Willen dienen sie in erster Linie dem Schutz der Gesellschaft vor weiteren Straftaten. Entscheidend ist also die Person des Täters und die Gefahr, die von ihm als Person – und nicht von der begangenen Straftat – ausgeht.

Im Besonderen Teil des bulgarischen Strafgesetzes wird die Strafe nach Art. 37 Abs. 1 Punkt 7 als eine Sanktion für viele sehr unterschiedliche Straftaten vorgesehen. Sie besteht z.B. als mögliche Folge für alle Verbrechen gegen den Staat, für alle Straftaten, die mit einer Strafe von mehr als zehn Jahren Freiheitsentzug nach Kapitel 13 geahndet werden; für ca. acht Straftaten gegen die Person; für ca. neun Straftaten gegen das Eigentum; für ca. sieben Straftaten gegen die Wirtschaft wie auch für Straftaten gegen die Staatsordnung, die Rechtsprechung, wegen Bestechung, Urkundenfälschung, Ordnungsdelikten, Verkehrs- und Gesundheitsdelikten u.a.

Für mich steht außer Frage, dass die Ausgestaltung dieser Strafe und ihr Einsatz in so vielen unterschiedlichen Fällen im Besonderen Teil des Gesetzes einen Versuch des Gesetzgebers darstellt, mehr *Vielfalt* in das Strafsystem einzubringen, die Voraussetzungen für eine Individualisierung der Strafe im Einzelfall schafft und dadurch dieses System weiter differenziert.

Dabei stellt sich aber die Frage, wie diese Vielfalt zu beurteilen ist. Welche der beiden Lösungen ist die beste im Hinblick auf das Hauptziel des Strafrechts? Welche Lösung ist als gerechter und humaner einzuschätzen? Und welche wird im Endeffekt dem Gesetzlichkeitsprinzip gerechter?

Nach meiner Auffassung ist die Lösung des bulgarischen StGB besser, gerechter und rechtlich präziser.

Es besteht kein Zweifel, dass der Entzug des Rechts, einen bestimmten Beruf oder eine bestimmte Erwerbstätigkeit auszuüben, für jeden Angeklagten eine schwerwiegende Folge darstellt. Dadurch wird gewissermaßen eines der Grundrechte eingeschränkt – das Recht auf Arbeit –, indem die Berufsauswahlmöglichkeiten reduziert werden. In manchen Fällen stellt sie sich aber als gerechte Folge dar, die sich quasi aus dem Charakter der begangenen Straftat ergibt. Egal, ob schwerwiegend oder leicht, wenn die Folge einer Straftat gerecht ist, so sollte sie als begründet und sogar als notwendig akzeptiert werden. Die Frage ist aber, in welchen Fällen und unter welchen Voraussetzungen diese Folge eintreten soll bzw. muss.

Wenn der Entzug des Rechts zur Ausübung eines Berufs oder einer Erwerbstätigkeit als Strafe konzipiert ist, ergeben sich daraus mehrere wichtige Konsequenzen: *Erstens* lässt sich diese Folge nur in den im Gesetz ausdrücklich genannten Fällen anwenden, d.h. nur bei den Straftaten, für die der Gesetzgeber von vornherein eine solche Sanktion vorgesehen hat; *zweitens* erfolgt ihre Festsetzung nach den allgemeinen Vorschriften über die Strafzumessung, die im Allgemeinen Teil des Gesetzes eindeutig geregelt sind; *drittens* kann diese Folge nur für eine bestimmte Frist gelten, soweit – mit Ausnahme der lebenslangen Haft – die Strafen grundsätzlich befristet sind, was im Hinblick auf ihre Funktion (z.B. die Heilung des Täters) für die sonstigen Maßnahmen untypisch ist; *viertens* kommt auf diese Weise der Zusammenhang zwischen der Sanktion und der Straftat besser zum Tragen, statt von der weniger eindeutigen Position der Persönlichkeitseinschätzung des Täters ausgehen zu müssen.

Dieses Beispiel zeigt, wie mir scheint, dass in bestimmten Fällen die Vielfalt des Systems als positiv zu werten ist, in erster Linie im Hinblick auf die Grundsätze der Gesetzlichkeit, Gerechtigkeit und Verhältnismäßigkeit zwischen Straftat und Strafe.

Der *vierte Schluss*, der sich logischerweise aus den vorausgehenden Schlüssen ergibt, besteht in der Erhaltung dieser Vielfalt. Zur Effizienzsteigerung des Systems soll es als Ganzes, aber auch hinsichtlich der einzelnen Komponenten verbessert werden.

5. Vorschläge de lege ferenda

Diese Vorschläge lassen sich im Allgemeinen in zwei große Gruppen einteilen. Die *erste* Gruppe umfasst einige allgemeine Ideen zur Verbesserung des Sanktionensystems nach dem bulgarischen Strafrecht, und die *zweite* Gruppe enthält einige konkrete Vorschläge im Hinblick auf die einzelnen Systemkomponenten im StGB.

Allgemeine Vorschläge

- Die Kodifizierung des bulgarischen Strafrechts ist ein großer Erfolg und positiv zu bewerten. Die Regelung dieser so diffizilen und gesellschaftlich wichtigen Materie in einem Gesetz weist eine Reihe von Vorteilen auf. Der wichtigste Vorzug dieser Kodifizierung ist die Möglichkeit, einheitliche Kriterien für die Einordnung der einzelnen Straftaten und der vorgesehenen Sanktionen zu schaffen. Der gegenläufige Trend – die Zerstückelung der strafrechtlichen Materie in einzelne gesetzliche Regelungen (was übrigens in mehreren europäischen Ländern zu beobachten ist) – birgt neben den positiven Seiten, wie z.B. der Möglichkeit der ausführlicheren Regelung von Einzelfällen, auch die Gefahr, dass der Überblick verloren geht, oder die Gefahr der Über- oder Unterschätzung bestimmter Aspekte bei der Regelung der verschiedenen Fälle. Hat man vor Augen, wie schwer es sein kann, die „Logik" eines Gesetzes bei seiner nachträglichen Änderung und Ergänzung aufrecht zu erhalten, so gilt dies erst recht für ein ganzes System von gesetzlichen Regelungen.

• Ferner ist die Einteilung der im Gesetz geregelten Strafen in Haupt- und Nebenstrafen notwendig. Im Sinne der Individualisierung der Strafe sollte der Richter grundsätzlich die Option bzw. in bestimmten Fällen die Obligation haben, je nach Einzelfall eine Nebenstrafe zu verhängen.

Betrachten wir das *gegenwärtige* System von Strafen, sollten als Hauptstrafen die lebenslange Haft, die Freiheitsstrafe und die Geldstrafe beibehalten werden. Als Nebenstrafen sind die Einziehung, die öffentliche Rüge und der Entzug von Rechten nach Art. 37 Abs. 1 Punkt 6-10 StGB zu nennen, deren konkrete Regelung beträchtlich verbessert werden müsste.[8]

• In den allgemeinen Bestimmungen sind nach dem Abschnitt über die Strafen einzelne Abschnitte einzufügen, die die „sonstigen Maßnahmen" und die „zusätzlichen Folgen", gegenwärtig in Art. 53 StGB als „besondere Einziehungen" bezeichnet, regeln.

• Zugleich sollten die Möglichkeiten der alternativen Sanktionen erweitert werden.

Der Verzicht auf den Vollzug der Strafe sollte als ausdrückliche Möglichkeit in den Fällen vorgesehen werden, in denen sich die gesellschaftlichen Bedingungen nach der Straftatbegehung entscheidend geändert haben und, obwohl die Straftat im Gesetz genannt wird, nunmehr das wichtigste Merkmal jeder Straftat, nämlich die gesellschaftliche Gefahr, nicht mehr besteht. Es geht hier um eine *nachträgliche* Änderung, bei der sich die vorgeschlagene Eingriffsvariante anbietet. Eine solche Möglichkeit ist übrigens im Strafgesetzbuch der Russischen Föderation vorgesehen.

Nachstehend sollten nun einige weitere Vorschläge in diese Richtung diskutiert werden. Neben bestimmten Verfahrensänderungen bei der Strafe auf Bewährung sollte die Aufmerksamkeit auch folgenden Anregungen gelten: *erstens* die Mög-

---

[8] Denkbar wäre z.B. die Erweiterung des Katalogs der Rechte, die dem Täter durch das Urteil entzogen werden könnten (z.B. das Recht auf Beteiligung an Parlaments- und Kommunalwahlen). Es sei aber nochmals betont, dass dies ausdrücklich mit dem Urteil erfolgen soll. Durch die Ergänzung dieses Katalogs könnte der bereits angesprochene Widerspruch überwunden werden, der sich sogar aus der Verfassung ergibt.

lichkeit zur Verurteilung des Täters (seiner Überführung, eine bestimmte Straftat begangen zu haben) und seiner Freistellung von der Strafe. In diesem Fall würden sich für ihn die ungünstigen (aber auch notwendigen) Folgen zweifach ergeben. Zum einen wird er durch den Urteilsausspruch zum Verurteilten mit allen sich daraus ergebenden Folgen, z.B. im Hinblick auf die Möglichkeit, erneut eine Strafe oder andere Maßnahem zu verhängen; zum anderen ist das Urteil relevant im Hinblick auf die Strafzumessung bei eventuellen Wiederholungstaten sowie hinsichtlich der weiteren Folgen, die sich aus anderen Gesetzen bei einer Verurteilung ergeben.

Zweitens sollte die Einführung der „Aussetzung des Strafvollzugs" diskutiert werden, bei der das Gericht nach der Schuldzuweisung und Strafzumessung den Vollzug für eine bestimmte Probezeit aussetzt. Zugleich setzt es für den Verurteilten in der Probezeit konkrete Maßnahmen fest, die auf seine Besserung und Umerziehung hinwirken. Im Unterschied zur Verurteilung auf Bewährung, bei der nach Ablauf der Probezeit alle Beschränkungen automatisch wegfallen, wird hier nach Ablauf der Probezeit erneut über das Verhalten des Verurteilten und vor allem über die Wirkung der eingesetzten Maßnahmen verhandelt. Auf dieser Grundlage entscheidet das Gericht erneut über den Vollzug der im Urteil festgelegten Strafe, ihren Ersatz durch eine leichtere Strafe oder den Verzicht auf die Strafe. Auf die Strafe wird verzichtet, wenn das Gericht eindeutig feststellt, dass die in der Probezeit angewandten Maßnahmen erfolgreich waren, und es deshalb keiner Sanktion mehr bedarf.

Im Endeffekt würde sich ein komplizierteres, jedoch hinreichend vielfältiges Bild im Vergleich zum gegenwärtigen Stand ergeben. Bei ausdrücklichen gesetzlichen Voraussetzungen für jede der nachstehend aufgeführten Fälle wären folgende Varianten denkbar:

- Der Staat verzichtet ganz auf die Bestrafung, d.h. der Täter wird freigesprochen.
- Das Gericht stellt fest, dass die entsprechende Person die Tat begangen hat, verzichtet aber auf die Strafe und verhängt eine Ordnungsstrafe in Form einer Geldbuße. Die Person gilt in diesem Fall als nicht verurteilt.
- Das Gericht verurteilt den Täter, sieht aber von Strafe ab. In diesem Fall setzt man auf die Wirkung des Strafprozesses selbst wie auch auf die Wirkung des Umstands, dass der Täter als nicht verurteilt gilt.[9]
- Das Gericht verurteilt die Person, indem es eine konkrete Strafe verhängt, der Vollzug wird jedoch auf eine bestimmte Probezeit ausgesetzt, nach deren Ablauf (falls sich inzwischen keine neuen Voraussetzungen ergeben) die ungünsti-

[9] In § 59 des deutschen StGB ist eine weitere spiegelbildliche Möglichkeit vorgesehen. Unter bestimmten Voraussetzungen kann das Gericht die Strafe bestimmen und einen Schuldausspruch treffen, die Verurteilung zur Strafe aber vorbehalten. Dabei wird die Verwarnung ausgesprochen, dass bei wiederholter Straftat auch die Strafe für die erste Straftat vollzogen wird.

gen Folgen der Verurteilung wegfallen. In der Probezeit könnten Erziehungs- und sonstige Maßnahmen vorgesehen werden. Das ist derzeitig auch im Fall der Verurteilung auf Bewährung möglich.

– Das Gericht verurteilt die Person und setzt eine konkrete Strafe fest, es setzt jedoch den Vollzug auf eine bestimmte Probezeit aus, in der verstärkt Überwachungs- bzw. Erziehungs- oder sonstige Maßnahmen angewendet werden. Nach Ablauf der Probezeit verhandelt das Gericht erneut über den Fall und wägt ab, ob der vollständige oder teilweise Vollzug der ausgesetzten Strafe, der Ersatz durch eine leichtere Strafe oder gar der Verzicht auf den Vollzug der Strafe geboten ist.
– Das Gericht verurteilt die Person, verhängt die Strafe und verfügt über ihren Vollzug.

6. Abschaffung der Todesstrafe

Die Todesstrafe wurde Ende 1998 abgeschafft. Im Vor- und auch im Nachfeld dieser Entscheidung fand eine breite und ziemlich intensive öffentliche Diskussion statt. Diese Debatte wird in Bulgarien – wie auch in anderen Ländern – auch heute noch geführt. Die Abschaffung der Todesstrafe war ein wichtiger Schritt für Bulgarien im Prozess der Verabschiedung von einer schwierigen Zeit. Zweifellos stellte dies auch einen zusätzlichen Impuls auf dem Weg zu einer europäischen Wertorientierung dar. Die Abschaffung der schwersten Strafe in einer Zeit der zunehmenden Kriminalität soll entsprechend gewürdigt werden. Vor diesem Hintergrund ist auch die Entscheidung des Parlaments zu sehen, eine neue, genauso schwere Strafe einzuführen: die lebenslange Haft ohne Ersatz. Dieser Schritt des Gesetzgebers erwies sich allerdings als überflüssig. Auch bis dahin bestand die lebenslange Haft als Strafe im bulgarischen Strafrecht, über die unter bestimmten Voraussetzungen und nach Ablauf eines bestimmten Zeitraums durch das Gericht erneut verhandelt und die gegebenenfalls durch eine Freiheitsstrafe ersetzt werden konnte. Die Einführung dieser neuen, einzigartigen Strafe hat nicht zum gewünschten Ergebnis geführt, sondern lediglich das Strafsystem auf eine unzulässige Weise „belastet“. Ihre Einführung wurde in der Staatsdoktrin kritisiert und von der Öffentlichkeit auch nicht einhellig akzeptiert. Jetzt zählt Bulgarien zu den wenigen Staaten, in denen parallel zwei Typen von lebenslanger Haft existieren – mit und ohne Recht auf Ersatz – wie auch die Freiheitsstrafe bis zu 30 Jahren als befristete Strafe. Zu dem Gesagten werde ich keinen ausführlichen Kommentar abgeben, bin jedoch überzeugt, dass dadurch eine gute Diskussionsgrundlage geliefert wird.

7. Wiedergutmachung

Auf die Bedeutung und die Rolle dieser für das Strafrecht relevanten Figur möchte ich hier nicht näher eingehen, sondern lediglich die entsprechenden Regelungen im bulgarischen Recht kurz darstellen.

Zunächst ist die Bedeutung der Wiedergutmachung im Hinblick auf die Möglichkeit des Gerichts zu betonen, im Einzelfall die Strafe aufzuheben und sie durch eine Geldbuße zu ersetzen. Diese Möglichkeit ist in Art. 78a des Allgemeinen Teils des Gesetzes vorgesehen. Das Gericht hebt die Strafe auf, wenn

- für die Straftat eine Freiheitsstrafe bis zu zwei Jahren (bei Vorsatz) und bis zu drei Jahren (bei Fahrlässigkeit) vorgesehen ist;
- der Täter nicht vorbestraft ist;
- die durch die Straftat entstandenen Schäden ersetzt worden sind.

Zweitens ist die Wiedergutmachung bei einer Reihe von Bestimmungen im Besonderen Teil des Gesetzes, insbesondere bei den Eigentumsdelikten, vorgesehen. So werden etwa bei Diebstahl, Unterschlagung, Betrug und Raub, sofern der Schaden bis zum Abschluss des gerichtlichen Verfahrens in erster Instanz wieder gutgemacht wird, die vorgesehenen Strafen (im Vergleich zu dem Haupttatbestand und natürlich zu den qualifizierten Tatbeständen) beträchtlich reduziert, was im weiteren die Anwendung anderer Institute möglich macht, wie z.B. der Verurteilung auf Bewährung.

In den letzten Jahren ist der Trend unübersehbar, der Wiedergutmachung eine größere Bedeutung zuzumessen, insbesondere durch die Einführung entsprechender Vorschriften im Besonderen Teil des Strafgesetzbuchs.

Die Abschaffung traditioneller und die Einführung neuer Sanktionen in Ungarn

(Das Sanktionensystem im ungarischen Strafrecht)

Ferenc Nagy, Szeged

I. Der internationale kriminalpolitische Hintergrund des strafrechtlichen Sanktionensystems – Überblick

In letzter Zeit sind in der Kriminalpolitik der westlichen Demokratien zwei Entwicklungslinien zu beobachten. Die eine kann mit der Zurückdrängung der vollstreckbaren Freiheitsstrafen beschrieben werden. Dabei wird überwiegend davon ausgegangen, dass für die als alternativ, gemeinnützig oder ambulant bezeichneten Sanktionen ohne Freiheitsentzug nicht nur negativ das Fehlen des Freiheitsentzugs entscheidend ist, sondern dass sie auch positiv über ihre freiheitsbeschränkenden und unterstützenden Funktionen charakterisiert werden können.

In den westeuropäischen Staaten dominieren Sanktionen ohne Freiheitsentzug, vor allem die Geldstrafe und zum Teil auch die gemeinnützige Arbeit.

Andererseits spielen die informellen Erledigungsmöglichkeiten (unterschiedliche Diversionsmöglichkeiten, Täter-Opfer-Ausgleich, Wiedergutmachung) eine immer wichtigere Rolle. Das Problem der wachsenden Kriminalität nach der Krise der *treatment*-Ideologie, die bekannten negativen Auswirkungen der Inhaftierung und überbelegter Gefängnisse, die Entlastung der Kriminaljustiz, die Abwägung der Freiheitsstrafe mit den Interessen des Verletzten treten dabei in den Hintergrund.

Die andere Entwicklungslinie der Kriminalpolitik besteht in der verstärkten Kriminalisierung und der Verschärfung der Sanktionen durch Gesetzgebung und Rechtsprechung. Als Hintergrund sind wieder die zunehmende Kriminalität und die steigende Rückfallquote, das Wirken krimineller Organisationen und die Zunahme schwerer Straftaten zu nennen. Diese Reaktion hat sich vor allem unter dem Einfluss der *law-and-order*-Ideologie entwickelt. Der Ausdruck kann wörtlich als „Recht und Ordnung" übersetzt werden, aber inhaltlich steht er für eine Kriminalpolitik der „harten Hand". Neuerdings beruft man sich oft auf das „Null-Toleranz"-Prinzip, welches schon auf den Inhalt des Begriffs hindeutet.

Merkmale beider Richtungen lassen sich, stärker oder schwächer ausgeprägt, in der Kriminalpolitik der meisten Staaten finden. Hinzugefügt werden muss, dass in den EU-Staaten die erste Linie dominiert (siehe z.B. die deutsche Sanktionenanwendung: Freiheitsstrafe 6–7 %, Geldstrafe ca. 82 %), während in den angloamerikanischen Rechtssystemen – vor allem in den USA – die zweite Linie vorherrscht. Auch in Ungarn finden sich beide Tendenzen; in den letzten Jahren, insbesondere ab 1997, ist jedoch eine – oftmals schon übertrieben – strenge Kriminalpolitik der „harten Hand“ zu bemerken. Sie zeichnet sich durch eine stärkere Kriminalisierung und die Verengung des richterlichen Ermessensspielraums aus. Dies soll unter anderem durch Änderungen des Allgemeinen Teils des StGB erreicht werden; es wird also generell, nicht selektiv verschärft.

Die derzeitige ausschließlich auf Verschärfung setzende Kriminalpolitik halte ich für falsch. Meiner Auffassung nach ist eine differenzierte Kriminalpolitik wünschenswert, die der Schwere der Tat und dem Grad der Schuld angemessen ist. Daneben sollten aber auch die Individualisierung, die Prävention und die Interessen des Opfers berücksichtigt werden. (Auch von Seiten des Gesetzgebers und aus der Justiz hört man mittlerweile diese Forderungen.) Man sollte den Folgen der Verschärfungen und deren Kosten mehr Beachtung schenken.

II. Das ungarische Sanktionensystem

Das ungarische Strafrecht ist durch ein dualistisches Sanktionensystem gekennzeichnet. Unser Sanktionensystem ist relativ bestimmt, indem die vom Gesetz vorgesehenen Rahmen eine Individualisierung ermöglichen. Strafen sind die primären, dominanten Rechtsfolgen. Zu unterscheiden ist bei Strafen zwischen Haupt- und Nebenstrafen, wobei diese Unterscheidung nicht starr und zwingend ist. Hauptstrafen sind solche, auf die allein erkannt werden kann. Unter Nebenstrafen versteht man solche, die zusammen mit einer Hauptstrafe, aber neben den im Strafgesetz bestimmten Bedingungen auch selbständig verhängt werden können. Daneben enthält das StGB Maßregeln, die für die Sicherung der Allgemeinheit und für die Spezialprävention des Täters unbedingt erforderlich sind.

Die *Todesstrafe* ist im ungarischen StGB nicht vorgesehen. Das Verfassungsgericht hat 1990 festgestellt, dass die Regelung über die Todesstrafe im StGB und die entsprechenden Regelungen in Nebengesetzen verfassungswidrig sind. Diese Entscheidung wurde nicht allein auf § 54 der Verfassung gestützt, vielmehr wurde eine komplexe Auslegung der §§ 54 und 8 der Verfassung bemüht. § 54 Abs. 1 der Verfassung bestimmt, dass Leben und Menschenwürde „niemandem willkürlich entzogen werden dürfen“. Dies schließt aber die Möglichkeit einer „nichtwillkürlichen“ Entzug des Lebens und der Menschenwürde nicht aus. Für die Beurteilung der Verfassungsmäßigkeit der Todesstrafe sei somit § 8 Abs. 2 der Verfassung maßgebend. Demzufolge werden „in der Ungarischen Republik grundrechtsrelevante Regelungen nur durch Gesetze getroffen, wobei aber die wesentlichen Inhalte eines Grundrechts nicht eingeschränkt werden dürfen“. Das Verfassungsgericht sah die Regelungen des StGB in Bezug auf die Todesstrafe als Eingriff in den Kernbereich des Rechts auf Leben und der Menschenwürde gemäß § 54 an und folgerte daraus die

Verfassungswidrigkeit der Todesstrafe. Seit dieser Entscheidung des Verfassungsgerichts (23/1990 vom 31.10.1990) ist die Todesstrafe abgeschafft, und die lebenslange Freiheitsstrafe bildet nun die schwerste strafrechtliche Sanktion in Ungarn. (Das letzte Todesurteil wurde in Ungarn im Juli 1988 vollstreckt.)

Das Parlament hat im Jahr 1993 durch das Gesetz XXXI acht Protokolle zur Konvention des Europarates zum Schutze der Menschenrechte und Grundfreiheiten, darunter auch das Protokoll über die Abschaffung der Todesstrafe, unterzeichnet und ratifiziert. Durch das Gesetz II von 1995 wurde das Zweite Fakultativprotokoll zum Internationalen Pakt über bürgerliche und politische Rechte zur Abschaffung der Todesstrafe umgesetzt. Ungarn hat durch die Annahme und Erfüllung dieser internationalen Verpflichtungen einen Beitrag zur Abschaffung der Todesstrafe geleistet.

Es ist zu bemerken, dass in den meisten ehemaligen sozialistischen Ländern die Todesstrafe nicht nur abgeschafft, sondern auch das Verbot dieser Sanktion in die Verfassung eingefügt wurde (z.B. Kroatien, Rumänien, Slowakei, Slowenien).

III. Hauptstrafen im ungarischen Strafrecht

1. Die Freiheitsstrafe

1.1. Die Freiheitsstrafe ist im geltenden und voraussichtlich auch im zukünftigen Strafrecht die generelle Sanktion, der allgemeine Maßstab. Die meisten Sanktionsandrohungen enthalten ausschließlich die Freiheitsstrafe, teilweise ist sie aber auch als alternative Sanktion vorgesehen. Die Regelung des geltenden Strafrechts beginnt – wie in den meisten europäischen Ländern – mit der Bestimmung der Dauer der Freiheitsstrafe. Danach kann die Freiheitsstrafe lebenslang oder zeitig verhängt werden.

1.1.1. Die Regelung der *lebenslangen* Freiheitsstrafe und die der bedingten vorzeitigen Entlassung waren – neben der Abschaffung der Todesstrafe – die am umfassendsten geänderten Regelungen des StGB nach der Wende. Das lässt auf einen starken politischen Einfluss in diesem Bereich schließen.

Im internationalen Überblick lassen sich folgende Gruppen bilden:

a) In einigen Staaten existiert die lebenslange Freiheitsstrafe als die zweitschwerste Sanktion neben der Todesstrafe. Hier werden der Schutz der Gesellschaft und die Generalprävention zweifach gesichert (so z.B. in den USA und in Japan).

b) Es gibt Staaten in denen zwar die Todesstrafe bekannt ist, die lebenslange Freiheitsstrafe aber nicht. Diese Lösung fand sich früher in den meisten osteuropäischen Staaten; heutzutage kommt sie nur selten vor. So hat z.B. das russische Strafgesetzbuch (1996) den Anwendungsbereich der Todesstrafe beschränkt, diese aber unverändert beibehalten. Die lebenslange Freiheitsstrafe gibt es dagegen nur als umgewandelte Todesstrafe. (Zurzeit gilt in Russland ein Moratorium für die Vollstreckung der Todesstrafe.)

c) In den meisten europäischen Staaten wurde die Todesstrafe abgeschafft und die lebenslange Freiheitsstrafe eingeführt. In letzter Zeit setzt sich diese Lösung auch in den ehemaligen sozialistischen Ländern durch (Tschechien, Polen, Ungarn).

d) Das Sanktionensystem mit zeitiger Freiheitsstrafe – ohne Todesstrafe und lebenslange Freiheitsstrafe – findet sich z.B. in Portugal, Spanien, Norwegen und Slowenien. Auch im kroatischen StGB von 1998 kommen die Todesstrafe und die lebenslange Freiheitsstrafe nicht vor. Nur die zeitige Freiheitsstrafe ist vorgesehen.

Im Strafrecht der meisten europäischen Länder ist die lebenslange Freiheitsstrafe somit zwar bekannt, aber es werden in immer mehr Staaten keine lebenslangen Freiheitsstrafen – und natürlich keine Todesstrafe –, sondern nur zeitige Freiheitsstrafen verhängt. Diese Tendenz könnte sich in Zukunft auch in Ungarn durchsetzen, allerdings scheint dies heutzutage und in näherer Zukunft nicht realisierbar zu sein. Meiner Meinung nach gäbe es auch in der Politik Widerstände.

1.1.2. Nach dem geltenden Strafrecht ist die lebenslange Freiheitsstrafe als Alternative zu einer Freiheitsstrafe von 10–15 bzw. von 5–10 Jahren vorgesehen. Obwohl das Strafgesetzbuch dies nicht ausdrücklich formuliert, bildet die lebenslange Freiheitsstrafe wegen ihrer alternativen Natur die Ausnahme im Sanktionensystem. Sie wird in 30 gesetzlichen Tatbeständen (Straftaten gegen den Staat: 4, Straftaten gegen den Frieden und Kriegsstraftaten: 7, gemeingefährliche Straftaten: 9, Militärstraftaten: 10) angedroht. In der Gerichtspraxis beschränkt sich die Verurteilung zu lebenslanger Freiheitsstrafe auf die qualifizierten Fälle vorsätzlicher Tötung (Mord).

1.1.3. Mit den Änderungen des StGB wurde auch die bedingte Entlassung aus dem Vollzug der lebenslangen Freiheitsstrafe immer wieder neu geregelt.

Es ist unumstritten, dass auch dem zu lebenslanger Freiheitsstrafe Verurteilten eine reale Möglichkeit gegeben werden muss, seine Zukunft zu planen und in die Gesellschaft zurückzukehren. Es ist eine Forderung, die sich aus dem Gedanken der Menschlichkeit ergibt. Die bedingte Entlassung aus lebenslanger Haft ist in den meisten Staaten möglich. Sie wird vom Gericht oder von anderen Organen gewährt. Eine zweite Form der bedingten Entlassung ist in einigen Ländern die Begnadigung. Die bedingte Entlassung ist in den meisten europäischen Staaten nach 15 Jahren Verbüßung möglich. Nach den ursprünglichen Vorschriften des ungarischen Strafgesetzbuchs musste der Verurteilte mindestens 20 Jahre verbüßen, und es musste die berechtigte Annahme bestehen, dass der Strafzweck auch ohne weiteren Freiheitsentzug erreicht werden kann.

Die Regeln der bedingten Entlassung aus dem Vollzug der lebenslangen Freiheitsstrafe wurden durch das Gesetz LXXXVII/1998 neu geregelt. Danach kann das Gericht im Urteil die Möglichkeit der bedingten Entlassung vorsehen oder von vornherein ausschließen. Wird die Möglichkeit eingeräumt, so werden zwei Zeiträume für den frühesten Zeitpunkt der bedingten Entlassung bestimmt. Bei verjährbaren Straftaten – d.h. den mit lebenslanger Freiheitsstrafe bedrohten – kann der Richter im Urteil die Minimaldauer der Verbüßung auf mindestens 20 Jahre, bei unverjährbaren Straftaten auf mindestens 30 Jahre festlegen. Da die Gerichtspraxis die lebenslange Freiheitsstrafe nur bei den schwersten Straftaten gegen das Leben verhängt – deren Strafbarkeit nicht verjährt – ist die bedingte Entlassung praktisch in der Regel nach mindestens 30 Jahren Verbüßung möglich. Infolgedessen ist die bedingte Entlassung nach mindestens 20 Jahren zwar möglich, aber praktisch hat sie fast keine Bedeutung. Sie betrifft z.B. Straftaten gegen den Staat, die mit lebenslanger Freiheitsstrafe bedroht sind.

Die beiden Bestimmungen „mindestens 20 Jahre" und „mindestens 30 Jahre" sind nicht exakt definiert. Die eine Interpretation geht dahin, dass „nur" 20 bzw. 30 Jahre, die andere, dass „mindestens" 20 bzw. 30 Jahre verbüßt werden müssen; es ist also möglich, dass der Verurteilte erst nach 35, 40 Jahren oder + X Jahren freigelassen werden kann. Ohne gesetzliche Obergrenze entspricht diese Regelung nicht dem Prinzip der Gesetzlichkeit, genauer dem Bestimmtheitsgebot, und begegnet somit verfassungsrechtlichen Bedenken.

1.1.4. Die Änderung des StGB (Gesetz LXXXVII/1998) erlaubt den Gerichten den „Ausschluss der bedingten Entlassung". Diese Regelung grenzt das richterliche Ermessen nicht ein. Deshalb ist sie hinsichtlich ihrer Verfassungsmäßigkeit und der Rechtsangleichung hinsichtlich der Verhängung und des praktischen Vollzugs der lebenslangen Freiheitsstrafe problematisch und zu beanstanden. Die neue Regelung des § 47/A. lässt sich insbesondere mit den folgenden Punkten kaum vereinbaren:

a) dem Prinzip *nulla poena sine lege certa*,
b) der Menschenwürde,
c) dem Verbot unmenschlicher, grausamer Strafe,
d) entwickelten europäischen strafrechtlichen Regeln bzw. mit den verfassungsgerichtlichen Entscheidungen,
e) dem Gedanken der Strafzwecke,
f) dem Ziel der Vollstreckung und der Förderung der Resozialisierung,
g) praktischen Gesichtspunkten des Strafvollzugs.

1.1.5. Die Änderung des StGB hat die „Dauer der bedingten Entlassung" aus lebenslanger Haft wesentlich erweitert. Der veränderte § 48(1) StGB bestimmt die Dauer der bedingten Entlassung anstatt der früheren 10 Jahre nun mit 15 Jahren.

Die Beibehaltung der früheren Regelung wäre jedoch wünschenswert gewesen. In anderen Strafgesetzbüchern sind maximal fünf (Deutschland § 57a StGB drei) bzw. zehn Jahre (Österreich § 48 StGB ein Jahr) vorgesehen.

Die Verbüßung der lebenslangen Freiheitsstrafe – in der Praxis grundsätzlich „nur" mindestens 30 Jahre – kommt in Verbindung mit der von 10 auf 15 Jahre erhöhten Dauer der anschließenden bedingten Entlassung beinahe einer faktisch lebenslangen Freiheitsstrafe gleich. Wenn z.B. ein 20-jähriger Straftäter zu lebenslanger Freiheitsstrafe verurteilt und nach 30 Jahren bedingt entlassen wird, kann er aus dem Vollzug erst mit 65 Jahren endgültig freigelassen werden – wenn er überhaupt noch lebt.

1.1.6. Über die bedingte Entlassung aus dem Vollzug der lebenslangen Freiheitsstrafe entscheidet der Strafvollzugsrichter. Wenn dieser den Verurteilten nicht bedingt entlässt, wird die Möglichkeit der Entlassung spätestens nach zwei Jahren, danach jährlich wieder geprüft (§ 8 StVollzG).

De lege ferenda wäre die Abschaffung der nicht verfassungskonformen und unmenschlichen faktisch lebenslangen Freiheitsstrafe wünschenswert, d.h. die Abschaffung der Möglichkeit, die bedingte Entlassung im Urteil auszuschließen. Die derzeitige hohe, nicht hinreichend bestimmte Mindestdauer des Freiheitsentzugs und die Dauer der bedingten Entlassung sollten in Zukunft der europäischen Regelung entsprechend herabgesetzt werden.

1.2. Die neue Änderung des StGB lässt das Höchstmaß der *zeitigen Freiheitsstrafe* unverändert, das Mindestmaß wurde von einem Tag auf zwei Monate erhöht. Laut Begründung hat die frühere Herabsetzung des Mindestmaßes von drei Monaten auf einen Tag die Erwartungen nicht erfüllt, denn die Gerichte haben von der Möglichkeit der Verhängung der kurzen Freiheitsstrafe keinen Gebrauch gemacht. Damit kann man sich einverstanden erklären, aber es ist schwer zu begreifen, warum das Mindestmaß von einem Tag gerade auf zwei Monate erhöht wurde, anstatt auf einen Monat, wie in den meisten europäischen Staaten oder auf die früher festgelegten drei Monate. Die Frage dürfte vermutlich durch die Änderung des Ordnungswidrigkeitsgesetzes beantwortet werden, das die früher geregelte Polizeihaft wieder eingeführt hat. Diese beträgt grundsätzlich maximal 60 Tage, ausnahmsweise 90 Tage.

Die derzeitige Beurteilung der *kurzzeitigen Freiheitsstrafe* ist ebenfalls umstritten. Die Nachteile des Strafvollzugs sind schon seit langem bekannt. In letzter Zeit ist jedoch die Beurteilung der kurzzeitigen Freiheitsstrafe uneinheitlich geworden. Neben den Gefahren und schädlichen Einflüssen werden auch die positiven Wirkungen hervorgehoben. Es wird argumentiert, dass schädliche Einflüsse durch die Reform des Vollzugs abgemildert werden könnten.

Die Forderung nach der Abschaffung der kurzzeitigen Freiheitsstrafe hat also an Boden verloren; dennoch ist es wünschenswert, die kurzzeitige Freiheitsstrafe zurückzudrängen und durch Sanktionen ohne Freiheitsentzug zu ersetzen. Die Verhängung kurzzeitiger Freiheitsstrafen ist allerdings besonders erstrebenswert, wenn dadurch die bisherige langfristige Freiheitsstrafe ersetzt wird.

Die kurzzeitige Freiheitsstrafe ist in mehreren westeuropäischen Staaten eine oft verhängte Strafe (z.B. in Österreich, der Schweiz und den Niederlanden).

Der Auffassung *Günther Kaisers*, dass die kurzzeitige Freiheitsstrafe intensiver erforscht werden muss, ist zuzustimmen.

Tabelle 1: Dauer der Freiheitsstrafe in der Strafzumessungspraxis in Ungarn (Erwachsene)

Jahr	Freiheitsstrafe insgesamt		Dauer der Freiheitsstrafe				
			bis 6 Monate	6–12 Monate	1–2 Jahre	2–5 Jahre	über 5 Jahre
1980	A	25.066	12.251	8.727	2.444	1.387	244
	%	100	48.9	34.8	9.8	5.5	1.0
1983	A	27.295	11.438	10.699	2.956	1.809	387
	%	100	41.9	39.2	10.9	6.6	1.4
1986	A	28.108	10.281	11.626	3.583	2.078	540
	%	100	36.57	41.36	12.74	7.78	1.78
1987	A	26.780	8.716	11.742	37.599	2.085	478
	%	100	32.54	43.84	14.03	7.78	1.78
1988	A	22.820	7.043	10.262	3.284	1.796	435
	%	100	30.86	44.96	14.39	7.87	1.90
1989	A	19.893	6.173	8.621	3.115	1.614	370
	%	100	31.03	43.33	15.65	8.11	1.85
1990	A	16.121	4.653	6.824	2.778	1.503	363
	%	100	28.9	42.3	17.2	9.3	2.3
1991	A	20.589	6.666	8.202	3.622	1.753	346
	%	100	32.4	39.8	17.6	8.5	1.7

1992	A	22.964	7.726	9.106	3.758	1.942	432
	%	100	33.6	39.65	16.4	8.45	1.9
1993	A	21.042	8.213	7.625	3.237	1.616	351
	%	100	39.0	36.2	15.4	7.7	1.7
1994	A	21.404	8.792	7.563	3.031	1.587	431
	%	100	41.1	35.3	14.2	7.4	2.0
1995	A	22.969	10.169	7.848	2.908	1.646	398
	%	100	44.3	34.2	12.7	7.2	1.7
1996	A	23.239	10.463	7.837	3.002	1.507	430
	%	100	45.0	33.7	12.9	6.5	1.9
1997	A	25.526	11.634	8.407	3.384	1.605	496
	%	100	45.6	32.9	13.3	6.3	1.9
1998	A	28.738	13.333	9.569	3.569	1.774	493
	%	100	46.4	33.3	12.4	6.2	1.7
1999	A	29.474	12.491	10.679	4.040	1.758	506
	%	100	42.4	36.2	13.7	6.0	1.7
2000	A	30.279	10.393	11.950	5.327	1.981	628
	%	100	34.3	39.5	17.6	6.5	2.1

Quelle: Statisztikai Évkönyvek, Statistische Jahrbücher (KSH) Budapest.

Aufgrund der Statistik ist festzustellen, dass in den 1980er Jahren die Verhängung der Freiheitsstrafe bis zu sechs Monaten (vollstreckbare und bedingt verhängte) bis 1988 kontinuierlich gesunken ist: von 48,9 % im Jahr 1980 auf 30,86 % in 1988. Nach 1990 scheint dieser Prozess stehen zu bleiben. Bis 1999 ist sogar ein Anstieg zu erkennen. Dann geht dieser Anteil von 46,8 % (1998) auf 42,4 % (1999) und 34,3 % (2000) zurück.

Freiheitsstrafen zwischen sechs und zwölf Monaten wurden nach 1988 stufenweise immer seltener verhängt. Dementsprechend betrug der Anteil der verhängten Freiheitsstrafen bis zu einem Jahr in den letzten 15 Jahren immer über 70 %: 1980 erreichte dieser Anteil 83,7 %, 1990: 71,2 %, 1996: 78,7 %, 1999: 78,6 % und

2000: 73,8 %. Die Verhängung von Freiheitsstrafen zwischen einem Jahr und fünf Jahren hat bis 1991 zugenommen, doch zwischen 1993 und 1998 ging sie zurück. In den letzten Jahren hat sie wieder zugenommen.

Die Freiheitsstrafe über fünf Jahre wurde in den letzten 15 Jahren zwischen 1 % (1980) und 2,3 % (1990) verhängt. 1993 betrug der Anteil 1,7 %, 1996: 1,9 % und 2000: 2,1 %. Zwischen 1980 und 2000 wurden insgesamt 219 Straftäter zu lebenslanger Freiheitsstrafe verurteilt. Danach beträgt der jährliche Durchschnitt in den letzten zwei Jahrzehnten 11 und in den letzten fünf Jahren 14,2 zu lebenslanger Freiheitsstrafe verurteilter Straftäter (1996: 21, 1997: 16, 1998: 9, 1999: 12, 2000: 13 = 71/5 = 14,2). Die jährlichen Schwankungen überraschen. 1993 z.B. wurde die lebenslange Freiheitsstrafe in drei Fällen, 1996 dagegen in 21 Fällen verhängt.

Es kann festgestellt werden, dass als Folge der gerichtlichen Spruchpraxis die Haftanstalten in unzulässiger Weise überfüllt sind (156 % – nach dem Strafvollzug – Jahrbuch 2000). Die Gesamtzahl der Gefangenen wird in der folgenden Tabelle dargestellt:

Tabelle 2: Straf- und Untersuchungsgefangene in Ungarn

	Absolute Zahl der Gefangenen									
Jahr (nach dem Zustand am 31.12.)	Unter-suchungs-gefangene	%	Verurteilte	%	Zwangs-behandelte	%	Polizeihaft	%	Insgesamt	%
1990	3.246	26,3	8.897	72,2	146	1,2	30	0,2	12.319	100
1991	4.264	28,8	10.326	69,7	152	1,0	68	0,5	14.810	100
1992	4.272	26,8	11.424	71,8	143	0,9	74	0,5	15.913	100
1993	3.557	26,9	9.390	71,2	130	1,0	119	0,9	13.196	100
1994	3.433	26,1	9.390	71,4	121	0,9	196	1,5	13.143	100
1995	3.183	25,6	8.928	71,7	128	1,0	215	1,7	12.455	100
1996	3.455	27,2	8.986	70,4	147	1,1	174	1,3	12.763	100
1997	3.660	27,3	9.408	70,2	165	1,2	172	1,3	13..405	100
1998	3.909	27,2	10.171	70,8	173	1,2	113	0,8	14.366	100
1999	4.114	27,2	10.800	71,5	181	1,2	15	0,1	15.110	100
2000	4.105	26,4	11.201	72,1	173	1,1	60	0,4	15.539	100
2001	4.263	24,7	12.755	73,8	194	1,1	63	0,4	17.275	100

Quelle: Angaben der Statistischen Jahrbücher (KSH) und des Justizministeriums.

2. Die gemeinnützige Arbeit

Der vom Gericht zu gemeinnütziger Arbeit Verurteilte ist verpflichtet, wöchentlich einmal unentgeltlich gemeinnützige Arbeit zu verrichten. In der neuesten StGB-Reform wird an der gemeinnützigen Arbeit – als Hauptstrafe – festgehalten. Trotz des bescheidenen praktischen Anwendungsbereichs ist die kriminalpolitische Konzeption, die ihrer Einführung und Beibehaltung zugrunde lag, positiv zu bewerten. Nur so erklärt sich auch, dass die gemeinnützige Arbeit in vielen westeuropäischen Ländern eine der am häufigsten angewandten Alternativen zur kurzzeitigen Freiheitsstrafe darstellt. Im internationalen Vergleich sind folgende Anwendungstypen zu unterscheiden:

- selbständige Sanktion (Strafe) aufgrund einer Verurteilung,
- Nebenfolge zur ausgesetzten Freiheitsstrafe bzw. neben einer auf Probe ausgesetzten Sanktion,
- Vollzugsform der kurzzeitigen Freiheitsstrafe,
- Ersatz für eine Geldstrafe.

In Ungarn wie in vielen anderen Staaten wird die gemeinnützige Arbeit als selbständige Sanktion angewendet. Ein wesentlicher Unterschied zur ungarischen Regelung besteht jedoch darin, dass in den westeuropäischen Regelungen die Anordnung der gemeinnützigen Arbeit praktisch nur mit Zustimmung des Straftäters möglich ist. Angesichts der internationalen Standards (z.B. Verbot der Zwangs- oder Pflichtarbeit – Art. 4 der Europäischen Konvention für Menschenrechte) und im Interesse der Effektivität ist es unbedingt nötig, das Zustimmungserfordernis des Täters auch in die ungarische Regelung aufzunehmen. Eine weitere grundlegende Voraussetzung für die häufigere Anwendung der gemeinnützigen Arbeit wäre, dass sie nur gegen einen „bestimmten Täterkreis" verhängt würde, und dass entsprechende Vollstreckungsbedingungen geschaffen und eine effektive Durchführungskontrolle ermöglicht würden.

Der Ausgangspunkt bei der Forderung nach einem „bestimmten Täterkreis" ist, dass das Ziel dieser Sanktion nicht in der Erziehung zur Arbeit besteht, sondern dass der Täter seine Straftat gegen die Gemeinschaft durch die gemeinnützige Arbeit wieder gutmacht. Aus diesem Grund dürfte diese Sanktion nicht gegen Alkoholiker, „Arbeitsscheue", gegen Menschen, die bestimmte Arbeiten aus gesundheitlichen oder aus anderen Gründen nicht leisten können, oder gegen Obdachlose verhängt werden. (Die gemeinnützige Arbeit dürfte nicht zur Strafe von Alkoholikern, „Arbeitscheuen" und Obdachlosen degradiert werden.) Andererseits kann die diffamierende und beschämende Wirkung der gemeinnützigen Arbeit in Ungarn eine große Wirkung haben.

Der Vollzug der gemeinnützigen Arbeit ist im 5. Kapitel des Strafvollzugsgesetzes ausführlich geregelt. Demgemäß wird der Vollzug dieser vom Strafvollzugsrichter verhängten Hauptstrafe durch den Bewährungshelfer kontrolliert. Für die

Dauer des Vollzugs wird kein Arbeitsverhältnis mit der jeweiligen Arbeitsstelle begründet. Das Strafvollzugsgesetz bestimmt, dass die Arbeitszentralen in den Komitaten und der Hauptstadt die Gerichte regelmäßig über die Arbeitsmöglichkeiten informieren müssen. In der Praxis befriedigt allerdings die Zusammenarbeit zwischen den Arbeitszentralen und den Gerichten hinsichtlich Qualität und Quantität der zur Verfügung stehenden Arbeiten nicht. Daneben sind die Vollzugskompetenz der Bewährungshelfer, die Kontrolle der Durchführung und die Sicherung der Arbeitsbedingungen nicht ausreichend gewährleistet.

Gemäß § 49(4) StGB beträgt die Mindestdauer für die gemeinnützige Arbeit einen Tag, die Höchstdauer 50 Tage. In der früheren Regelung betrug die Höchstdauer 100 Tage, die durch die StGB-Reform von 1997 auf die Hälfte herabgesetzt wurde. Im Unterschied zu entsprechenden Regelungen in anderen Staaten bestimmt sich in Ungarn die Höchstdauer unverändert in Tagen und nicht in Stunden.

Das frühere StGB hat die Tagesdauer der Arbeit nicht festgelegt. Gemäß § 61(2) des Strafvollzugsgesetzes dauert ein Arbeitstag mindestens vier, höchstens acht Stunden. Diese ungerechte Regelung – da die gleiche Strafdauer in einigen Fällen durch zweimal so viel Arbeit verrichtet werden muss – wurde erstaunlicherweise durch die StGB-Änderung von 1997 nicht außer Kraft gesetzt. Gleichzeitig wurde allerdings die Tagesdauer der gemeinnützigen Arbeit auf sechs Stunden festgelegt.

So gibt es über die Tagesdauer der gemeinnützigen Arbeit zwei widersprüchliche geltende Regelungen. In der Praxis wird mit Rücksicht auf das Prinzip *lex posteriori derogat lex priori* vermutlich die Regelung der täglichen sechs Arbeitsstunden angewendet. Dementsprechend beträgt die Mindestdauer der gemeinnützigen Arbeit einen Tag, also sechs Stunden, die Höchstdauer 50 Tage, also 300 Stunden. In der Gerichtspraxis wird die gemeinnützige Arbeit unter anderem bei den Verkehrsstraftaten verhängt, insbesondere in Fällen, in denen sie die einzige vorgesehene Sanktion ist.

Die gemeinnützige Arbeit kann auch gegenüber Straftätern ausgesprochen werden, die sich in einem festen Arbeitsverhältnis befinden. Problematisch ist die Umwandlung: Wenn der Verurteilte die gesetzlich festgelegten täglichen sechs Stunden nicht ableistet, so wird die Sanktion durch 24 Stunden Freiheitsstrafe ersetzt.

Zusammenfassend kann festgehalten werden, dass die Vollstreckung der gemeinnützigen Arbeit umständlich und nicht besonders effektiv ist.

3. Die Geldstrafe

Im ungarischen StGB von 1978 wurde – unter deutschem und österreichischem Einfluss – die Geldstrafe nach dem Tagessatzmodell geregelt. Mit der neuen StGB-Änderung wurde die Regelung der Geldstrafe sowohl im Hinblick auf die Anzahl der Tagessätze als auch auf die Höhe eines Tagessatzes verändert. Die Änderung des Betrags ist positiv zu bewerten, doch der Anstieg von 360 auf maximal 540 Tagessätze ist übertrieben. Denn zum einen sehen die Strafgesetzbücher anderer Staaten im Allgemeinen höchstens 360 Tagessätze vor, zum anderen werden in der ungarischen Praxis meistens 120–250 Tagessätze verhängt. Die Anwendung von mehr als 300 Tagessätzen kommt nur selten vor. So halte ich die Erhöhung des maximalen Tagessatzes für unbegründet und unnötig, da schon der derzeitige gesetzliche Rahmen nicht ausgeschöpft wird.

Auch auf die mit der Tat erreichten oder erzielten materiellen Vorteile sollte Rücksicht genommen werden. Das Problem ist vom Rechtsanwender zu lösen, er muss das Verbot der doppelten Bewertung im Auge behalten. In einigen Fällen zählt der erzielte materielle Vorteil zu den Tatbestandsmerkmalen.

Bei der Anwendung dieser Sanktion muss auch berücksichtigt werden, dass in vielen Fällen die verhängte Geldstrafe nicht bezahlt wird und sich dadurch die Zahl der Gefangenen – als Folge der Umwandlung der Strafe – erhöht.

Die verhängte Geldstrafe fließt – angeblich – in den Gerichtshaushalt ein und wird dort auch verwendet. Deshalb ist es möglich, dass sich die gerichtliche Sanktionenanwendung nicht nur nach strafrechtlichen Regeln und Prinzipien richtet, sondern dass unzulässigerweise auch finanzielle Gesichtspunkte eine Rolle spielen.

Im internationalen Vergleich ist die praktische Anwendung der Geldstrafe unterschiedlich. In der deutschen Strafzumessungspraxis beträgt der Anteil der Geldstrafe über 80 %, wohingegen in der Schweiz dieser Anteil bei nur 30 % liegt.

Unter den „entwickelten Ländern" spielt die Geldstrafe in den USA die unwichtigste Rolle. Sie wird dort höchstens neben anderen Strafen verhängt; ihre Anwendung als Alternative zur kurzzeitigen Freiheitsstrafe ist längst nicht so verbreitet wie in den westeuropäischen Staaten. Einige Staaten der USA haben sogar die Geldstrafe als selbständige Strafe aus ihren Gesetzbüchern gestrichen. Bei Bagatelldelikten kann den Gerichten auch nicht vorgeschrieben werden, keine Freiheitsstrafe zu verhängen. In dieser Hinsicht ist dem Beispiel der USA nicht zu folgen.

4. Strafaussetzung zur Bewährung

Die herrschende Meinung betrachtet die Strafaussetzung zur Bewährung nicht als eine Form der Strafe, sondern als eine Regelung des Strafvollzugs, über die bei der Strafzumessung entschieden wird.

Dabei werden die verschiedenen Aspekte der Strafaussetzung zur Bewährung nicht einheitlich bewertet und dem kriminalpolitischen Einfluss in diesem Bereich eine mehr oder weniger große Bedeutung zugemessen. Dogmatisch ist die Strafaussetzung nach Ansicht der herrschenden Meinung eine Modifikation der Strafvollstreckung und keine selbständige Sanktionsform.

Unter kriminalpolitischem Aspekt betrachtet kann die Strafaussetzung als eine selbständige Sanktionsform, als „ambulante Resozialisierung“ beschrieben werden. Die Strafaussetzung zur Bewährung erfüllt – vor allem im Hinblick auf die Freiheitsstrafe – eine selbständige Funktion zwischen den Rechtsfolgen ohne Freiheitsentzug und dem Vollzug der Freiheitsstrafe. So ist es kein Zufall, dass diese Sanktionsform in mehreren Ländern als selbständige Rechtsfolge geregelt ist. In diesem Rahmen können auch Anordnungen und Weisungen ergehen. Es ist von großer Bedeutung, dass mit dieser Rechtsfolge die negativen Auswirkungen des Vollzugs der Freiheitsstrafe vermieden werden können. Denn es entspricht einem modernen Strafrecht, dass Freiheitsentzug nur dann angeordnet werden soll, wenn dies zur Erreichung des Strafzwecks erforderlich ist.

Die Strafaussetzung zur Bewährung (oder der bedingte Strafvollzug) ist heutzutage kriminalpolitisch ein bedeutendes Sanktionsmittel. Sie bezieht sich sowohl in Ungarn als auch in anderen Staaten gleichermaßen auf die Freiheitsstrafe und auf die Geldstrafe. Dieses Rechtsinstitut wird auch in anderen Staaten nicht nur als eine Strafform, sondern auch als eine eigenständige Sanktion, als ein „dritter Weg“ innerhalb des Sanktionensystems betrachtet (oder als ein Sanktionsmittel in einem dreispurigen Sanktionensystem).

Der Erfolg und die Wirksamkeit der Strafaussetzung sind an dem Anteil der Rückfälle und der Widerrufe zu messen. Der Erfolgs- und Misserfolgsanteil kann in den verschiedenen Täterkreisen unterschiedlich sein. Jedoch hat die Misserfolgsrate in den meisten westeuropäischen Ländern kaum zugenommen. In der Gerichtspraxis sind die Anwendungskriterien großzügiger, die Widerrufsgründe enger geworden.

Die Aussetzung der Strafe zur Bewährung unter gleichzeitiger Anordnung der Aufsicht durch einen Bewährungshelfer ist bei bestimmten Tätergruppen – ohne Rücksicht auf die geringe Widerrufszahl und die gesparten Kosten – eine wirksame Sanktion. Gemäß den vorliegenden Untersuchungen ist die Strafaussetzung zur Bewährung bei älteren Menschen, bei Ersttätern und bei Frauen am wirksamsten. Bei Jugendlichen und bei Heranwachsenden ist die Widerrufsrate dagegen schon höher. Aufgrund der steigenden Zahl problematischer Fälle kann für viele Staaten übereinstimmend ein steigendes Bedürfnis nach mehr und besser ausgebildeten Bewährungshelfern beobachtet werden, um die Aussetzung der Vollstreckung der Strafe zur Bewährung effektiver zu gestalten.

5. Andere wichtige Sanktionen außerhalb der Hauptstrafen

Die bisherige Regelung der Nebenstrafen ist bis auf die Einziehung des Vermögens relativ unverändert geblieben. Die jüngste StGB-Reform hat im Bereich der Nebenstrafen Veränderungen für die Vermögenseinziehung, die Landesausweisung, das Aufenthaltsverbot und die Geldstrafe als Nebenstrafe mit sich gebracht.

Die Vermögenseinziehung wurde im Jahr 2001 im Wesentlichen neu geregelt. Sie ist nunmehr zwingend auf das durch die Straftat erlangte Vermögen, den Wertersatz bzw. das Surrogat anzuwenden. Durch diese Regelung soll vermutlich erreicht werden, dass sich die Begehung der Straftat und dadurch der Vermögenserwerb für den Täter nicht lohnt. Diese Vermutung beruht auf der kriminalökonomischen Theorie: Der Täter lässt sich auch von Kosten-Nutzen-Erwägungen leiten. Die neue Regelung entspricht den in Westeuropa üblichen Regelungen, so sind z.B. in Deutschland der Verfall und in Österreich die Gewinnabschöpfung ähnliche Rechtsinstitute. Jedoch ist zu bemerken, dass die Anordnung des Verfalls in Deutschland „weitaus hinter den Erwartungen" zurückgeblieben ist, und sich die Gewinnabschöpfung in Österreich „nach der allgemeinen Beurteilung nicht bewährt hat".

Die neue Regelung der Vermögenseinziehung ist positiv zu bewerten, zumal diese Rechtsfolge ausschließlich auf das aus der Straftat stammende Vermögen angewendet werden kann. Die Vermögenseinziehung ist folglich auf legal erworbenes Vermögen nicht anwendbar. Ansonsten ist sie aber nach wie vor relativ unbestimmt geblieben, d.h. es ist selbst für die Alternative der Einziehung eines Geldbetrags keine Unter- und Obergrenze festgelegt worden; allein die Größe des illegalen Vermögens kann eine Grenze darstellen. Die Beweisbarkeit stellt ein weiteres Problem dar.

In den neuesten Änderungen ist die Vermögenseinziehung nicht als Nebenstrafe, sondern als Maßregel ausgestaltet. Diese Änderung ist schon zum 1. April 2002 in Kraft getreten.

Im Bereich der Maßregeln wurden die Voraussetzungen der Freistellung auf Probe bei vorsätzlich begangenen Straftaten verschärft. Weitere Änderungen beziehen sich auf die Einziehung. Bedauerlicherweise lässt der Gesetzgeber die Bewährungsaufsicht unberücksichtigt, obwohl hier Reformbedarf besteht.

Die durch die Anordnung 9/1974 eingeführte Sicherungsverwahrung konnte gegen mehrfache Rückfalltäter angeordnet werden. Das Gesetz IV/1978 (StGB) hat diese Regelung verändert und die Sicherungsverwahrung als Maßregel eingeführt. 1989 wurde die Sicherungsverwahrung durch das Gesetz LIV aufgrund theoretischer Bedenken und negativer Erfahrungen in der Vollzugspraxis abgeschafft.

IV. Sanktionspraxis in Ungarn

In der folgenden Tabelle sind statistische Daten bezüglich der Sanktionspraxis dargestellt:

Tabelle 3: Gerichtliche Sanktionspraxis in Ungarn (Erwachsene)

Jahr	Absolut %	Verurteilte insgesamt	Todes-strafe	Freiheitsstrafe			Gemeinnützige Arbeit	Geldstrafe	Sonstige
				Insgesamt	Bedingte	Unbedingte			
1975	A	59.233	3	25.358	10.766	14.592	3.653	30.219	–
	%	100		42,8	18,2	24,6	6,2	51,0	
1980	A	55.300	5	25.066	11.548	13.518	2.591	26.265	1.373
	%	100		45,3	20,9	24,4	4,7	47,5	2,5
1985	A	54.851	2	26.477	11.780	14.697	2.684	21.079	4.609
	%	100		48,3	21,5	26,8	4,9	38,4	8,4
1990	A	42.538	–	16.121	6.005	10.116	676	18.641	7.094
	%	100		37,9	14,1	23,8	1,6	43,8	16,7
1991	A	59.447	–	20.589	8.855	11.734	253	27.989	10.615
	%	100		34,6	14,9	19,7	0,4	47,1	17,9
1992	A	70.583	–	22.964	10.820	12.144	61	33.760	13.797
	%	100		32,5	15,3	17,2	0,08	47,8	19,5
1993	A	67.873	–	21.042	10.919	10.123	146	33.578	13.107
	%	100		31,0	16,1	14,9	0,2	49,5	19,3

1994	A	70.787	–	21.404	12.052	9.352	418	35.172	13.792
	%	100		30,2	17,0	13,2	0,6	49,7	19,5
1995	A	77.029	–	22.969	13.682	9.287	869	38.442	14.749
	%	100		29,8	17,76	12,05	1,1	49,9	19,14
1996	A	75.525	–	23.239	13.741	9.498	1.272	36.168	14.846
	%	100		30,8	18,2	12,6	1,7	47,9	19,6
1997	A	80.624	–	25.526	15.272	10.254	1.700	38.204	15.194
	%	100		31,7	18,9	12,7	2,1	47,4	18,8
1998	A	89.249	–	28.738	17.565	11.173	1.850	42.093	16.568
	%	100		32,2	19,7	12,5	2,1	47,2	18,5
1999	A	88.436	–	29.474	17.936	11.538	2.490	41.129	15.343
	%	100		33,3	20,3	13,0	2,8	46,5	17,3
2000	A	87.689	–	30.279	18.537	11.742	2.754	40.220	14.436
	%	100		34,5	21,1	13,4	3,1	45,9	16,5

Quelle: Angaben der Statistischen Jahrbücher (KSH) und des Justizministeriums.

In der ungarischen Sanktionspraxis war die Freiheitsstrafe bis zur Zeit der Wende 1989 die am häufigsten verhängte Sanktion. Der Anteil der vollzogenen Freiheitsstrafen war bis 1993 immer größer als der Anteil der ausgesetzten Strafen.

Seit 1993 bewegt sich der Gesamtanteil der Freiheitsstrafen an der Gesamtzahl der Verurteilungen um 30–34 %, 1997 lag er bei 31,7 %, 2000 bei 34,5 %. Der Anteil der Freiheitsstrafen nimmt in den letzten Jahren stetig zu. Auch die Anzahl der zur Bewährung ausgesetzten Strafen ist in den letzten Jahren gestiegen (von 14,1 % im Jahr 1990 auf 21,1 % im Jahr 2000). Der Anteil der vollzogenen Freiheitsstrafen ging aber 1990 von 23,8 % auf 12,5 % 1998 zurück. Diese Zahl hat sich in den letzten Jahren kaum verändert (1990: 12,5 %; 1996: 12,6 %; 1997: 12,7 %; 2000: 13,4 %). Die im Strafvollzugs-Jahrbuch veröffentlichten Daten aus dem Jahr 1997 stimmen nachdenklich: 40 % der Gefangenen in den Haftanstalten sind Ersttäter, 30,7 % Rückfalltäter und 29 % mehrfache Rückfalltäter.

Seit Ende der 1980er Jahre hat sich die Geldstrafe zu der am meisten verhängten Sanktion entwickelt. In den vergangenen Jahren hat sich ihr Anteil zwischen 45,9 % (2000) und 49,9 % (1995), also um 50 % bewegt. Es kann auch festgestellt werden, dass die Anwendung der Geldstrafe graduell gesunken ist: 1995 betrug sie noch 50 %, 2000 nur noch 45,9 %.

Die Verhängungsrate der gemeinnützigen Arbeit steigt zwar an, jedoch nur langsam und in unbedeutendem Umfang: 1994: 0,6 %, 1997: 2,1 %; 1999: 2,8 %.

Der Anteil der sonstigen, selbständigen Nebenstrafen und Maßregeln liegt in den letzten Jahren um 20 %: zwischen 18,8 % (1997) und 19,6 % (1996). Es ist zu bemerken, dass der Anteil dieser Sanktionen in den vergangenen Jahren auch gesunken ist; im Jahr 2000 ging er auf 16,5 % zurück. Von den so genannten „sonstigen Sanktionen" kommt die Freistellung auf Probe am häufigsten vor.

V. Die mögliche Weiterentwicklung des Sanktionensystems

Die gegenwärtige einseitig repressive Strafpolitik lässt nur wenig Raum für nicht verschärfende Alternativen, die in der näheren Zukunft eine reale Chance auf Einführung hätten. Hier möchte ich einige im Ausland verwendete, verhältnismäßig neue Rechtsinstitute erwähnen, die nicht einfach zu übernehmen, aber in Erwägung zu ziehen sind.

1. In mehreren Staaten ist der *elektronisch überwachte Hausarrest (EÜH)* eine Lösung für die überfüllten Gefängnisse. Der EÜH begegnet zwar auch positiver, aber vor allem negativer Kritik. So wird z.B. angeführt, dass der EÜH die Zahl der Gefangenen nicht reduziere, keine Kostenersparnis darstelle und im Wesentlichen dem „verfassungsgemäßen Menschenbild" der europäischen kontinentalen Länder widerspreche, indem der Mensch zum Objekt technischer Überwachung wird.

Die Anwendung des EÜH stellt freilich hohe Anforderungen an die technischen Mittel, die Wohnung, die Telefonverbindung und erfordert die Zustimmung derer, die mit dem „Gefangenen“ in gemeinsamem Haushalt leben.

Alle bisherigen Erfahrungen zeigen außerdem, dass der EÜH nur gegen psychisch und sozial stabile Straftäter, die zu kurzzeitiger Freiheitsstrafe verurteilt wurden, wirksam ist. Der Vorteil dieses neuen Rechtsinstituts ist aber, dass es entweder als selbständige Sanktion oder zur Überwachung der Straftäter, deren Strafe zur Bewährung ausgesetzt wurde, oder als spezielle Strafvollzugsform oder als Ersatz der Untersuchungshaft und der umgewandelten Freiheitsstrafe angewandt werden kann. Über die Zukunft des EÜH sind die Meinungen geteilt; in Deutschland ist eine skeptische, abweisende Haltung vorherrschend, während z.B. in Großbritannien und Schweden der EÜH positiv beurteilt wird und sein „Siegeszug“ als nicht aufzuhalten betrachtet wird.

Die neue StPO in Ungarn ermöglicht den *Hausarrest* im Rahmen des Aufenthaltsverbots, das durch die Polizei überwacht wird. Das Gesetz CX/1999 regelt den Hausarrest als ein neues Rechtsinstitut, als spezielle, verschärfte Vollzugsform des Aufenthaltsverbots. Die geltende StPO (§ 99/B) hat die Regelung über den Hausarrest übernommen. Bei Anordnung von Hausarrest wird laut der gemeinsamen Innen- und Justizministerialverordnung 2/2000 (II.26.) über den Vollzug des Hausarrests die Wohnung bestimmt, in der der Täter lebt. Das Gericht legt fest, dass der Beschuldigte die Wohnung und die dazu gehörenden Räume nur zu bestimmten Zwecken und nur für die in der Gerichtsverordnung festgesetzte Dauer und Weite verlassen darf. Der Hausarrest bedeutet also nicht, dass der Beschuldigte die Wohnung nicht verlassen darf, sondern dass er verpflichtet ist, sich im Allgemeinen dort aufzuhalten. Zum Zweck der Arbeitsleistung darf er sich z.B. zu in der Gerichtsverordnung bestimmten Zeitpunkten außerhalb der Wohnung aufhalten. In Ungarn ist also der Hausarrest als Ersatz der Untersuchungshaft konzipiert. Die Überwachung findet nicht elektronisch, sondern durch die Polizei statt.

2. Im Gegensatz zu anderen europäischen Ländern (Niederlande, Dänemark, Belgien, Frankreich, Österreich) ist im ungarischen StGB die „teilweise Strafaussetzung“ nicht bekannt. Der zur „teilweisen Strafaussetzung“ Verurteilte muss nur einen Teil der verhängten Strafe – meistens Freiheitsstrafe – verbüßen, der andere Teil wird zur Bewährung ausgesetzt. Eine Auseinandersetzung mit den ausländischen Erfahrungen in diesem Bereich wäre sinnvoll.

3. Unter den Diversions- und Wiedergutmachungsmöglichkeiten ist die durch das Gesetz XLI/1995 in das Jugendstrafrecht eingeführte Aussetzung der Anklageerhebung (§ 303/A StPO) ein verhältnismäßig neues Rechtsinstitut, so dass sich bis jetzt nur wenige Publikationen mit diesem Institut beschäftigt haben. Die gültige StPO hat dieses Rechtsinstitut auch beibehalten, es ist jedoch nicht verständlich, warum gegen Jugendliche keine gemeinnützige Wiedergutmachung als Verhaltensregel verhängt werden kann.

Die geltende StPO sieht die Aussetzung der Anklageerhebung auch bei Erwachsenen vor. Gemäß §§ 147/A und 147/B ist auch die Bestimmung verschiedener Auflagen möglich.

Die Regelung des Hausarrests und der Aussetzung der Anklageerhebung in der StPO deutet darauf hin, dass auch einige neu eingeführte, prozessrechtliche Rechtsinstitute das Sanktionensystem berühren und beeinflussen; so gelangen z.B. durch die Aussetzung der Anklageerhebung Jugendliche unter die Aufsicht eines Bewährungshelfers.

VI. Die Wiedergutmachung im ungarischen Strafrecht

Ein internationaler Vergleich ergibt, dass es in Europa keine Rechtsordnung gibt, die zur Frage der Wiedergutmachung keine Regelung getroffen hätte. Dabei sind drei verschiedene Alternativen zu unterscheiden:

a) die Wiedergutmachung stellt eine vorverlegte, informelle Konfliktbeilegung dar, durch die weitere unnötige Prozesshandlungen vermieden werden können;
b) die Wiedergutmachung ist keine selbständige Sanktion, sondern eine mittelbare Auswirkung der Verfahrenseinstellung und der Sanktionsentscheidung;
c) die Wiedergutmachung ist entweder eine selbständige Sanktion oder gilt als „dritte Spur" im Sanktionensystem.

Anhand dieses kurzen Überblicks wird schon deutlich, dass diese Modelle nicht klar voneinander zu trennen sind, da die Wiedergutmachung alle angesprochenen Bereiche von der außerrechtlichen Konfliktbeilegung bis zum Strafvollzug berührt.

Das geltende Strafrecht berücksichtigt an mehreren Stellen die Wiedergutmachung des durch eine Straftat verursachten Schadens. Auf einer solchen „restitutio" basieren verschiedene Rechtsinstitute des Straf- und Strafverfahrensrechts, die es ermöglichen, die entsprechende Bemühung des Straftäters um Wiedergutmachung des Schadens zu honorieren.

Ein solches Institut stellt auf der strafverfahrensrechtlichen Ebene der *Adhäsionsprozess* dar. Nach ungarischem Recht kann der Verletzte seine aus einer Straftat oder einer Ordnungswidrigkeit entstandenen Wiedergutmachungsansprüche im Zivil- oder im Strafverfahren geltend machen. Im Strafverfahren kann der Verletzte gegen den Beschuldigten den zivilrechtlichen Anspruch geltend machen, der aus der Straftat oder der Ordnungswidrigkeit, deren Begehung das Gericht festgestellt hat, entstanden ist. Diesen zivilrechtlichen Anspruch kann auch der Staatsanwalt erheben, und zwar anstelle des Verletzten.

Die *Wiedergutmachung* als *selbständige Sanktionsart* (Strafe oder Maßregel bzw. „dritte Spur") ist im ungarischen Strafrecht *nicht bekannt.* Als Akt symbolischer Wiedergutmachung, insbesondere eines durch ein Delikt gegen die Allgemeinheit verursachten Schadens, kann die gemeinnützige Arbeit angesehen werden.

Im ungarischen StGB ist die *tätige Reue* (§ 332) folgendermaßen geregelt:

„Wenn der an einem Diebstahl, einer Unterschlagung, einem Betrug, einer Untreue, einer Sachbeschädigung, einer Hehlerei, einer rechtswidrigen Entzug oder an einem eigenmächtigen Entzug eines Fahrzeugs Beteiligte die Tat – bevor sie entdeckt wird – der Behörde oder dem Geschädigten zur Kenntnis bringt und den Schaden wieder gutmacht oder alles, was man von ihm erwartet, unternimmt, um den Schaden wieder gutzumachen, kann die Strafe uneingeschränkt gemildert werden, und in besonders gerechtfertigten Fällen kann sogar von ihr abgesehen werden."

Diese Strafmilderung scheidet aber z.B. bei gewalttätigen Eigentumsdelikten (Raub, Erpressung, Plünderung) sowie bei Benachteiligung der Verbraucher aus; dagegen bildet die Höhe des Schadens kein Hindernis für Strafmilderung. Die Gerichte wenden diese gesetzliche Bestimmung nur sehr restriktiv und selten an.

Die Schadenswiedergutmachung stellt also im ungarischen Strafrecht in erster Linie einen *Strafzumessungsfaktor* dar, d.h. einen wesentlichen strafmildernden Umstand. Sie kann aber auch eine *sanktionsergänzende Rolle* bei der Aufsicht durch einen Bewährungshelfer spielen. Wer unter eine solche Aufsicht gestellt wird, hat die Verhaltensregeln zu befolgen, die durch das Gericht bestimmt worden sind, insbesondere Pflichten wie die Wiedergutmachung des angerichteten Schadens (§ 82 StGB) zu erfüllen.

Das StGB enthält eine Regelung über die *Tilgung* der Nachteile, die an eine Vorbestrafung geknüpft sind. Wer wegen einer Straftat zu einer unbedingten Freiheitsstrafe verurteilt wurde, kann auf Antrag in den Genuss dieser Tilgung kommen, wenn er sich ihrer würdig erweist und wenn seit der Verbüßung der Freiheitsstrafe bzw. der Aufhebung ihrer Vollziehbarkeit eine bestimmte Frist abgelaufen ist. Bei der Entscheidung darüber, ob der Straftäter „würdig" ist, muss das Verhalten des Verurteilten nach Verbüßung der Strafe berücksichtigt werden. Ferner kann auch hier die mögliche Wiedergutmachung eine Rolle spielen.

Es wäre wünschenswert, in Ungarn weitere strafrechtliche, strafprozessrechtliche oder in selbständigen Gesetzbüchern geregelte Alternativen einzuführen, die den Interessen des Verletzten (Opfers) und der Wiedergutmachung dienen.

VII. Strafrechtliche Maßregeln gegen juristische Personen

Strafrechtliche Maßregeln gegen juristische Personen wurden durch das Spezialgesetz CIV/2001 eingeführt. Dieses Gesetz sieht folgende Maßregeln vor:

- Auflösung der juristischen Person,
- Beschränkung der Tätigkeit der juristischen Person,
- Geldbuße.

Diese Rechtsfolgen sind eigentlich administrative, typischerweise nicht strafrechtliche Sanktionen. Das Spezialgesetz tritt anlässlich des Beitritts Ungarns zur Europäischen Union in Kraft.

Literaturverzeichnis

Györgyi, Kálmán, Landesbericht Ungarn. In: Albin Eser/Barbara Huber (Hrsg.), Strafrechtsentwicklung in Europa 2, Landesberichte 1984/1986 über Gesetzgebung, Rechtsprechung und Literatur, Teilbd. 2. Freiburg 1988, S. 1665–1712.

– Über die Einführung der Tagessatz-Geldstrafe in Ungarn. In: Albin Eser/Günther Kaiser (Hrsg.), Deutsch-ungarisches Kolloquium über Strafrecht und Kriminologie. Baden-Baden 1990, S. 99–106.

Györgyi, Kálmán/Lammich, Siegfried, Entwicklung des Strafrechts, der Kriminalität und der Strafzumessungspraxis in Ungarn seit dem Inkrafttreten des Strafgesetzbuchs von 1978. ZStW 100 (1988), S. 974–993.

Horváth, Tibor, Die Todesstrafe in Ungarn. In: Albin Eser/Günther Kaiser (Hrsg.), Deutsch-ungarisches Kolloquium über Strafrecht und Kriminologie. Baden-Baden 1990, S. 85–98.

Jescheck, Hans-Heinrich/Weigend, Thomas, Lehrbuch des Strafrechts. Allgemeiner Teil. 5. Aufl. Berlin 1996, S. 744–751.

Kaiser, Günther, Kriminologie. Eine Einführung in die Grundlagen. Heidelberg 1997. S. 417–455.

Lammich, Siegfried/Nagy, Ferenc, Die Freiheitsstrafe und deren Vollzug in Ungarn. ZfStrVo 1989, S. 210–215.

Nagy, Ferenc, Das Recht der strafrechtlichen Maßregeln in Ungarn. ZStW 97 (1985), S. 424–435.

– Sanktions- und Strafvollzugspraxis in der Bundesrepublik Deutschland und in Ungarn im Vergleich. In: Albin Eser/Günther Kaiser (Hrsg.), Deutsch-ungarisches Kolloquium über Strafrecht und Kriminologie. Baden-Baden 1990, S. 263–281.

– Arten und Reform punitiver und nicht-punitiver Sanktionen in Ungarn. In: Albin Eser/Günther Kaiser/Ewa Weigend (Hrsg.): Von totalitärem zu rechtsstaatlichem Strafrecht. Freiburg 1993, S. 313–339.

– Hungary. In: Dirk van Zyl Smit/Frieder Dünkel (Eds.), Imprisonment Today and Tomorrow. 2. Aufl. Den Haag u.a. 2001, S. 351–372.

– A magyar büntetőjog általános része (Das ungarische Strafrecht. Allgemeiner Teil, Lehrbuch). Budapest 2001, S. 346–414, 476–497.

– A büntetőjogi szankciórendszer reformja. Büntetések és intézkedések az új Büntető Törvénykönyvben (Reform des strafrechtlichen Sanktionensystems. Strafen und Maßregeln im neuen StGB). Büntetőjogi Kodifikáció (Strafrechtliche Kodifikation), Budapest 2001, Nr. 2, S. 3–13.

Übersicht – Stand April 2002

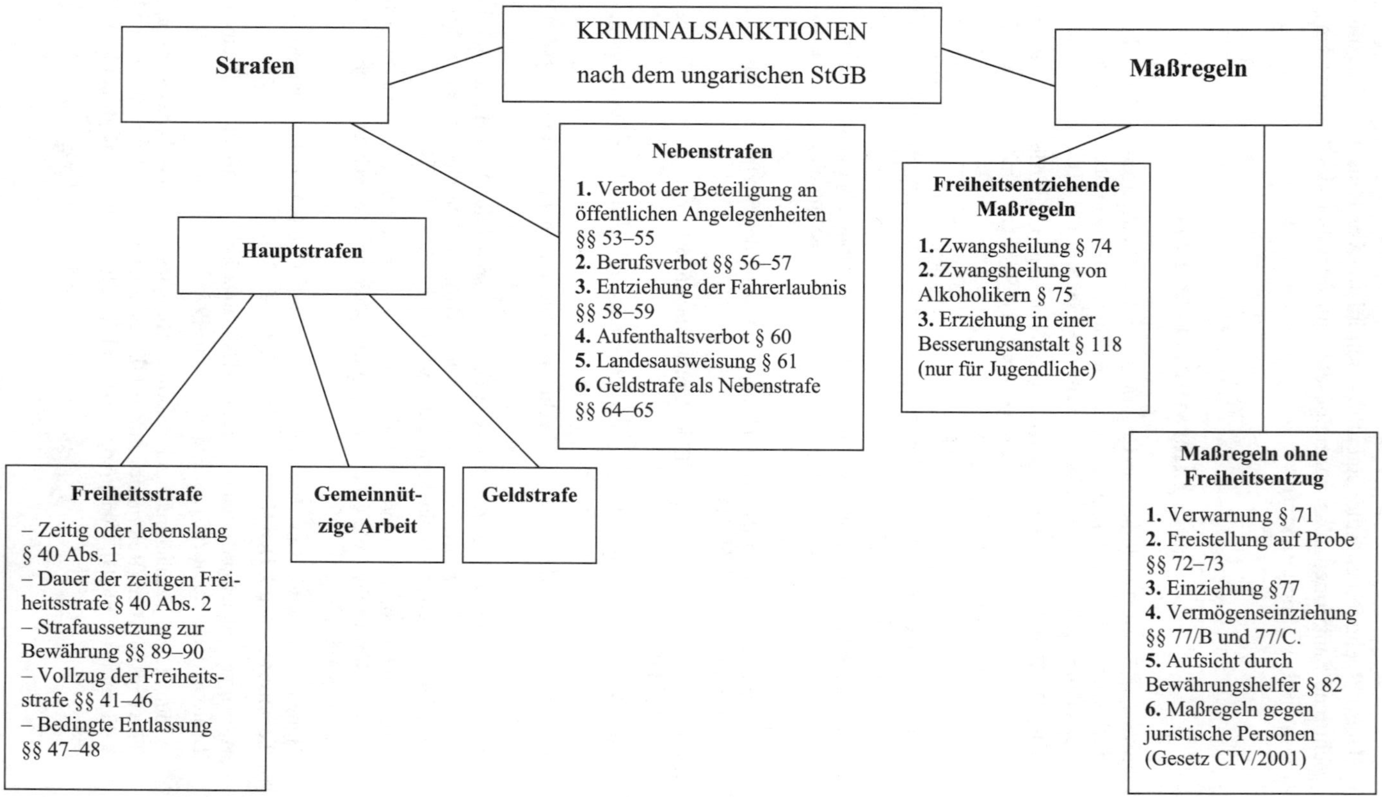

Die Abschaffung traditioneller und die Einführung neuer Sanktionen in Weißrussland

Vladimir Khomitch, Minsk

1. Die Abschaffung traditioneller Sanktionen und die Einführung neuer Sanktionen im Strafgesetzbuch Weißrusslands

Zum 1.1.2001 ist das 1999 verabschiedete neue weißrussische Strafgesetzbuch[1] in Kraft getreten. Es ersetzt das Strafgesetzbuch von 1960. Heute kann man das StGB von 1999 nicht nur hinsichtlich der neu eingeführten Strafsanktionen betrachten, sondern auch schon eine erste Stellungnahme bezüglich der Rechtsanwendung geben.

Die Verabschiedung des StGB von 1999 fiel sowohl in politischer als auch in wirtschaftlicher Hinsicht in eine schwierige Zeit. Politisch gesehen war dies die Periode, in der sich der staatliche Druck in der Gesellschaft und in der Wirtschaft verstärkte. Vor dem Hintergrund der Zunahme der Kriminalität und des sinkenden Lebensstandards der Bevölkerung versuchten die staatlichen Organe, stärker zu kriminalisieren und die Strafpraxis durch Heraufsetzung der Höchststrafen zu verschärfen. In einem gewissen Maß gelang es ihnen, diese Vorstellungen im StGB von 1999 zu verwirklichen. Die maximale Freiheitsstrafe wurde auf 25 Jahre heraufgesetzt bzw. auf 30 Jahre im Fall der Begehung mehrerer Straftaten. Ungeachtet des Drucks der Rechtsschutzorgane, die sich erfolgreich für die Verschärfung der Strafsanktionen einsetzten, gelang es denen, die an der Entstehung des Gesetzes mitwirkten, auch liberale Prinzipien im Sanktionensystem zu berücksichtigen. Das äußerte sich folgendermaßen:

1. Die Möglichkeit der Anwendung der Todesstrafe wurde wesentlich eingeschränkt. Sie kann heute nur für besonders schwere Straftaten gegen das Leben angewandt werden (Art. 59 StGB).

2. Als Alternative zur Todesstrafe wurde Ende 1997 die lebenslange Freiheitsstrafe eingeführt, also noch vor Annahme des StGB von 1999.[2] Dadurch sollte die

---

1 Nazional'nyi Reestr pravovych Aktov Respubliki Belarus (Sammlung der Rechtsakte der Republik Belarus), 1999, Nr. 76.

2 Zakon Respubliki Belarus ot 30 Dekabra 1997 „O Vnesenii Izmeneij i Dopolnenij v Ugolovnyj, Ugolovno-prozessual'nyj i Ispravitelno-trudovoj Kodeksy Respubliki Belarus", Vedomosti Nazional'nogo Sobranija Respubliki Belarus (Gesetz der Republik Belarus vom 30.12.1997 „Über die Veränderungen und Ergänzungen im Strafgesetzbuch, der

Anwendung der Todesstrafe auf die Fälle des Mordes unter besonderer Gewaltanwendung begrenzt werden.

3. Die Möglichkeit der Vermögenskonfiskation als Strafe wurde begrenzt (Art. 61 StGB). Jetzt kann diese Sanktion nur noch als Nebenstrafe für schwere und besonders schwere Straftaten, die aus Gewinnsucht begangen wurden, verhängt werden. Für die Staaten, in denen lange Zeit ein kommunistisches System herrschte, bedeutet das eine wichtige Änderung. Früher stellte die Konfiskation ein entscheidendes Mittel der ökonomischen Unterdrückung dar. In Zeiten der Übergangswirtschaft wurde die Konfiskation im Rahmen der Gesetze zu ungerechtfertigten Repressionsmaßnahmen genutzt. Aus diesem Grund entschloss man sich, die Anwendung dieser Strafe auf die Fälle der Begehung von schweren und besonders schweren Verbrechen zu begrenzen, die aus eigennütziger Veranlassung begangen wurden.

4. Für Straftaten geringer und mittlerer Schwere sieht das neue Gesetz alternativ auch zwei Formen der bedingten Strafe vor: die Aussetzung der Strafvollstreckung zur Bewährung (Art. 77) und die bedingte Strafe (Art. 78).

Gemäß Art. 77 StGB kann das Gericht die Vollstreckung einer Freiheitsstrafe von maximal fünf Jahren für ein Jahr bis zwei Jahre aussetzen, sofern der Täter zum ersten Mal zu einer Freiheitsstrafe verurteilt wurde. In diesem Fall erlegt das Gericht dem Verurteilten verschiedene Pflichten auf, z.B. Meldepflicht, Entziehungskur u.a. Die Einhaltung dieser Pflichten durch den Verurteilten wird im Lauf einer bestimmten Frist von speziellen Vollzugsorganen kontrolliert (diese sind vergleichbar mit einem Bewährungshelfer).

Nach Ablauf der Bewährungsfrist hat das Gericht entsprechend dem Vorschlag des Organs, das die Kontrolle über das Verhalten des Verurteilten ausübt, folgende Entscheidungsmöglichkeiten:

– die Strafe kann erlassen werden, wenn der Verurteilte im Lauf der Frist durch sein rechtmäßiges Verhalten Besserung bewiesen hat;
– die Nachfrist der Strafvollstreckung kann von sechs Monaten bis zu einem Jahr verlängert oder der Freiheitsentzug durch eine geringere Strafe ersetzt werden, wenn der Verurteilte im Lauf der Frist den Willen zu rechtmäßigem Verhalten gezeigt hat, aber nicht vollkommen Besserung bewiesen hat;
– die Vollstreckung der Strafe kann angeordnet werden, wenn der Verurteilte im Lauf der Frist nicht den Willen zu rechtmäßigem Verhalten gezeigt hat.

Falls der Verurteilte im Lauf der Bewährungszeit eine weitere Straftat begeht, für die er zu einer Freiheitsstrafe verurteilt wird, so wird die Frist aufgehoben und das Gericht bildet eine Gesamtstrafe aus der ersten und der zweiten Strafe.

Strafprozessordnung und im Besserungsarbeitsgesetz der Republik Belarus", Gesetzblatt der Nationalversammlung der Republik Belarus), 1998, Nr. 2, Art. 9.

Die zweite Art der bedingten Strafe ist in Art. 78 StGB vorgesehen. Der Verurteilte muss danach im Lauf der Probezeit die ihm auferlegten Pflichten unter Aufsicht der speziellen Organe erfüllen. Die Pflichten sind in diesem Fall weniger streng als bei der Bewährungsstrafe. Außerdem darf das Gericht nach Ablauf der Probezeit (deren Dauer drei Jahre nicht überschreiten darf) das Verhalten des Verurteilten während dieser Zeit nicht berücksichtigen. Falls der Verurteilte in der Probezeit keine neue Straftat begangen hat (in diesem Fall darf das Urteil des Gerichts über die bedingte Strafe vor Fristablauf aufgehoben werden), so wird dem Verurteilten nach deren Ablaufen automatisch die verhängte Freiheitsstrafe erlassen.

1. Wird durch die Straftat eine Person geschädigt, so ist nun im Gegensatz zur früheren Regelung auch die Wiedergutmachung des immateriellen Schadens obligatorisch. Die Geschädigten nutzen diese Regelung in großem Maße. Nach Angaben des Justizministeriums kommt es in jedem dritten Strafverfahren zur Forderung des Schadensersatzes für den immateriellen Schaden seitens des Geschädigten, und die Gerichte geben dem zumeist statt.[3]

2. Die Liste der Straftaten, die nur auf Antrag des Geschädigten bzw. seines Vertreters verfolgt werden, wurde erweitert (Art. 33 StGB). In diesem Zusammenhang wurde auch das dem StGB bis dahin unbekannte Absehen von Strafe im Fall der Versöhnung des Täters mit dem Geschädigten eingeführt (Art. 89).

3. Als neue Sanktion wurde die Zwangsarbeit außerhalb des ständigen Wohnorts in Verbindung mit Freiheitsbeschränkung eingeführt (Art. 55 StGB). Diese Strafe ist auch als Alternative zum Freiheitsentzug gedacht. Der Verurteilte bleibt bei der Vollstreckung der Strafe auf freiem Fuß, soll sich aber während der festgelegten Frist außerhalb seines Wohnorts aufhalten und nach Anweisung der Administration der strafrechtlich-exekutiven Einrichtung arbeiten.

4. Der Anwendungsbereich der Geldstrafe wurde wesentlich erweitert. Im StGB sind jedoch das so genannte traditionelle System der Bestimmung der Geldstrafe beibehalten und die Sätze wesentlich erhöht worden (Art. 50).

Das erste Jahr der Anwendung des StGB hat gezeigt, dass die Erfüllung der Strafe, die ohne Rücksicht auf die materielle Lage des Verurteilten bestimmt wird, in Anbetracht der prekär niedrigen Einkommensverhältnisse des Großteils der Bevölkerung zumeist unmöglich ist. Aus diesem Grund wird die Geldstrafe nur selten verhängt (3,5 % der gesamten Strafen).

Die Wirksamkeit der Geldstrafe als Hauptstrafe hängt auch von der Höhe der Summe ab. Bei der Bestimmung der Höhe der Geldstrafe ist zum einen der Schwe-

---

[3] Justizministerium der Republik Belarus, Sistema Sudov Respubliki Belarus (Informazionnyje Materialy ko wtoromu Siezdu Sudov Respubliki Belarus) (Das Gerichtssystem der Republik Belarus – [Informationsmaterialien zum zweiten Kongress der Richter der Republik Belarus]), Minsk 2002, Nr. 2, S. 38.

re der begangenen Straftat, aber auch der wirtschaftlichen Situation des Verurteilten Rechnung zu tragen. Gerade in der parallelen Berücksichtigung dieser beiden Faktoren liegt das Problem, für das im neuen StGB leider keine Lösung gefunden wurde.

Ein Hauptproblem der Geldstrafe war und ist ihre Durchsetzung sowie die Frage der rechtlichen Konsequenzen im Fall der Nichterfüllung. Die Akzeptanz und die Effektivität der Geldstrafe im Bereich der Straftaten geringer Schwere sowie der schweren Straftaten, die aus Gewinnsucht begangen wurden, hängen entscheidend von diesen Fragen ab.

Der Gesetzgeber entschied sich nach einer Analyse der verschiedenen Systeme der Bestimmung von Geldstrafen für die traditionelle Lösung und nicht für das Tagessatzsystem.

In diesem Zusammenhang verdient die unakzeptable Tatsache Beachtung, dass die Geldstrafe in der Praxis zur Eigentumsstrafe wird, da sie im Wege der Konfiskation durchgesetzt wird. Die Geldstrafe ist inzwischen faktisch Vermögenskonfiskation. Dabei sollte die Geldstrafe eigentlich vom Richter auf Grundlage der Gesetze angewandt werden und von dem Verurteilten im Rahmen seiner Einkommensverhältnisse erfüllt werden. Wenn die gesetzlichen Voraussetzungen und die praktische Anwendung in diesem Sinne eines Tages gegeben sein werden, wird die Geldstrafe eine dominierende Stellung im System der strafrechtlichen Sanktionen einnehmen und eine ernste Alternative zum Freiheitsentzug sein.

In diesem Zusammenhang wird in Weißrussland die Einführung des deutschen Modells der Geldstrafe diskutiert.

Leider ist die Hoffnung, dass das im neuen StGB vorgesehene Sanktionensystem zur Liberalisierung der Kriminalpolitik führt, nur teilweise gerechtfertigt. Das hängt damit zusammen, dass die überwiegende Mehrheit der Straftaten zur Kategorie der schweren Straftaten zählt und somit an strenge Sanktionen gebunden ist. Dadurch werden die Anwendungsmöglichkeiten der alternativen Strafmaßnahmen und der bedingten Strafe stark eingeschränkt. Die bedingte Strafe kann gemäß Art. 77 und 78 StGB für schwere Straftaten nicht angewandt werden. Deshalb macht die tatsächlich verbüßte Freiheitsstrafe mit 35 % den Großteil der Strafen aus. Die Anzahl der Gefängnisinsassen verringert sich nicht und beträgt zurzeit trotz der regelmäßigen Begnadigungen über 48.000. Verschärft wird die Situation dadurch, dass 70 % der Verurteilten aufgrund von Arbeitsmangel nicht zur Arbeit herangezogen werden können. Dies verursacht Konflikte unter den Gefangenen, die nicht immer von der Gefängnisleitung kontrolliert werden können.

Die statistischen Angaben des Justizministeriums zeigen auf, dass sich die Kriminalitätssituation der Republik Belarus nach Einführung des neuen StGB verändert hat.

Ein Vergleich mit den Angaben der Jahre 1998–2000 ergibt, dass sowohl die Anzahl der registrierten Straftaten als auch die der Verurteilten gesunken ist. Im Jahr 2000 wurden 135.540 Straftaten und 68.225 Straftäter registriert. In demselben Jahr wurden 57.074 Menschen verurteilt. 2001 wurden 114.177 Straftaten registriert, was eine Verringerung um 15,8 % im Vergleich zum Jahr 2000 bedeutet. 14,9 % der 2001 registrierten Straftaten stellten keine große öffentliche Gefahr dar; 42,4 % machten die weniger schweren Straftaten, 34,6 % die schweren Straftaten und 8,1 % die besonders schweren Straftaten aus. Die Gerichte der Republik haben im Jahr 2001 50.349 Menschen verurteilt: ihre Zahl hat sich im Vergleich zum Jahr 2000 um 11,8 % verringert.[4]

Straftaten gegen das Privateigentum nehmen in der Kriminalitätsstruktur mit 67,1 % aller im Jahr 2001 registrierten Straftaten den größten Platz ein. Dabei überwiegen die Raubdelikte (Art. 205-213 StGB). Sie machen 96,0 % der Straftaten gegen das Privateigentum aus, und 64,4 % der Gesamtkriminalität.

Im Jahr 2001 bildete diese Gruppe 59,3 % aller durch die Gerichte der Republik Weißrusslands verurteilten Straftäter. Dabei wurde jeder Zweite wegen Diebstahls verurteilt. Diebstahl ist das am häufigsten vorkommende Delikt bei den Straftaten gegen das Privateigentum.[5]

Die dargestellte Kriminalitätsstruktur hängt mit der schwierigen ökonomischen Situation des Landes zusammen, die durch den niedrigen Lebensstandard der Bevölkerung gekennzeichnet ist.[6]

Die zweitgrößte Gruppe der Straftaten sind die Straftaten gegen das Leben und die körperliche Unversehrtheit. Ihr Anteil an allen im Jahr 2001 registrierten Straftaten betrug 18,2 % (2000: 8,0 %). 2001 wurden 1.117 Morde verübt, das bedeutet einen Anteil an den Straftaten gegen das Leben und die körperliche Unversehrtheit von 8,3 %.[7]

Die Statistik der Strafanwendung der Gerichte hinsichtlich der vom StGB von 1999 eingeführten Strafen sieht folgendermaßen aus:

- Die neu eingeführte Strafe der gemeinnützigen Arbeit wurde im Jahr 2001 gegenüber 1.762 Verurteilten verhängt, das bedeutet 3,5 % aller Verurteilten.
- Die Anzahl der verhängten Geldstrafen verringerte sich wesentlich. 2000 wurde die Geldstrafe gegenüber 12,9 % der Verurteilten verhängt, 2001 dagegen nur gegenüber 3,5 % der Verurteilten.

---

4 Das Gerichtssystem der Republik Belarus (Anm. 3), S. 24.

5 Das Gerichtssystem der Republik Belarus (Anm. 3), S. 25.

6 *Alexei Lukaschov*, O nekotorych Aspektach ugolovnoj Politiki belorusskogo Gosudarstva v 2001 godu (Über einige Aspekte der Strafpolitik des belarussischen Staates im Jahr 2001), Justizija Belarusi, 2002, Nr. 2, S. 27.

7 Das Gerichtssystem der Republik Belarus (Anm. 3), S. 25.

– Der Anteil der Verurteilten, die zu Freiheitsentzug verurteilt wurden, hat sich nicht verringert. Die Freiheitsstrafe blieb konstant bei etwa 34–35 %[8] der verhängten Strafen, obwohl man bei Einführung des StGB von 1999 eine entscheidende Verringerung der Anzahl der verhängten Freiheitsstrafen auf höchstens 15 % vorhergesagt hatte.

Die angeführten Daten zeigen, dass die erwarteten Veränderungen hinsichtlich der Anwendungspraxis der Freiheitsstrafe nicht eingetreten sind. Berücksichtigt man zusätzlich die faktische Freiheitsstrafe, also die Personen, die sich in Untersuchungshaft befinden, von 8,4 %, so ist im Gegenteil sogar ein Anstieg der Anwendung von freiheitsbeschränkenden Maßnahmen zu verzeichnen. Der Anteil der Personen insgesamt, gegenüber denen eine freiheitsbeschränkende Maßnahme angewandt wurde, betrug damit im Jahr 2001 44,3 %.

Es ist bezeichnend, dass der Anstieg des Anteils der freiheitsbeschränkenden Strafen im Jahr 2001 mit sinkenden Verurteilungszahlen und der 2,6-fachen Reduzierung der Anwendung der Geldstrafe sowie der zweifachen Reduzierung der Anwendung der bedingten Strafe zusammenfällt. Die angeführten Daten zeugen eindeutig von der Verschärfung der Strafpolitik des Staates.

Die Einführung alternativer Sanktionen zur Freiheitsstrafe hat die Strafpolitik nicht wesentlich verändert. Auch die Regelung des Art. 62 Abs. 2 StGB hat sich nicht im Sinne einer gemäßigteren Strafpolitik ausgewirkt, die die Gerichte dazu anhält, zur Freiheitsstrafe „nur dann zu verurteilen, wenn die Strafzwecke durch eine mildere im Gesetz vorgesehenen Strafe nicht erreicht werden können“.

Die Republik Belarus ist unter den GUS-Staaten der einzige Staat, in dem die Todesstrafe noch angewandt wird. Die Anwendungspraxis innerhalb des letzten Jahrzehnts sieht folgendermaßen aus:

1990 – 20	1996 – 29
1991 – 21	1997 – 46
1992 – 24	1998 – 45
1993 – 20	1999 – 40
1994 – 24	2000 – 7
1995 – 37	2001 – 7[9]

[8] Das Gerichtssystem der Republik Belarus (Anm. 3), S. 30.

[9] *Ivan Minets*, Naznatschenie smertnoj Kazni v praktike primenenija Sudov Respubliki Belarus v Sbornike: Smertnaja kazn. Da? Net! (Die Festsetzung der Todesstrafe in der Gerichtspraxis der Republik Belarus, in: Die Todesstrafe. Ja? Nein!), Minsk 2001, S. 18.

Trotz der Einführung der lebenslangen Freiheitsstrafe im Jahr 1998 tendierten die Gerichte zunächst eher dazu, für die schweren Fälle von Totschlag die Todesstrafe zu verhängen, und wenden die lebenslange Freiheitsstrafe nur mit Vorsicht an. Erst nachdem diese Praxis in der Presse kritisiert worden war, begannen die Gerichte ab 1999, die lebenslange Freiheitsstrafe als grundsätzliche Alternative zur Todesstrafe anzuwenden. Das erklärt die rapide sinkenden Zahlen in den betreffenden Jahren. Innerhalb der drei letzten Jahre (1999–2001) wurden 68 Personen zu lebenslanger Freiheitsstrafe verurteilt.[10] Durch die Anwendung der lebenslangen Freiheitsstrafe in dieser Größenordnung sind allerdings neue Probleme entstanden. In Weißrussland gibt es keine speziellen Einrichtungen für den Strafvollzug der zu lebenslanger Haft Verurteilten. Immer öfter wird deshalb die Anwendung der Todesstrafe statt der lebenslangen Freiheitsstrafe für Mörder gefordert.

Eineinhalb Jahre nach In-Kraft-Treten des StGB begegnet die Strafpolitik sowohl seitens der Fachöffentlichkeit als auch seitens der Praktiker in Bezug auf ihre Effektivität begründeten Zweifeln, die sich vor allem auf die Anwendung der strafrechtlichen Sanktionen bezieht, die durch das neue StGB eingeführt wurden.

Die Hoffnungen auf eine wesentliche Liberalisierung der Strafpolitik, insbesondere auf eine reduzierte Anwendung der Freiheitsstrafe, haben sich nicht erfüllt.

Vor diesem Hintergrund kommt es nur schleppend zu den notwendigen Änderungen in der Haltung der Richter und der Einstellung der Öffentlichkeit hinsichtlich der Strafpolitik und insbesondere bezüglich der Differenzierung der Strafen.

Es ist offensichtlich, dass die lebenslange Freiheitsstrafe nur dann die ihr vom Gesetzgeber zugedachte Funktion als Alternative zur Todesstrafe für schwere Fälle von Totschlag erfüllen kann, wenn die Freiheitsstrafe insgesamt weniger angewendet wird. Die Aufgabe bestand darin, eine ausgewogene Strafpraxis hinsichtlich der zeitigen und der lebenslangen Freiheitsstrafen zu entwickeln.

Die Einführung der alternativen Strafmaßnahmen wird von der Öffentlichkeit kritisch beobachtet und ist dem Risiko ausgesetzt, von der Gesellschaft nicht mitgetragen zu werden.

Von der Möglichkeit der bedingten Strafe gemäß Art. 77 und 78 StGB wird in Weißrussland nur in 6 % aller Verurteilungen Gebrauch gemacht.[11] Da die überwiegende Mehrheit der Straftaten entsprechend der gesetzlichen Klassifikation den schweren Straftaten zugerechnet wird, können die Gerichte die bedingte Strafe nicht anwenden. Die Richter fordern zu Recht die Senkung der Strafobergrenzen der Freiheitsstrafe, vor allem im Bereich der Vermögensdelikte.

---

10 Das Gerichtssystem der Republik Belarus (Anm. 3), S. 28.

11 Das Gerichtssystem der Republik Belarus (Anm. 3), S. 24.

Dadurch würden diese Straftaten nicht mehr der Kategorie der schweren, sondern der der minder schweren Straftaten zuzurechnen sein und weitestgehend die Anwendung alternativer Strafsanktionen erlauben.

Die Sorge der Gesellschaft und der Fachöffentlichkeit um die große Anzahl verhängter Freiheitsstrafen sowie die mangelnden finanziellen Ressourcen zur Einhaltung der notwendigen internationalen Haftstandards haben die Frage der Notwendigkeit der Änderungen des StGB von 1999 aufgeworfen. Die Änderungen sollten darauf zielen, die Strenge der strafrechtlichen Sanktionen allgemein zu reduzieren und die Anwendung alternativer Sanktionen zu fördern. In diesem Zusammenhang wurde laut Anordnung des Präsidenten der Republik Belarus vom 30.9.2002 eine Arbeitsgruppe zur Reform des Strafgesetzbuchs im Sinne einer Liberalisierung der Strafpolitik eingesetzt.

2. Die Probleme der Strafverfolgung

Die 1999 verabschiedete Strafprozessordnung,[12] die ebenfalls am 1.1.2001 in Kraft getreten ist, führte folgende zu begrüßende Regelungen in das Strafgerichtssystem ein:

1. Die Einführung des kontradiktorischen Prinzips im Strafverfahren. Das Gericht übt keine Anklagefunktion mehr aus und ist an den Strafvorwurf in der Anklage gebunden. Kann die Straftat nicht bewiesen werden, so ist das Gericht verpflichtet, freizusprechen, und darf nicht zur weiteren Ermittlung an die Staatsanwaltschaft zurückverweisen. Es handelt sich dabei um grundlegende Neuerungen im weißrussischen Strafprozess. Innerhalb des ersten Jahres nach In-Kraft-Treten dieser Regelungen fällten die Gerichte über 500 Freisprüche.

2. Die Rechte der Strafverteidigung im Verfahren wurden erweitert. Der Verteidiger wird nunmehr ab dem Zeitpunkt der Festnahme der verdächtigten Person zugelassen.

3. Die Liste der Maßnahmen, die im Vorverfahren gegen den Beschuldigten angeordnet werden können, wie z.B. Kaution, Hausarrest, wurde erweitert.

Dies führte leider nicht zu einer geringeren Bedeutung der Untersuchungshaft, die nach wie vor bevorzugt durch die Strafverfolgungsorgane angewendet wird.

Die Untersuchungshaft darf gemäß Art. 126 StPO nur gegenüber Personen angeordnet werden, die der Begehung einer Straftat verdächtig sind, die mit *mindestens zwei Jahren Freiheitsentzug* bedroht ist.

---

[12] Nazional'nyj Reestr pravovych Aktov Respubliki Belarus (Sammlung der Rechtsakte der Republik Belarus), 1999, Nr. 77–78.

Allerdings regelt Art. 126 StPO, dass die Untersuchungshaft auch im Fall des Verdachts oder der Beschuldigung der Begehung einer schweren oder besonders schweren Straftat angewendet wird. Die Schwere der Tat reicht dann für die Anordnung der Untersuchungshaft als Begründung aus. Dies wird mit der von dem Verdächtigen ausgehenden Gefahr begründet. Verschärft wird diese Regelung dadurch, dass die Einordnung der Straftat in die Kategorie der schweren Straftaten automatisch mit einer Strafe von mindestens fünf Jahren Freiheitsentzug verbunden ist. Im StGB von 1999 wird leider das Strafmaß für die am meisten vorkommenden Straftaten erhöht, was dazu führt, dass einige Straftaten der Kategorie der schweren Straftaten zugerechnet werden, obwohl sie nach objektiven Kriterien keinesfalls zu dieser Kategorie gerechnet werden dürften.

Dadurch ist der Anwendungsbereich der Untersuchungshaft aufgrund der Schwere der Straftat wesentlich vergrößert worden.

In Ausnahmefällen kann die Untersuchungshaft angeordnet werden, wenn die Person einer Straftat verdächtig ist, die mit einer Freiheitsstrafe von bis zu zwei Jahren bedroht ist, falls sie keinen ständigen Wohnsitz im weißrussischen Territorium hat, vor den Strafverfolgungsorganen flüchtig ist oder ihre Personalien nicht festgestellt werden können.

Die dargestellten Regelungen geben dem Richter keine deutlichen Richtlinien zur Anwendung der Untersuchungshaft an die Hand, sondern zeichnen sich eher durch Unbestimmtheit aus.[13]

Obwohl das Gesetz die Begründung der Anordnung der Untersuchungshaft fordert, haben die Anordnungen rein formellen Charakter.

Es ist zu bemerken, dass die Kontrollmöglichkeiten des Gerichts sowohl hinsichtlich der prozessualen Zwangsmaßnahmen als auch der Maßnahmen der Strafvollzugsorgane äußerst begrenzt sind. Die Verfassung garantiert zwar in Art. 60 den Zugang zum Rechtsweg, jedoch ist die Möglichkeit der gerichtlichen Überprüfung von Maßnahmen im Vorverfahren und von Entscheidungen im Strafvollzug in der StPO nicht vorgesehen. Entsprechende Klagen der Verurteilten oder Beschuldigten, die sich auf die Rechtsweggarantie in der Verfassung stützen, werden deshalb durch die Gerichte mit der Begründung abgewiesen, derartige Verfahren seien in der StPO nicht vorgesehen.

Es ist festzuhalten, dass die Rechte des Beschuldigten im Vorverfahren nicht in ausreichender Weise gewährleistet sind.

Ein aktuelles Problem Weißrusslands ist die Entwicklung von Strukturen im Bereich der alternativen Strafsanktionen. Heutzutage gibt es praktisch keine speziali-

---

13 *Irina Kutschwalskaja/Vladimir Khomitch*, Zaklujtschnie pod stražu Meždunarodnyje Standarty i Rekomendazii dlja ich primenenija (Inhaftierung: die internationalen Standards und Empfehlungen für die Praxis), Gomel 2002, S. 34–41.

sierten Organe für die Strafsanktionen, die nicht mit der Freiheitsstrafe verbunden sind. Nach wie vor wird dem Ausbau der Strafvollzugsanstalten mehr Aufmerksamkeit geschenkt.

Zum Schluss sei bemerkt, dass sich die Republik Belarus trotz Verabschiedung des neuen Strafgesetzes, der Strafprozessordnung und des Strafvollzugsgesetzes noch auf der Suche nach einer optimalen Strafpolitik im Kampf gegen die Kriminalität befindet. Dies ist ein schwieriger Weg, der mit der Überwindung tief sitzender Einstellungen und der Veränderung der Standards strafrechtlicher Sanktionen verbunden ist.

Grundlinien der Strafverfolgung und praktische Umsetzung

Jan Musil, Prag

1. Ausgangssituation nach der Wende

Die Strafprozessgesetzgebung in allen mittel- und osteuropäischen Ländern stand nach 1989 vor den gleichen Aufgaben:

a) Einerseits musste sie die Deformationen überwinden, die für die Entwicklung der Strafgesetzgebung und der Justizpraxis im vorhergehenden kommunistischen Regime kennzeichnend waren. Für diese vergangene Periode waren die Missachtung der bürgerlichen Rechte und Freiheiten, die übertriebene Strafverfolgung und die Verwendung von unangemessenen strafrechtlichen und polizeilichen Mitteln besonders signifikant.

b) Andererseits musste man auf das enorme Wachstum der Kriminalität reagieren, das auf die schnelle Veränderung der sozialen und ökonomischen Bedingungen zurückzuführen ist, die wiederum eine wachsende Unruhe in der Gesellschaft hervorrief. Als Beispiel kann die Tschechische Republik dienen, in der sich im Zeitraum 1989–1992 die Kriminalität um ein Dreifaches erhöhte. Außerdem traten neue, früher nicht bekannte und äußerst gefährliche Erscheinungsformen der Kriminalität auf, wie z.B. die organisierte Kriminalität, mit der Privatisierung der Industrie verbundene Wirtschaftskriminalität usw. Dieser neuen Welle von Kriminalität musste man entgegentreten, um nicht Gefahr zu laufen, die demokratischen Verhältnisse zu destabilisieren.

Diese beiden Aufgaben gleichzeitig zu lösen, war für die neu geborenen demokratischen Regime schwierig. Es gehört zu den historischen Paradoxa, dass die staatliche Maschinerie in der Periode der totalitären, nichtdemokratischen Regime in den damaligen sozialistischen Ländern relativ erfolgreich war in ihrem Bemühen, die Kriminalität unter Kontrolle zu halten. Der Preis dafür war natürlich eine übertriebene Repression und die Verwendung von für einen Polizeistaat charakteristischen Methoden und Mitteln, wie z.B. Bespitzelung, Denunziation, widergesetzliches Eingreifen in die persönliche Freiheit, Hausfriedensbruch, die Kontrolle der Korrespondenz usw. Diese Instrumente wurden unter den sich verändernden historischen Bedingungen nach der Wende als Symbole des überholten und degenerierten politischen Regimes betrachtet und waren für einen wesentlichen Teil der Gesellschaft inakzeptabel.

Das ewige Dilemma des Strafprozesses, d.h. wie einerseits eine effektive Kriminalitätsbekämpfung und andererseits ein effektiver Bürgerrechtsschutz sicherzustellen ist, musste nach der Wende unter sehr schwierigen Bedingungen gelöst werden. In dieser Situation war es nicht leicht, eine optimale Lösung in einem neuen Modell der Strafverfolgung zu finden. Fast alle, sowohl die entscheidenden politischen Kräfte als auch die Fachleute und die Laienöffentlichkeit, hatten sich geeinigt, dass das frühere so genannte sozialistische Modell des Strafverfahrens geändert werden müsse, aber kaum jemand hatte eine klare Vorstellung vom Charakter dieser Änderungen. Die Strafrechtswissenschaft konnte dem Gesetzgeber nur beschränkt Hilfe leisten, denn durch die 40-jährige Pause war die natürliche Entwicklung der wissenschaftlichen Forschung unterbrochen. Durch den „Eisernen Vorhang" waren die Länder des ehemaligen sowjetischen Blocks künstlich von den anderen demokratischen Ländern isoliert worden. Die fehlende Kontinuität wirkte sich negativ auf die Strafrechtswissenschaft aus. Die vielleicht einzige Ausnahme in dieser Hinsicht waren Polen und später auch Ungarn, wo die wissenschaftlichen Kontakte mit den westeuropäischen Staaten, besonders mit der Bundesrepublik Deutschland, auch in der Periode des totalitären Staates gepflegt wurden.

Bei den Reformbemühungen ließen sich der Gesetzgeber und die Strafprozessrechtler vor allem durch zwei Quellen inspirieren:

a) In einigen Ländern konnte auf eine Tradition der inländischen Gesetzgebungsentwicklung in der vortotalitären Zeit zurückgegriffen werden, wie z.B. in der Tschechoslowakischen Republik auf die bis 1950 geltende, für ihre Zeit relativ progressive österreichische Strafprozessordnung aus dem Jahr 1873.

Allerdings war der Rückgriff auf diese historischen Quellen aufgrund der mangelnden Kontinuität und der erheblichen gesellschaftlichen Veränderungen nur begrenzt möglich.

b) Die zweite Inspirationsquelle der Reformarbeiten war das ausländische Recht. Der Blick der Reformatoren aus Mittel- und Osteuropa richtet sich nicht nur auf die westeuropäischen Länder mit der Tradition des Kontinentalprozesses, sondern immer öfter auch auf den Bereich des angelsächsischen Rechtssystems. Nach der Wende wurden die Kontakte der mittel- und osteuropäischen Länder mit der westlichen Welt sowohl auf wissenschaftlicher und akademischer als auch auf offiziell staatlicher Ebene erneuert. Diese Kontakte haben sich im Zuge der Beitrittsverhandlungen der Kandidaten-Länder zur EU verstärkt. An dieser Stelle möchte ich z.B. Dutzende von Konferenzen, Seminaren und Kolloquien, die in den Beitrittsländern mit Unterstützung der EU stattgefunden haben, Austausch von Professoren an den Universitäten, Stipendienaufenthalte im Max-Planck-Institut für ausländisches und internationales Strafrecht in Freiburg und ähnliche Aktivitäten erwähnen. In den letzen Jahren haben sich dieser Welle der internationalen Mobilität durch die Möglichkeit des Auslandsstudiums auch die Studenten der juristischen Fakultäten angeschlossen.

Die Juristen aus den mittel- und osteuropäischen Ländern verfolgen aufmerksam das Bestreben um eine Harmonisierung des Strafrechts auf europäischem Niveau und eine Bildung internationaler Mechanismen der polizeilichen und justitiellen Zusammenarbeit. Der Diskussion über die straf- und strafprozessrechtlichen Folgen der internationalen Integrationsprozesse und Übereinkommen wie das Übereinkommen über den Schutz der finanziellen Interessen der Europäischen Gemeinschaften, das Schengener Übereinkommen, das Europol-Übereinkommen sowie der Vorbereitung des Projekts *Corpus Juris* werden seitens der mittel- und osteuropäischen Juristen großes Interesse entgegengebracht. Ich bin der Meinung, dass die vielen aus diesen internationalen Initiativen gewonnenen Erfahrungen auch in der inländischen Strafprozessgesetzgebung in den mittel- und osteuropäischen Ländern ihren Niederschlag finden werden.

2. Neue Strafprozessgesetzgebung nach der Wende

Praktisch in allen Ländern Mittel- und Osteuropas begannen schon Anfang der 1990er Jahre die legislativen Arbeiten an den Reformen des Strafprozessrechts. In einigen Ländern haben diese Arbeiten kontinuierlich an die Ergebnisse der Reformbemühungen angeknüpft, die schon in den 1980er Jahren begannen.

Die Strafprozessordnungen wurden in allen Ländern stark verändert. In einigen Ländern entschied man sich für Neukodifizierungen, so z.B. in

- *Slowenien*, 1994 (Gesetz Nr. 64/1994 Amtsblatt der Republik Slowenien, in Kraft getreten am 1.1.1995),
- *Kroatien*, 1997 (Gesetz Nr. 110/1997 Amtsblatt der Republik Kroatien),
- *Polen*, 1997 (Dziennik Ustaw Nr. 89, 555, in Kraft getreten am 1.1.1998),
- *Ungarn*, 1998 (Gesetz Nr. XIX/1998),
- *Georgien*, 2000 (Gesetz vom 20.2.2000),
- *Russland*, 2001 (in Kraft seit dem 1.7.2002).

In anderen Ländern wählte man den Weg der Novellierungen, durch die die alten Strafprozessordnungen ebenfalls wesentlich verändert wurden.

Zum Teil gibt es so viele Novellierungen, dass es schwer wird, sich zu orientieren, was vor allem in der Praxis zu einer gewissen Unsicherheit führt. Als Beispiel möchte ich die tschechische Gesetzgebung nennen, für die sich der tschechische Premier *Zeman* die Bezeichnung „legislativer Zyklon“ ausgedacht hat. Die aus dem Jahr 1961 stammende tschechische Strafprozessordnung (Gesetz Nr. 141/1961) wurde zwischen 1989 und Ende 2001 insgesamt 16 mal novelliert. In anderen postkommunistischen Ländern ist die Situation nach meinen Informationen nicht viel besser. Die große Anzahl der Novellierungen zeugt unter anderem von der niedrigen Qualität des legislativen Prozesses und von Aktionismus. Auch politische Zwänge und ein gewisser populistischer Druck spielen dabei eine Rolle.

Trotz der Vielzahl der gesetzgeberischen Aktivitäten möchte ich im Folgenden versuchen, die wesentlichen Trends, die in der Strafprozessgesetzgebung in den postkommunistischen Ländern in den letzten zehn Jahren aufgetreten sind, zu erfassen – freilich ohne dabei Anspruch auf Vollständigkeit zu erheben. Es überrascht nicht, dass die meisten Trends in den osteuropäischen Staaten mit den Tendenzen in der westlichen Welt übereinstimmen. Der Prozess der Globalisierung hat auch die strafrechtliche Sphäre erfasst. Die Kriminalität selbst ist zum universalen Problem geworden, dessen Lösung in verschiedenen Ländern ähnliche Fragen und Antworten hervorruft.

3. Gemeinsame Tendenzen der Strafprozessgesetzgebung nach der Wende

3.1 Erhöhte Betonung des Schutzes der Menschenrechte

Auch in den damaligen kommunistischen Ländern wurde formell die Idee des Schutzes der bürgerlichen Rechte und Freiheiten deklariert und eine ganze Reihe von diesen Ländern hatte schon vor der Wende die internationalen Übereinkommen über den Schutz der Menschenrechte, insbesondere den Internationalen Pakt über bürgerliche und politische Rechte aus dem Jahr 1966 ratifiziert. In dem totalitären Regime bestanden diese internationalen Verpflichtungen allerdings oftmals nur auf dem Papier.

Die Lage hat sich nach der Wende wesentlich verbessert. Praktisch alle postkommunistischen Länder ratifizierten Anfang der1990er Jahre die *Europäische Menschenrechtskonvention* und transformierten sie in ihre Verfassungen und Strafverfahrensvorschriften. Eine besonders wichtige Rolle spielten hier die Art. 5, 6, 7 und 8 EMRK. Konkret trat dies besonders in folgenden Verfahrensinstituten zutage:

- Die Bestimmungen über die *Haft* und *Festnahme* wurden strenger und präziser. Während früher in einer ganzen Reihe von Ländern über die Haft der Prokurator (Staatsanwalt) zu entscheiden hatte, wurde jetzt diese Kompetenz dem unabhängigen Richter verliehen. In den meisten dieser Länder wurde die maximale Haftdauer wesentlich verkürzt. Die polizeiliche Festnahmedauer wurde reduziert (z.B. in der Tschechischen Republik auf 48 Stunden).
- Durch viele Novellierungen wurden die Rechte auf *Verteidigung* verbessert. In einigen postkommunistischen Ländern gehen die Rechte des Verteidigers sogar weit über den Rahmen der in westeuropäischen Ländern üblichen Standards hinaus. Z.B. hat in der Tschechischen Republik der Verteidiger schon im Vorverfahren das Recht, bei allen Ermittlungshandlungen anwesend zu sein bzw. über diese unterrichtet zu werden. Bis 1992 konnte das Recht auf Anwesenheit

bei Verfahrenshandlungen im Vorverfahren dem Verteidiger aus wichtigem Grund versagt werden. § 165 Abs. 2 StPO gewährt dieses Recht – mit Ausnahme der unaufschiebbaren Handlungen – jetzt unbegrenzt. Das Recht auf Anwesenheit des Verteidigers bei der polizeilichen Vernehmung ist in § 158 Abs. 4 StPO für den Zeitraum vor Beginn der Strafverfolgung ausdrücklich festgelegt. Die gesetzlichen Bestimmungen über das Recht des Beschuldigten, unentgeltlich den Beistand eines Pflichtverteidigers zu erhalten (§ 33 Abs. 2 StPO), wurden präzisiert, um diesem Recht zu tatsächlicher Durchsetzung zu verhelfen.

– Unter dem Einfluss der Bestimmung des Art. 6 Abs. 3 Buchstabe d) EMRK und vor allem unter dem Einfluss der Straßburger Rechtsprechung wurden in einer Reihe von Ländern die Bestimmungen über das Beweisverfahren dahingehend präzisiert, dass das Recht des Beschuldigten, „Fragen an die Belastungszeugen zu stellen oder stellen zu lassen", gewährleistet wurde. Auch die Einschränkung der Möglichkeit, Vernehmungsprotokolle aus dem Vorverfahren in der Hauptverhandlung zu verlesen, trug dazu bei, die Rechte des Beschuldigten zu stärken.

Die Aufzählung dieser legislativen Veränderungen zu Gunsten der Menschenrechte könnte ich noch lange fortsetzen. Zusammenfassend erlaube ich mir zu konstatieren, dass hinsichtlich der prozessualen Garantien der Menschenrechte in den postkommunistischen Ländern im letzten Jahrzehnt das in den westeuropäischen Ländern übliche Niveau erreicht ist.

3.2 Diversionsstrategien

Beeinflusst durch einen enormen Anstieg der Bagatellkriminalität und unter Berücksichtigung von Erfahrungen aus dem Ausland werden von den Gesetzgebern in den postkommunistischen Ländern neue, einfachere Formen des Strafverfahrens eingeführt, welche die traditionelle Hauptverhandlung ersetzen sollen. Einerseits haben die Gründe dafür einen prozessökonomischen Charakter (Entlastung der überforderten Justiz, Beschleunigung des Verfahrens), andererseits einen kriminalpolitischen Charakter (positive Wirkung auf Täter durch Auflagen und Weisungen, Konfliktschlichtung zwischen Täter und Opfer, effektivere Entschädigung des Opfers usw.).

Zu den bewährten und verbreiteten Formen der Diversion gehört das Institut des *Strafbefehls* (z.B. § 314e ff. tschechische StPO, § 314e ff. slowakische StPO, Art. 500 ff. polnische StPO). In der Tschechischen Republik wurden in den letzten Jahren etwa 50 % der gerichtsanhängigen Fälle durch Strafbefehl erledigt.[1] Diese Tendenz, die die Bedeutung der traditionellen Hauptverhandlung verringert, wird

---

1 *Jaroslav Loužensk*ý, Jak se uplatňují některé prostředky pro zjednodušení a zrychlení trestního řízení? (Wie werden Mittel zur Vereinfachung und Beschleunigung des Strafverfahrens angewandt?), Trestní právo 1998, 5, 2–4.

in der Wissenschaft teilweise kritisiert. Es scheint, dass der Anwendungsbereich für das Strafbefehlsverfahren in einigen Ländern zu weit gefasst ist. So konnte z.B. in der Tschechischen Republik bis Ende 2001 im Strafbefehlsverfahren sogar Freiheitsstrafe bis zu einem Jahr verhängt werden. Nach Verabschiedung der StPO-Novelle Nr. 265/2001 darf durch Strafbefehl die Freiheitsstrafe bis zu einem Jahr nur noch mit Strafaussetzung zur Bewährung verhängt werden.

Zu den Neuigkeiten dieser aktuellen Diversionsstrategien gehört auch die *bedingte Einstellung der Strafverfolgung*, die sehr detailliert geregelt ist. Die Möglichkeit der Einstellung betrifft zum Teil nicht nur Bagatellsachen. In der Tschechischen Republik kann die Strafverfolgung auch bei Straftaten, die mit Freiheitsstrafe bis zu fünf Jahren bedroht sind, bedingt eingestellt werden. Der Beschluss über eine bedingte Einstellung wird entweder vom Gericht oder im Vorverfahren auch vom Staatsanwalt gefasst, ohne dass dazu die Zustimmung des Gerichts erforderlich ist.

Die Möglichkeiten von Diversion werden durch das Institut des *Täter-Opfer-Ausgleichs* erweitert. Zu den üblichen Bedingungen des Ausgleichs gehört der Umstand, dass der Beschuldigte geständig ist, dem Geschädigten den jeweiligen Schaden ersetzt und einen Geldbetrag bezahlt, der dann zu gemeinnützigen Zwecken verwendet wird. Das Institut des Täter-Opfer-Ausgleichs gilt als viel versprechendes Mittel. Zu seinen Vorteilen wird die Reduktion des Konflikts zwischen dem Täter und dem Opfer gezählt. Einige Opferorganisationen (z.B. Weißer Ring) machen auf die Gefahr aufmerksam, dass durch dieses Verfahren so genannte sekundäre Viktimisierung verursacht werden kann. Es ist deshalb zu begrüßen, dass es in einigen Ländern (z.B. in der Tschechischen Republik, Gesetz vom 14.7.2000 Nr. 257/2000) gelungen ist, einen so genannten *Mediationsdienst* zu gründen, dessen spezialisiertes Personal durch seine Arbeit gewährleisten kann, dass der Täter-Opfer-Ausgleich nicht mit diesem Risiko behaftet ist.

Soviel ich weiß, ist in keinem der postkommunistischen Länder bis jetzt die Praxis der so genannten *Absprachen (deal)* verbreitet. Ich halte diese Tatsache für bemerkenswert, weil eine Reihe von strafprozessrechtlichen Regelungen in diesen Ländern durch das Beispiel Deutschlands beeinflusst ist, wo – bekanntermaßen – diese Absprachen sehr oft praktiziert werden. Eine solche Resistenz gegenüber diesen Neuerungen erkläre ich mir damit, dass die Tradition des Legalitätsprinzips in diesen Ländern außerordentlich stark ist. Sogar die vergangene Periode des so genannten sozialistischen Strafrechts konnte dieses Prinzip nicht schwächen.

Es scheint unzweifelhaft, dass alle diese Diversionsstrategien zur Schwächung des Legalitätsprinzips und zur Stärkung des Opportunitätsprinzips führen.

3.3 Die Stärkung kontradiktorischer Elemente des Strafprozesses

Dem bisherigen Modell des Verfahrens vor Gericht in manchen mittel- und osteuropäischen Ländern wird ein übertriebener Akzent auf dem inquisitorischen Charakter des Strafverfahrens vorgeworfen. Es wird kritisiert, dass dadurch die Objektivität des Gerichts in Frage gestellt und die Aktivität der Prozessbeteiligten in der Beweisführung eingeschränkt würde.[2] Die Reformvorschläge gehen in der Regel nicht so weit, zu empfehlen, ein sauberes *adversatorisches Modell* nach angelsächsischem Vorbild zu übernehmen, sondern sie geben sich mit der Übernahme einiger Elemente des kontradiktorischen Verfahrens zufrieden.

So ermöglichte z.B. die tschechische StPO-Novelle von 1993, dass die Zeugenvernehmung in der Hauptverhandlung, die früher in der ausschließlichen Zuständigkeit des Richters lag, nunmehr auch vom Staatsanwalt selbst, vom Beschuldigten oder vom Verteidiger ausgeführt werden darf (§ 215 Abs. 2 StPO). Diese Befugnis der Parteien, die Vernehmung durchzuführen, wurde durch die StPO-Novelle Nr. 265/2001 erweitert und konkretisiert. § 89 Abs. 2 war um folgende Sätze ergänzt worden:

> „Jede Partei kann einen Beweis aussuchen, vorlegen oder beantragen. Die Tatsache, dass der Beweis nicht von einem Strafverfolgungsorgan, sondern von einer Prozesspartei erhoben oder beantragt worden war, stellt keinen Ablehnungsgrund dar."

Gemäß § 110a StPO kann die Prozesspartei selbst ein Sachverständigengutachten beschaffen und dem Gericht vorlegen. Das Gericht kann auch entscheiden, dass der Staat die Kosten des durch den Beschuldigten oder den Geschädigten eingeholten Sachverständigengutachtens (§ 151a StPO) trägt, wenn der Verfahrensbeteiligte dazu aus wirtschaftlichen Gründen nicht in der Lage ist.

Von der Einführung dieser kontradiktorischen Züge in die Beweisaufnahme verspricht sich der Gesetzgeber einerseits einen besseren Schutz der Rechte des Beschuldigten und des Opfers, eine Verwirklichung des *Prinzips der Waffengleichheit* und andererseits gleichzeitig die Beschleunigung des Verfahrens. Neben den Befürwortern dieser Änderungen gibt es jedoch in der Diskussion auch zahlreiche Gegner, die die Traditionen des europäischen kontinentalen Prozesses hervorheben, für den das Prinzip der materiellen Wahrheit, der Ermittlungsgrundsatz und das Offizialprinzip signifikant sind. Es wird auch argumentiert, der Anwaltszwang im kontradiktorischen Prozess diskriminiere die wirtschaftlich Schwächeren. Es ist zu erwarten, dass diese kontroverse Diskussion auch in Zukunft anhalten wird.

---

[2] *Pavel Šámal*, Základní zásady trestního řízení v demokratickém systému (Grundprinzipien des Strafverfahrens im demokratischen System), 2. Aufl. Praha 1999, S. 141 ff.

3.4 Die Bemühungen um Beschleunigung des Strafverfahrens

Die Effektivität des Strafverfahrens in manchen Ländern leidet sehr unter Verzögerungen bei der Abwicklung einzelner Strafsachen.[3] Dies ruft auf der einen Seite berechtigte Kritik seitens der Öffentlichkeit hervor, die der Polizei und der Justiz mangelnde Effektivität vorwirft. Sicher ist, dass die vorbeugende und die repressive Wirkung der Strafe, die erst nach einigen Monaten und manchmal sogar nach einigen Jahren nach dem Begehen der Straftat folgt, minimal ist. Auf der anderen Seite bedeuten solche Verzögerungen auch eine lange Zeit der Unsicherheit für die Beschuldigten. Eine weitere Belastung für die Beschuldigten stellt die oft lang andauernde Untersuchungshaft dar.

Geleitet durch das Streben nach Beschleunigung des Strafverfahrens, wurden vom Gesetzgeber verschiedene Maßnahmen ergriffen:

In die Strafprozessordnung wurden verschiedene *gesetzliche Fristen* eingeführt, die die Dauer des Vorverfahrens begrenzen (in der Tschechischen Republik z.B. zwei, drei oder sechs Monate, je nach Schwere der Tat). Durch die Novellierungen der Strafprozessordnung in den letzten Jahren wurden sogar Fristen für die Einberufung der Hauptverhandlung vor Gericht nach Erhebung der Anklage festgelegt. Zwar haben diese Fristen nur Ordnungscharakter, sie tragen jedoch zur Disziplinierung der Strafverfolgungsorgane bei.

Noch größere Bedeutung hat die gesetzliche Begrenzung der Dauer der Untersuchungshaft, deren lange Dauer in manchen Ländern derzeit ein großes Problem des Strafverfahrens darstellt. Beispielsweise betrug in der Tschechischen Republik im Jahr 1999 die durchschnittliche Haftdauer 161 Tage. Um dem entgegenzuwirken, wurde die maximale Haftdauer begrenzt und festgelegt, dass deren Überschreitung die Freilassung aus der Haft zur Folge hat. Trotz dieser gesetzlichen Verbesserungen wird kritisiert, dass die gesetzlichen maximalen Haftfristen immer noch zu lang seien – z.B. kann in der Tschechischen Republik die Untersuchungshaft bei den schwersten Delikten bis zu vier Jahre dauern (davon 16 Monate im Vorverfahren).

Es besteht kein Zweifel daran, dass die gesamte Dauer des Strafverfahrens die *Beweisführung* wesentlich beeinflusst. Zu Verzögerungen kann es aus vielen Gründen kommen:

Die Beweisführung wiederholt sich mehrmals in demselben Strafprozess: zuerst im Vorverfahren und dann im gerichtlichen Stadium.

In dem früheren Modell des so genannten sozialistischen Strafverfahrens nahm das Vorverfahren auf Kosten des gerichtlichen Verfahrens eine allzu große Rolle ein. Obwohl das Gesetz bestimmte, dass das Hauptverfahren der Mittelpunkt des

---

[3] *Albin Eser*, Zrychlení trestního řízení a práva obviněného (Beschleunigung des Strafverfahrens und Rechte des Beschuldigten), Právník (135), 1996, 5, 425–450.

Prozesses sein sollte, entsprach die Realität dem nicht. Das Ergebnis des Prozesses wurde weitgehend durch das Vorverfahren vorweggenommen, in dem eine vollständige Beweisaufnahme durchgeführt wurde, die dann nur formal vor Gericht wiederholt wurde. Das hatte zur Folge, dass der Einfluss des Vorverfahrens auf die gerichtliche Entscheidung zu groß war.[4]

Eine Besserung soll durch zwei Methoden erreicht werden:

Im Vorverfahren sollen der Umfang der Beweiserhebung reduziert und die Formalitäten vereinfacht werden, wie z.B. das Protokollieren von Prozesshandlungen, das Zustellen von Schriftstücken usw. In Zukunft soll das förmliche Beweiserhebungsverfahren im Vorverfahren auf wichtige Fragen beschränkt bleiben; andere zur Klageerhebung notwendige Informationen sind von der Polizei auf nichtförmliche Weise zu beschaffen.

Durch die StPO-Novellen der letzten Jahre waren die Bedingungen, unter denen das Gericht die Sache an den Staatsanwalt zum Nachermitteln zurückverweisen kann, verschärft worden. Während früher jede Unzulänglichkeit des Vorverfahrens oder irgendeine Beweislücke zu dieser Zurückverweisung genügen sollte, muss es sich jetzt um einen gravierenden Mangel oder um eine entscheidende Lücke bei der Tatsachenermittlung handeln, die für die gerichtliche Entscheidung unerlässlich ist. Kleine Beweisfehler müssen vom Gericht selbst korrigiert werden. Dadurch soll der Schwerpunkt der Beweisaufnahme in die Hauptverhandlung verlagert werden, um dadurch das ganze Verfahren zu beschleunigen.

Der Gesetzgeber bemüht sich, den Umfang der Beweiserhebung so festzulegen, dass eine überflüssige und langwierige Beschaffung von Beweisen ausgeschlossen wird. Neue Formulierungen des Beweiserhebungsumfangs, die in die neuen Strafprozessvorschriften oder in ihre Novellen eingeführt wurden, sollen in präziserer Weise zeigen, dass nur die *relevanten* Tatsachen zu beweisen sind. In dem früheren sozialistischen Strafprozess war oft die Pflicht der Strafverfolgungsorgane normiert, „einen objektiven Tatbestand" festzustellen. Heute werden ausführlichere und konkretere Formulierungen benutzt, z.B. verwendet die tschechische StPO-Novelle von 1993 die Formulierung: „alle entscheidungserheblichen Tatsachen, bis keine begründeten Zweifel mehr an der Tatbegehung bestehen". Diese Veränderung wirkt sich vorläufig jedoch noch nicht aus. Einige Autoren behaupten, es handele sich lediglich um eine Wortspielerei, während der Inhalt beider Formulierungen identisch sei. Jedenfalls gilt in allen ehemaligen sozialistischen Ländern im Strafprozess auch weiterhin das *Prinzip der materiellen Wahrheit.*

Die Tendenz zur Vereinfachung und dadurch auch zur Beschleunigung der Beweiserhebung kann man im Fall des *Geständnisses des Beschuldigten* gut beobachten. Die Strafverfolgungsorgane können dann die weitere Beweiserhebung einstel-

---

4 *Jan Musil*, Reforma přípravného řízení (Die Reform des Vorverfahrens), Acta Universitatis Carolinae – Iuridica 1993, 1, 3–38.

len oder sie vereinfachen. Ein Beispiel für eine solche Lösung ist die neue Bestimmung des Art. 388 der polnischen StPO. Andere Strafprozessordnungen sehen die Möglichkeit vor, ein Geständnis des Beschuldigten durch eine Strafmilderung oder durch Diversion zu honorieren. Gemäß § 309 Abs. 1a der neuen tschechischen StPO ist das Geständnis des Beschuldigten z.B. Bedingung für die Zustimmung zum Täter-Opfer-Ausgleich und für die bedingte Einstellung der Strafverfolgung.

Positiv zu bewerten ist, dass das Gericht im Fall des Geständnisses verpflichtet ist, zu kontrollieren, ob an der Freiwilligkeit des Geständnisses des Beschuldigten keine Zweifel bestehen.

Zur Beschleunigung des Verfahrens sollen auch verschiedene *vereinfachte und verkürzte Formen des Verfahrens* beitragen, die vor allem für Bagatellsachen vorgesehen sind. Als Beispiele sind hier zu nennen: das vereinfachte Verfahren nach Art. 468–484 polnische StPO, das Verfahren vor dem Einzelrichter nach § 314a ff. slowakische StPO und nach § 314a ff. tschechische StPO, das verkürzte Vorverfahren nach § 179a ff. und das vereinfachte Verfahren nach § 314b ff. tschechische StPO usw.

3.5 Die Stärkung der rechtlichen Stellung des Verletzten

Dank der Erkenntnisse der *Viktimologie* und einer erhöhten Sensibilität der Öffentlichkeit hinsichtlich der Opfer von Straftaten verbessert sich die Stellung des Verletzten langsam. In manchen Ländern sind die Rechte des Verletzten im Adhäsionsverfahren um die Möglichkeit der Einlegung von *Rechtsmitteln* erweitert worden.

Lehre und Praxis bewerten die Möglichkeit unterschiedlich, die Strafverfolgung bestimmter Straftaten von einer ausdrücklichen *Zustimmung des Verletzten abhängig zu machen*, falls er sich in einer verwandtschaftlichen oder einer ähnlichen Nähebeziehung zu dem Täter befindet. Auch dadurch kommt es zu einer Erweichung des Legalitätsprinzips.

Eine solche Bestimmung enthält z.B. § 163 tschechische StPO seit 1990. Mit den nachfolgenden Novellen hat sich der Straftatenkatalog auch um schwerwiegende Straftaten, wie z.B. Vergewaltigung, erweitert. Kritiker dieser Vorschrift machen unter anderem auf die Gefahr der sekundären Viktimisierung des Opfers aufmerksam, wenn der Täter das Opfer zwingt, die Zustimmung zur Verfolgung nicht zu geben oder sie zu widerrufen.

Der Gesetzgeber bemüht sich in den letzten Jahren um eine bessere *Eingliederung des Verletzten in besondere Verfahrensarten* (sog. *Diversion*), die dazu dient, das traditionelle Hauptverfahren zu ersetzen. Dadurch soll der Verletzte unter anderem eine größere Chance erhalten, vom Täter selbst entschädigt zu werden.

Durch die neu eingeführten Institute, wie die bedingte Einstellung der Strafverfolgung und der Täter-Opfer-Ausgleich, sollen die Interessen des Verletzten stärker berücksichtigt werden, indem sie den Täter zu einer Entschädigung bzw. zu einer anderen Wiedergutmachung der verursachten Beeinträchtigung verpflichten. Die in diesen Fällen getroffenen Entscheidungen können vom Verletzten durch Rechtsmittel angefochten werden.

Zur Stärkung der rechtlichen und faktischen Position des sozial schwachen Verletzten wurde in manchen Ländern die Möglichkeit der Gewährung der Prozesskostenhilfe für den Verteidiger geschaffen (z.B. § 51a StPO).

Eine bedeutende Neuerung der letzten Jahre sind die Gesetze über die Gewährung einer *finanziellen Hilfe für die Opfer* einer Straftat (z.B. das tschechische Gesetz vom 31.7.1997 Nr. 209). Das Opfer einer Körperverletzung erhält eine Entschädigung von staatlicher Seite, falls der Täter für den Schaden nicht in vollem Ausmaß aufkommt und falls sich das Opfer oder ein Hinterbliebener in einer schwierigen sozialen Lage befindet.

3.6 Prozessuale Mittel zur Bekämpfung der Organisierten Kriminalität

Auf eine steigende Tendenz der OK haben die mittel- und osteuropäischen Gesetzgeber in den 1990er Jahren mit der Einführung einiger neuer Instrumente im Strafprozess- und Polizeirecht reagiert, den so genannten *proaktiven Ermittlungsmethoden und -techniken.* Zu diesen Mitteln gehören auch die verdeckten Ermittler, der Einsatz so genannter V-Personen, die Telefonüberwachung, das Abhören von Wohnungen, die Beschaffung von Ton- und Bildaufnahmen, kontrollierte Lieferungen, der Austausch einer Sendung, die Verwendung von Deckausweisen usw.

Diese Instrumente, die zur Bekämpfung der OK geeignet sind, wurden vorwiegend in die Polizei- oder Nachrichtendienstgesetze inkorporiert. Schon die Tatsache, dass diese polizeilichen Mittel nunmehr in Parlamentsgesetzen verankert sind, kann positiv bewertet werden. In der vorhergehenden Periode der totalitären Regime waren derartige Mittel nur in geheimen internen Richtlinien verankert und wurden vor allem eingesetzt, um politischen Druck auszuüben.

In den neuen Gesetzen nach der Wende waren die Voraussetzungen für diese Maßnahmen präzisiert worden, so dass sie dem in den westeuropäischen Ländern üblichen Standard entsprechen. So muss z.B. die Telefonüberwachung vom Richter angeordnet werden und ist die Abhörung des Telefongesprächs zwischen Beschuldigtem und Verteidiger unzulässig.

Die mittels dieser proaktiven Ermittlungsmethoden gewonnenen Informationen sind zwar bei der Aufdeckung von OK-Fällen sehr nützlich. Es bleibt aber das Problem der *Verwertbarkeit* dieser Informationen zu Beweiszwecken im Hauptverfahren. Um diese Zweifel zu zerstreuen, ging der slowakische Gesetzgeber so vor, dass er durch die Novelle des Polizeigesetzes aus dem Jahr 1997 (Gesetz

Nr. 353/1997) festlegte, dass die Informationen, die mit Hilfe der operativtechnischen Mittel gewonnen wurden, bei Einhaltung bestimmter Voraussetzungen als Beweis verwertbar sind. Noch weiter ging der tschechische Gesetzgeber, der durch die StPO-Novelle aus dem Jahr 2001 (Gesetz Nr. 265/2001) die operativtechnischen Mittel direkt in der Strafprozessordnung (§§ 158a–158f) verankert hat und ihren Einsatz schon in einem Stadium ermöglicht, in dem es noch gar nicht zur Beschuldigung konkreter Personen gekommen ist. Gleichzeitig hat er bestimmt, dass die auf diese Weise gewonnenen Aufnahmen als Beweis verwertbar sind.

Dieser Trend, den einige Autoren despektierlich als „Verpolizeilichung des Strafprozessrechts" bezeichnen, wird in der Laien- und Fachöffentlichkeit kontrovers aufgenommen. Einerseits sei es vorteilhaft, dass die strafprozessuale Reglementierung dieser intensiven Eingriffe in die Bürgerrechte ein hohes Niveau an Kontrollmechanismen, wie Richtervorbehalt, Kontrolle durch den Staatsanwalt, parlamentarische Kontrolle und die Einhaltung bestimmter Prinzipien des Rechtsstaates, wie das Prinzip der Proportionalität, Subsidiarität usw. sicherstelle. Andererseits sei es zweifellos wahr, dass diese Instrumente ein Missbrauchsrisiko in sich bergen. Einige Autoren sehen darin ein gefährliches Symptom der Destruktion des Rechtsstaates und seine Umwandlung in einen totalen Überwachungsstaat.

Ich muss konstatieren, dass die bisherigen Erfahrungen mit diesen Mitteln in der Praxis diese Bedenken nicht bestätigen und keine groben Exzesse bei ihrer Anwendung durch die Polizei zu verzeichnen sind. Die Öffentlichkeit steht im Großen und Ganzen der Einführung dieser Methoden positiv gegenüber. Dazu trägt die Angst vor Kriminalität aufgrund der Brutalisierung der Organisierten Kriminalität bei. Ich glaube, dass eine der aktuellen Aufgaben der Strafprozesswissenschaft sein sollte, sich in die Diskussionen einzubringen und auf diesem sensiblen Gebiet über das optimale Gleichgewicht zwischen dem Interesse der effektiven Bekämpfung der Kriminalität einerseits und dem Interesse des Schutzes der Menschenrechte andererseits zu wachen.

Mit dem Phänomen der Organisierten Kriminalität hängen auch einige weitere Strafprozessinstitute, z.B. das Institut eines *anonymen Zeugen* und der *Zeugenschutz* zusammen. Diese Bestimmungen waren in den 1990er Jahren fast in allen mittel- und osteuropäischen Ländern eingeführt worden (siehe z.B. Art. 184 polnische StPO, § 101 Abs. 3-6 slowakische StPO, § 55 Abs. 2 tschechische StPO).

4. Fazit

In allen mittel- und osteuropäischen Ländern arbeitet man seit 1989 kontinuierlich an der Reform des Strafprozesses. Es wird allgemein angenommen, dass mittlerweile ein relativ hohes Niveau des Menschenrechtsschutzes erreicht worden ist, das den internationalen Konventionen und einem üblichen Standard entspricht.

Dagegen wird als Mangel der gegenwärtigen Situation bezeichnet, dass das Strafverfahren zu kompliziert, zu langwierig und zu schwerfällig sei, so dass es auf die ansteigende Kriminalität nicht effektiv genug reagieren könne. Das Risiko der Täter, dass ihre Straftat enthüllt und bestraft werden könnte, sei heutzutage zu klein. Das stimuliere potentielle Täter, ihre kriminellen Absichten zu realisieren, und rufe Frustration nicht nur bei der Polizei und Justiz hervor, sondern auch in der gesamten Öffentlichkeit. Die Kritiker dieser Situation fordern die bessere *Funktionstüchtigkeit der Strafrechtspflege.*

Dagegen betonen andere Politiker, Strafrechtswissenschaftler und Praktiker mit Nachdruck, dass der Gedanke der Rechtssicherheit die Hauptidee des Strafprozesses sei, nicht der Gedanke der Effizienz.

Letztlich stellen viele die Kardinalfrage: Ist das Straf- und Strafprozessrecht heute überhaupt noch ein geeignetes und taugliches soziales Steuerungsinstrument?[5]

Die Beantwortung dieser beunruhigenden Frage bleibt offen – sowohl in den ost- und mittel- als auch in westeuropäischen Ländern. Aber für die Zukunft besteht ein dringender Bedarf an befriedigenden Antworten auf diese Frage.

Wir Strafrechtswissenschaftler sollten zusammen den Versuch unternehmen, diese Erwartungen zu erfüllen und Antworten zu finden.

---

[5] Siehe *Claus Roxin*, Die Strafrechtswissenschaft vor den Aufgaben der Zukunft, in: Albin Eser/Winfried Hassemer/Björn Burkhardt (Hrsg.), Die deutsche Strafrechtswissenschaft vor der Jahrtausendwende, München 2000, S. 374.

Die Gerichts- und Strafpraxis in Estland von 1991–2001

Jüri Saar, Tallinn

1. Einführung

Dieser Beitrag stellt eine Analyse der Kriminalität und der Kriminalitätskontrolle in Estland in den Jahren 1991–2001 dar. Zur Beschreibung der Kriminalität und ihrer Kontrolle werden folgende anerkannte Indikatoren verwendet: die Zahl der registrierten Straftaten, der vorsätzlichen Tötungsdelikte, der vom Gericht verhängten Strafen und der Häftlinge. Die angeführten Daten stammen aus den offiziellen Kriminalstatistiken der Polizei, der Gerichte und der Strafvollzugsanstalten.

Die Bestrafung von Straftätern und die Kontrolle der Kriminalität gewährleisten den Schutz der gesellschaftlichen Grundwerte. Sie wirken unmittelbar auf das Verhalten Einzelner ein und schaffen somit die Voraussetzung für eine sichere soziale und kulturelle Gesellschaft. Das geschieht zum einen durch Strafe, verstanden als Reaktion auf die Verletzung der allgemein anerkannten Normen, aber auch z.B. durch Entschädigung für den verursachten Schaden. Da die Kontrolle der Kriminalität zugleich mit der Entwicklung des jeweiligen Landes verbunden ist, kann die Strafpraxis in Staaten mit ähnlichem kulturellen Hintergrund unterschiedlich sein.

Alle europäischen Staaten, die in den letzten zehn bis 15 Jahren umfangreiche Transformationen durchgemacht haben und die als „Ehemalige“ bezeichnet werden, stellen für Sozialwissenschaftler einen reizvollen Untersuchungsgegenstand dar. Denn gesellschaftliche Umwandlungen, die unter stabilen Umständen nur schwer zu erkennen und nachzuvollziehen sind, erfolgen im Prozess der Transformation innerhalb eines kurzen Zeitraums. Seit der Wiederherstellung der Selbständigkeit Estlands ist seine Entwicklung von Umwandlungen in allen Bereichen des staatlichen Lebens als Reaktion auf die neuen Anforderungen geprägt.

Die Kriminalitätskontrolle bildet hier keine Ausnahme. Der erste wichtige Schritt auf diesem Gebiet war die Annahme des Strafgesetzbuchs der Republik Estland am 7.5.1992.[1] Um das Strafrecht möglichst schnell zu reformieren, erfolgte die Ausarbeitung des neuen Strafgesetzbuchs auf Grundlage des Strafgesetzbuchs der Estnischen SSR.[2] Am 18.3.1998 hat das Parlament Estlands *(Riigikogu)* durch

---

1 Riigi Teataja *(Staatsanzeiger)* 1992, 20, 287–288.

2 Estnische SSR – Estnische Sozialistische Sowjetrepublik.

Gesetz die Todesstrafe abgeschafft und sie durch lebenslange Haft ersetzt.[3] Um den Anteil der Freiheitsstrafen an den verhängten Strafen zu verringern, wurde am 1.5.1998 das Gesetz über die Bewährungshilfe erlassen.[4] Das neue Strafgesetzbuch *(Karistusseadustik)*, das eine neue Grundlage für die umfassende Reform der bisherigen Strafpolitik und eine Basis für deren Umgestaltung in Einklang mit den Forderungen der demokratischen Gesellschaft bildet, trat am 1.9.2002 in Kraft.[5]

2. Die Kriminalität in Estland von 1991–2001

In Estland ist ein beträchtlicher Anstieg der registrierten Straftaten zu verzeichnen. In den Jahren 1991–2001 wuchs die Gesamtzahl der registrierten Straftaten in Estland 1,8-mal; in diesem Zeitraum wurden insgesamt 474.948 Straftaten registriert.

Tabelle 1: Registrierte und aufgeklärte[6] Straftaten 1991–2001

Jahr	Anzahl registrierter Straftaten	Unterschied zum vorhergehenden Jahr (%)	Anzahl aufgeklärter Straftaten	Unterschied zum vorhergehenden Jahr (%)
1991	31.748	33	5.157	1
1992	41.254	30	6.951	35
1993	37.143	– 10	9.956	43
1994	35.713	– 4	9.650	– 3
1995	39.546	11	11.283	17
1996	35.390	– 10	11.523	2
1997	40.958	16	12.994	13
1998	45.721	12	14.336	10
1999	51.539	13	14.926	4

3 Riigi Teataja I 1998, 51, 756.

4 Riigi Teataja I 1998, 4, 62.

5 Riigi Teataja I 2001, 61, 364.

6 Eine Straftat gilt als aufgeklärt, wenn die vorgerichtlichen Ermittlungen abgeschlossen sind und die Strafsache an das Gericht abgegeben wurde.

Jahr	Anzahl registrierter Straftaten	Unterschied zum vorhergehenden Jahr (%)	Anzahl aufgeklärter Straftaten	Unterschied zum vorhergehenden Jahr (%)
2000	57.799	12	17.952	20
2001	58.497	1	19.016	6

Quelle: *Jüri Saar/Anna Markina/Andri Ahven/Aet Annist/Jaan Ginter*, Crime in Estonia 1991–2001/Kuritegevus Eestis 1991–2001, TPÜ Rahvusvaheliste ja Sotsiaaluuringute Instituut (Institute of International and Social Studies), Tallinn Pedagogical University, EV Justiitsministeerium (Estonian Ministry of Justice), 2. Aufl. Tallinn 2003, S. 285.

Neben den quantitativen Veränderungen der Kriminalität können wesentliche Unterschiede in ihrer jetzigen Struktur und Typologie im Vergleich zu der Zeit vor der Transformation nachgewiesen werden. Erstens ist die Anzahl der Vermögensdelikte gestiegen und die Eigentumsdelikte machen in den letzten Jahren gleich bleibend 80 % aller Straftaten aus. Zweitens ging die Rate der Gewaltkriminalität im Jahr 2001 kontinuierlich zurück und bildete 2 % der Gesamtkriminalität (vgl. 4 % im Jahr 1993). Die Höhe und der Anteil der Gewaltkriminalität sind seit 1995 durchgehend rückläufig. Drittens muss der merkliche Zuwachs der Rauschgiftkriminalität erwähnt werden: von 33 Straftaten im Jahr 1994 auf 2.301 im Jahr 2001. Gerade wegen der Rauschgiftkriminalität ist in dem beobachteten Zeitraum der Anteil der gegen die öffentliche Ordnung gerichteten Gewalttaten rapide angestiegen. (In der estnischen Kriminalstatistik gehören die Rauschgiftstraftaten zu den Delikten gegen die öffentliche Ordnung.)

Tabelle 2: Struktur der Kriminalität in Estland 1993 und 2001

Art des Delikts	Anteil im Jahr 1993 (%)	Anteil im Jahr 2001 (%)
Vermögensdelikte	85	77
Delikte gegen die öffentliche Ordnung	9	16
Gewaltdelikte	4	2
Sonstige Delikte	2	5

Quelle: *Saar/Markina/Ahven/Annist/Ginter*, op.cit., S. 287.

Die Anzahl der vorsätzlichen Tötungsdelikte wird als Indikator für die moralischen Normen einer Gesellschaft angesehen. Das allgemein gültige Muster, wonach das Kriminalitätsniveau durch die Motivation und die günstigen Voraussetzungen bestimmt wird, lässt sich auch auf die Interpretation der Anzahl der vorsätzlichen Tötungsdelikte anwenden. Die Rate der Gewaltdelikte steht in Zusammenhang mit verschiedenen sozialen Faktoren wie der relativen Armut, der sozialen Ungleichheit und der Unzufriedenheit mit den Einkünften. Alle diese Faktoren, die ein Kriminalitätswachstum fördern, können in der heutigen estnischen Gesellschaft deutlich beobachtet werden.[7]

Der Trend des Kriminalitätswachstums in Estland lässt sich auch anhand der Entwicklung der Tötungsraten in den 1990er Jahren nachvollziehen. Seit Anfang der 1990er Jahre begann die Anzahl der Tötungsdelikte zuzunehmen. Im Jahr 1992 gab es 16, im darauf folgenden Jahr über 22 Tötungen pro 100.000 Einwohner. Am höchsten war die Tötungsrate 1994, als pro 100.000 Einwohner 25 und im Jahr insgesamt 365 Tötungsdelikte begangen wurden. Es ist interessant, dass das Jahr 1994 auch im Hinblick auf die Zahl der Selbstmorde und die Anzahl der tödlichen Verkehrsunfälle einen Rekord aufstellte, wohingegen die registrierte Kriminalität in den Jahren 1993 und 1994 im Vergleich zu vorangehenden Jahren zurückging. Hypothetisch kann angenommen werden, dass das Jahr 1994 einen Wendepunkt in der Entwicklung der Gesellschaft Estlands darstellte. Seit 1994 ist die Anzahl der Tötungsdelikte kontinuierlich gesunken. Im Jahr 2001 wurden in Estland zwölf Tötungsdelikte pro 100.000 Einwohner begangen.

Tabelle 3: Gesamtzahl der vorsätzlichen Tötungen und ihr Verhältnis pro 100.000 Einwohner von 1991–2001

Jahr	Anzahl vorsätzlicher Tötungsdelikte/ -versuche	Anzahl vorsätzlicher Tötungsdelikte/-versuche pro 100.000 Einwohner	Anteil vorsätzlicher Tötungsdelikte/-versuche an der gesamten Kriminalität (%)
1991	136	8.7	0.4
1992	239	15.6	0.6
1993	327	21.9	0.9
1994	365	25.0	1.0
1995	304	21.2	0.8
1996	268	18.9	0.8

[7] *Patricia Mayhew/Jan J.M. van Dijk*, Criminal Victimisation in Eleven Industrialised Countries: Key Findings from the 1996 International Crime Victims Survey, The Hague, Ministry of Justice, Research and Documentation Centre 1997, S. 3–5.

Jahr	Anzahl vorsätzlicher Tötungsdelikte/ -versuche	Anzahl vorsätzlicher Tötungsdelikte/-versuche pro 100.000 Einwohner	Anteil vorsätzlicher Tötungsdelikte/-versuche an der gesamten Kriminalität (%)
1997	247	17.6	0.6
1998	248	17.9	0.5
1999	200	14.5	0.4
2000	189	13.8	0.3
2001	164	12.0	0.3

Quelle: Saar/Markina/Ahven/Annist/Ginter, op.cit., S. 292.

3. Die Gerichtspraxis in Estland von 1991–2001

Das estnische Strafverfolgungssystem sieht sich mit einer steigenden Kriminalität konfrontiert und befindet sich in einer schwierigen Situation. Die Anzahl der aufgeklärten Straftaten stieg in den Jahren 1991–2001 3,7-mal. Diese Steigerung ist jedoch in Anbetracht des Anteils der aufgeklärten Straftaten an der gesamten Kriminalität nicht relevant. Besonders kompliziert wurde die Situation der Kriminalitätskontrolle in den Jahren 1991–1992, als die Aufklärungsrate der Straftaten nur 16–17 % betrug. Die Aufklärungsrate aller registrierten Straftaten liegt in den letzten acht Jahren fast kontinuierlich bei etwa 30 % (2001 war die Aufklärungsrate 33 %). Die Ursache für die niedrige allgemeine Aufklärungsrate der Straftaten liegt bei den Vermögensdelikten, deren Aufklärung sich in den letzten Jahren als gleich bleibend schwierig erwies.

Die Zahl der verhandelten Strafsachen wuchs 2,5-mal, und insgesamt wurden in Strafsachen 70.964 Gerichtsurteile gefällt. Die an das Gericht gelangten Strafsachen bildeten von den registrierten Straftaten 14,9 %, d.h. weniger als ein Fünftel (siehe Tabelle 4).

Der beträchtliche Unterschied zwischen der Zahl der registrierten Straftaten und der der verhandelten Strafsachen lässt sich durch zwei Umstände erklären. Erstens besteht zwischen den registrierten und den von der Polizei aufgeklärten Straftaten eine beachtliche Differenz. So wurden z.B. 2001 in Estland 19.016 Straftaten oder 32,5 % der in diesem Jahr registrierten Straftaten aufgedeckt. Insgesamt wurden in dem betrachteten Zeitraum 133.744 Straftaten oder 28,2 % der registrierten Straftaten aufgeklärt. Zweitens – und dies betrifft in erster Linie die technische Seite der Strafverfolgung – werden mehrere registrierte Straftaten im Gericht oft zusammengefasst als eine Strafsache verhandelt, wodurch sich die Gesamtzahl der Strafsachen verringert.

Tabelle 4: Zahl der vor Gericht verhandelten Strafsachen von 1991–2001

Jahr	Zahl der Strafsachen	Unterschied zum vorangehenden Jahr (%)
1991	3.624	7
1992	4.583	26
1993	6.192	35
1994	6.199	0,1
1995	5.835	– 6
1996	6.301	8
1997	6.413	2
1998	6.290	– 2
1999	7.279	16
2000	9.224	27
2001	9.024	2

Quelle: Saar/Markina/Ahven/Annist/Ginter, op.cit., S. 298.

In den 1990er Jahren vollzogen sich im Bereich der Kriminalitätskontrolle in Estland wesentliche Änderungen, und es wurde ein wichtiger Schritt zur Angleichung an westliche Standards gemacht. Wie schon erwähnt, hat das Parlament Estlands 1998 die Todesstrafe abgeschafft und sie durch die lebenslange Freiheitsstrafe ersetzt. Während der Eigenständigkeit Estlands wurden insgesamt 16 Menschen zum Tode verurteilt, nach 1991 wurden die Urteile jedoch nicht mehr vollstreckt. Ende 2001 gab es in estnischen Gefängnissen 31 zu lebenslangem Freiheitsentzug Verurteilte.

Tabelle 5: Zwischen 1991 und 2001 von Gerichten verhängte Todesstrafen und lebenslange Freiheitsstrafen

Jahr	Todesstrafen	Lebenslange Freiheitsstrafen
1991	1	–
1992	1	–
1993	4	–
1994	2	–
1995	0	–
1996	4	–
1997	4	3
1998	–	1
1999	–	5
2000	–	4
2001	–	3

Quelle: Saar/Markina/Ahven/Annist/Ginter, op.cit., S. 300.

Betrachtet man die durch die Gerichte in diesem Zeitraum verhängten Strafen, so ergibt sich ein beträchtlicher, beinahe zweifacher Zuwachs der Freiheitsstrafen auf Bewährung und der Geldstrafen. Eben diese zwei Sanktionen werden immer häufiger angewandt und machten 2001 von allen Strafarten schon fast 70 % aus. Trotzdem betrug der Anteil der Freiheitsstrafen in der Zeit der Selbständigkeit kontinuierlich 25–28 %. Die bis zu drei Monate dauernde Haft – der Arrest – oder die Tätigkeitseinschränkung machten am Ende des betrachteten Zeitraums etwa 50 % aller angewandten gerichtlichen Sanktionen aus.

Tabelle 6: Vom Gericht verhängte Strafen (Zahl der Verurteilten) und ihr Anteil an sämtlichen Sanktionen 1991 und 2001

Art der Sanktion*	Zahl der Verurteilten 1991	Anteil an Sanktionen 1991	Zahl der Verurteilten 2001	Anteil an Sanktionen 2001	Anteil im Durchschnitt 1991–2001
Freiheitsstrafe	1.099	28	2.853	25	24,8
Arrest	–	–	568	5	3,1
Geldstrafe	522	13	2.827	25	18,6
Freiheitsstrafe auf Bewährung	882	22	4.906	43	41,6
Tätigkeitseinschränkung	–	–	32	0,3	0,2
Sonstige Sanktionen	1.451	37	128	1	11,7
Insgesamt	3.954	100	11.314	100	100,0

Quelle: Saar/Markina/Ahven/Annist/Ginter, op.cit., S. 298.

* Vor In-Kraft-Treten des Strafgesetzbuchs der Republik Estland 1992 fehlten unter den zu verhängenden Strafen zwei: der Arrest und die Tätigkeitsbeschränkung. Zur gleichen Zeit wurden aber solche Sanktionen wie Besserungsarbeit und die Freiheitsstrafe auf Bewährung in Verbindung mit Zwangsarbeit angewandt, die nach 1992 abgeschafft wurden. Zu sonstigen Sanktionen zählt auch die Strafaufhebung – z.B. aus gesundheitlichen Gründen –, die in dieser Periode in 53 Fällen angewandt wurde.

Gleichzeitig hat sich die Dauer der durch die Gerichte verhängten Freiheitsstrafen um ein Jahr verkürzt. Dauerte die Freiheitsstrafe 1991 noch durchschnittlich 3,4 Jahre, so waren es 2001 im Allgemeinen 2,3 Jahre. Es versteht sich von selbst, dass sich für eine weitere Verkürzung der Durchschnittsdauer der Freiheitsstrafen die Struktur der Kriminalität in Estland ändern muss. Bis heute ist die Rate der Gewaltkriminalität unter den Straftaten unproportional hoch. 2001 wurden 569 Personen oder 4,8 % aller Verurteilten aufgrund von Gewaltdelikten verurteilt.

4. Die Strafpraxis in Estland von 1991–2001

Die Bedeutung der Freiheitsstrafe in der Strafpolitik Estlands wird anhand der Tatsache deutlich, dass die Zahl der Häftlinge sich während der Zeit der Eigenständigkeit nicht wesentlich änderte, sondern gleichmäßig in derselben Größenordnung blieb.[8] Da sich die Einwohnerzahl Estlands in der gleichen Zeit verringert hat, ist die Anzahl der Häftlinge in der zweiten Hälfte der 1990er Jahre pro Einwohner größer als in der ersten Hälfte. Zum 1.1.2002 befanden sich in den Haftanstalten Estlands insgesamt 4.775 Personen. Im Vergleich zum 1.1.1992 hat sich diese Zahl nicht wesentlich verändert. Unter den Häftlingen waren im Jahr 2001 3.270 oder 68,5 % zu Freiheitsstrafe Verurteilte, deren Anteil im Vergleich zum vorangehenden Jahr gestiegen war. In Untersuchungshaft befanden sich 1.505 Personen: 1.021 waren Untersuchungsgefangene und die übrigen warteten auf die Verhängung der Strafe.

Tabelle 7: Zahl und Index der Häftlinge pro 100.000 Einwohner am 1.1.1992–2002

Jahr	Zahl der Häftlinge	Zahl der Häftlinge pro 100.000 Einwohner
1992	4.404	282
1993	4.243	277
1994	4.376	293
1995	4.560	312
1996	4.401	306
1997	4.226	299
1998	4.429	316
1999	4.119	297
2000	4.456	324
2001	4.777	349
2002	4.775	350

Quelle: *Saar/Markina/Ahven/Annist/Ginter*, op.cit., S. 306.

[8] Während der sowjetischen Okkupation, Mitte der 1980er Jahre, gab es in Estland etwa 8.500 Häftlinge, was pro 100.000 Einwohner mehr als 550 Häftlinge ausmachte. Einige Personengruppen, u.a. die Militärangehörigen, wurden damals nicht zu den Häftlingen gezählt. Siehe dazu *Jüri Saar*, Penal Policy: International Trends and Estonia, in: Juridica International: Law Review University of Tartu 1996, S. 62–68.

Im Jahr 2001 war die Mehrheit der Häftlinge aufgrund von Vermögensdelikten verurteilt: 52,7 % oder um 0,2 % weniger als im vorherigen Jahr. Im Vergleich zum vorangehenden Jahr stieg die Anzahl der wegen Raubdelikten Verurteilten: im Jahr 2000 – 424 Personen oder 13,0 % aller Verurteilten und 2001 entsprechend 546 Personen und 17,2 %. Die Anzahl der für Gewaltdelikte Verurteilten lag bei 32,1 % oder um 1 % weniger als 2000 (33,1 %).

Tabelle 8: Einteilung der sich 2000–2001 in den Haftanstalten befindenden Verurteilten nach begangenen Straftaten

Art der Straftat	Anzahl 2000	Anteil (%)	Anzahl 2001	Anteil (%)
Gewaltdelikte insgesamt	1.077	33	1.023	32
Vorsätzliche Tötung	642	20	518	16
Vergewaltigung	143	4	135	4
Vermögensdelikte insgesamt	1.720	53	1.676	53
Diebstahl	827	25	632	20
Plünderung	427	13	–	–
Raub	424	13	546	17
Straftaten gegen die öffentliche Ordnung	312	10	382	12
Sonstige Delikte	142	4	101	3

Quelle: Justizministerium Estlands, Jahresberichte 2000–2001 (unveröffentlicht).

Die am häufigsten vorkommende Strafdauer lag zwischen fünf und zehn Jahren. Das betraf 37,8 %, im Jahr 2000 38,4 % der Häftlinge. 2001 ist im Vergleich zu 2000 die Anzahl und der Anteil der Häftlinge gestiegen, deren Strafdauer zwischen 15 und 20 Jahren liegt, die Anzahl der kürzeren Freiheitsstrafen bis zu drei Jahren hatte sich aber vermindert. So besteht die allgemeine Tendenz der Verlängerung der Strafdauer.

Tabelle 9: Einteilung der sich in den Jahren 2000–2001 in den Haftanstalten befindenden Verurteilten nach Strafdauer

Strafdauer	Anzahl 2000	Anteil (%)	Anzahl 2001	Anteil (%)
Bis 1 Jahr	172	5	205	6
1– 2 Jahre	443	14	408	13
2–3 Jahre	453	14	399	12
3–4 Jahre	275	8	324	10
4–5 Jahre	235	7	227	7
5–10 Jahre	1.245	38	1.224	38
10–15 Jahre	319	10	342	11
15–20 Jahre	88	3	100	3
20–25 Jahre	5	0,1	7	0,2
25–30 Jahre	1	0,1	3	0,1
Insgesamt	3.236	100	3.239	100

Quelle: Saar/Markina/Ahven/Annist/Ginter, op.cit., S. 299.

Im Jahr 2001 waren die Häftlinge überwiegend estnische Staatsbürger, deren Anteil im Vergleich zu 1997 um etwa 12 % gestiegen war. Der Anteil von Personen ohne Staatsbürgerschaft, die noch 1997 in den Haftanstalten Estlands die Mehrheit bildeten, verringerte sich 2001 und betrug 46 % der Häftlinge. Unter den Häftlingen ausländischer Staatsbürgerschaft, deren Anteil im Vergleich zu 1997 etwa 2,5-mal gestiegen war, bildeten die überwiegende Mehrheit russische Staatsangehörige.

Tabelle 10: Staatsangehörigkeit der sich in den Jahren 1997 und 2001 in den Haftanstalten befindenden Verurteilten

Staatsangehörigkeit	Anzahl 1997	Anteil (%)	Anzahl 2001	Anteil (%)
Estnische Staatsbürger	1.165	37	1.610	49
Ohne Staatsbürgerschaft	1.940	61	1.505	46
Bürger anderer Staaten	54	2	155	5
Insgesamt	3.159	100	3.270	100

Quelle: Saar/Markina/Ahven/Annist/Ginter, op.cit., S. 310.

Um alternative Strafmöglichkeiten neben der Freiheitsstrafe zu schaffen und die Bevölkerung mehr in die Bestrafung der Straftäter mit einzubeziehen, wurde das System der Bewährungshilfe eingeführt. Zum 31.12.2001 waren in den Bewährungshilfestellen 7.077 Personen registriert, von denen 65,4 % (463 Personen) vorzeitig aus der Haftanstalt entlassen und 93,5 % (6.614 Personen) zu Freiheitsstrafe auf Bewährung verurteilt waren. Seit 1999 wird die Freiheitsstrafe auf Bewährung nur in Verbindung mit Bewährungshilfe verhängt. Im Vergleich zum Einführungsjahr der Bewährungshilfe ist die Zahl der Probanden ca. 3,4-mal gestiegen. Gleichzeitig hat sich aber die Anzahl derer reduziert, die vorzeitig aus der Haft entlassen wurden.

Tabelle 11: Die Probanden in Estland 1998-2001

Personen-kategorien	Anzahl und Anteil der Personen (%) zum 31.12.1998	Anzahl und Anteil der Personen (%) zum 31.12.1999	Anzahl und Anteil der Personen (%) zum 31.12.2000	Anzahl und Anteil der Personen (%) zum 31.12.2001
Vorzeitig aus der Haft Entlassene	394 (19)	378 (7)	368 (6)	463 (7)
Auf Bewährung zu Freiheitsstrafe Verurteilte	1.691 (81)	4.715 (93)	5.988 (94)	6.614 (93)
Probanden insgesamt	2.085 (100)	5.093 (100)	6.356 (100)	7.077 (100)

Quelle: Saar/Markina/Ahven/Annist/Ginter, op.cit., S. 302.

5. Zusammenfassung

Der Aufbau des estnischen Staates fällt in eine Zeit, in der die Weltpolitik den „strengen Staaten“ gegenüber nicht gerade positiv eingestellt ist. Dies betrifft natürlich die Entwicklung des Strafrechtssystems, in dem die modernistische (die Entwicklung der Staatlichkeit betreffende) und die postmodernistische (die Reduzierung der Rolle des Staates betreffende) Phase anscheinend parallel ablaufen. Während der großen und rapiden sozialen Umwandlungen und bei einem statistischen Wachstum der allgemeinen Kriminalität besteht für den Staat immer die Gefahr, Gesetz und Ordnung nicht gewährleisten zu können. In dieser Lage ist es erforderlich, Konflikte zwischen dem Rechtssystem, den Interessen des Staates und den Grundzielen der Gesellschaft zu vermeiden.

Die Kriminalität in Estland nach der Wiederherstellung der Eigenständigkeit unterscheidet sich grundsätzlich von der Kriminalität der sowjetischen Zeit. Der Vergleich mit den entsprechenden Zahlen der sowjetischen Zeit ist in der Tat ein Vergleich zweier diametral entgegengesetzter Gesellschaften, deren Kriminalität und deren Praxis der Kriminalitätskontrolle weder direkt vergleichbar noch kompatibel sind. Zurzeit beläuft sich die Zahl der registrierten Straftaten auf mehr als 50.000, während sie Anfang der 1980er Jahre durchschnittlich jährlich 10.000 betrug. Daraus kann jedoch nicht geschlossen werden, dass sich die Lage der Kriminalität in entsprechendem Maße verschlechtert hätte. Die heutige Gesellschaft, in der die wirtschaftlichen Unterschiede immer größer werden, produziert ungewollt mehr Straftaten als das frühere, übermäßig kontrollierte und gleichsetzende System, dem ein konsumorientiertes Verhalten fremd war. Dies betrifft in erster Linie die Vermögensdelikte.

Spiegel der sozialen Verhältnisse ist weniger die Gesamtzahl der Straftaten als vielmehr die Anzahl der schweren Gewalttaten (vor allem der vorsätzlichen Tötungen). Aufgrund dieser Zahlen lässt sich die Aussage treffen, dass die Lage der Kriminalität in Estland vor 1994 am schlimmsten war, da in dieser Zeit die Anzahl der begangenen Tötungsdelikte am höchsten war. Die Anzahl der vorsätzlichen Tötungen ist seit Mitte der 1990er Jahre stets gesunken und dieser Trend wird sich mit wachsender sozialer Stabilität voraussichtlich fortsetzen.

Die hohe Tötungsrate in den 1990er Jahren zeugt von den grundlegenden sozialen Umwandlungen, die die Bevölkerung zu bewältigen hatte. Selbstverständlich ist Estland in dieser Hinsicht kein Einzelfall, denn dieselben Prozesse haben in allen Transformationsstaaten, insbesondere in den ehemaligen Sowjetrepubliken, stattgefunden. Möglicherweise ist der Transformationsprozess in Estland wegen seines kleinen Territoriums und seiner geopolitischen Lage schneller erfolgt als in anderen Staaten. Wenn die sozialen Umwandlungen weiterhin in demselben Tempo verlaufen und sich die Stabilisierung fortsetzt, so wird wohl auch die Rate der Gewaltkriminalität abnehmen. Schließlich ist damit zu rechnen, dass sich die Kriminalitätsrate Estlands derjenigen in den westeuropäischen Staaten angleicht.

Zusammenfassend muss gesagt werden, dass die aus der sowjetischen Periode stammende Strafpraxis in Estland bis heute noch nicht so transformiert wurde, dass sie den europäischen Richtlinien entspräche. Die Haftanstalten wurden zwar grundlegend umgestaltet und modernisiert – das militärische wurde durch das zivile Modell ersetzt, ein Aus- und Fortbildungssystem für das Personal wurde geschaffen, die Lebensbedingungen der Häftlinge wurden verbessert etc. –, die Anzahl der Häftlinge ist aber nicht wesentlich gesunken.[9]

---

[9] *Roy Walmsley*, Prison Systems in Central and Eastern Europe. Progress, Problems, and the International Standards, HEUNI (The European Institute for Crime Prevention and

Vergleicht man die Gerichts- und Strafpraxis der baltischen Länder mit der Gerichts- und Strafpraxis der westeuropäischen demokratischen Staaten oder der neuen, ihnen relativ ähnlichen demokratischen Länder einerseits und der im Einflussbereich Russlands stehenden ehemaligen sowjetischen Republiken andererseits, so unterscheidet sich die Situation grundlegend. Was die Anzahl der Häftlinge und die Kriminalpolitik angeht, befindet sich Estland – wie alle baltischen Staaten – im Grenzgebiet zwischen zwei großen Regionen. Es gibt nach wie vor offene Fragen, für die man keine klare Entscheidung zu Gunsten des östlichen oder des westlichen Wegs getroffen hat. In vielen Bereichen des gesellschaftlichen Lebens ist eine solche Entscheidung jedoch gelungen.

Eine Angleichung an die westeuropäischen Standards lässt sich nur durch eine zielstrebige Veränderung der Strafpolitik und -praxis erreichen. Um die Anzahl der Häftlinge auf ein vergleichbares Niveau anderer demokratischer Länder Europas zu senken, sind verschiedene Maßnahmen erforderlich: eine drastische Reduzierung des Präventivgewahrsams – in erster Linie die Reduzierung der Untersuchungshaft, die verstärkte Anwendung von Geldstrafen und Freiheitsstrafen auf Bewährung (z.B. im Bereich der Verkehrsdelikte), die Ausarbeitung neuer alternativer Strafarten (z.B. die gemeinnützige Arbeit), die Weiterentwicklung der psychologischen Unterstützung minderjähriger Straftäter und der Ausbau des Bewährungshilfesystems. Dabei dürften die Änderungen in der Strafpolitik keinesfalls zum Gegenstand politischer Konflikte werden, sondern müssten im Konsens der unterschiedlichen politischen Kräfte erfolgen.[10]

Im Jahr 2002 ist in Estland das neue Strafgesetzbuch in Kraft getreten. Als eine der wichtigsten Auswirkungen wird eine Senkung der Häftlingszahlen erwartet. Sollte die Anzahl der Häftlinge trotz der Annahme des neuen Strafgesetzbuchs allerdings steigen, so würde das bedeuten, dass bei seiner Entstehung wichtige Aspekte außer Acht gelassen wurden und die Lösung des Problems abermals aufgeschoben werden müsste.

Vgl. insgesamt:

Jüri Saar/Anna Markina/Andri Ahven/Aet Annist/Jaan Ginter, Crime in Estonia 1991–2001. Kuritegevus Eestis 1991–2001. TPÜ Rahvusvaheliste ja Sotsiaaluuringute Instituut, EV Justiitsministeerium. 2. Aufl. Tallinn 2003.

Control affiliated with the United Nations), Publications Series No. 29, Helsinki 1996, S. 415–427.

10 *Tapio Lappi-Seppälä*, Regulating the Prison Population: Experiences from a Long-Term Policy in Finland. National Research Institute of Legal Policy, Research Communications 38, Helsinki 1998, S. 28.

Wichtige Reformtendenzen im russischen Strafverfahrensrecht

Ludmila Obidina, Nižni Novgorod

Die Reform der russischen Strafprozessgesetzgebung wurde schon seit vielen Jahren erwartet:[1] Der Entwurf der neuen Strafprozessordnung der Russischen Föderation (RF) ist das Resultat von acht Jahren mühsamer Arbeit. Leider mündete die Beratung in der Staatsduma nicht in einer konstruktiven Synthese der verschiedenen eingebrachten Entwürfe, sondern in einen politischen Kampf einzelner Fraktionen.[2] Die Vorbereitungsarbeiten begannen schon im Sommer 1994 und wurden von drei Gruppen geleistet, die jeweils einen Entwurf vorlegten – vom Justizministerium, von der Staatsanwaltschaft der RF und vom Staatsrechtsamt des Präsidenten der RF.

Die veröffentlichten Gesetzentwürfe des Justizministeriums und des Staatsrechtsamts des Präsidenten der RF lösten kontroverse Diskussionen aus. Aufgrund des vom Staatsrechtsamt des Präsidenten der RF vorgeschlagenen Allgemeinen Teils der StPO kam es im Herbst 1994 sogar zu einem Skandal.[3]

An der Entwicklung dieses Entwurfs waren besonders radikale Reformatoren – mit *Sergej Paschin* an der Spitze – beteiligt. So war der Vorschlag progressiv, gleichzeitig war er aber reich an Widersprüchen und Zweideutigkeiten.

Konservative Wissenschaftler und Politiker hatten es nicht eilig und schlugen vor, eine neue Arbeitsgruppe für die Erarbeitung der StPO einzurichten. Da dies den Gesetzgebungsprozess erneut verlängert hätte, erarbeiteten die Vertreter des Justizministeriums und der Staatsanwaltschaft 1995 anhand der vorliegenden Entwürfe eine Kompromissvariante, die auch einige konservative Normen enthielt (z.B. die Befugnis des Staatsanwalts zur Anordnung der Untersuchungshaft). Im Anschluss an die parlamentarischen Verhandlungen setzte der Ausschuss für Gesetzgebung und Gerichtsreform der Staatsduma 1995 eine Arbeitsgruppe mit dem Ziel des Abschlusses des StPO-Projekts ein. Aber es dauerte noch einige Jahre, bevor die neue StPO von der Staatsduma am 22. November 2001 und vom Föderationsrat am 5. Dezember 2001 angenommen werden konnte.

---

1 Die Strafprozessordnung von 1960 galt bis Juli 2002.

2 Der Entwurf der neuen StPO ist am 15.7.1995 in die Staatsduma eingebracht worden.

3 Zur Diskussion siehe „Iswestija", 1994, Nr. 30–31, S. 3–30; „Nesawissimaja Gaseta", 15.10.1994, S. 1–3; „Juriditscheskij Westnik", 1994, Nr. 28–29, S. 23; „Segodnja", 3.12.1994.

1. Zielsetzung des Strafprozessrechts

Die Hauptaufgaben des Strafverfahrensrechts hat der Gesetzgeber folgendermaßen bestimmt:

- Schutz der Rechte und Interessen der geschädigten Personen und Institutionen;
- Schutz der Person vor einer ungesetzlichen und unbewiesenen Anschuldigung, Verurteilung und Rechts- und Freiheitsbeschränkung (Art. 6 StPO).

Im Gesetz wird betont, die Strafverfolgung und die Festsetzung einer rechtmäßigen Strafe für den Täter entsprächen ebenso der Zielsetzung des Strafverfahrensrechts wie der Verzicht auf die Strafverfolgung Unschuldiger, ihre Freistellung von der Strafvollstreckung und die Rehabilitation jeder Person, die einer ungerechtfertigten Strafverfolgung ausgesetzt war (Art. 6 StPO).[4] Durch die Betonung der wesentlichen Funktion der Anklage und der Verteidigung für das Strafverfahren (Art. 6 StPO) entschied sich der Gesetzgeber für den Übergang vom Anklageverfahren zum kontradiktorischen Modell des Strafverfahrens. In Art. 15 StPO „Der Parteienstreit" kommt das besonders deutlich zum Ausdruck. In diesem Artikel ist außer dem Parteienstreit als Grundlage des Strafverfahrens ferner die Zuständigkeit für die Anklageerhebung, für die Verteidigung und die Verfahrenseinstellung, die Unabhängigkeit des Gerichts als Rechtspflegeorgan und die Rechtsgleichheit der anklagenden und der verteidigenden Parteien vor Gericht geregelt.

Mehrere Jahre haben wir – Wissenschaftler, Praktiker, Publizisten – unseren Gerichten vorgeworfen, Anklage-, Straf- und Inquisitionsgerichte zu sein. Diese für die sowjetische Rechtsordnung typische Konzentration der Zuständigkeiten auf das Gericht spiegelt sich in mehreren Vorschriften der bis Juli 2002 geltenden StPO wider: die Einleitung eines Strafverfahrens durch das Gericht, die Zustellung einer Anklageschrift an den Angeklagten durch das Gericht, die Urteilsverkündung im gerichtlichen Strafverfahren usw. *A.M. Larin* und *J.I. Stezowskij* sahen in der verschwindend geringen Anzahl der Freisprüche[5] einen Beweis für die untrennbare Inquisitionseinheit von Anklage und Gericht. Deswegen sind für uns heute diejenigen Rechtsnormen der neuen StPO besonders wichtig, die den streitigen Charakter des Verfahrens (Art. 15, 20, 243, 244 StPO u.a.) und die Unschuldsvermutung (Art. 14, 16) regeln; daneben sind auch solche Bestimmungen wichtig, die völkerrechtliche Normen – wie z.B. Art. 3 und 6 EMRK – widerspiegeln, Art. 9 StPO „Achtung der Menschenehre und der Menschenwürde", Art. 12, 13 StPO, nach denen die Hausdurchsuchung, der Zutritt zu einer Wohnung, die Verwahrung von Gegenständen zwecks Beweissicherung sowie die Beschlagnahme von Briefpost und die Tonbandaufnahme von Telefongesprächen nur aufgrund richterlicher Anordnung möglich sind.

---

4 StPO der RF, Moskau 2001.

5 *Jury Stezowskij*, Sudebnaja vlast (Richterliche Gewalt), Moskau 1999, S. 145.

Allerdings rief die Annahme der neuen StPO bei den Wissenschaftlern und Praktikern keine Begeisterung hervor, sondern im Gegenteil viele Fragen, Unklarheiten und Verwunderung. Das betrifft in erster Linie die erklärtermaßen kontradiktorische Konzeption der StPO an sich. Die neue StPO unterscheidet sich zweifellos positiv von der alten aufgrund der oben genannten Rechtsnormen: Sie hat viele archaische Rechtsnormen abgeschafft, die den Anklagecharakter des Gerichts widerspiegelten, und hat dafür neue Normen eingeführt, wie z.B.:

- die Mitwirkungspflicht des staatlichen Anklägers in der erstinstanzlichen Gerichtsverhandlung in den Fällen der öffentlichen und privat-öffentlichen Anklage (das kann der Staatsanwalt oder der Vertreter des Ermittlungsorgans sein; in Fällen der Privatklage vertritt der Privatkläger oder sein Vertreter die anklagende Partei) – Art. 246;
- Anwaltszwang für die verteidigende Partei (Art. 49). Nur aufgrund eines gerichtlichen Beschlusses oder einer Entscheidung kann außer dem Rechtsanwalt ein Verwandter oder eine andere vom Beschuldigten ausgewählte Person als Verteidiger zugelassen werden;
- die Verfahrensrechte des Opfers werden konkretisiert; die Rechte der gesetzlichen Vertreter eines Minderjährigen werden den Rechten anderer Prozessbeteiligter gleichgesetzt;
- die Unzulässigkeit der Zurückverweisung zur Nachermittlung an die Staatsanwaltschaft nach Eröffnung des Hauptverfahrens; in der alten StPO war diese Möglichkeit vorgesehen und wurde oft im Fall der Unvollständigkeit der erbrachten Beweismittel oder der Unerwiesenheit der Beteiligung des Angeklagten an der Straftat mit dem Ziel ausgenutzt, einem Freispruch durch das Gericht zu entgehen und letzten Endes das Verfahren einzustellen.

Nach Meinung vieler Verfahrensrechtler, zu denen auch ich mich zähle, wird durch die Einführung des streitigen Verfahrens im vorgerichtlichen Stadium eine effektive Untersuchung der Straftat erschwert. Insbesondere ist die Kompetenz des Verteidigers problematisch, Beweise auszuwählen und anzubieten (Art. 53, 86 StPO), ohne dass dabei konkrete Pflichten des Verteidigers festgelegt würden. Hier muss erwähnt werden, dass die russische Rechtsanwaltschaft aufgrund der schon lange veralteten Vorschrift über die Rechtsanwaltschaft der RF aus dem Jahr 1980 tätig wurde, bis das neue föderative Gesetz „Über die Rechtsanwaltstätigkeit und die Rechtsanwaltschaft der RF" am 1. Juli 2002 in Kraft trat.

Das Bestreben des Gesetzgebers, alles richtig zu machen, führte dazu, dass er dem Schutz des Einzelnen vor unrechtmäßiger Anschuldigung vielleicht zu viel Gewicht gab.

Die Praktiker meinen, dass dadurch die Arbeit der Untersuchungsorgane unübersichtlicher und die Kriminalitätsbekämpfung erschwert wird. Einige Normen sehen sogar die Kassation des Urteils vor: So bestimmt z.B. Art. 75 StPO Abs. 2, dass die vorgerichtliche Aussage des nicht verteidigten (Abwesenheit bzw. Ablehnung des

Verteidigers) Beschuldigten, die nicht in der Hauptverhandlung bestätigt wird, nicht verwertbar ist, d.h. die Anklage darf sich nicht auf sie stützen. Art. 75 StPO sowie auch die anderen Rechtsnormen, die der verteidigenden Partei einen wesentlichen Vorteil geben, haben den Protest der Vertreter der Rechtspflegeorgane hervorgerufen.

Die Versuche des Gesetzgebers, den streitigen Charakter auf das vorgerichtliche Verfahren auszudehnen, werden scharf kritisiert. Gleichfalls Gegenstand der Kritik ist die Zuordnung des Untersuchungsführers (für Straftaten mit einem Strafmaß bis zu fünf Jahren Freiheitsentzug) und des Ermittlungsführers (für Straftaten mit einem Strafmaß ab fünf Jahren Freiheitsentzug) zur Anklage (Art. 38, 41 StPO). Denn zu den Pflichten dieser Personen gehörte früher und gehört auch jetzt die Ermittlung *aller* Umstände, also auch derer, die zu einer milderen Verurteilung oder zu einem Ausschluss der Strafbarkeit führen (Art. 73 StPO). Gleichzeitig verpflichtet Art. 21 StPO den Staatsanwalt, den Untersuchungsführer und den Ermittlungsführer, eine Strafverfolgung durchzuführen.

Die herrschende Meinung in der russischen Strafverfahrenslehre geht davon aus, dass dem vorgerichtlichen Verfahren eine selbständige Funktion zukommt, und zwar eine Untersuchungsfunktion, die durch den Untersuchungsführer und den Ermittlungsführer ausgeübt wird, und in der Anklage- und Schutzelemente miteinander verwoben sind. Deswegen halten die meisten Verfahrensrechtler die Einführung des streitigen Charakters im vorgerichtlichen Verfahren für unmöglich. Kapitel 21 der neuen StPO „Allgemeine Voraussetzungen des Ermittlungsverfahrens" bestätigt diese Auffassung, da hier der streitige Charakter nicht zum Ausdruck kommt und die Rechtsnormen dem vergleichbaren Kapitel 10 der alten StPO entsprechen.

2. Stärkung der Individualrechte im Strafprozess

Mit Befriedigung können wir feststellen, dass viele der seit Jahren wiederholten Forderungen der Wissenschaftler hinsichtlich der Rechte des Einzelnen im Strafprozess letzten Endes berücksichtigt worden sind. Es sei auch betont, dass der russische Gesetzgeber schon seit 1992 der Verbesserung der Stellung des Verdächtigen bzw. des Beschuldigten viel Aufmerksamkeit schenkte.

In den letzten zehn Jahren hat die StPO in diesem Bereich eine Reihe von Änderungen und Ergänzungen erfahren, z.B.:

- Hinzuziehung eines Verteidigers ab dem Moment der vorläufigen Festnahme (der Untersuchungshaft) einer Person;
- das Recht auf gerichtliche Anfechtung der Entscheidung über die Untersuchungshaft und anderer Handlungen (Beschlüsse) der Ermittlungsorgane und des Staatsanwalts;

- das Abhören von Telefongesprächen nur aufgrund einer gerichtlichen Entscheidung.

Jedoch wurde deutlich, dass man bei dem Bemühen um die Rechte des Verdächtigen bzw. Beschuldigten die Interessen und Rechte der Opfer und Zeugen vergessen hatte.[6]

Die neue StPO trug zur Schließung dieser und anderer Gesetzeslücken bei. Die wichtigsten Änderungen waren folgende:

- Form und Frist der vorläufigen Festnahme des Verdächtigen (maximal 48 Stunden) wurden in Übereinstimmung mit der Verfassung der RF gebracht (Art. 92, 94);
- die obligatorische Mitwirkung des Verteidigers ab dem Moment der vorläufigen Festnahme des Verdächtigen bzw. ab der gerichtlichen Entscheidung über die Einholung eines psychiatrischen Gutachtens (Art. 49, 51);
- die Gleichsetzung der Rechte des Opfers mit den Rechten des Beschuldigten im Vorverfahren (allerdings ist dieser Punkt noch nicht vollständig umgesetzt; das Opfer ist bis heute weniger geschützt als der Beschuldigte);
- Einführung der gerichtlichen Überprüfbarkeit aller Handlungen und Beschlüsse des Staatsanwalts, des Untersuchungsführers und des Ermittlungsführers auf ihre Vereinbarkeit mit den verfassungsmäßigen Grund- und Freiheitsrechten, einschließlich des Rechts auf einen gesetzlichen Richter, auf Antrag eines Verfahrensbeteiligten (Art. 125);
- Einführung der gerichtlichen Überprüfbarkeit von gerichtlichen Beschlüssen, die die verfassungsmäßigen Rechte und Freiheiten des Einzelnen einschränken (Arrest, Durchsuchung, Beschlagnahme usw. – Art. 29);
- Einführung von Schutzmaßnahmen für Opfer, Zeugen und andere Verfahrensbeteiligte, auch für ihnen nahe stehende Personen im Fall der Drohung (anonyme Personenangaben; Gegenüberstellung zum Zweck der Identifizierung, ohne dass der Identifizierende durch den Identifizierten erkannt werden kann; Verhandlung unter Ausschluss der Öffentlichkeit u.a. – Art. 11, 166, 186, 193, 241 und 278);
- Beteiligungspflicht des gesetzlichen Vertreters eines Minderjährigen an der Verhandlung und eines Pädagogen sowie eines Psychologen bei der Vernehmung eines minderjährigen Beschuldigten unter bestimmten Bedingungen (Art. 48, 425);
- Beschränkung der maximalen Vernehmungszeit auf vier Stunden ohne Unterbrechung und die Beschränkung der Gesamtvernehmungszeit auf acht Stunden

---

[6] Das föderale Gesetz „Über den staatlichen Schutz der Opfer, Zeugen und anderer das Strafrechtsverfahren begünstigenden Personen“ wurde im Sommer 1997 in erster Lesung angenommen, aber später vom Präsidenten der RF abgelehnt.

pro Tag, mit einer Pause von einer Stunde, für Minderjährige entsprechend zwei bzw. vier Stunden (Art. 187, 425);

- Verschärfung der Untersuchungshaftbedingungen, auch für Minderjährige, sowie die Erweiterung der Anwendungsfälle für andere Zwangsmaßnahmen, z.B. Aufsicht über einen Minderjährigen und Einführung des Hausarrests (Art. 105, 107, 108).

Auf die wichtigsten Änderungen will ich im Folgenden näher eingehen.

3. Restorative Justice

In den letzten Jahren ist in der Entwicklung der strafprozessualen und strafrechtlichen Wissenschaft ein besonderes Interesse an der Erweiterung der so genannten *Restorative Justice* und an der Erarbeitung von Programmen der Konfliktregulierung wie Aussöhnung und Vermittlung festzustellen.[7]

Dieses Interesse ist auf die Überlastung der Gerichte, die Probleme beim Zugang zum Rechtsweg und auf die Humanisierung des Gerichtsverfahrens zurückzuführen. Eine Differenzierung der Verfahrensvoraussetzungen für verschiedene Kategorien von Strafsachen, insbesondere eine Vereinfachung des Strafverfahrens, wird somit erforderlich.[8]

Die Wissenschaftler beginnen erst jetzt, über die *Restorative Justice* zu schreiben. Über das Problem der Differenzierung des Strafprozesses wird seit langem diskutiert. Als Reaktion auf diese Diskussion hat der Gesetzgeber, wenn auch langsam und vorsichtig, die von der Wissenschaft ausgesprochenen Vorschläge, das vorgerichtliche Verfahren für Strafsachen mittlerer Schwere zu verkürzen, doch aufgenommen.

In der alten StPO war die so genannte Protokollform des vorgerichtlichen Strafverfahrens bei leichten Delikten und in eindeutigen Fällen geregelt, wenn der Ermittlungsführer innerhalb von zehn Tagen das erforderliche Beweismaterial beschafft hatte und es danach an das Gericht verwies, wo dann das weitere Strafverfahren einheitlich durchgeführt wurde.

Die neue StPO vereinfacht gründlich die Prozessführung: Kapitel 40 „Das Sonderverfahren der gerichtlichen Beschlussfassung bei Einverständnis des Beschul-

---

7 *Witaliy Kwaschis*, Prestupnost i pravosudie: Otvety na vysovy XXI. veka (Kriminalität und Rechtspflege: Antworten auf die Anforderungen des XXI. Jahrhunderts), Rossijskaja justizija 2000, Nr. 9, 34–37; *ders.*, Osnovy viktomologii, problemy pravovoj saschity postradavschich od prestuplenij (Grundlagen der Viktimologie, Probleme des Rechtsschutzes der Geschädigten von Verbrechen), Moskau 1999, S. 210–232.

8 *Walentina Lasarewa*, Teorija i praktika sudebnoj saschity v ugolovnom prozesse (Theorie und Praxis des gerichtlichen Schutzes im Strafprozess), Moskau 2000, S. 185 ff.

digten mit der ihm zur Last gelegten Anklage“ führt eine Institution ein, die dem amerikanischen „plea bargain“ sehr ähnlich ist – eine Regelung, die von den sowjetischen Wissenschaftlern äußerst negativ bewertet wurde. Aber die Entwicklung der Marktverhältnisse im heutigen Russland änderte die Einschätzung des Wortes „Rechtsgeschäft“, und in neueren Dissertationen und Monographien wird nunmehr vorgeschlagen, diese ausländische Erfahrung zu übernehmen.[9]

In Kapitel 40 der StPO ist die Möglichkeit des Urteils ohne Gerichtsverhandlung für Straftaten vorgesehen, die mit Freiheitsentzug von maximal fünf Jahren bedroht sind. Dabei müssen folgende Voraussetzungen erfüllt sein:

- Einwilligung des Beschuldigten mit der Anklage;
- Antrag des Beschuldigten auf ein vereinfachtes Verfahren;
- Freiwilligkeit des Antrags;
- Antragsverkündigung nach der Beratung mit dem Verteidiger;
- Einwilligung zu einem solchen Verfahren des staatlichen (privaten) Anklägers und Geschädigten (Art. 314).

An dieser Stelle sei erwähnt, dass die russischen Gerichte, trotz der zähen Entwicklung der Gesetzesreformen, schon seit zehn Jahren Perestrojka und Umgestaltungen verwirklichen. Zwar ist der Prozess noch im Gange, es gibt aber durchaus schon Resultate.

So sind z.B. die Friedensgerichte eingerichtet worden, um den Kreisgerichten (Stadtgerichten) der ordentlichen Gerichtsbarkeit Hilfe zu leisten – auch wenn sie sich noch nicht überall durchgesetzt haben.

Mit dem In-Kraft-Treten der neuen StPO am 1. Juli 2002 entscheiden nunmehr die Gerichte über die Anträge der Untersuchungsführer, Ermittlungsführer und Staatsanwälte auf Untersuchungshaft. Heute protestiert niemand mehr gegen das in Kapitel 40 geregelte vereinfachte Verfahren, was vor 15 Jahren noch undenkbar gewesen wäre – damals herrschte die Idee, dass es nur ein einheitliches Verfahren in allen Strafsachen geben dürfe.

4. Die Rehabilitation

„Das sowjetische Gericht ist das rechtmäßigste Gericht der Welt“ – in dieser ironischen Losung kommt die schon erwähnte rechtspolitische Tendenz zum Ausdruck, dass eine Anklage zumeist zu einer Verurteilung und nicht zu einem Freispruch führte. Deshalb spielte das Problem der Rehabilitation und der Entschädigung für Strafverfolgungsmaßnahmen für die Wissenschaft und die Gesetzgebung lange Zeit keine Rolle. Die neue StPO normiert nun in Kapitel 18 „Die Rehabilita-

[9] Siehe z.B. *Walentina Lasarewa* (Anm. 8).

tion“ zum ersten Mal in einem russischen Strafprozessgesetz die umfassende staatliche Entschädigungspflicht für den Fall der rechtswidrigen Verurteilung, für rechtswidrige medizinische Zwangsmaßnahmen und für rechtswidrige prozessuale Zwangsmaßnahmen (Art. 133). Die Entschädigungspflicht tritt unabhängig von der Schuld des Ermittlungsorgans, des Ermittlungsführers, des Untersuchungsführers, des Staatsanwalts oder des Gerichts ein. Sie umfasst neben dem Vermögensschaden gemäß Art. 133 auch die Folgen des immateriellen Schadens und die Wiedereinsetzung in die Arbeits-, Renten- und Wohnrechte. Die Entschädigung für einen erlittenen Vermögensschaden und immateriellen Schaden ist in Art. 135, 136 StPO geregelt.

Gemäß Art. 136 „spricht der Staatsanwalt im Namen des Staates dem Rehabilitierten gegenüber eine offizielle Entschuldigung für den ihm zugefügten Schaden aus“. Der russische Gesetzgeber übernimmt damit endlich die Rechtsnormen und Rechtsprinzipien eines Rechtsstaates. Die staatliche Entschädigungspflicht gegenüber dem Bürger ist nicht nur ein verfassungsmäßiges Recht mit deklaratorischem Charakter, sondern wird zu einem durchsetzbaren Prinzip des Strafprozessrechts.

5. Zusammenfassung

In diesem Beitrag konnte nicht auf alle Reformen der neuen russischen Strafprozessordnung eingegangen werden, die von Wissenschaftlern und Praktikern diskutiert werden. Schon jetzt spricht man von der Notwendigkeit, einige Regelungen zu korrigieren. Es ist schwer zu sagen, warum die neue StPO, an der die besten Juristen des Landes arbeiteten und die von den Abgeordneten der Staatsduma in drei Lesungen diskutiert wurde, von den meisten als misslungen angesehen wird. Die Anwendungspraxis wird zeigen, ob diese pessimistischen Prognosen, aber auch die optimistischen Erwartungen gerechtfertigt sind.

Strafrecht und Kriminalpolitik in Polen

Barbara Stando-Kawecka, Krakau

1. Strafsanktionen im polnischen StGB von 1969 und 1997

Seit Anfang der 1970er Jahre haben sich viele Strafrechtssysteme in Europa mit der Suche nach kostengünstigen und effizienten Alternativen zur unbedingten Freiheitsstrafe befasst.[1] In derselben Zeit waren die Bemühungen, den Katalog und den Anwendungsbereich der nicht freiheitsentziehenden Sanktionen zu erweitern, auch in der Arbeit des Europarates und der Vereinten Nationen sichtbar.[2] Am Ende des letzten Jahrhunderts wurde deutlich, dass in nahezu allen europäischen Ländern das schlichte System von Freiheitsstrafe, Strafaussetzung zur Bewährung und Geldstrafe als alleinige Hauptsanktionen verschwunden ist. Die Liste der Strafsanktionen wurde erheblich erweitert um Sanktionen wie z.B. die gemeinnützige Arbeit, Wiedergutmachung und Opferentschädigung, den Täter-Opfer-Ausgleich, soziale Trainingskurse, verschiedene Formen der therapeutisch orientierten Trainings- und Behandlungsprogramme, die Unterbringung in Bewährungsheimen oder Tageszentren, Hausarrest und elektronische Überwachung.[3]

Wie in vielen europäischen Ländern war auch in Polen eines der wichtigsten Ziele der Strafrechtsreform in den 1990er Jahren die Neugestaltung des Sanktionensystems sowie die Neuformulierung von Grundsätzen für die Strafzumessung.[4] Am 1. September 1998 trat in Polen ein neues StGB in Kraft, das am 6. Juni 1997 nach einer lange vorbereiteten Strafrechtsreform verabschiedet wurde.[5] Im Vergleich

---

[1] *Hans-Jörg Albrecht/Anton van Kalmthout*, Intermediate Penalties: European Developments in Conceptions and Use of Non-Custodial Criminal Sanctions, in: Hans-Jörg Albrecht/Anton van Kalmthout (eds.), Community Sanctions and Measures in Europe and North America, Freiburg 2002, S. 1.

[2] Beispielhaft können hier die Mindestgrundsätze der Vereinten Nationen über nicht freiheitsentziehende Maßnahmen von 1990 (UN General Assembly Resolution 45/110: United Nations Standard Minimum Rules for Non-Custodial Measures Tokyo Rules) und die Empfehlungen des Europarates über Community Sanctions and Measures von 1992 (Council of Europe Recommendation R [92] 16, European Rules on Community Sanctions and Measures) genannt werden.

[3] *Anton van Kalmthout/Frieder Dünkel*, Ambulante Sanktionen und Maßnahmen in Europa, Neue Kriminalpolitik 2000 (4), 26.

[4] Uzasadnienie rządowego projektu kodeksu karnego (Begründung des Regierungsentwurfs des StGB), in: Nowe kodeksy karne z 1997 r. z uzasadnieniami (Neue Strafgesetzbücher mit Begründungen), Warszawa 1997, S. 150–151.

[5] Vgl. Dz.U. (Gesetzblatt) 1997, Nr. 88, Pos. 553.

zum vorigen StGB von 1969 hat dieses StGB bedeutende Änderungen im Bereich der Strafsanktionen eingeführt. Nach der Gesetzesbegründung zum StGB von 1997 sollte das neu eingeführte Sanktionensystem eine Grundlage der humanen Kriminalpolitik bilden und die strafrechtliche Repression humanisieren.[6]

Das StGB von 1969 sah eine Differenzierung der Strafsanktionen in Hauptstrafen und Nebenstrafen vor.[7] Im Prinzip waren Nebenstrafen keine selbständigen Strafen. Sie konnten neben einer Hauptstrafe verhängt werden und nur ausnahmsweise als einzige Sanktion, d.h. ohne Hauptstrafe, angewandt werden.

Gemäß Art. 30 des StGB von 1969 gab es die folgenden Hauptstrafen:

- Freiheitsstrafe (von 3 Monaten bis zu 15 Jahren),
- Freiheitsbeschränkungsstrafe (von 3 Monaten bis zu 2 Jahren),
- Geldstrafe,
- Todesstrafe,
- Freiheitsstrafe von 25 Jahren.

Die Freiheitsstrafe von 25 Jahren wurde im StGB von 1969 als eine gesonderte Art der Hauptstrafe betrachtet, die als Alternative zur Todesstrafe entstanden ist. Die Verhängung der Freiheitsbeschränkungsstrafe war mit bestimmten Auflagen verbunden, wie dem Verbot, den ständigen Aufenthaltsort ohne gerichtliche Genehmigung zu wechseln, sowie der Verpflichtung, dem Gericht regelmäßig Auskünfte über den Verlauf der Strafvollstreckung zu erteilen und die durch das Gericht bestimmte Arbeit auszuführen.[8] Die Geldstrafe wurde nach dem Gesamtsummensystem verhängt. Diese Hauptstrafe konnte als selbständige Strafe (d.h. einzige Hauptstrafe) oder neben einer zur Bewährung ausgesetzten Freiheitsstrafe bzw. neben einer Freiheitsstrafe ohne Bewährung angewandt werden. Die Todesstrafe war eine außerordentliche, für die schwersten Verbrechen vorgesehene Strafe.

Die folgenden Sanktionen wurden im StGB von 1969 als Nebenstrafen genannt:

- Aberkennung der bürgerlichen Rechte,

---

6 Uzasadnienie rządowego projektu kodeksu karnego (Anm. 4), S. 150–151.

7 Die im StGB von 1969 genannten Haupt- und Nebenstrafen konnten nur für Straftaten, d.h. für Vergehen und Verbrechen, verhängt werden. Die strafbaren Taten werden in Polen in Straftaten und Übertretungen eingeteilt. Die Übertretungen, d.h. die strafbaren Taten von geringfügiger Sozialschädlichkeit, können mit den im Übertretungsgesetzbuch genannten Strafen bestraft werden. In den 1970er und 1980er Jahren waren für das Verfahren in Übertretungssachen die Verwaltungsorgane, sog. Übertretungskollegien, zuständig. Zu Beginn der 1990er Jahre wurde eine gerichtliche Kontrolle der Entscheidungen der Übertretungskollegien durchgeführt. Die Kollegien waren also nur als Organe der ersten Instanz tätig; in der zweiten Instanz waren die Gerichte für die Übertretungssachen zuständig. Nach dem polnischen Grundgesetz von 1997 wurden die Übertretungskollegien im Oktober 2001 abgeschafft. Alle Übertretungssachen werden jetzt durch Gerichte verhandelt.

8 Zu einem Überblick über die Formen der Freiheitsbeschränkungsstrafe im StGB von 1969 vgl. *Barbara Stando-Kawecka*, Community Sanctions in Polish Penal Law, in: Albrecht/van Kalmthout (Anm. 1), S. 428–430.

- Entzug der elterlichen oder vormundschaftlichen Rechte,
- das Verbot, einen bestimmten Posten zu bekleiden, einen bestimmten Beruf oder eine bestimmte wirtschaftliche Tätigkeit auszuüben,
- Fahrverbot,
- Sachverfall,
- Konfiskation des Vermögens des Täters,
- öffentliche Bekanntgabe des Urteils.

Im neuen StGB wurde die Differenzierung der Sanktionen in Haupt- und Nebenstrafen abgeschafft. Der Gesetzgeber hat eine neue Differenzierung der Strafsanktionen in Strafen, Strafmaßnahmen und Bewährungsmaßnahmen eingeführt. Die Strafmaßnahmen können nicht mehr nur neben einer anderen Sanktion, sondern auch selbständig angewandt werden.

Gemäß Art. 32 StGB von 1997 sind folgende Strafen vorgesehen:

- Geldstrafe,
- Freiheitsbeschränkungsstrafe (von einem Monat bis zu einem Jahr),
- Freiheitsstrafe (von einem Monat bis zu 15 Jahren),
- Freiheitsstrafe von 25 Jahren,
- lebenslange Freiheitsstrafe.

Die Todesstrafe wurde im neuen StGB abgeschafft. An die Stelle der Todesstrafe ist die lebenslange Freiheitsstrafe getreten, die den Bereich der schwersten Kriminalität abdecken soll.[9] Diese Strafe darf nicht gegenüber einem Täter verhängt werden, der zur Zeit der Tat das 18. Lebensjahr noch nicht vollendet hatte. Im Vergleich zum StGB von 1969 wurde der Katalog der Strafen im StGB von 1997 in der Form umgekehrt, dass an der Spitze die Geldstrafe und am Ende die Freiheitsstrafe genannt wurde. Diese Rangfolge soll den Gerichten als Hinweis dienen, dass die schärfste Strafe nur dann verhängt werden kann, wenn eine mildere Strafe nicht in Betracht kommt. Außerdem ordnet Art. 58 § 1 des neuen StGB ausdrücklich den Vorrang anderer Strafen vor der unbedingten Freiheitsstrafe an. Laut dieser Vorschrift kann das Gericht in den Fällen, in denen das Gesetz mehrere Strafarten zur Auswahl stellt, nur dann auf Freiheitsstrafe ohne Bewährung zurückgreifen, wenn andere Strafen die Zwecke der Sanktion nicht zu erfüllen vermögen. Die Geldstrafe wird nach dem Tagessatzsystem verhängt. Die Mindestzahl der Tagessätze beträgt zehn, die Höchstzahl 360, falls das Gesetz nichts anderes vorsieht. Ein Tagessatz kann zwischen 10 und 2.000 Złoty liegen. Nach Art. 58 § 2 StGB ist die Verhängung einer Geldstrafe dann ausgeschlossen, wenn nicht zu erwarten ist, dass der

---

[9] Die Todesstrafe wurde in Polen faktisch schon seit 1988 nicht mehr vollstreckt. Im Jahr 1995 wurde in Polen die mit dem StGB von 1969 aufgehobene lebenslange Freiheitsstrafe wieder eingeführt und gleichzeitig ein fünfjähriges Moratorium für die Vollstreckung der Todesstrafe festgelegt: Dz.U. 1995, Nr. 95, Pos. 475. Bis zum In-Kraft-Treten dieses Gesetzes fehlte in Polen jedoch eine Rechtsgrundlage für das Vollstreckungsverbot der Todesstrafe.

Täter zu ihrer Bezahlung in der Lage ist. Mit dieser Regelung wird in erster Linie beabsichtigt, die Anwendung der Ersatzfreiheitsstrafe so weit wie möglich zurückzudrängen. Das neue Strafrecht sieht eine unmittelbare Vollstreckung der Ersatzfreiheitsstrafe bei Nichtbezahlung einer Geldstrafe nicht mehr vor. Nach dem StVollGB von 1997 (Art. 45 § 1) wird dem Verurteilten, der eine 100 Tagessätze nicht überschreitende Geldstrafe nicht bezahlt, die Möglichkeit gegeben, die Geldstrafe durch gemeinnützige Arbeit zu ersetzen. Die Freiheitsbeschränkungsstrafe wurde im Wesentlichen unverändert aus dem StGB von 1969 übernommen. Im Vergleich mit dem vorigen StGB sieht jedoch das neue StGB nur zwei Formen dieser Strafe vor:

- die Leistung unentgeltlicher, überwachter Arbeit für soziale Zwecke in einem Umfang von 20 bis 40 Stunden pro Monat,
- eine Kürzung der Arbeitsbezüge des in einem festen Arbeitsverhältnis stehenden Täters um 10–25 %.

Die dritte mit dem StGB von 1969 vorgesehene Form dieser Strafe, die mit dem Zwangsarbeitsverhältnis in einem durch das Gericht angezeigten Betrieb verbunden war, wurde abgeschafft.

Die Strafmaßnahmen sind anstelle der im StGB von 1969 vorgesehen Nebenstrafen getreten. Der Katalog der Strafmaßnahmen wurde im Vergleich zu den Nebenstrafen wesentlich erweitert, insbesondere um die Verpflichtung zur Schadenswiedergutmachung, die Buße und die Geldleistung. Zweck dieser Maßnahmen ist es, die Kompensationsfunktion des Strafrechts zu verstärken und dem Verletzten Entschädigung und Genugtuung zu ermöglichen. Nach Art. 39 StGB von 1997 umfasst der Katalog der Strafmaßnahmen die folgenden Sanktionen:

- Aberkennung der bürgerlichen Rechte,
- das Verbot, einen bestimmten Posten zu bekleiden, einen bestimmten Beruf oder eine bestimmte wirtschaftliche Tätigkeit auszuüben,
- Fahrverbot,
- Sachverfall,
- Verpflichtung zur Schadenswiedergutmachung,
- Buße,
- Geldleistung,
- öffentliche Bekanntgabe des Urteils.

Diese Strafmaßnahmen können neben Strafen und Bewährungsmaßnahmen angewandt werden. Laut Art. 59 StGB 1997 können diese Maßnahmen bei unbedeutender Sozialschädlichkeit einer Tat und einer Strafandrohung von Freiheitsstrafe bis zu drei Jahren anstelle einer Strafe als selbständige Strafsanktionen verhängt werden.

Zu den Bewährungsmaßnahmen gehören nach dem StGB von 1997 die bedingte Einstellung des Verfahrens, die Strafaussetzung zur Bewährung und die bedingte vorzeitige Entlassung aus dem Strafvollzug. Der Anwendungsbereich der Bewährungsmaßnahmen wurde im Vergleich zum StGB von 1969 wesentlich erweitert. Die Strafaussetzung zur Bewährung, die früher nur die Freiheitsstrafe betraf, ist jetzt möglich in Fällen von Geldstrafe, Freiheitsbeschränkungsstrafe und Freiheitsstrafe bis zu zwei Jahren.

Bemerkenswert ist, dass die StPO von 1997 die Möglichkeit der *Mediation* in Strafsachen eingeführt hat. Laut Art. 320 StPO kann der Staatsanwalt die Sache zur Mediation überweisen, wenn dies für den Antrag auf bedingte Verfahrenseinstellung oder für den Antrag auf Verurteilung des Angeklagten ohne Hauptverhandlung von Bedeutung ist. Nach der Erhebung der Anklage kann das auch das erkennende Gericht im Rahmen der so genannten Einführungskontrolle der Anklage machen.[10]

2. Änderungen der Kriminalpolitik in Polen in den 1990er Jahren

Als typisches Merkmal der Kriminalpolitik in Polen in den 1970er und 1980er Jahren sind lange Freiheitsstrafen und überfüllte Gefängnisse anzusehen.[11] Im Vergleich zum StGB von 1932 hat das StGB von 1969 die Strafsanktionen für mehrere Straftaten verschärft. Besonders drastische Strafsanktionen waren für Rückfalltäter vorgesehen. Danach war die für Rückfalltäter auszusprechende Strafe obligatorisch Freiheitsstrafe bei gleichzeitiger zwei- bis dreifacher Erhöhung des gesetzlich angedrohten Mindestmaßes. Nach der Verbüßung der verhängten Freiheitsstrafe waren besondere Sicherungsmaßregeln gegenüber Rückfalltätern anzuwenden; *Schutzaufsicht* und Unterbringung in einem *Zentrum der gesellschaftlichen Anpassung*. In der Praxis bedeutete die letzte Maßregel für den mehrfach verurteilten Täter eine Verlängerung der Freiheitsstrafe von zwei bis zu fünf Jahren.

Im Laufe der folgenden Jahre wurde das polnische Strafrecht noch verschärft, insbesondere nach der Verhängung des Kriegsrechts im Dezember 1981, sowie im Mai 1985, als das so genannte *Mai-Gesetz* über die besondere strafrechtliche Verantwortlichkeit verabschiedet wurde.[12] Wie *E. Weigend* bemerkt, ist die polnische Strafgesetzgebung der 1980er Jahre durch die permanente Verschärfung der strafrechtlichen Repression gekennzeichnet: „diese zeigte sich in erster Linie in der auch im Bereich der mittleren Kriminalität sehr häufigen Verhängung von Frei-

---

[10] Über die Mediation im polnischen Strafrecht vgl. *Ewa Bienkowska/Beata Czarnecka-Dzialuk/Dobrochna Wójcik*, Postepowanie mediacyjne w nowej kodyfikacji karnej (Mediationsverfahren in der neuen Strafkodifikation), in: Nowa kodyfikacja karna. Kodeks postępowania karnego (Die neue Strafkodifikation. Das Strafverfahrensgesetzbuch), Heft 14, Justizministerium, Warszawa 1998, S. 215–218.

[11] Vgl. *Brunon Holyst*, Kara pozbawienia wolności w teorii i praktyce (Freiheitsstrafe in Theorie und Praxis), in: Andrzej Marek (Hrsg.), Ksiega jubileuszowa wieziennictwa polskiego (Jubiläumsbuch des polnischen Gefängniswesens), Warszawa 1990, S. 157.

[12] Vgl. Dz.U. 1985, Nr. 23, Pos. 101.

heitsstrafen ohne Bewährung sowie in einem hohen Anteil von Ersatzfreiheitsstrafen und -arresten für uneinbringliche Geldstrafen und nicht vollzogene Freiheitsbeschränkungsstrafen. Dies alles war Folge einer langfristig angelegten und politisch motivierten Kriminalpolitik".[13]

Die nachfolgende Tabelle 1 zeigt die Struktur der in den 1980er Jahren verhängten Strafen. Aus dieser Tabelle wird auch ersichtlich, dass in diesem Zeitraum der Anteil der Freiheitsstrafen (ohne und mit Bewährung) an den insgesamt verhängten Strafen zwischen 63,5 % im Jahr 1987 und 77 % im Jahr 1984 lag. Der Anteil der Freiheitsstrafe ohne Bewährung an der Gesamtzahl von Strafen schwankte zwischen 25,4 % im Jahr 1981 und 36,2 % im Jahr 1986. Die Freiheitsbeschränkungsstrafe und die Geldstrafe spielten keine erhebliche Rolle unter den verhängten Strafen; die erste Strafe machte von 8,2 % bis zu 18% und die zweite von 13,8 % bis zu 18,9 % aller Strafen aus.

---

[13] *Ewa Weigend*, Das neue polnische Strafgesetzbuch von 1997, ZStW 110 (1998), 114–142, (114–115).

Tabelle 1: Struktur der verhängten Strafen in den Jahren 1980–1989

Jahr	Strafen insgesamt (100%)	Freiheitsstrafe ohne Bewährung		Freiheitsstrafe mit Bewährung		Freiheits-beschränkungsstrafe		Geldstrafe		Andere*	
	Zahl	Zahl	%	Zahl	%	Zahl	%	Zahl	%	Zahl	%
1980	151.958	44.503	29,3	58.052	38,2	27.380	18,0	21.551	14,2	472	0,3
1981	126.403	32.052	25,4	56.553	44,7	19.701	15,6	17.786	14,1	311	0,2
1982	152.351	40.340	26,5	71.138	46,7	16.923	11,1	23.588	15,5	362	0,2
1983	143.295	40.721	28,4	67.633	47,2	13.216	9,2	21.243	14,8	482	0,3
1984	125.132	41.370	33,1	55.766	44,6	10.315	8,2	17.307	13,8	374	0,3
1985	149.414	51.863	34,7	60.842	40,7	15.083	10,1	21.444	14,4	182	0,1
1986	153.037	55.385	36,2	46.812	30,6	22.103	14,4	28.520	18,6	217	0,1
1987	166.753	55.541	33,3	50.373	30,2	28.959	17,4	31.489	18,9	391	0,2
1988	137.159	39.071	28,5	50.689	36,9	21.014	15,3	25.715	18,7	670	0,5
1989	93.373	24.733	26,5	41.007	43,9	9.758	10,5	17.188	18,4	687	0,7

Quelle: Gerichtsstatistik, Teil III. Rechtskräftige Entscheidungen, Justizministerium (alljährliche Publikation).

* In den Jahren 1980–1989 wurden jährlich 3 bis 17 Todesstrafen, 41 bis 72 Freiheitsstrafen von 25 Jahren und 97 bis 646 andere Strafen, d.h. Nebenstrafen als selbständige Strafsanktion, verhängt.

Die repressive Strafzumessung, die sich unter anderem im hohen Anteil der Freiheitsstrafe an insgesamt verhängten Strafen äußerte, hatte eine jahrelang andauernde Überfüllung von Strafanstalten zur Folge.[1] Aus Tabelle 2 geht hervor, dass es im Zeitraum 1980–1987 pro Stichtag durchschnittlich 90.000 Gefangene gab. Im Rekordjahr 1985 stieg die Zahl der Gefangenen auf 110.000 an. Die Gefangenenziffer pro 100.000 Einwohner schwankte zwischen 206 im Jahr 1984 und 296 im Jahr 1985. Die sichtbaren Unterschiede zwischen der Gefangenenzahl in einzelnen Jahren wurden von den Amnestiegesetzen (in den Jahren 1981, 1983, 1984, 1986) verursacht. Gesunken ist die Gefangenenzahl in Amnestiejahren, sie erreichte jedoch innerhalb von einem Jahr bzw. zwei Jahren wieder den Stand vor der Amnestie. Ende der 1980er Jahre hat die Zahl der Gefangenen kontinuierlich abgenommen, was mit der Aufhebung des repressiven *Mai-Gesetzes* im Jahr 1988 und zwei Amnestiegesetzen im Jahr 1989 zu erklären ist.

Tabelle 2: Gefängnispopulation in Polen in den Jahren 1980–1989

Jahr	Zahl der Gefangenen	Gefangenenziffer pro 100.000 Einwohner
1980	99.638	280
1981	74.807	208
1982	79.783	220
1983	85.295	233
1984	76.164	206
1985	110.182	296
1986	99.427	266
1987	91.140	242
1988	67.824	179
1989	40.321	106

Quelle: *Andrzej Siemaszko/Beata Gruszczyńska/Marek Marczewski*, Facts and Figures, in: Andrzej Siemaszko (Hrsg.), Crime and Law Enforcement in Poland, Warszawa 2000, S. 52.

---

[1] Vgl. *Barbara Stando-Kawecka*, Die Strafvollzugsreform in Polen nach 1989, ZfStrVo 1997 (5), 272.

Mit der politischen Wende 1989 wurden Reformen eingeleitet, deren Ziel eine Rationalisierung und Humanisierung des Strafrechts und der Kriminalpolitik war. Unabhängig von den Arbeiten an dem neuen Strafgesetzbuch wurden Gesetze verabschiedet, die wichtige Änderungen des geltenden StGB beinhalteten. Das Strafrechtsänderungsgesetz von 1990[2] hob die Bestimmungen über die Anwendung von besonderen Sicherungsmaßregeln gegenüber Rückfalltätern *(Schutzaufsicht* und Unterbringung in einem *Zentrum für die gesellschaftliche Anpassung)* auf. Mit diesem Gesetz wurde auch die Nebenstrafe der Konfiskation des Vermögens abgeschafft. Ein weiteres Strafrechtsänderungsgesetz wurde im Jahr 1995 erlassen.[3] Die mit dem vorigen StGB von 1969 aufgehobene lebenslange Freiheitsstrafe wurde wieder eingeführt und ein fünfjähriges Moratorium für die Vollstreckung der Todesstrafe festgelegt. Eine weitere Veränderung betraf die Liberalisierung der Strafzumessung gegenüber Rückfalltätern: aufgehoben wurde die seit Jahren stark kritisierte obligatorische Erhöhung der Mindeststrafe gegenüber Rückfalltätern. Die Freiheitsstrafe mit Bewährung und die bedingte Entlassung aus dem Strafvollzug konnten in erweitertem Umfang angeordnet werden. Es wurde auch die Möglichkeit eingeführt, im Fall der Uneinbringlichkeit der Geldstrafe gemeinnützige Arbeit zu leisten.

Zweifellos haben diese Gesetze über die Änderung des StGB hinaus die Sanktionspraxis in Polen in den 1990er Jahren beeinflusst. Wahrscheinlich hat sich auch die Einstellung der Richter geändert. Infolgedessen war eine deutliche Liberalisierung der Kriminalpolitik bereits vor der Verabschiedung des neuen StGB zu bemerken. Aus Tabelle 3 ist ersichtlich, dass sich die Struktur der verhängten Strafen im Zeitraum 1990–1997 erheblich geändert hat. Die wichtigsten Änderungen bestanden darin, dass der Anteil der Freiheitsstrafe ohne Bewährung von 27,4 % im Jahr 1990 auf 12,2 % im Jahr 1997 gesunken ist, während der Anteil der Freiheitsstrafe mit Bewährung im selben Zeitraum von 48,9 % auf 55,2 % angestiegen ist. Die Geldstrafe spielte auch eine immer größere Rolle; Mitte der 1990er Jahre war mehr als jede vierte Strafe eine Geldstrafe. Die Freiheitsbeschränkungsstrafe wurde aber nur selten verhängt (3,4 %–5,2 %). Es soll betont werden, dass die Kriminalpolitik in den 1990er Jahren trotz des erheblichen Anstiegs der registrierten Kriminalität liberaler geworden ist.[4]

---

2 Dz.U. 1990, Nr. 14, Pos. 84.

3 Dz.U. 1995, Nr. 95, Pos. 475.

4 Zu einem Überblick über Kriminalitätsrate und Struktur der registrierten Kriminalität in Polen in den 1990er Jahren vgl. *Andrzej Siemaszko/Beata Gruszczyńska/Marek Marczewski*, Facts and Figures, in: Andrzej Siemaszko (Hrsg.), Crime and Law Enforcement in Poland, Warszawa 2000, S. 31–39.

Tabelle 3: Struktur der verhängten Strafen in den Jahren 1990–1997

Jahr	Strafen insgesamt (100%)	Freiheitsstrafe ohne Bewährung		Freiheitsstrafe mit Bewährung		Freiheits-beschränkungsstrafe		Geldstrafe		Andere*	
	Zahl	Zahl	%	Zahl	%	Zahl	%	Zahl	%	Zahl	%
1990	106.464	29.120	27,4	52.030	48,9	5.230	4,9	19.487	18.3	597	0,6
1991	152.333	40.601	26,7	76.579	50,3	5.291	3,5	29.714	19,5	148	0,1
1992	160.703	39.642	24,7	84.350	52,5	5.405	3,4	31.259	19,5	47	0,0
1993	171.622	36.954	21,5	91.295	53,2	6.389	3,7	36.920	21,5	64	0,0
1994	185.065	33.636	18,2	99.856	54,0	7.223	3,9	44.308	23,9	42	0,0
1995	195.455	32.296	16,5	105.796	54,1	7.306	3,7	49.997	25,6	60	0,0
1996	227.731	31.240	13,7	123.669	54,3	10.612	4,7	62.082	27,3	128	0,1
1997	210.600	25.752	12,2	116.159	55,2	10.934	5,2	57.689	27,4	66	0,0

Quelle: Gerichtsstatistik, Teil III. Rechtskräftige Entscheidungen, Justizministerium (alljährliche Publikation).

* In den Jahren 1990–1997 wurden 20 bis 62 Freiheitsstrafen von 25 Jahren und 12 bis 577 Nebenstrafen als selbständige Strafsanktion verhängt. Nach Wiedereinführung der lebenslangen Freiheitsstrafe wurde diese im Jahr 1996 einmal und im Jahr 1997 dreimal verhängt.

Mitte der 1990er Jahre hat sich die Gefangenenpopulation auf einem Niveau von 60.000 stabilisiert (Tabelle 4). Im Vergleich zur durchschnittlichen Gefangenenpopulation zur Zeit des kommunistischen Staates sank die Gefangenenzahl in den letzten Jahren vor der Verabschiedung des neuen StGB fast um die Hälfte. Die Gefangenenziffer auf 100.000 Einwohner, die in Polen in den Jahren 1990–1997 etwa 150–160 betrug, lag jedoch doppelt so hoch wie in Westeuropa.

Tabelle 4: Gefängnispopulation in Polen in den Jahren 1990–1999

Jahr	Zahl der Gefangenen	Gefangenenziffer pro 100.000 Einwohner
1990	50.165	132
1991	58.619	153
1992	61.409	160
1993	61.562	160
1994	62.719	163
1995	61.136	158
1996	55.487	144
1997	57.382	149

Quelle: *Andrzej Siemaszko/Beata Gruszczyńska/Marek Marczewski*, Facts and Figures, in: Andrzej Siemaszko (Hrsg.), Crime and Law Enforcement in Poland, Warszawa 2000, S. 52.

3. Kriminalpolitik nach In-Kraft-Treten des StGB von 1997

Das die Humanisierung und Rationalisierung der Kriminalpolitik intendierende StGB von 1997 wurde zur Zeit des sich ändernden sozialen und politischen Klimas verabschiedet. Wie in anderen *postkommunistischen* Ländern war auch in Polen Ende der 1990er Jahre eine Radikalisierung der öffentlichen Meinung zu beobachten. Angesichts der steigenden Kriminalitätsrate und Furcht vor Viktimisierung forderten ein Großteil der Bevölkerung sowie manche Politiker eine Verschärfung des Strafrechts. Infolgedessen wurde das neue StGB sofort nach In-Kraft-Treten wegen der übermäßigen Liberalisierung der Kriminalpolitik stark kritisiert. Als Merkmale der übermäßigen Liberalisierung haben die meisten Kritiker die Abschaffung der Todesstrafe und die Milderung der unteren und oberen Strafandrohungen für viele Straftaten genannt.[1] Ende 2000 hat die Regierung den Entwurf eines stark repressiven Änderungsgesetzes zum StGB ins Parlament eingebracht. Die durch den Entwurf vorgeschlagenen Änderungen bezweckten eigentlich ein neues, auf Vergeltung und Abschreckung gerichtetes Strafrecht anstelle des Strafrechts, das auf Humanisierung und Individualisierung der Strafverantwortlichkeit basiert. Das Änderungsgesetz zum StGB wurde im August 2001 im Parlament verabschiedet, der Präsident hat jedoch das Gesetz nicht unterzeichnet. Das im Herbst 2001 neu gewählte Parlament arbeitet an einer grundlegenden Novellierung des Strafrechts.

Die statistischen Daten, die die nicht-rechtskräftigen gerichtlichen Entscheidungen im Jahr 1997 und in den Jahren 1999–2000 betreffen, zeigen keine erhebliche Liberalisierung der Kriminalpolitik nach In-Kraft-Treten des StGB von 1997 auf. Die Struktur der verhängten Strafen für alle Straftaten sowie für die schwersten Straftaten (vorsätzliche Tötung, Raub, Vergewaltigung) blieb im beobachteten Zeitraum grundsätzlich ähnlich. Der Anteil der Freiheitsstrafe ohne Bewährung an allen verhängten Strafen ist nach In-Kraft-Treten des StGB von 1997 sogar leicht gestiegen. Der Anteil der Freiheitsstrafe mit Bewährung nahm auch zu, während der Anteil der Geldstrafe sich verringert hat.[2] Die auf rechtskräftigen gerichtlichen Entscheidungen basierenden Daten zeigen dieselben Tendenzen. Die Struktur der rechtskräftig verhängten Strafen in den Jahren 1997, 1999 und 2000 ergibt sich aus Tabelle 5. Nach diesen Daten ist der Anteil der Freiheitsstrafe ohne Bewährung nach dem In-Kraft-Treten des StGB von 1997 kontinuierlich gestiegen. Im Jahr 2000 betrug er 13,8 % im Vergleich zu 12,2 % im Jahr 1997. Nach dem In-Kraft-Treten des neuen StGB wurde auch die lebenslange Freiheitsstrafe häufiger als früher angewandt. Die Freiheitsstrafe mit Bewährung spielte in den Jahren 1999–2000 eine immer größere Rolle bei den verhängten Strafen. Im Jahr 2000 waren fast zwei Drittel der verhängten Strafen Freiheitsstrafen mit Bewährung. Der Anteil der Geldstrafe hat sich aber im beobachteten Zeitraum verkleinert. Diese Erscheinung ist wahrscheinlich damit zu erklären, dass das StGB von 1997 die Verhängung dieser Strafe *expressis verbis* ausschließt, wenn nicht zu erwarten ist, dass der Täter zu ihrer Bezahlung in der Lage ist. In den Jahren 1999 und 2000 war ein leichter Anstieg des Anteils der Freiheitsbeschränkungsstrafe im Vergleich zum Jahr 1997 zu bemerken. Die Strafmaßnahmen wurden nur in Einzelfällen als selbständige Strafsanktionen angewandt, obwohl das neue StGB diese Möglichkeit in relativ breitem Umfang vorsieht.

---

1 Über die Kritik des StGB von 1997 vgl. *Beata Gruszczynska/Marek Marczewski*, Nieprawomocne orzeczenia sadow w sprawach karnych w swietle starego i nowego kodeksu karnego (Nicht-rechtskräftige gerichtliche Entscheidungen in Strafsachen im Lichte des alten und neuen StGB), Archiwum Kryminologii 1999–2000, S. 179.

2 *Teodor Szymanowski*, Polityka kryminalna w świetle danych statystyki sądowej za lata 1997, 1999 i 2000 (Kriminalpolitik im Lichte der statistischen Daten für die Jahre 1997, 1999 und 2000), Państwo i Prawo 2001 (9), S. 49–50; *Gruszczynska/Marczewski*, a.a.O., S. 190–191.

Tabelle 5: Struktur der verhängten Strafen in den Jahren 1997, 1999 und 2000

	1997		1999		2000	
	Zahl	%	Zahl	%	Zahl	%
Strafen insgesamt	210.600	100	207.492	100	222.785	100
Geldstrafe*	57.689	27,4	38.186	18,4	33.699	15,1
Freiheitsbeschränkungsstrafe**	10.934	5,2	15.644	7,5	14.789	6,6
Freiheitsstrafe mit Bewährung	116.159	55,2	127.362	61,4	143.482	64,4
Freiheitsstrafe ohne Bewährung	25.752	12,2	26.083	12,6	30.680	13,8
Freiheitsstrafe von 25 Jahren	51	0,0	67	0,0	49	0,0
Lebenslange Freiheitsstrafe	3	0,0	8	0,0	12	0,0
Andere***	12	0,0	142	0,1	74	0,0

Quelle: Die statistischen Daten für das Jahr 1997 stammen aus: Gerichtsstatistik, Teil III. Rechtskräftige Entscheidungen, Justizministerium 1998. Die entsprechenden Daten für die Jahre 1999 und 2000 stammen aus: Statistisches Jahrbuch der Republik Polen, Warszawa 2001.

* Nach dem StGB von 1997 kann die Geldstrafe mit Bewährung oder ohne Bewährung verhängt werden. In den Jahren 1999 und 2000 wurden entsprechend 1.791 und 1.772 Geldstrafen mit Bewährung verhängt.

** Nach dem StGB von 1997 kann die Freiheitsbeschränkungsstrafe mit Bewährung oder ohne Bewährung verhängt werden. In den Jahren 1999 und 2000 wurden entsprechend 1.502 und 1.443 Freiheitsbeschränkungsstrafen mit Bewährung verhängt.

*** Strafmaßnahmen als selbständige Strafsanktionen.

Bemerkenswert ist, dass es in Polen in den letzten Jahren einen erheblichen Anstieg der Gefängnispopulation gab. Am Ende des Jahres 1999 betrug die Zahl der Gefangenen 56.765, während es im Jahr 2000 70.544 Gefangene gab. 2002 war die Gefängnispopulation noch größer und betrug über 80.000 Gefangene (ca. 210 Gefangene pro 100.000 Einwohner).[1] In derselben Zeit wurde die offizielle Kapazität der Gefängnisse (3 m^2 pro Gefangenen) um 16 % überschritten, obwohl in den letzten Jahren manche für kulturelle und sportliche Veranstaltungen benutzte Räume in Wohnzellen umgewandelt wurden. Die Zahl der Gefangenen hat zurzeit ein kritisches Niveau erreicht, bei dem die Beachtung der Menschenrechte im Strafvollzug fast unmöglich ist. Diese katastrophale Situation kann nur verändert werden, wenn man sich bemüht, den Anwendungsbereich der Alternativen zur Freiheitsstrafe und der bedingten Entlassung aus dem Strafvollzug zu erweitern.

[1] Nach den Daten der Zentralen Verwaltung des Gefängniswesens gab es am 31.8.2002 rund 80.990 Gefangene (http://www.czsw.gov.pl).

5. Sitzung

Strafrecht in Reaktion auf moderne Kriminalitätserscheinungen

Strafrechtliche Mittel zur Bekämpfung der organisierten Kriminalität in Russland

Lev Ivanov, Moskau

1. Das Problem der Kriminalität ist in den letzten zehn bis 15 Jahren sowohl auf nationaler wie auch auf internationaler Ebene immer mehr in den Blickpunkt geraten. Das Interesse an diesem Thema und die Ernsthaftigkeit, mit der das Problem behandelt wird, ist auf die veränderten Erscheinungsformen der Kriminalität zurückzuführen. Sie hat eine Metamorphose durchgemacht: von einem nur negativen Phänomen, das das normale Funktionieren des sozialpolitischen Systems gestört hat, ist sie, besonders in der Form der organisierten Kriminalität und der Korruptionskriminalität, zu einem immer bedeutenderen dysfunktionalen Element dieses Systems geworden, zu einem alltäglichen Bestandteil.

Charakteristisch für die heutige Kriminalität ist ihre Internationalisierung, die Nutzung von internationalen Verbindungen zu gesetzwidrigen Zielen. Die hohen Einkünfte, die z.B. mit Drogen- und Waffenhandel, Diebstahl von Informationen und illegaler Einwanderung erzielt werden können, machen den Kampf gegen das Verbrechen sowohl für einzelne Staaten als auch für die Weltgesellschaft zu einer äußerst komplizierten und auch teuren Angelegenheit.

Bei der Bekämpfung der Kriminalität stehen vor allem strafrechtliche, strafprozessuale und verwaltungsrechtliche Mittel im Vordergrund, die jedoch nicht immer besonders effektiv sind. Selbstverständlich kann auf diese „traditionellen" Mittel nicht verzichtet werden und ist der Kampf ohne sie nicht zu führen; dabei darf jedoch nicht außer Acht gelassen werden, dass man mit diesen Methoden an Grenzen stößt. Ebenso wichtig ist die Erkenntnis, dass repressive Maßnahmen nur auf der Grundlage einer tiefgehenden kriminologischen Analyse der Kriminalität sinnvoll sind.

Ein Schwachpunkt des Kampfes gegen die Kriminalität ist leider immer noch die mangelhafte Nutzung kriminologischer und strafrechtlicher Forschungsergebnisse in diesem Bereich. Das gilt zumindest für Russland, wo viele gesetzgeberische Entscheidungen weniger von tatsächlichen Notwendigkeiten als von aktuellen politischen Erwägungen beeinflusst werden.

2. Ernste Beachtung findet das Problem der Bekämpfung der organisierten Kriminalität in Russland seit dem Ende der 1980er Jahre, als im Innenministerium die Hauptdienststelle für die Bekämpfung der organisierten Kriminalität samt ihrer

regionalen Vertretungen gegründet wurde. Seit dieser Zeit wird auch eine entsprechende Statistik geführt. Laut dieser Statistik wurden 1989 489 kriminelle Gruppen aufgedeckt, 1995 waren es schon 8.222, durch die 26.433 Straftaten begangen wurden. Im Jahr 2001 konnte die Tätigkeit von 16.500 organisierten Gruppen aufgedeckt werden, die 33.500 Straftaten begangen haben, darunter 142 Auftragsmorde und 469 Raubüberfälle.

Erwiesenermaßen gab es in Russland Anfang der 1990er Jahre einen deutlichen Sprung in der Entwicklung der organisierten Kriminalität, der mit dem Zerfall der Sowjetunion, der Schwächung der staatlichen Kontrolle, dem Beginn der Umsetzung der Marktreformen und mit der Durchführung der Privatisierung zusammenfiel. Die Bedingungen waren günstig für die Entstehung organisierter krimineller Gruppen und für bestimmte Kriminalitätsformen. Durch die Entwendung von Naturschätzen, den illegalen Export und den Ankauf staatlicher Werke, Fabriken, rohstoffgewinnender und verarbeitender Betriebe weit unter dem realen Wert kam es zu einer Konzentration beträchtlicher materieller Ressourcen in den Händen der organisierten Kriminalität. Die organisierten kriminellen Gruppen erlangten durch ihre wirtschaftliche Stärke auch eine starke Position gegenüber den Rechtsschutzorganen.

Im Lauf der vergangenen Jahre hat man in Russland nicht nur die rechtlichen, sondern auch die stark ausgeprägten politischen und wirtschaftlichen Aspekte des Problems der organisierten Kriminalität erkannt, was sich auch in dem „Konzept der nationalen Sicherheit der Russischen Föderation“ (Ukaz Nr. 24 des Präsidenten der Russischen Föderation vom 10.1.2000) widerspiegelt. Dieses Konzept spricht von einer steigenden Kriminalisierung der Gesellschaft, die auf die sozialpolitischen und ökonomischen Umwandlungen zurückzuführen sind. Die dadurch entstehende Bedrohung für die nationale Sicherheit Russlands sei auch in Zusammenhang zu sehen mit dem Zerfall der Gesellschaft, insbesondere der entstehenden Kluft zwischen einer kleinen Gruppe von Reichen und der großen Masse von Menschen, denen es wirtschaftlich schlecht geht, mit einer steigenden Anzahl von Personen, die unterhalb der Armutsgrenze leben.

Kriminologischen Untersuchungen zufolge sind die Erzielung von hohen Gewinnen, die Umgehung staatlicher Macht und die Ausschaltung krimineller Konkurrenten typisch für die russische organisierte Kriminalität. Dabei wird zur Erreichung dieser Ziele nicht selten der hohe Preis der Bedrohung von Menschenleben gezahlt: Die Anzahl von Geiselnahmen, von Entführungen, von Auftragsmorden mit zum Teil gemeingefährlichen Mitteln wächst ständig.

Die organisierte Kriminalität ist immer mehr Gegenstand interdisziplinärer wissenschaftlicher Forschung: Im Jahr 1996 ist das monumentale Werk eines Autorenkollektivs „Grundlagen der Bekämpfung der organisierten Kriminaltat“ erschienen, die Russische Kriminologen-Vereinigung veröffentlicht regelmäßig zu diesem Thema. In Moskau beschäftigt sich außerdem das „Zentrum zu Problemen transnationaler organisierter Kriminalität und Korruption“ mit der Problematik; hier werden zahlreiche Konferenzen durchgeführt und ein vierteljährlich erscheinendes Jahrbuch herausgegeben.

3. Obwohl das vom russischen Parlament im Jahr 1995 verabschiedete Gesetz „Über die Bekämpfung der organisierten Kriminalität“ vom Präsidenten abgelehnt worden ist, wurden viele seiner Bestimmungen in das 1996 verabschiedete neue Strafgesetzbuch aufgenommen.

In Art. 35 StGB sind die Begriffe „kriminelle Organisation“ in Form der „organisierten Gruppe“ und in Form der „kriminellen Vereinigung“ definiert; im Strafgesetzbuch ist außerdem die strafrechtliche Verantwortung für die Gründung, Führung und Mitgliedschaft in einer kriminellen Gemeinschaft festgelegt. Außerdem wird die strafrechtliche Verantwortung für die Gründung, Führung und Mitgliedschaft in einer kriminellen Gemeinschaft bestimmt. In Art. 210 des Besonderen Teils wird die Bildung einer kriminellen Vereinigung (kriminellen Organisation), die Leitung einer solchen Vereinigung oder von zu ihr gehörenden strukturellen Unterabteilungen mit Freiheitsentzug für die Dauer von sieben bis zu 15 Jahren unter Strafe gestellt. Viele Normen verstehen die Begehung einer Straftat von einer organisierten Gruppe als ein strafschärfendes qualifizierendes Merkmal.

Die Besonderheiten der Aktivitäten organisierter Gruppen verlangen von den Rechtsschutzorganen die Durchführung spezieller operativer Fahndungsmaßnahmen, um Straftaten aufdecken und verhindern zu können. In diesem Zusammenhang sieht das föderale Gesetz von 1995 den Einsatz von proaktiven Ermittlungsmethoden, operativem Eindringen, kontrollierten Lieferungen, operativen Experimenten (Art. 6), Gründung von Strohmann-Betrieben, Büros und Organisationen (Punkt 5, Art. 15) vor. Dieses Gesetz sieht außerdem die Kooperation auf entgeltlicher oder unentgeltlicher Basis mit Personen vor, die sich zu einer vertraulichen Zusammenarbeit mit den die operative Fahndungstätigkeit ausübenden Organen bereit erklärt haben (Punkt 2, Art. 15). Die Möglichkeit des operativen Eindringens war auch schon früher in Punkt 14, Art. 10 des Gesetzes „Über die föderalen Organe der Steuerinspektion“ (1993) vorgesehen.

1995 wurde das föderale Gesetz „Über den staatlichen Schutz der Richter, der Amtspersonen, der Rechtsschutzorgane und der kontrollierenden Organe“ verabschiedet, laut dessen Art. 5 für die Sicherung des Lebens- und Gesundheitsschutzes der beschützten Personen und für die Sicherung ihres Eigentums folgende Sicherheitsmaßnahmen angewandt werden können: Leibwache, Aushändigung von Waffen, vorübergehende Unterbringung an einem ungefährlichen Wohnort, Ausstellung neuer Papiere, Änderung des Äußeren. Ein ähnliches Gesetz über den Schutz von Zeugen und Opfern ist aufgrund des Fehlens finanzieller Mittel für dessen Durchsetzung bis jetzt nicht verabschiedet worden, allerdings wird das Projekt eines solchen Gesetzes im Parlament diskutiert.

Die Strafprozessordnung der RF, die zum 1.7.2002 in Kraft getreten ist, sieht Schutzmaßnahmen für Opfer, Zeugen und andere Verfahrensbeteiligte sowie für deren nahe Verwandte vor. Für den Fall der Drohung mit Mord oder anderen gefährlichen rechtswidrigen Taten können das Gericht, der Staatsanwalt und der Untersuchungsführer folgende Maßnahmen zum Schutz der genannten Personen ergreifen:

- Geheimhaltung der Angaben zur Person, der eine Gefahr drohen kann (in diesem Fall wird ein Deckname und ein Unterschriftsmuster für die Person bestimmt, die dann für die weitere Untersuchungstätigkeit maßgeblich sind);
- Kontrolle und Aufzeichnung der Telefongespräche und anderer Gespräche (auf schriftlichen Antrag der betreffenden Personen oder aufgrund einer Gerichtsentscheidung);
- Gegenüberstellung der Person zum Zweck der Identifizierung unter Ausschluss der Beobachtung der identifizierenden Person durch die identifizierte Person (in diesem Fall befinden sich die als Zeugen hinzugezogenen Personen in einem Raum mit der identifizierenden Person);
- Ausschluss der Öffentlichkeit von der Gerichtsverhandlung;
- Durchführung der gerichtlichen Vernehmung des Zeugen ohne Nennung der Angaben zu seiner Person und unter Ausschluss der Beobachtung durch andere Verfahrensbeteiligte (in diesem Fall ist eine spezielle gerichtliche Entscheidung erforderlich).

Ein Teil der genannten Maßnahmen stößt bei einigen Prozessrechtlern auf ernste Einwände, da sie die Gefahr des Machtmissbrauchs und der Begrenzung des Rechts auf Verteidigung fürchten.

4. Die ökonomische, politische und ideologische Systemkrise, die Russland in den 1990er Jahren durchlebte, hat die Entwicklung der Korruption begünstigt. Darüber hinaus wird die Korruption auch durch die Unzulänglichkeiten der russischen Gesetzgebung gefördert, die aus kriminologischer Sicht in einer Reihe von Fällen geradezu kriminogen und „korruptiogen" sind. So schafft etwa die geltende föderale Gesetzgebung im Bereich der Finanzierung von Sozialleistungen in einigen Fällen faktisch einen „gesetzlichen" kommerziellen Mittler zwischen den staatlichen außerbudgetären Fonds und den staatlichen Einrichtungen, die dann letztlich die Empfänger der Geldleistungen aus den Fonds sind. Die Versicherungsgesellschaften haben in der Rolle eines solchen Mittlers zum Beispiel das Recht, die vom Staat erhaltenen Gelder in Wertpapieren und Bankkonten zu investieren. Das führt dazu, dass Versicherungsmittel nicht zur Zahlung von medizinischen Leistungen genutzt werden, sondern für eigene kommerzielle Tätigkeiten und für die Erzielung von Einkünften aus der Nutzung staatlicher Mittel, teilweise auch im Interesse der Begründer und Leiter der Versicherungsgesellschaften.

Bei der Aufzählung der die Korruption begünstigenden Schwachstellen der russischen Gesetzgebung dürfen die Einrichtung des Staatsdienstes auf der staatlichen und auf der Gemeindeebene sowie die spezielle Antikorruptionsgesetzgebung nicht unerwähnt bleiben. So hat etwa der Ukaz des Präsidenten der Russischen Föderation vom 4.4.1992 „Über den Kampf gegen die Korruption im Staatsdienst" eine Reihe von strengen Maßnahmen gegen die Korruption vorgesehen. Danach waren die Beamten im Fall der Verletzung dieser gesetzlichen Vorgaben aus dem Staatsdienst zu entfernen und zur Verantwortung zu ziehen. Außerdem wurden die Beamten in führenden Positionen mit dem Dienstantritt verpflichtet, ihre Einkünfte, ihr bewegliches und unbewegliches Vermögen, ihre Bankkonten und Wertpapiervermögen und auch ihre finanziellen Verpflichtungen offen zu legen. Leider war dieser Ukaz jedoch in vielerlei Hinsicht ein „totgeborenes Kind"; besonders die Verpflichtung zur Offenlegung von Vermögen und Einkünften wurde kaum erfüllt. Dies ist unter anderem auf das Fehlen einer entsprechend detaillierten Gesetzgebung zum Staatsdienst sowie darauf zurückzuführen, dass die Kontrollmechanismen hinsichtlich der Erfüllung der Vorgaben des Ukaz nicht ausreichend durchdacht waren.

Im Zusammenhang mit diesen Problemen wurden an das föderale Gesetz „Über die Grundlagen des Staatsdienstes in der Russischen Föderation" vom 5.6.1995 große Hoffnungen geknüpft. Dieses Gesetz regelte die Rechtspflichten der Staatsbediensteten und hatte in weiten Teilen den Charakter eines Antikorruptionsgesetzes. Nach diesem Gesetz hatte der Beamte etwa nicht das Recht, eine unternehmerische Tätigkeit oder eine andere bezahlte Tätigkeit auszuüben; es war ihm verboten, Mitglied der Führungsorgane von kommerziellen Organisationen zu sein usw.[1]

Dieselben Begrenzungen und Anforderungen wurden in dem föderalen Gesetz „Über die Grundlagen des öffentlichen Dienstes in den Gemeinden der Russischen Föderation" vom 17.12.1997 auch auf die Beamten der Kommunen erstreckt. Beim Lesen des Gesetzes sind all diese erwähnten Begrenzungen und Verpflichtungen sehr eindrucksvoll, und wenn Normen verwirklicht würden, hätten jene, die bestechen wollten, es nicht leicht. Aber in der Mehrzahl der Fälle stehen diese Verbote und Begrenzungen nur auf dem Papier. So liegen etwa die Kontrolle der bei Dienstantritt in den Staatsdienst abzugebenden Angaben sowie die Kontrolle über die Einhaltung der gesetzlichen Beschränkungen für Personen im Staatsdienst in den Händen der Personalabteilungen des entsprechenden Staatsorgans. In Anbetracht der – unbedeutenden – Größe dieser Personalabteilungen und ihrer begrenzten Kontrollmöglichkeiten kann in diesem Bereich nur eine sehr formelle und oberflächliche Kontrolle erwartet werden. Im Übrigen kann natürlich die Personal-

1 Am 27. Juli 2004 hat das Parlament der RF das Gesetz über den staatlichen Zivildienst verabschiedet. Dieses Gesetz soll im Jahr 2005 in Kraft treten und das Gesetz vom 5.6.1995 ersetzen.

abteilung dieses oder jenes Staatsorgans keine wirklich tiefgehende und umfassende Kontrolle ihrer eigenen Leiter durchführen.

Das geltende Strafgesetzbuch der Russischen Föderation zählt folgende Delikte zu den Korruptionsdelikten: Betrug, Unterschlagung und Untreue, soweit sie unter Missbrauch der dienstlichen Stellung verwirklicht worden sind (Art. 159, 160), Behinderung rechtmäßiger unternehmerischer Tätigkeit (Art. 169), Missbrauch von Amtsbefugnissen (Art. 285), ungesetzliche Teilnahme an unternehmerischer Tätigkeit (Art. 290), Urkundenfälschung im Amt (Art. 292) und eine Reihe von anderen Delikten. Am gründlichsten sind im Strafgesetzbuch die Probleme der Strafbarkeit für Bestechlichkeit geregelt. Art. 290 StGB bestimmt, dass als Vorteil im Sinne des Bestechungsparagraphen Geld, Wertpapiere, jedes andere Vermögen und auch sonstige Vermögensvorteile anzusehen sind. Das Wesen der Bestechlichkeit besteht darin, dass der Beamte von anderen eine offenkundig rechtswidrige materielle Belohnung für seine dienstliche Handlung oder für sonstiges Verhalten im Zusammenhang mit seiner Dienstposition erhält. Im Unterschied zur Gesetzgebung vieler anderer Länder kann im russischen Recht der Empfänger einer Bestechung jedoch nicht jeder beliebige Beamte, sondern nur derjenige sein, der eine repräsentative, eine entscheidende organisatorische oder eine verwaltungswirtschaftliche Funktion im Staat innehat. Diese Begrenzung wird von vielen russischen Kriminologen für nicht richtig gehalten.

Im Unterschied zur Rechtslage in den meisten anderen Rechtssystemen sieht das russische Strafrecht zwingend Straffreiheit in zwei Fällen vor: Eine Person macht sich nicht wegen Bestechung strafbar, wenn der Beamte das Bestechungsgeld erpresst hat, oder wenn sie die Strafverfolgungsorgane freiwillig über die Bestechung informiert (Annex zu Art. 290 StGB). Diese Norm ist von erheblicher praktischer Bedeutung; viele Strafverfahren wegen Korruption sind auf der Grundlage von Angaben desjenigen, der die Bestechung unternommen hat, eingeleitet worden.

Lebhaft diskutiert wird in Zusammenhang mit der Bestechung ferner die Frage der Grenzziehung zwischen der rechtmäßigen Ermittlungstätigkeit und der rechtswidrigen Anstiftung zur Bestechung. Sehr viele der russischen Spezialisten sprechen sich in dieser Diskussion für die Zulässigkeit der Anstiftung als einer Methode im Kampf gegen die Korruption aus. Die Gegner der Zulässigkeit der Anstiftung verweisen vor allem auf Erfahrungen im Ausland, so etwa auf das Strafgesetzbuch des Staates New York, das solche Aktionen als das Stellen einer Falle bezeichnet und regelt, dass der Beschuldigte, der eine verbotene Handlung begangen hat, deswegen als unschuldig anzusehen ist, weil er zu dieser Handlung entweder durch eine Staatsbediensteten oder aber durch eine Person, die gemeinsam mit einem Staatsbediensteten gehandelt hat, angestiftet worden ist.

Die Autoren des Sammelbandes „Praktische Maßnahmen im Kampf gegen die Korruption“, der vom Sekretariat des 8. Kongresses der UNO über die Vermeidung von Verbrechen und die Reaktion auf Gesetzesverletzungen herausgegeben wurde, haben darauf hingewiesen, dass die unterschiedlichen Methoden und Instrumente, mit denen die Ehrlichkeit und moralische Integrität von Beamten überprüft werden soll, sehr kritikwürdig sind. Mögliche Folge dieser Maßnahmen ist die schwindende gesellschaftliche Achtung vor den Gesetzen. Das gilt insbesondere für den Einsatz von „Spitzeln", den man auch als Versuch betrachten kann, dort ein simuliertes Verbrechen nachzuweisen, wo es unmöglich ist, ein wirkliches Verbrechen zu beweisen. Man könnte weiter auch behaupten, dass wegen der in der Natur des Menschen liegenden Schwäche die Rechtsschutzorgane entsprechend ihrem Ermessen jeden Opponenten in eine Falle locken und vernichten können, sei dies ein politischer, ein persönlicher oder ein Opponent aus ideologischen Gründen.

Die russische Strafgesetzgebung verbietet die Anstiftung als Methode des Kampfes gegen die Korruption. Entsprechend Art. 304 StGB wird die Anstiftung zur Bestechung, d.h. der Versuch der Übergabe von Geld oder von anderem Vermögen mit dem Ziel der „künstlichen" Erlangung von Beweisen für die Begehung von Verbrechen mit Geldstrafe oder Freiheitsstrafe bis zu fünf Jahren bestraft. Gleichzeitig bedient sich die Praxis des Mittels der Anstiftung zur Bestechung zur allgemeinen Verbrechensaufklärung. Dabei sind die Milizen sehr häufig zutiefst überzeugt davon, dass diese Methoden rechtmäßig sind; dass ihre Handlungen als so genannter operativer Versuch (entspricht dem *agent provocateur*) von dem Gesetz über die Aufklärungstätigkeit gedeckt ist. Der entscheidende Unterschied zwischen dem „operativen Versuch" und der Anstiftung besteht jedoch darin, dass der operative Versuch nur dann möglich ist, wenn die Initiative zum Erhalt eines Bestechungsgeldes vom Beamten ausgeht.

Der Kampf gegen die Korruption erfordert ein komplexes und differenziertes Vorgehen, was auch in der Resolution Nr. 7 „Die Korruption im Bereich der staatlichen Verwaltung" des oben erwähnten 8. Kongresses der UNO betont wurde. In Russland ist der Versuch eines solchen komplexen Vorgehens in dem Gesetzesprojekt „Über den Kampf gegen die Korruption" unternommen worden. Dieses Gesetzesprojekt bestimmt folgende Grundvoraussetzungen für eine effektive Korruptionsbekämpfung:

- die Kompetenzen der Staatsorgane und der Kommunen müssen gesetzlich genau festgelegt sein;
- die Tätigkeit der Staatsorgane muss für die Öffentlichkeit erkennbar sein und einer staatlichen sowie gesellschaftlichen Kontrolle unterliegen;
- die Bezahlung der Staatsbediensteten und Gemeindebediensteten muss so sein, dass für sie und ihre Familien ein angemessener Lebensstandard gesichert ist;
- der Staat muss die Rechte und die gesetzlichen Interessen der Staats- und Gemeindebediensteten schützen.

Seit 1992 haben zunächst der Oberste Sowjet der Russischen Föderation und dann die Duma der Russischen Föderation mehr als einmal dieses Gesetz verabschiedet, aber entweder wurden die von der Duma verabschiedeten Gesetze vom Föderationsrat blockiert oder der Präsident verhinderte sie durch sein Veto.

In Ergänzung zu dem Gesetz über die Korruption und im Sinne seiner praktischen Umsetzung ist es zweckmäßig, auch ein Gesetz über die Verwaltungsgerichtsbarkeit und ein Gesetz über das Verwaltungsverfahren zu verabschieden. Wenn dies nicht geschieht, ist die Entwicklung einer vollwertigen Verwaltungsgerichtsbarkeit unmöglich, d.h. die Entwicklung einer unabhängigen gerichtlichen Kontrolle aller Verwaltungshandlungen auf sämtlichen Ebenen. Vorläufig stützt man sich in Russland eher auf eine interne behördliche Kontrolle der Beamten. Aus Sicht des Schutzes der Rechte der Bürger ist dies jedoch bedeutend weniger effektiv.

5. Im Jahr 1998 hat Russland das Übereinkommen des Europarates über Geldwäsche sowie Ermittlung, Beschlagnahme und Einziehung von Erträgen aus Straftaten (sog. Geldwäsche-Übereinkommen) unterzeichnet. Schon im russischen StGB von 1996 war die Geldwäsche unter Strafe gestellt. Aber um die internationalen Verpflichtungen zu erfüllen und die wirtschaftliche Basis der organisierten Kriminalität zu schwächen, hat das russische Parlament im Jahr 2001 das föderale Gesetz „Über die Bekämpfung der Legalisierung der auf unrechtem Wege gewonnenen finanziellen Mittel (Geldwäsche)" verabschiedet. Dieses Gesetz enthält eine Liste aller wirtschaftlichen Transaktionen natürlicher und juristischer Personen, die der unbedingten Kontrolle durch die verschiedenen im Finanzbereich tätigen Organisationen (Kredit-, Versicherungs- und Leasingunternehmen, Leihhäuser, Post- und Kommunikationsunternehmen) unterliegen, sofern es sich um eine Summe von mindestens 600.000 Rubel handelt. Seit 1. Februar 2002 ist auch das Komitee für finanzwirtschaftliche Kontrolle der RF (Komitee für Finanzmonitoring – KFM) tätig, das die Durchführung des Gesetzes sowie die Koordination der Tätigkeit anderer föderaler Organe der Exekutivgewalt auf dem Gebiet der Bekämpfung der Geldwäsche regelt. Das Komitee ist dem Finanzministerium der RF untergeordnet, der Leiter des KFM ist der erste Stellvertreter des Finanzministers.

Jedoch steht Russland bis jetzt gemäß der Entscheidung der FATF (Financial Action Task Force – internationale Sonderkommission, die für die Durchsetzung der Geldwäschekonvention sorgt) auf der schwarzen Liste und gehört zu den Ländern, in denen die Geldwäsche nicht in befriedigender Weise bekämpft wird.[2]

6. Die russische Arbeit zur Bekämpfung der OK baut auf der internationalen Zusammenarbeit in diesem Bereich auf. Die RF beteiligt sich an den von der UNO und der EU organisierten internationalen Konferenzen zu Problemen der organisierten Kriminalität. Im Jahr 2000 hat Russland die UN-Konvention gegen die transnationale organisierte Kriminalität und die Zusatzprotokolle über die Präven-

2 Seit 2003 steht Russland nicht mehr auf der schwarzen Liste.

tion, Verhinderung und Bestrafung des Menschenhandels und hinsichtlich der Schleusung von Immigranten unterzeichnet. Im Rahmen der gemeinsamen Strategie der EU gegenüber Russland (Europäischer Rat, Köln, 3.–4.6.1999) entstand der Vorschlag, einen Plan für die Zusammenarbeit zwischen der EU und Russland auf dem Gebiet der Bekämpfung der organisierten Kriminalität, unter anderem bezüglich der Korruptionsbekämpfung auszuarbeiten. Am 14.6.2002 hat die Staatsduma der Russischen Föderalversammlung die internationale Konvention für die Bekämpfung der Terrorismusfinanzierung ratifiziert.

Die Problematik der organisierten Kriminalität aus Sicht der Tschechischen Republik

Helena Válková, Pilsen

1. Einführung

Die organisierte Kriminalität wird sowohl von Kriminologen und Strafrechtlern als auch von Politikern und der Öffentlichkeit zu Recht als eines der wichtigsten Probleme der Gegenwart aufgefasst. Aus diesem Grund wird ihr im Bereich der Wissenschaft,[1] aber auch im Bereich der Strafrechtspolitik[2] und der Strafrechtsgesetzgebung große Aufmerksamkeit gewidmet. Die Tschechische Republik bildet hier also keine Ausnahme. Im Hinblick auf die Komplexität dieser Problematik wird die Darstellung auf die Analyse der Instrumente des Strafrechts begrenzt, welche der tschechischen Justiz bei der Bekämpfung des organisierten Verbrechens zur Verfügung stehen bzw. fehlen.

Wird nachfolgend allgemein der Begriff der organisierten Kriminalität verwendet, so werden darunter wiederholte, zielgerichtet koordinierte und schwerwiegende strafbare Handlungen und die sie unterstützenden Aktivitäten verstanden, deren Ziel die illegale Gewinnmaximierung ist und die durch kriminelle Organisationen oder Vereinigungen begangen werden. Sollen aus strafrechtlicher Sicht die Begriffe „organisierte Kriminalität" oder „strafbare Handlung von kriminellen Organisationen" analysiert werden, so stellt man fest, dass diese in der tschechischen Fachliteratur nicht einheitlich aufgefasst und ausgelegt werden. Häufig werden sie je nach Kontext unterschiedlich gebraucht, was Diskussionen darüber auslöst, welche

---

[1] *Cejp, Martin*, Nastin pristupu k problematice vyzkumu organizovane kriminality, in: K organizovane kriminalite (Aufriss der Bekämpfung der organisierten Kriminalität, in: Zur organisierten Kriminalität), Institut pro kriminologii a socialni prevenci, IKSP (Institut für Kriminologie und soziale Prävention, IKSP), Prag 1993; *Scheinost, Miroslav*, Organizovana kriminalita z pohledu kriminologie a trestniho prava (Organisierte Kriminalität aus Sicht der Kriminologie und des Strafrechts), IKSP Prag 1996. Eine langfristige Erforschung der organisierten Kriminalität wird in der Tschechischen Republik vom IKSP durchgeführt.

[2] *Kratochvíl, Vladimir*, Organizovany zlocin a novela trestniho zakona c.152/1995 Sb. (Organisiertes Verbrechen und die Strafrechtsnovelle Nr. 152/1995 Sb.), Právní rozhledy 1996, S. 89 ff.; *Chmelík, Jaroslav*, Soucasna praxe pri vyuzivani pravnich institutu v boji s organizovanzm zlocinem (Die gegenwärtige Praxis der Ausnutzung von Rechtsinstituten bei der Bekämpfung des organisierten Verbrechens), Kriminalistika 1998, 292 ff.; *Karabec, Zdenek*, Trestni justice a vyzva organizovaneho zlocinu (Strafrechtsjustiz und die Herausforderung durch das organisierte Verbrechen), Kriminalistika 2000, 73 ff.

Definition am besten den Tatbestand und die Schwere dieser Art strafbarer Handlungen ausdrückt.[3]

Nicht viel anders sieht es jedoch auch in einigen internationalen Dokumenten aus. Aus diesem Grund wird dem Vergleich und der Bewertung der tschechischen Regelungen auf dem Gebiet der Bekämpfung des organisierten Verbrechens ein Dokument zu Grunde gelegt, welches international als Standard angesehen wird: Das *UN-Übereinkommen zur Bekämpfung der organisierten Kriminalität* (nachfolgend nur „UN-Übereinkommen") vom 15.11.2000, das auch die Tschechische Republik unterzeichnet, jedoch noch nicht ratifiziert hat. Da das UN-Übereinkommen die Pflicht auferlegt, bestimmte Handlungen unter Strafe zu stellen und die Täter strafrechtlich zu belangen, vereinheitlicht es die Vorgehensweise und die rechtlichen Regelungen der einzelnen Staaten auf diesem Gebiet. Das UN-Übereinkommen kann deswegen als Festlegung der Mindeststandards im Kampf gegen das organisierte Verbrechen angesehen werden, da es den Staaten die Verabschiedung strengerer Maßnahmen ermöglicht, wie dies indirekt auch in Art. 34 Abs. 3 zum Ausdruck kommt.

2. Definition und Kriminalisierung des organisierten Verbrechens

Das UN-Übereinkommen definiert das organisierte Verbrechen lediglich indirekt in Art. 2 durch die Definition der Gruppe des organisierten Verbrechens: Darunter ist eine strukturierte Gruppe von mindestens drei Personen zu verstehen, welche für eine bestimmte Dauer besteht, deren Mitglieder nach gegenseitiger Absprache in der Absicht handeln, eine oder mehrere schwerwiegende Straftaten, für die eine Mindeststrafe in Höhe von vier Jahren Freiheitsentzug angedroht ist, zu begehen, um einen direkten oder indirekten materiellen oder finanziellen Vorteil zu erzielen. Durch Art. 5 UN-Übereinkommen wird die Beteiligung an einer solchen Gruppe unter Strafe gestellt.

Dieser Definition steht in der tschechischen Rechtsordnung der Begriff der „kriminellen Vereinigung" am nächsten, welcher in § 89 Abs. 17 StGB[4] durch folgende Tatbestandsmerkmale umschrieben ist:

> Es handelt sich um eine Vereinigung von mehreren Personen mit einer inneren Struktur, innerhalb der die Macht und die Zuständigkeiten klar verteilt sind, und
>
> deren Tätigkeit auf die Begehung vorsätzlicher fortgesetzter strafbarer Handlungen gerichtet ist.

---

[3] *Chmelík, Jaroslav/Konrad, Zdenek/Porada, Viktor*, Organizovany zlocin? (Organisiertes Verbrechen?) Kriminalistika 1998, 38 ff.; *Karabec, Zdenek*, K pravnimu vymezeni organizovaneho zlocinu (Zur rechtlichen Abgrenzung der organisierten Kriminalität), Kriminalistika 2000, 3 ff.

[4] Trestní zákon – Strafgesetzbuch Nr. 140/1961 Sb. (nachfolgend nur „StGB").

Auch der tschechische Gesetzgeber stellt die bloße Mitgliedschaft in einer kriminellen Vereinigung (§ 163a StGB) unter Strafe. Weiterhin wird durch die Erhöhung der Obergrenze der Strafbarkeit anderer Delikte eine spürbare Verschärfung der Bestrafung des Täters ermöglicht, welcher zu Gunsten einer solchen Vereinigung (§§ 43 und 44 StGB) strafbare Handlungen begeht. So weit sind die tschechischen Regelungen mit denen des UN-Übereinkommens in Einklang. Problematisch ist allerdings die praktische Umsetzung dieser Bestimmung. Das Gesetz verlangt die Erfüllung aller oben genannten Tatbestandsmerkmale im Sinne des § 89 Abs. 17 StGB, was in der Praxis zu einer verschwindend geringen Verfolgungs- und Verurteilungsquote führt.[5] Strafbare Handlungen, welche als Beteiligung an einer kriminellen Vereinigung qualifiziert werden könnten, werden daher in der Praxis viel öfter als Straftat der Erpressung (§ 235 Abs. 1a StGB), begangen durch ein Mitglied der kriminellen Vereinigung, qualifiziert. Die Praxis umgeht den schwierigen Nachweis einer kriminellen Vereinigung, indem sie die zur Erhöhung des Strafrahmens führende Qualifizierung oder den erschwerenden Umstand bejaht, dass die Straftat durch ein Mitglied einer organisierten Gruppe oder Vereinigung gemäß § 34g StGB begangen wurde. Hier muss nämlich, im Gegensatz zur Strafbarkeit der Mitgliedschaft in einer kriminellen Vereinigung, nicht ein erhöhtes Maß an Koordination und Organisation bei der Tatbegehung nachgewiesen werden. Für eine wirksamere Bekämpfung aller Formen der Beteiligung und Unterstützung einer kriminellen Vereinigung sollten daher im tschechischen Strafgesetzbuch die Tatbestandsmerkmale abgeschwächt werden, welche gemäß § 89 Abs. 17 erfüllt sein müssen, damit eine bestimmte Personengruppe als kriminelle Vereinigung im Sinne des Art. 2 UN-Übereinkommen betrachtet werden kann. Zu einer gewissen Verbesserung kam es durch die letzte Novelle des Strafgesetzbuchs (Nr. 134/2002 Sb.), welche mit Wirkung zum 1.7.2002 für die Merkmale einer kriminellen Vereinigung nicht mehr die zielgerichtete Gewinnerzielung voraussetzt. Eine rechtswidrige Beeinflussung der Staatsorgane ist unbestritten nicht minder gefährlich, so wie dies der Beschluss der EU aus dem Jahr 1998 zur gemeinsamen Bekämpfung des organisierten Verbrechens vorsieht.

3. Mitgliedschaft in einer kriminellen Vereinigung

Das Interesse an der Bekämpfung des organisierten Verbrechens spiegelt sich in dem Straftatbestand der Mitgliedschaft in einer kriminellen Vereinigung gemäß § 163a StGB wider. Der objektive Tatbestand enthält drei Handlungsmodalitäten:

---

[5] Im Jahr 1999 wurden wegen Straftaten gemäß § 163a StGB (Beteiligung an einer kriminellen Vereinigung) nur 36 Personen strafverfolgt, von denen lediglich eine Person verurteilt wurde. Im Jahr 2000 waren es 42 Personen, von denen keine verurteilt wurde, und im Jahr 2001 wurden 75 Personen strafverfolgt und zwei auch tatsächlich verurteilt (Statisticka rocenka kriminality – Statistisches Jahrbuch der Kriminalität, Justizministerium Prag 2002, S. 172 und 180).

- die Gründung einer kriminellen Vereinigung,
- die Mitgliedschaft in einer kriminellen Vereinigung,
- die Unterstützung einer kriminellen Vereinigung.

Die Straftat kann ausschließlich vorsätzlich begangen werden. Dies bedeutet, dass der Täter wenigstens annähernd Kenntnis darüber haben muss, dass er zu Gunsten einer in § 89 Abs. 17 StGB als kriminelle Vereinigung definierten Gruppe handelt.

Die tschechische Regelung des § 163a StGB erfüllt damit vom Wortlaut her die Anforderungen des Art. 5 UN-Übereinkommen, der dazu verpflichtet, solche Handlungen strafrechtlich zu verfolgen, die durch eine Person mit dem Wissen, der Absicht oder dem Ziel begangen werden, diese für eine kriminelle Vereinigung zu begehen, sowie solche Handlungen, welche auf die Organisation oder Unterstützung der durch diese Vereinigung begangenen strafbaren Handlungen gerichtet sind. Das einzige Problem besteht in der weiter oben dargestellten zu engen Definition dessen, was gemäß § 89 Abs. 17 StGB als kriminelle Vereinigung angesehen werden kann, da die nationale Regelung im Gegensatz zum UN-Übereinkommen verlangt, dass innerhalb der kriminellen Vereinigung die Tätigkeitsbereiche und Funktionen klar strukturiert sind. Der Nachweis des Vorhandenseins dieser Charakteristika bereitet in der Praxis erhebliche Probleme.

4. Tätige Reue

Die mit dem Tatbestand der kriminellen Vereinigung zusammenhängende Regelung des § 163b StGB über tätige Reue hat einen ausgeprägt präventiven Charakter, da sie dem Mitglied einer kriminellen Vereinigung die vollkommene Straflosigkeit gewährt, wenn er die gesetzlichen Voraussetzungen erfüllt. Voraussetzung ist, dass der Täter der Staatsanwaltschaft oder einem Polizeiorgan eine Mitteilung über die kriminelle Vereinigung zu einem Zeitpunkt unterbreitet, in dem die Gefährdung des durch das Strafgesetzbuch geschützten Interesses durch eine Straftat gegeben ist, welche nicht im § 163a StGB definiert ist, und diese noch rechtzeitig beseitigt werden kann. Die Freiwilligkeit einer solchen Mitteilung ist kein Tatbestandsmerkmal, so dass der Täter auch dann straffrei bleibt, wenn er die Mitteilung unter dem Druck des gegen ihn geführten Ermittlungsverfahrens abgibt. Straffreiheit kann aber nicht gewährt werden, wenn die Mitteilung zu einem Zeitpunkt erfolgt, in dem die Folgen der durch die kriminelle Vereinigung begangenen Straftat nicht mehr verhindert werden können, und zwar auch dann nicht, wenn aufgrund seiner Aussage (als Kronzeuge) vor einem Gericht die Verurteilung des Täters einer schwerwiegenden Straftat oder die Aufdeckung der Strukturen und Verflechtungen einer Mafiaorganisation möglich werden. Eine solche Aussage kann lediglich als mildernder Umstand im Sinne des § 33k StGB gewertet werden, der durch das Gericht nur bei der Strafzumessung berücksichtigt werden kann. Trägt der Täter wesentlich zur Aufklärung von zu Gunsten einer kriminellen Vereinigung begangenen Straftaten bei, so kann das Gericht darüber hinaus eine Freiheitsstrafe gemäß § 40 Abs. 3 StGB auch unterhalb der gesetzlichen Mindestgrenze verhängen, ist dabei allerdings an den Wortlaut des § 40 Abs. 4 StGB gebunden, welcher den Spielraum eingrenzt. So kann beispielsweise bei schwerwiegenden Straftaten, welche mit einer Freiheitsstrafe nicht unter zwölf Jahren bedroht sind, nur Strafe nicht unter fünf Jahren verhängt werden.

Vergleicht man die tschechische Regelung der Straffreiheit und der Unterstützung der Personen, welche selbst ein Mitglied der kriminellen Vereinigung waren, mit den Regelungen des UN-Übereinkommens, so kommt man zu dem Ergebnis, dass der tschechische Gesetzgeber den in Art. 26 Abs. 5 vorgesehenen Schutz, welcher auch in der EU-Resolution aus dem Jahr 1996 verankert ist und der sogar die strafrechtliche Immunität solcher Personen fordert, derzeit bei weitem nicht gewährt und bei den gesetzlichen Regelungen auf dem halben Wege stehen geblieben ist.[6]

5. Strafbarkeit der Geldwäsche

Nach den neuen Bestimmungen des § 252a StGB (Legalisierung der Erträge aus Straftaten) wird seit dem 1.7.2002 derjenige bestraft, der die Herkunft einer Sache verschleiert oder sonstwie bemüht ist, dass die Kenntniserlangung über die Herkunft der Sache oder eines anderen materiellen Vorteils aus einer Straftat wesentlich erschwert oder unmöglich gemacht wird und damit das Ziel verfolgt, den Anschein zu erwecken, dass die Sache oder der Vermögensvorteil in Übereinstimmung mit den gesetzlichen Bestimmungen erlangt wurde. Entsprechend zu bestrafen ist auch derjenige, der einem anderen die Begehung einer solchen Straftat vorsätzlich ermöglicht. Wer einem anderen die Herkunft einer Sache verschleiert oder die Feststellung der Herkunft einer Sache durch Fahrlässigkeit verhindert, ist nach den neuen Regelungen des § 252 Abs. 2 StGB (fahrlässige Hehlerei) ebenfalls strafbar.

In Art. 6 UN-Übereinkommen ist die Verpflichtung der Staaten verankert, die Legalisierung der Erträge aus strafbaren Handlungen unter Strafe zu stellen. Darunter wird einerseits die Hehlerei mit Kenntnis über die Herkunft der Erträge verstanden, um die illegale Herkunft von Eigentum zu verheimlichen oder zu verschleiern, andererseits die Unterstützung des Täters, damit dieser der Strafverfolgung entzogen wird. Die zweite Begehungsform betrifft die Verschleierung oder Verheimli-

---

[6] *Vrtel, Pavel*, K Umluve OSN proti mezinarodnimu organizovanemu zlocinu (Über das UN-Übereinkommen zur Bekämpfung des organisierten Verbrechens), Trestní právo 2002, Heft 3, 10.

chung der Herkunft des Eigentums selbst. In beiden Fällen ist zumindest bewusste Fahrlässigkeit erforderlich. Die Forderung nach einer Kriminalisierung der Hehlerei ohne Rücksicht auf die Absicht, die illegale Herkunft der Sache zu verheimlichen oder zu verschleiern, wird ausreichend sowohl durch den oben erwähnten neuen Tatbestand des § 252a StGB als auch durch die allgemeinen Tatbestände des § 251 StGB (Hehlerei) und den novellierten Tatbestand des § 252 Abs. 2 StGB (fahrlässige Hehlerei) erfüllt. Der Mangel der tschechischen Regelung, wonach bis zum 30.6.2002 die Fälle nicht verfolgt werden konnten, in denen der Täter der Haupttat die Verschleierungshandlungen vornahm, wurde durch die letzte Novelle des Strafgesetzbuchs beseitigt. Gleichzeitig wurde auch die fahrlässige Begehungsform kriminalisiert, so dass die tschechischen Regelungen nunmehr sowohl den Anforderungen des Europäischen Geldwäsche-Übereinkommens,[7] das die Tschechische Republik im Jahr 1997 ratifiziert hat, als auch dem Gemeinsamen EU-Ratsbeschluss gegen Geldwäsche vom 3.12.1998 in vollem Umfang genügen.

6. Bestechung

Das UN-Übereinkommen betrifft jedoch auch andere Handlungen, welche eng mit der Unterstützung des organisierten Verbrechens zusammenhängen, indem neben der Kriminalisierung der Mitgliedschaft in einer kriminellen Vereinigung, der Unterstützung einer solchen und der Geldwäsche auch die Pflicht zur strengen Verfolgung der Bestechung auferlegt wird. Der tschechische Gesetzgeber verfolgt mittels der Tatbestände der §§ 160–162 StGB sowohl die direkten als auch die indirekten Formen der Bestechung. Darüber hinaus wurde 1999 ein neuer Tatbestand aufgenommen (§ 162a StGB), welcher nunmehr klar die Bestechung als einen ungerechtfertigten Vorteil definiert, der in einer direkten Bereicherung oder einer anderen Bevorzugung zu sehen ist, die die bestochene Person oder mit ihrer Zustimmung ein Dritter erhält oder erhalten soll, ohne dass ein Rechtsgrund gegeben wäre. Insoweit erfüllt die tschechische Regelung in vollem Umfang die Anforderungen des Art. 8 UN-Übereinkommen, welcher die Vertragsstaaten verpflichtet, alle Formen der Bestechung unter Strafe zu stellen. Darüber hinaus wird nicht nur die Verfolgung von Beamten und Angestellten im öffentlichen Dienst wegen Straftaten im Dienst ermöglicht (Art. 8), sondern auch von Personen, welche lediglich im öffentlichen Interesse tätig sind. Im ersten Fall handelt es sich um Personen, bei denen das tschechische Strafgesetz das Vorliegen von strafschärfenden Umständen der Tat annimmt. Die Konstruktion des neuen Tatbestands des § 162a StGB reagiert auch auf die Verpflichtungen der Tschechischen Republik, welche sich aus ihrem Beitritt zum EU-Übereinkommen über die Strafbarkeit der Korruption im Januar 1999 und aus dem OECD-Übereinkommen über die Bekämpfung der Be-

---

7 Europäisches Übereinkommen über Geldwäsche sowie Ermittlung, Beschlagnahme und Einziehung von Erträgen aus Straftaten vom 8.11.1990.

stechung ausländischer Amtsträger im internationalen Geschäftsverkehr ergibt, das die Tschechische Republik im Jahr 2000 ratifiziert hat.

7. Strafprozessuale Institute für eine Effektivität der Strafverfolgung

Gerade im Zusammenhang mit den oben aufgeführten schweren Straftaten, die durch eine kriminelle Vereinigung begangen werden, legt das UN-Übereinkommen Wert auf die Ausnutzung von speziellen prozessrechtlichen Instrumenten, die einen effektiven Strafprozess sowohl in nationalem Rahmen als auch bei der internationalen Zusammenarbeit ermöglichen. Dies sind in erster Linie die nachfolgenden Institute:

- Sicherstellung der Anwesenheit des Angeklagten beim Strafprozess,
- besonders lange Verjährungsfristen bei der Strafverfolgung,
- vereinfachte Auslieferung,
- Observation von Sendungen,
- Zeugenschutz,
- Schutz von Informanten und Opfern,
- Straffreiheit von Personen, welche bei der Ermittlung und vor Gericht umfassend mitwirken.

Einige diese Forderungen (z.B. Zeugenschutz) werden durch das UN-Übereinkommen als Pflicht definiert, andere werden lediglich empfohlen (z.B. Immunität der umfassend Mitwirkenden). Entsprechendes gilt auch in materiellrechtlicher Hinsicht, indem das UN-Übereinkommen zwar die Vertragsstaaten verpflichtet, die Erträge aus strafbaren Handlungen zu kriminalisieren, aber auf der anderen Seite lediglich die Empfehlung enthält, auch eine Haftung juristischer Personen einzuführen, sofern dadurch das innerstaatliche Recht nicht verletzt wird. Die weiteren Ausführungen beschränken sich daher vorwiegend auf solche Institute, welche das UN-Übereinkommen als besonders wichtig im Zusammenhang mit der Effektivität des Strafprozesses ansieht:

- besondere Ermittlungsmethoden einschließlich der Observation einer Sendung,
- Zeugenschutz,
- Auslieferung und internationale Zusammenarbeit.

a) Spionagedienste und kontrollierte Sendung

In Art. 20 UN-Übereinkommen wird die Einführung von besonderen Ermittlungsmethoden wie die Observation oder der Einsatz von Spionagediensten verlangt. Die Observation, Auswechslung und Beschlagnahme von Sendungen wird ausdrücklich erwähnt. Art. 2 konkretisiert diese Regelung. Dem Wortlaut nach ermöglicht die Vorschrift, dass eine illegale oder verdächtige Sendung abgesandt, unter Aufsicht der zuständigen Organe das Territorium eines oder mehrerer Staaten passieren oder auf ihm zugestellt werden kann, damit die so gewonnenen Erkenntnisse zur Aufdeckung des organisierten Verbrechens oder der Täter verwendet werden können. Solche Sendungen hat auch Art. 11 UN-Übereinkommen gegen den illegalen Drogenhandel definiert, welches die damalige Tschechoslowakei 1991 ratifiziert hat und das für die Tschechische Republik als Nachfolgestaat seit dem 1.1.1993 gilt. Trotzdem war das Institut der Observation einer Sendung bei uns bis zum 31.12.2001 weder in der Strafprozessordnung noch im Polizeigesetz verankert. Die Anwendung dieses Instituts konnte lediglich aus anderen Bestimmungen der Strafprozessordnung abgeleitet werden, welche die Öffnung einer Sendung und ihre Beschlagnahme regelten. Wenn eine Sendung angehalten, geöffnet und ihr Inhalt vertauscht werden darf, ist klar, dass sie auch weiterhin observiert werden muss, damit die vorherigen Maßnahmen nicht ihren Sinn verlieren. Dieses Institut griff jedoch in das verfassungsmäßige Recht auf Wahrung des Briefgeheimnisses ein, so dass die Anwendung einer Analogie beim Fehlen einer gesetzlichen Regelung, bei der Ausweitung der staatlichen Interventionsmöglichkeiten,[8] als unzulässig erschien. Darüber hinaus war die Tschechische Republik durch bilaterale Abkommen über gegenseitige Hilfe in Zollangelegenheiten zur Verfolgung von Personen im Zusammenhang mit Drogenhandel verpflichtet (z.B. Abkommen mit Frankreich, Schweden, Norwegen, Ungarn und Israel), obwohl für deren Erfüllung die entsprechenden innerstaatlichen Regelungen nicht vorhanden waren.

Erst die große Novelle der tschechischen StPO Nr. 265/2001 Sb., welche zum 1.1.2002 in Kraft trat, hat die fehlenden Regelungen in § 87b StPO ergänzt. Der Staatsanwalt darf nunmehr im Ermittlungsverfahren anordnen, dass eine Sendung, bei der der begründete Verdacht besteht, dass sie z.B. Drogen, Gifte, radioaktives Material, gefälschtes Geld oder Wertpapiere, Waffen, Munition, Sprengstoff oder einen anderen Inhalt hat, dessen Besitz eine Sondergenehmigung erfordert, observiert wird. Entsprechendes gilt auch für Inhalte der Sendung, welche der Begehung einer Straftat dienen sollen oder aus einer solchen stammen. Die Observation ist zulässig, wenn dies für die Aufdeckung einer Straftat oder die Ermittlung der Täter erforderlich ist und die Sachverhaltsermittlung sonst nur erschwert möglich wäre. Diese Bestimmung regelt auch die internationale Zusammenarbeit bei der Observation der Sendung, so dass endlich auch die Verpflichtungen aus internationalen oder bilateralen Übereinkommen erfüllt wurden.

Positiv kann auch die Tatsache bewertet werden, dass die große Novelle der StPO auch das Recht der Spionagedienste auf den Einsatz von operativen Mitteln umfassend regelt. Solche Mittel sind gemäß § 158b StPO und in Übereinstimmung mit Art. 20 UN-Übereinkommen z.B. eine vorgetäuschte rechtsgeschäftliche Über-

---

[8] Vgl. dazu *Vrtel* (Anm. 6), 4 f.

tragung, Beobachtung von Personen und Sachen und der Einsatz von Agenten in Verfahren wegen vorsätzlicher Straftaten. Gleichzeitig wurden die Bedingungen für einen Eingriff in die Grundrechte neu eingegrenzt und vereinheitlicht. Diese finden ausschließlich auf Anweisung und unter Aufsicht eines Richters oder Staatsanwalts statt. In diesem Sinne kann also festgestellt werden, dass sich die tschechischen Regelungen ab dem 1.1.2002 in voller Übereinstimmung mit den Anforderungen des UN-Übereinkommens befinden.

b) Zeugenschutz

Nicht nur das UN-Übereinkommen selbst, sondern bereits die EU-Resolution vom 23.11.1995 zum Schutz der Zeugen sowie die Ratsempfehlung Nr. 97 vom 10.9.1997 und die Assoziierungsabkommen mit den Beitrittskandidaten über die Bekämpfung der organisierten Kriminalität vom 28.5.1998 verpflichten die Tschechische Republik, rechtliche, organisatorische und technische Maßnahmen zum Schutz von an Strafverfahren beteiligten Personen zu ergreifen. Der allgemeine Schutz von Zeugen, Sachverständigen und Dolmetschern soll mittels Androhung strafrechtlicher Konsequenzen gegen diejenigen erreicht werden, welche mit Gewalt oder mit Androhung von Gewalt die Pflichterfüllung dieser Personen innerhalb des Strafprozesses beeinflussen wollen. Einschlägig ist hier der Tatbestand der Erpressung (§ 235 Abs. 1e StGB). Die unbeeinflusste Pflichterfüllung von Polizeiorganen, Staatsanwälten oder Richtern ist durch den Tatbestand des Angriffs auf einen öffentlichen Funktionsträger (§§ 155 und 156 StGB) geschützt. Im Verhältnis zu einem Richter greift zusätzlich noch der Tatbestand eines Eingriffs in die Unabhängigkeit der Gerichte (§ 169a StGB). In diesem Bereich entsprechen die tschechischen Regelungen den Anforderungen des Art. 23 UN-Übereinkommen.

Anders stellt sich die Situation in Bezug auf einen besonderen Schutz von Zeugen dar, so wie er durch Art. 24 UN-Übereinkommen gefordert wird. Das UN-Übereinkommen fordert einen wirksamen Schutz der Zeugen und ihrer Familienangehörigen vor Einschüchterung und Racheakten, wenn sie in Strafprozessen, in denen es um organisierte Kriminalität geht, Zeugenaussagen zu Straftaten machen, die durch das UN-Übereinkommen erfasst werden. Bestimmte Formen des Schutzes werden beispielhaft aufgezählt: die Verbringung der Zeugen an einen anderen Ort, ihr physischer Schutz, die Verschleierung ihrer wahren Identität oder die Zeugenvernehmung mittels Videotechnik. Gleichzeitig empfiehlt auch die EU-Resolution über den Zeugenschutz den Ersatz der klassischen Vernehmungsformen, insbesondere die Gegenüberstellung, durch andere Methoden. Dies kann beispielsweise ein Fernverhör mittels Videotechnik sein, wodurch die Risiken gemindert werden, welche sich aus der Aufdeckung der Identität des Zeugen ergeben können. Nicht vergessen werden darf auch die bereits erwähnte Empfehlung des Europarates bezüglich der Einschüchterung von Zeugen, welche die Bedeutung des Schutzes von Zeugen und ihren Angehörigen hervorhebt.

Eine solch umfassende Regelung hat in der Tschechischen Republik lange Zeit gefehlt. Erst die Verabschiedung des Gesetzes Nr. 137/2001 Sb. über den besonderen Zeugenschutz, welches zum 1.7.2001 in Kraft trat, und die damit in Zusammenhang stehende Änderung der §§ 55 Abs. 2 und 183a Abs. 4 StPO, welche am 1.1.2002 Geltungskraft erlangte, brachten eine spürbare Verbesserung. Aufgrund dieser neuen Regelungen kann der Senatsvorsitzende nach der Zeugenaussage Maßnahmen zum Schutz des Zeugen und seiner Angehörigen ergreifen, denen im Zusammenhang mit der bereits gemachten Aussage eine ernsthafte Gefahr für Leib und Leben droht. Falls erforderlich, kann er die Hilfe der Polizeiorgane in Anspruch nehmen. Im Sinne der neuen Bestimmung des § 158 Abs. 7 StPO ist eine solche Vorgehensweise auch schon bei der Abgabe einer Erklärung, also noch vor der Eröffnung eines Ermittlungsverfahrens, möglich. Dadurch wird der Schutz solcher Personen wesentlich erweitert, welche wichtige Informationen über das organisierte Verbrechen zur Verfügung stellen können. Damit in Zusammenhang stehen auch andere Änderungen, welche z.B. ein Gegenüberstellungsverbot oder die Vernehmung des Zeugen außerhalb der Hauptverhandlung mittels Videotechnik ermöglichen.

Wesentliche Änderungen sind auch im Bereich der Beweisführung eingetreten. Gemäß § 211 Abs. 3b StPO darf eine frühere Aussage des Zeugen verlesen werden, wenn dieser sich weigert, vor Gericht auszusagen oder dort während der Hauptverhandlung seine frühere Aussage wesentlich ändert, und wenn in diesem Zusammenhang festgestellt werden konnte, dass er Opfer von Gewaltanwendung, Einschüchterung oder Bestechung ist, mit dem Ziel seiner Aussageverweigerung oder Falschaussage. Entsprechendes gilt auch dann, wenn die rechtswidrige Zeugenbeeinflussung durch den anwesenden Angeklagten oder die Öffentlichkeit im Verlauf der Hauptverhandlung erfolgt (§ 211 Abs. 3c StPO). Sofern ein Zeuge doch Opfer von Gewalt oder Erpressung wird, ist seine Zustimmung zur Strafverfolgung auch dann nicht erforderlich, wenn sie in sonstigen Fällen erteilt werden müsste, da die Nichterteilung der Zustimmung oder ihre unter Druck erklärte Rücknahme aus prozessrechtlicher Sicht (§ 163a Abs. 1d StPO) irrelevant ist. Insoweit bietet die Novelle der StPO seit dem 1.1.2002 den Strafverfolgungsorganen neue Möglichkeiten, welche dem tschechischen Strafprozessrecht bei der Ermittlung, Beweisführung und Verurteilung von Straftätern im Bereich des organisierten Verbrechens bisher gefehlt haben und nunmehr den internationalen Standards vollkommen entsprechen.

Die durch das Zeugenschutzgesetz gewährte Absicherung betrifft nicht nur Zeugen, sondern auch alle anderen am Strafprozess beteiligten Personen. Neben dem Angeklagten sind dies auch der Verteidiger, der Dolmetscher, der Sachverständige und die ihnen nahe stehenden Personen. Entgegen dem Gesetzentwurf wurden allerdings Richter und Justizangestellte mit der recht schwachen Begründung ausgenommen, ihr Schutz sei nicht wirkungsvoll zu gewährleisten.

Das Gesetz kennt drei Formen des Schutzes, welche auch parallel angewendet werden dürfen. Dies sind:

- Personenschutz,
- Umsiedlung mit einer neuen Identität,
- Verschleierung der Identität.[9]

Der Schutz kann nur auf Antrag von Polizeiorganen, Richtern oder Staatsanwälten mit Zustimmung der betreffenden Person und nach vorheriger Genehmigung durch den Justizminister gewährt werden. Bei unmittelbar drohender Gefahr für Leib und Leben dürfen die Polizeiorgane mit den Schutzmaßnahmen sofort beginnen, ohne das Ergebnis des Genehmigungsverfahrens abwarten zu müssen.

Soll das Gesetz als Ganzes bewertet werden, so scheint es einen weitreichenden Schutz zu bieten, welcher einen breiten Kreis von schutzwürdigen Personen umfasst, die sich in unterschiedlichen Stadien an den Ermittlungen gegen das organisierte Verbrechen beteiligen. Damit werden in einigen Bereichen sogar die durch internationale Übereinkommen geforderten Mindestanforderungen deutlich übererfüllt. Problematisch erscheint in diesem Zusammenhang eher die praktische Umsetzung, prognostizierte doch der Vorlagenbericht zu diesem Gesetz, dass lediglich etwa zehn Personen jährlich von solchen Maßnahmen betroffen sein werden. Wie der Schutz aussehen wird, wenn beispielsweise 30 Personen und deren Angehörige zu schützen sein werden, kann man lediglich erahnen. Die für den Schutz einer Person erforderlichen Mittel wurden auf ca. 3 Mio. CZK im Jahr (etwa 100.000 €) geschätzt. Im Fall der frühzeitigen Erschöpfung dieser Haushaltsmittel müsste gegebenenfalls der Schutz, auf den kein Rechtsanspruch besteht, in einigen Fällen versagt werden, was insgesamt eine kontraproduktive Wirkung haben könnte. Das Interesse von Kronzeugen, auch zukünftig mit den Strafverfolgungsorganen bei der Bekämpfung des organisierten Verbrechens zusammenzuarbeiten, dürfte dann deutlich sinken.[10]

c) Auslieferung und internationale Zusammenarbeit

Die gegenseitige Rechtshilfe und die damit zusammenhängende Auslieferung gehört traditionsgemäß zu den Voraussetzungen, welche den Kampf mit dem organisierten Verbrechen beschleunigen und seine Wirksamkeit steigern. Aus diesem Grund widmet ihnen auch das UN-Übereinkommen die entsprechende Aufmerksamkeit. In Art. 16 Abs. 3 und 4 werden bestimmte Straftaten als Auslieferungssachen bezeichnet. Die Mitgliedstaaten werden verpflichtet, diesen Straftatenkatalog

---

[9] Näher dazu *Trojáček, Jiri*, Organizovaný zločin (Organisiertes Verbrechen), Juristische Fakultät der Westböhmischen Universität Pilsen 2001, S. 64 ff.

[10] Übereinstimmend *Vantuch, Pavel*, Novy zakon o ochrane svedka a dalsich osob a boj s organizovanym zlocinem (Neues Zeugenschutzgesetz und die Bekämpfung des organisierten Verbrechens), Právní rozhledy 2001, 360 f.

in ihre neu abgeschlossenen Auslieferungsabkommen aufzunehmen, und er ersetzt deren Regelungen dann, wenn entsprechende Abkommen nicht abgeschlossen wurden. In Art. 16 Abs. 8 und Art. 17 werden ausdrücklich die Beschleunigung und die Vereinfachung des Auslieferungsverfahrens verlangt. Diese Forderung findet sich auch in dem EU-Übereinkommen über das vereinfachte Auslieferungsverfahren innerhalb der EU-Mitgliedstaaten, welche nach dem Beitritt der Tschechischen Republik zur EU verbindlich wird.

Im Hinblick auf die Auslieferungsbestimmungen ist es in den letzten Jahren auch in der Tschechischen Republik zu erkennbaren Verbesserungen gekommen. In erster Linie wurde das Auslieferungsverfahren mit der Novelle der StPO Nr. 150/1997 Sb. durch das Institut der verkürzten Auslieferung (§ 382a) beschleunigt. Die große Novelle der StPO aus dem Jahr 2001 vereinfacht nunmehr die Anwendung des verkürzten Verfahrens, regelt die Auslieferung zum Strafvollzug neu (unter Beibehaltung des Auslieferungsverbots von eigenen Staatsbürgern) und berücksichtigt die Möglichkeit, dass im Ausland eine höhere Freiheitsstrafe verbüßt wird als sie in der Tschechischen Republik möglich wäre, wenn dies ein internationales Übereinkommen vorsieht, durch das die Tschechische Republik gebunden ist (§ 384d Abs. 2 StPO).

In diesem Zusammenhang kann festgestellt werden, dass die tschechischen Rechtsbestimmungen den internationalen Anforderungen der beiden oben genannten Übereinkommen vollkommen gerecht werden. Die Probleme der Anwendung in der Praxis bleiben im Rahmen dieser Abhandlung unberücksichtigt.

8. Zusammenfassung

Soll die Bereitschaft der Tschechischen Republik zur Bekämpfung des organisierten Verbrechens durch die Regelungen des Strafrechts und die damit zusammenhängenden Bestimmungen des Polizei- und Verwaltungsrechts (welche im Rahmen dieses Beitrags fast unberücksichtigt geblieben sind) abschließend gewürdigt werden, so kann man insbesondere mit der Entwicklung der letzten fünf Jahre zufrieden sein. Die betreffenden Regelungen der Tschechischen Republik erfüllen nach der letzten großen Novelle der StPO aus dem Jahr 2001 und der umfangmäßig zwar kleineren, aber für die Bekämpfung des organisierten Verbrechens nicht minder wichtigen Novelle von 2002 im Grundsatz die an sie gestellten direkten Anforderungen aus allen für die ČR verbindlichen internationalen Übereinkommen. Dies gilt auch für die Übereinkommen, mit deren Ratifizierung in absehbarer Zeit in der ČR gerechnet wird.

Das soll jedoch nicht heißen, dass nichts mehr zu verbessern wäre, nichts mehr diskutiert oder novelliert werden sollte. Offen bleibt z.B. die Frage nach der strafrechtlichen Verantwortlichkeit von juristischen Personen, die zwar inzwischen in der tschechischen Fachliteratur diskutiert wird, bei weitem jedoch nicht die wissenschaftliche Tiefe erreicht, die sie verdient.[11]

Auch die Anregung des UN-Übereinkommens, Straffreiheit denjenigen (überwiegend ehemaligen) Mitgliedern von kriminellen Vereinigungen zu gewähren, welche wesentlich zur Verhaftung und Verurteilung der Haupttäter beigetragen haben, verdient eine Überlegung, wann und bei welcher Gelegenheit (etwa mit dem sich schon lange in Vorbereitung befindlichen neuen Strafgesetzbuch) und in welchem Umfang sie in die tschechische Rechtsordnung übernommen werden sollten.

Unberücksichtigt bleiben muss die Auswertung der praktischen Erfahrungen über die Nutzung der heute schon gegebenen rechtlichen Möglichkeiten, zumal die überwiegende Mehrheit der Institute erst seit Beginn 2002 zur Verfügung steht. Die jüngste Rechtsentwicklung zeugt jedoch davon, dass sich die Tschechische Republik der Problematik des organisierten Verbrechens, auf die als einer der Ersten *Jan Musil* bereits zu Beginn des Jahres 1991 hingewiesen hat, hinreichend bewusst ist. *Musil* warnte damals:

> „Es kann zwar nicht behauptet werden, dass die aus den USA oder Italien bekannten Formen des organisierten Verbrechens bei uns bereits in Erscheinung treten, dennoch bin ich der Auffassung, dass keine Gründe für einen übertriebenen Optimismus gegeben sind. Es muss eher mit einer negativen Entwicklung gerechnet werden.“[12]

Die spätere Explosion der Kriminalität, einschließlich ihrer bedenklichsten Form des organisierten Verbrechens, hat seine Worte in vollem Umfang bestätigt.

---

[11] Vgl. *Musil, Jan/Prášková, Helena/Faldyna, Frantisek*, Uvahy o trestni odpovednosti pravnickych osob *de lege ferenda* (Überlegungen über die strafrechtliche Verantwortung von juristischen Personen *de lege ferenda*), Trestní právo 2001, Heft 3, 6 ff.; *Šámal, Pavel*, K trestni odpovednosti pravnickych osob (Zur strafrechtlichen Verantwortung juristischer Personen), Referat im Justizministerium der ČR, gehalten am 17.4.2000; *Novotný, Oto*, O otazkach hospodarskeho trestniho prava (Fragen des Wirtschaftsstrafrechts), Právní praxe 1997, 387 ff.

[12] *Musil, Jan*, Je CSFR ohrozena organizovanou kriminalitou? (Ist die ČSFR durch die organisierte Kriminalität gefährdet?), in: Kriminalita – aktualny problem sucasnej spolecnosti (Kriminlität – aktuelles Problem der gegenwärtigen Gesellschaft), Institut pre vychovu a vzdelavanie, Bratislava 1991, S. 21 f.

Die Problematik der organisierten Kriminalität aus ungarischer Sicht

Ferenc Irk, Budapest

1. Die Entwicklung der Kriminalität in Ungarn vor und nach der Wende

1.1 Die Lage vor der Wende

Aufgrund zuverlässiger kriminalstatistischer Angaben kann man die Entwicklung der Kriminalität in Ungarn von den 1960er Jahren bis heute nachvollziehen. Die vergangenen drei Jahrzehnte kann man in drei Perioden teilen, zwei davon fallen in den Zeitraum vor der Wende.

1. Von Anfang der 1960er bis Ende der 1970er Jahre ist eine Stagnation auf niedrigem Niveau zu konstatieren.

Für diesen Zeitraum, der von vielen als konsolidierte goldene Periode der Kádár-Ära bezeichnet wird, waren folgende Punkte charakteristisch:

- gleichmäßige Armut des Großteils der Bevölkerung,
- begrenzte Möglichkeit der Vermögensmehrung für alle,
- keine Arbeitslosigkeit,
- Reisemöglichkeit in den Westen,
- dennoch wenig Tourismus aufgrund der Kontrolle und strengen Registrierung von Grenzüberschreitungen,
- irrelevanter Anteil der Privatwirtschaft,
- traditionelle Familienstruktur, allerdings überwiegende Erwerbstätigkeit der Frauen, geringe Anzahl von Ehescheidungen und außerehelichen Kindern.

2. Ende der 1970er, Anfang der 1980er Jahre begannen sich die Verhältnisse zuerst allmählich, dann immer deutlicher zu verschlechtern. Diese Entwicklung ging mit der Krise des zuvor von vielen für unerschütterlich gehaltenen politischen-wirtschaftlichen Systems einher und mit den auf diese folgenden Reaktionen der politischen Macht.

Diese Periode ist gekennzeichnet durch:

- verstärktes Auftauchen von Krisensymptomen wie Kriminalität, Alkoholismus, Selbstmordfällen, Rauschgift in der Gesellschaft; gleichzeitig allmähliche Reaktion der politischen Machthaber;

- Entwicklung einer privaten Wirtschaft, zunächst verdeckt, dann immer offener (in den staatlichen Firmen als sog. wirtschaftliche Arbeitsgemeinschaften, Arrende, in den LPGs die sog. Nebenbetriebszweige und Hauswirtschaften);
- indirekte staatliche Unterstützung der spontanen Privatisierung, was zu einer Vermischung des früher für unantastbar gehaltenen Volkseigentums und des Privateigentums führte;
- in Zusammenhang damit wachsende sog. graue Wirtschaft und Schattenwirtschaft;
- Belebung des Tourismus, erste Asylanten, Lockerung der strengen Grenzverkehrskontrollen;
- Ende der totalen Kontrolle aller sich auf ungarischem Staatsgebiet befindenden Personen.

Erst 1988/1989 war der Punkt erreicht, an dem die politischen Machthaber gezwungen waren, Antworten auf die Veränderungen zu finden. Jahrzehntelang geschützte Tabus wurden durch die Führer und Anhänger des vorherigen Regimes gebrochen. Es wurde öffentlich bekannt gegeben, dass

- zwar die öffentliche Sicherheit des Landes weiter unerschütterlich sei, es jedoch gefährliche Phänomene gebe (was in Anbetracht der Situation vor ein bis zwei Jahrzehnten nicht der Wahrheit entsprach, im Vergleich zur gegenwärtigen Lage erscheint die damalige Situation geradezu „idyllisch“);
- das Grundprinzip „Bewusstsein ist von der Existenz determiniert“ nicht nur verkündet werde, sondern nunmehr Gültigkeit erlange, was auch unter den Umständen des realen Sozialismus mit allen seinen Vor- und Nachteilen möglich sei;
- daraus folge, dass die schlechte Wirtschaftslage immer mehr Personen zu rechtswidrigem Verhalten zwinge, um individuelle Gewinne zu erzielen;
- die im Verlauf der späten 1980er Jahre so oft geleugnete *organisierte Kriminalität* nicht einmal in Ungarn verhindert werden könne.

Die Kriminalwissenschaftler der sozialistischen Länder haben *grundsätzlich* aus ideologischen Gründen bis zur Wende darauf bestanden, dass die organisierte Kriminalität in diesem Teil der Erde sogar auf theoretischer Ebene nie Fuß fassen könnte. Sie bezogen sich dabei vor allem auf die Sowjetunion – wo bekanntermaßen diese Form der Kriminalität verbreitet blühte. Aber die gleiche Haltung war auch für Ungarn typisch, wo man früher mit solcher Kriminalität tatsächlich nicht rechnen musste.

Eine spezielle Form der organisierten Kriminalität wurde allerdings seitens der Regime-Ideologen stets anerkannt – die von den kapitalistischen Ländern ausgehende, aus ideologischen Gründen auf den Umsturz des sozialistischen Systems gerichtete Aktivität. Die Anwendung dieser Theorie hing von der jeweils aktuellen „Gesellschaftsstrategie“ ab. In Zeiten der totalitären Form der Diktatur wurde sie als Vorwand genutzt, um massenhafte Festnahmen, sogar Hinrichtungen anzuordnen. In anderen Perioden wurde mit derselben Theorie versucht, die Stabilität des Regimes zu demonstrieren. Es hieß, dass die westlichen Intrigen ihre Ziele trotz „Auflockerungsideologie“ nicht erreichten, weil der Glaube der Bürger an das System so groß sei, dass niemand sich auf die nach dem Umsturz des Regimes Strebenden einlassen würde.

Die Rolle der OK vor der Wende im Bereich der *Wirtschaftskriminalität* kann schwer in ein paar Sätzen zusammengefasst werden. Die Verflechtung der wirtschaftlichen und politischen Macht, die aus heutiger Sicht völlig wirren politisch-wirtschaftlichen Strukturen, sind bislang nicht näher analysiert worden, so dass man die folgenden Fragen noch nicht beantworten kann:

- Wo lag die Grenze zwischen der politischen Lobbytätigkeit und dem Missbrauch der wirtschaftlichen Monopolstellung?
- Wie weit ging die Ausnutzung individueller Interessen durch die Leiter der großen Unternehmen und Generaldirektoren der weltberühmten Staatsbetriebe, der so genannten „roten“ und „grünen“ Barone? Und inwiefern gebietet sich deshalb eine Bewertung der wirtschaftlichen Tätigkeit als verantwortungslos, als Belastung für die gesamte Bevölkerung, als Verschwendung des Gemeineigentums?

1.2 Die Lage nach der Wende

Nach der Wende änderte sich die Kriminalitätsentwicklung in Ungarn, wie in den anderen Ländern, radikal: Es kam zu einem sprunghaften Anstieg. Viele betrachten dies als den Preis für die größere Freiheit. Andere bestreiten diese Ursache – aber nicht aufgrund von Tatsachen, sondern aus ideologisch-politischen Überlegungen heraus. Sie verweisen darauf, dass Freiheitsmangel tatsächlich die Kriminalität einschränke. Daraus ergebe sich auch, dass selbst die Abschaffung der Freiheitsbeschränkungen zu einem Wachstum der Kriminalität beitrage, da sie neuen Kriminalitätsformen den Weg ebne.

Die Kriminologie teilt die Reaktionen der Strafverfolgungsorgane hinsichtlich der organisierten Kriminalität und die Ursachen dafür nach der Wende in zwei Phasen ein:

1. Phase: Die Behörden, vor allem die Polizei, versuchten, mit traditionellen Methoden die unmittelbaren Täter zu identifizieren. Dabei sank die Effizienz dieser Tätigkeit ständig. Dies ist auf die Auflösung der alten Strukturen der Geheimdienste und Polizeieinheiten gegen Wirtschaftkriminalität zurückzuführen. Die Aufklärungsquoten fielen rapide. Bald wurde offensichtlich, dass die alten Methoden nicht mehr geeignet waren, auf die aktuellen Probleme zu reagieren. Das gilt insbesondere für die organisierte Kriminalität, über deren Ausmaß wenig zuverlässige Informationen zur Verfügung stehen.

Außenstehende musste es verwundern, wie schnell die ehemals so selbstsicher und effizient arbeitenden politischen Überwachungsorgane in sich zusammenfielen. Gegen die die politische und wirtschaftliche Sicherheit des Staates gefährdende, grenzüberschreitende organisierte Kriminalität kamen die staatlichen Strukturen nicht mehr an. Diese schwierige Situation wurde von anderen Faktoren noch verstärkt, insbesondere

- durch den Zerfall der ehemaligen Sowjetunion sowie die allmähliche Demokratisierung in den Nachfolgestaaten – wobei die Bezeichnung „Anarchie" für diese Staaten wohl zutreffender wäre;
- durch den Zerfall Jugoslawiens und den Balkan-(Bosnien-)Krieg verlagerten sich die Transitrouten der organisierten Kriminalität von Jugoslawien nach Ungarn.

2. Phase: Das Problem der organisierten Kriminalität wurde in seiner vollen Dimension erkannt. Zunächst wurden im Jahr 1990 spezielle Stellen zu deren Bekämpfung eingerichtet, die dann 1996 modernisiert wurden. Eines der Hauptziele der Zentraldirektion für Strafverfolgung ist die effektive Bekämpfung der OK.

Nach der Wende kamen große Teile der Bevölkerung mit der OK direkt in Kontakt. Das hat mehrere Ursachen:

- Die Armut treibt viele Menschen, um überleben zu können, zu einem rechtlich verbotenen und zum Teil auch unmoralischen Verhalten, welches sie in einer Normalsituation ablehnen würden.
- Das Verhältnis zwischen den Machtausübenden und den Staatsbürgern hat sich zwar verändert, ist aber nicht zerstört. Allerdings nehmen breite Bevölkerungsschichten nur die Schattenseiten der Demokratie und nicht – oder kaum – deren Vorteile wahr. Salopp formuliert kann der Arbeitslose mit dem weltweit gültigen Reisepass in der Tasche und der Möglichkeit des visumfreien Reisens nicht die elementaren Bedürfnisse seiner Familie befriedigen. Deswegen sind viele nach Jahren der Hoffnung der Meinung, dass Diktatur und Demokratie gleich sind – das vorherige System jedoch ein wenig besser war.
- Ungestört funktioniert die aus dem vorherigen System wohl bekannte „zweite Öffentlichkeit" weiter. Die Bevölkerung schließt sich – aufgrund eines breiten Einvernehmens und unabhängig von der politischen Einstellung der jeweiligen Macht – „in der Einheitsfront" gegen die für sie kurzfristig nachteiligen Entscheidungen der Regierung zusammen.
- In allen postkommunistischen Ländern blühen der Schwarzhandel und die Schwarzarbeit, insgesamt die Schwarzwirtschaft. Hinzu kommt, dass die als „graue Wirtschaft" oder „Schattenwirtschaft"[1] bekannte halblegale Wirtschaft

[1] Siehe ausführlich *Szilveszter Póczik*, Sozialer Wandel und grenzüberschreitende Wirtschaftskriminalität in Ungarn, Manuskript 1998.

schon vor der Wende in allen europäischen sozialistischen Ländern, mehr oder weniger geduldet, hervorragend funktionierte.

- Ungeachtet der Bevölkerungsschicht ist das „Spiel“ der Umgehung der durch das selbst gewählte Parlament verabschiedeten Gesetze, also der „Spielregeln“, beliebt. Dieses Phänomen findet sich in allen Gesellschaften, jedoch scheint es östlich von der Leitha etwas mehr Menschen zu geben, die dieses Spiel betreiben.
- Mittlerweile gibt es verschiedene Bemühungen, eine wirtschaftliche und politische Brücke zwischen den Straftätern und der Macht zu schlagen.

Freilich lassen sich solche und ähnliche Phänomene auch in den *stabilen* West-Demokratien finden. Allerdings sind dort die Demokratien in wirtschaftlichem, politischem und mehr oder weniger in moralischem Sinne *stabil*. Der Staat hält deshalb mehr aus, und die Bürger sind sich – zumindest im Grunde ihres Herzens – darüber klar, wann sie etwas Böses tun.[2]

2. Kriminalsoziologischer Exkurs

2.1 Ausgangslage

Obwohl es die organisierte Kriminalität zumindest im Keim schon in den Jahren vor dem Systemwechsel gab, wurde sie in Ungarn erst als Folge dieses Prozesses, der ganz Europa umgestaltete und mit dem Zerfall der Sowjetunion einherging, wahrgenommen. Gerade deshalb waren weder die Behörden noch die Bürger auf die organisierte Kriminalität vorbereitet, die sich parallel zum Auftauchen sonstiger Verbrechensformen verbreitete. Viele Jahre vergingen, bis der Staat zum einen begann, die Möglichkeiten der internationalen Zusammenarbeit zu nutzen, zum anderen auch im Rahmen der nationalen Rechtsordnung die entsprechenden Voraussetzungen schuf.

Im Folgenden sollen die wichtigsten Faktoren der Verbreitung der organisierten Kriminalität in Ungarn dargestellt werden.

1. Die Güter, die zur Befriedigung *realer Bedürfnisse* erforderlich sind, lassen sich in zwei Gruppen einteilen:

- Zum einen gibt es solche Güter, die als gemeinsames Merkmal den wegen der außerordentlich hohen Zoll- und Steuerlast bzw. wegen sonstiger zusätzlicher

---

[2] Ausgehend von diesen Erkenntnissen wurde unter der Führung des EU-Ausschusses und des Europarates die Untersuchung „Korruption und OK in den Transformationsländern“ durchgeführt. Vom 1.–3.12.1997 fand die Konferenz zur Auswertung der Ergebnisse statt; der Bericht sowie die an die ungarische Regierung gerichteten Dokumente „Endgültige Handlungs-Empfehlungen und Richtlinien“ standen in der ersten Hälfte des Jahres 1998 auch auf Ungarisch zur Verfügung.

Abgaben *hohen* Endverbraucher-Verkaufspreis haben, so z.B. Treibstoff und Alkohol. Der Bevölkerung ist bewusst, dass die Endpreise nicht im Verhältnis zu den Produktionspreisen stehen. Da nicht ersichtlich ist, auf welche Weise der in Form von Zoll, Steuer usw. zugegebene Mehrwert das Leben verbessert, die Zukunft erträglicher macht, kauft die Bevölkerung auf den polnischen, ukrainischen, vietnamesischen, chinesischen u.a. Märkten Billigwaren ungewisser Herkunft und oft schlechter Qualität. Dieses Verhalten könnte sich höchstens dann ändern, wenn erkennbar gemacht würde, was mit den Steuern, Zöllen und sonstigen Abgaben geschieht; wenn die Bürger direktere Kenntnisse davon hätten, welche Folgen deren Ausfall hat. Die wirklich Armen in der Bevölkerung würden jedoch mangels Alternativen weiterhin diese Güter erwerben, um ihr Leben auf einem ertragbaren Niveau zu halten – in der Hoffnung, dass der billige (gepanschte) Wein für die eigene Gesundheit oder der Treibstoff für den Fahrzeugmotor nicht gefährlich sein mögen.

- Zum anderen gibt es solche Waren wie die Prostitution und Drogen, nach denen ebenso ein Bedürfnis besteht. Hier vermischen sich grundsätzlich moralische, rechtliche, sittliche, wirtschaftliche Fragen und Werte. Für die Länder der mittel-ost-europäischen Region ist neu, dass das Problem und seine Ursachen artikuliert werden dürfen. Aus Westeuropa dürfen wir keine Allheilmittel erwarten, zumal die dort gefundenen Antworten sich gerade durch ihre Vielfalt auszeichnen.

2. Ungarn kann auf keine Mafiatraditionen wie z.B. Italien oder Russland zurückblicken, jedoch förderte der *Staat* bereits vor der Wende und fördert auch heute noch indirekt die OK:

- Zu nennen sind zunächst die Mängel im Bereich der Gesetzgebung. Zum einen wurde erst mit großer Verspätung auf die negativen gesellschaftlichen Phänomene reagiert. Zum anderen haben die schließlich verabschiedeten Rechtsnormen – vorhersehbare – Lücken gelassen, wodurch die Umgehung von Vorschriften zu Gunsten persönlicher Interessen erleichtert wird. Der Staat hat z.B. jahrelang astronomische Summen dadurch verloren, dass der steuerermäßigte Vertrieb von Heizöl an Vorschriften gebunden war, die geradezu zum Rechtsbruch einluden. Erst nach einem halben Jahrzehnt hat die Regierung dieser Situation durch Einführung einer ergänzenden Norm ein Ende gemacht.
- Es gibt auch unmittelbare Formen der staatlichen Förderung von Straftaten. Dazu gehören die Fälle, in denen *eine Behörde ein bestimmtes Verhalten zulässt, obwohl es durch eine andere Behörde ausdrücklich verboten ist.* Häufig zu beobachten sind heutzutage Verkaufsstellen, an denen Billigwaren am Steuer- und Zollverfahren vorbei verkauft werden. Diese Verkaufsstellen werden von den Selbstverwaltungen zur Verfügung gestellt und zumeist von Ausländern mit Tourismusvisum betrieben. Dabei dulden die örtlichen Behörden die illegale Verkaufstätigkeit und erhalten von den ausländischen Betreibern einen

Mietzins.[3] Dieser Praxis liegt zugrunde, dass den Selbstverwaltungen nur sehr geringe finanzielle Mittel zur Verfügung stehen, so dass sie demjenigen, der bereit ist, die geforderte Summe zu zahlen, die Stellen überlassen, um daran zu verdienen. Nutzten sie diese Gelegenheit nicht, so fügten sie sich selbst Schaden zu. Für die betreffenden Ausländer kann sich daraus eine unangenehme Überraschung ergeben, wenn dieselben zur Zusammenarbeit bereiten Amtspersonen sie zur sofortigen Aufgabe des Geschäfts oder gar zum Verlassen des Landes auffordern.[4]

- Ein Schulbeispiel der doppelseitigen staatlichen Aktivität ist der *Devisenmarkt* vor und nach der Wende. Hier wurde einerseits penibel darauf geachtet, wie viel ausländische Zahlungsmittel der Tourist nach Ungarn einführt. Andererseits werden bis heute die Devisenquellen bei Privatkonten nicht hinterfragt, da man selbstverständlich Devisen brauche. Die alltägliche Praxis sah noch vor kurzem folgendermaßen aus:
  - Version a): Der Betroffene verschafft sich von irgendwoher Devisen, legt diese bei einer ungarischen Bank an, hebt sie aber mit Erlaubnis der Bank umgehend wieder ab, um sie wieder auszuführen. Diese Transaktion gilt als rechtmäßig.
  - Version b): Der Betroffene will Devisen ausführen, ohne dabei eine Bank einzuschalten. Dies stellt eine Straftat dar, die abhängig von der Summe mit Freiheitsstrafe oder hoher Geldstrafe bedroht ist.
- Das gesamte *Steuersystem* fordert in gewisser Weise jeden dazu auf, Vorschriften zu umgehen. Eine effektive Kontrolle gibt es nicht, und der Staat ist auch nicht in der Lage, auf die Haltung der Steuerzahler, die die zahlreichen Möglichkeiten der Gesetzesumgehung nutzen, Einfluss zu nehmen. Die Strenge der Steuergesetzgebung kann dazu führen, dass sich die Mehrheit gegen die Macht wendet (siehe *Gorbatschows* Antiwodka-Gesetz).

3. Selbstverständlich gibt es immer korrupte Beamte,[5] die ein Interesse an der Umgehung der Gesetze haben. Offen bleibt die Frage, warum es eine große Anzahl

---

[3] Bis heute fand keine planmäßige polizeiliche Liquidierung der sog. chinesischen (bzw. allgemein der ostasiatischen) Märkte statt. Gleichzeitig gelten gegenüber Ostasiaten diskriminierende Visum- und Zollvorschriften, um eine Begrenzung der illegalen Tätigkeit zu erreichen. Vgl. *Póczik* (Anm. 1).

[4] Noch überraschender ist es, wenn sie derselbe Polizist abführt, der noch wenige Minuten zuvor an ihrer Seite stand und ihnen im Namen der inneren Sicherheit bei der Diebstahlprävention geholfen hat.

[5] Zu diesem Themenkomplex wurde vor kurzem eine eingehende Studie in einem ungarischen Fachblatt veröffentlicht. Über die Korruption bei der Polizei siehe u.a. *István Szikinger*, A rendőri korrupció jogforrásai (Die Rechtsquellen der polizeilichen Korruption), Belügyi Szemle (Rundschau des Inneren) 1998/10, S. 21–33; *István Pintér*, A korrupció megelőzése és korai felismerése az igazságszolgáltatásban (Die Vorbeugung und die frühzeitige Erkennung der Korruption in der Rechtspflege), Belügyi Szemle 1998/10, S. 73–89; *Béla Blasszauer*, Korrupció az egészségügyben (Korruption im Gesundheitswesen),

solcher Personen bei der Polizei gibt, die ungarische Staatsanwaltschaft hingegen von der Korruption nicht betroffen ist. Das niedrige Gehalt der Polizisten kann dafür keine hinreichende Erklärung sein. Einen hohen Anteil korrupter Polizisten konnte man schon zu einer Zeit finden, als die Staatsanwälte ebenso schlecht bezahlt wurden.

Bei der Analyse der OK stellen sich folgende Fragen:

1. Was sind die Ziele der Hauptakteure?
2. Wer spielt die Hauptrollen in der OK?
3. Wie und welche Tätigkeit üben sie aus?
4. Welche Aufgaben ergeben sich daraus für die Juristen? Wie kann man die Täter identifizieren, die Straftaten beweisen und sanktionieren?

2.2 Ziele

In allen Ländern, in denen man einen Ausbau der Verbrechensorganisation beobachten kann, bemühen sich die Akteure der OK, in den Machtapparat integriert zu werden. Ein erheblicher Teil der Gewinne wird genutzt, um Politiker und Vertreter der Wirtschaft „zu kaufen", um

- sich eine eigene Machtposition in der legalen Wirtschaft aufzubauen und
- baldmöglichst die für die Regierung wichtigen Wirtschaftszweige kontrollieren zu können,
- insbesondere eine totale Kontrolle der wichtigen Märkte zu erreichen, zumindest aber den eigenen *Marktanteil* zu vergrößern.

Scheitern diese Vorhaben aufgrund der Stabilität und des Widerstands der staatlichen Macht, so bleibt immer noch das Ziel, in traditionellen Bereichen wie Drogen- und Sexhandel die größtmöglichen Profite zu erreichen und die staatlichen Strukturen zu zerstören.

2.3 Tätigkeitsbereiche

Zwischen der *Wirtschaftskriminalität* und der OK bestehen enge Verbindungen.[6] In diesem Zusammenhang sind die Schädigung des Staatseigentums und der staat-

Belügyi Szemle 1998/10, S. 90–100; *Imre Grecsó/György Léhner*, Hivatásos határőrizet – terjedő korrupció (Berufsgrenzwache – wachsende Korruption), Belügyi Szemle 1998/10, S. 111–125. Über die politische Korruption siehe *László Lengyel*, Esszé a politikai korrupcióról (Essay über die politische Korruption), Belügyi Szemle 1998/10, S. 3–20; des Weiteren *Csaba Gombár/Elemér Hankiss/László Lengyel/Hédi Volosin/Csaba Gombár* (Hrsg.), Írások a korrupcióról (Schriften zur Korruption), Helikon-Korridor Budapest 1998.

[6] Hinsichtlich der europäischen Bezüge siehe hierzu *Péter Csonka*, A gazdasági és a szervezett bűnözés elleni harc perspektívája az Európa Tanácsban (Perspektiven der Be-

lichen Einkommensquellen, die Privatisierung, die illegale Finanztätigkeit, die verbotene Geldinstitutionstätigkeit und die Verletzung der Urheberrechte zu nennen.

Sowohl die *Privatisierung* als auch die aus verschiedenen Gründen durchgeführten *Wiedergutmachungsverfahren* ermöglichten es den Akteuren der OK in Ungarn, durch legalen Ankauf dem rechtmäßigen Eigentümer Kapital zu entziehen und in eigenen Unternehmen anzulegen. Diese Tätigkeit fiel mit den die Privatisierung begleitenden Eigentümerwechseln großer Vermögensmassen – zumeist ohne staatliche Kontrolle – zusammen.

3. Politische Beurteilung der organisierten Kriminalität vor und nach dem Systemwechsel

In der Zeit vor dem Systemwechsel waren die politischen und fachlichen Meinungen hinsichtlich der Verbreitung der organisierten Kriminalität in Ungarn geteilt. In offiziellen Stellungnahmen wurde deren Existenz zumeist bestritten, obwohl die Kriminologen aufgrund westeuropäischer Kategorisierung verschiedene Erscheinungsformen im Einzelnen nachweisen konnten. Da sich die gesellschaftlichen und wirtschaftlichen Verhältnisse der 1980er Jahre stark von denen der 1990er Jahre unterschieden, sind auch die Ursachen und Erscheinungsformen der OK vor und nach der Wende nicht vergleichbar. Kriminalitätsformen wie Drogenkriminalität oder Schlepperei waren vor der Wende unbekannt. Demgegenüber waren zahlreiche Formen der Korruption und des Wirtschaftsmissbrauchs weit verbreitet. Sowohl die Diktatur als auch die Demokratie haben ihre eigene organisierte Kriminalität, die hinsichtlich Erscheinungsformen, Straftätern und Opfern nur teilweise gemeinsame Merkmale hat.

Nach der Wende erlebte sowohl die Gesellschaft als auch die Wirtschaft starke Veränderungen. Die Befreiung von der Diktatur sozialistischen Typs ging mit einer Erschütterung und mit der kurzzeitigen Schwächung des Systems der staatlichen Institutionen einher. Gleichzeitig tauchten die negativen Phänomene der Globalisierung auf,[7] deren Bekämpfung zunächst unmöglich erschien, sowie die Neukolonisation in Ost- und Mitteleuropa. Durch den Einfluss der westlichen Gesellschaften entstanden zahlreiche neue, als postmodern bezeichnete Bedürfnisse, deren

---

kämpfung wirtschaftlicher und organisierter Kriminalität im Europäischen Rat), Belügyi Szemle 1998/11, S. 31–56 ff.

7 Auf diesen Problemkreis soll hier nicht näher eingegangen werden, obwohl immer öfter auf die Schattenseiten dieses unaufhaltbar erscheinenden Prozesses hingewiesen wird. Siehe z.B. *David C. Korten*, Tőkés társaságok világuralma (Weltmacht von Kapitalgesellschaften) Kapu Verlag Budapest 1996, sowie *Jean Ziegler*, Die Barbaren kommen. Goldmark München 1999. Anhand unseres Themas wird *György Soros* von *Zsuzsa Ferge* zitiert: Szegénység és bűnözés, azaz: van-e dezintegrációs és decivilizációs veszély? (Armut und Kriminalität, oder: Besteht die Gefahr der Desintegration und der Dezivilisation?), Belügyi Szemle 1999/2, S. 3–27.

Befriedigung sichergestellt werden musste. Die Instabilität der Region wurde auch dadurch erhöht, dass in der Nachbarschaft Ungarns jahrelang Krieg tobte, was auch Einfluss auf die OK hatte. Diese Komponenten gemeinsam ermöglichten die Verbreitung der früher nicht bekannten Formen der organisierten Kriminalität. Weder der Staat und sein Machtapparat, noch die Bevölkerung haben anfangs die entsprechenden Antworten auf diese Veränderungen gefunden. Demzufolge ist die organisierte Kriminalität heutzutage vielfältig in unserer Region präsent.[8] Die wichtigsten Formen sind die folgenden:

- *Transitverkehr- oder Durchfuhrrolle*
  Die Länder Mitteleuropas sind für die OK zwischen Ost und West zumeist unumgänglich. Dies gilt zumindest für den traditionellen Warenverkehr, nicht allerdings für die modernsten Formen der Kriminalität via Internet. Ungarn hat hier die Rolle eines „Zwischenhindernisses" auf dem Lieferweg, welches möglichst unauffällig und schnell zu beseitigen ist.

- *Stützpunktrolle*
  Die Beteiligten des „großen Geschäfts" – ähnlich den ehemaligen Terroristen wie z.B. *Carlos* – benutzen das Land als Zwischenlager oder Umschlagplatz, wobei sie auch örtliche Helfer hinzuziehen. Eine entscheidende Rolle spielt aber auch die Sicherung der ungestörten ost-westlichen bzw. west-östlichen Lieferungen, ohne Beteiligung von Personen des Landes an der Durchführung oder Verteilung der Transporte.

- *Residenzrolle*
  Teilweise wird die Rolle des Transitlandes aufgewertet, indem der Stützpunkt vom Zwischenlager zum Verteiler- oder Umschlagzentrum wird. Die Lieferanten oder Kuriere der Waren werden hier ausgetauscht. Diese Orte verfügen über hoch entwickelte Logistik und Sicherheit. Die von den Behörden vorher verfolgten Waren können an solchen Orten spurlos verschwinden.

- *Lokale Rolle*
  Die organisierte Kriminalität verfügt natürlich auch über eine lokale Basis, die entweder nur ein Teil der OK innerhalb der Landesgrenzen ist, oder sich an der internationalen Kriminalität aktiv beteiligt. Ihre Akteure können zu größeren Netzwerken gehören oder eigene Netze haben.

Wie in den anderen mitteleuropäischen Staaten finden sich auch in Ungarn all diese Versionen. Aufgabe der Strafverfolgungsorgane ist es, möglichst viele von ihnen aufzuklären. Für die Einwohner des Landes ist unmittelbar die lokale Rolle am gefährlichsten, indirekt aber auch die Residenzrolle, denn in diesem Fall ist die

---

[8] Eingehend siehe *Géza Finszter/Ferenc Irk*, Gazdasági-társadalmi változások – a bűnözés új kihívásai (Szervezett bűnözés Kelet-Közép-Európában, az Európai Unió peremén) (Wirtschaftlich-gesellschaftliche Änderungen – neue Herausforderungen durch die Kriminalität [Organisierte Kriminalität in Mittel-Osteuropa, am Rande der EU]), Kriminológiai tanulmányok, Bd. 38 (2001), S. 11–59.

Gefahr groß, dass das Transitland früher oder später zum Ausgangs- oder Zielland wird.

4. Die Medien über die organisierte Kriminalität und über die Lage in Ungarn[9]

4.1 Die inländischen Medien

Die OK beschäftigt die ungarische Presse seit den Anfängen des Systemwechsels. Zunächst war es ihre Neuheit, später die in- und ausländischen Beziehungen sowie die politischen und wirtschaftlichen Zusammenhänge, die sie in das Zentrum der Aufmerksamkeit rückten. Ein reges Interesse bestand bezüglich der eventuellen Zusammenhänge zwischen den Machthabern und den organisierten kriminellen Gruppen. Aus zahlreichen, hier nicht zu erörternden Gründen gibt es dennoch unter den sich mit diesem Thema beschäftigenden Journalisten kaum solche, die den Ursachen auf den Grund gehen.

Für die Medien sind nicht das tatsächliche Funktionieren der OK, die Aufklärung der typischen Merkmale und die Bedrohung der gesamten Gesellschaft interessant, sondern vielmehr einzelne spektakuläre Bombenanschläge. Einen solchen Fall stellten in jüngster Zeit ein für das Ausland produzierender Bombenhersteller und seine russischen Beziehungen dar.[10]

Ein zweites spektakuläres Phänomen sind die Autodiebstähle auf Bestellung. Unabhängig davon, ob man die Bevölkerungszahl oder die Zahl der zugelassenen Fahrzeuge als Bezugsgröße nimmt, blieb die Zahl der gestohlenen Fahrzeuge sogar in den schlimmsten Jahren weit hinter den Werten der meisten westeuropäischen Länder zurück. Dennoch beunruhigte dieses Phänomen die Bevölkerung stark. Für das Ungarnbild im Ausland, wonach ausländische Fahrzeuge einer permanenten Diebstahlgefahr ausgesetzt sind, ist auch die ungarische Presse verantwortlich. Besondere Aufmerksamkeit erlangen Fälle von Autodiebstahl und Raub, wenn führende Regierungsbeamte dabei zu Schaden kommen.[11]

Mit großem Interesse verfolgt die Presse auch die Entwicklung der Aktivitäten der OK. Die meisten Informationen gewinnt sie aber bei den Pressekonferenzen der

---

[9] Berücksichtigt sind Angaben bis Ende 2000.

[10] *Gy. Attila Fekete*, Exportra is termelt a pokolgépgyár (Die Bombenfabrik produzierte auch für den Export), Népszabadság vom 27.6.1998. Die Presse macht aber auch darauf aufmerksam, dass nicht nur die Straftäter, sondern auch die Strafverfolger (in unserem Fall: die österreichische und die ungarische Polizei) kooperieren.

[11] So z.B. *Zoltán Gál/Ferenc Sengel*, Lopják az állami autókat. Új védelmi rendszeren dolgoznak a rendőrök (Staatliche Autos werden gestohlen. Polizisten arbeiten an einem neuen Schutzsystem), Magyar Hírlap vom 5.5.1999

Polizei oder aus informellen polizeilichen Quellen, die entweder beabsichtigt sind oder sich gegen polizeiliche Führungskräfte richten.[12]

Immer wieder wird in der Presse die Vermutung über Verbindungen diverser Personen in wesentlichen Regierungsfunktionen zum Untergrund geäußert. In Zusammenhang damit stehen zwei Begleiterscheinungen des Systemwechsels: Zum einen bereicherte sich ein kleiner Teil der früheren Elite des Parteistaates, der bereit war, nach dem Systemwechsel auch in der kommunistischen Nachfolgerpartei eine Rolle zu spielen, an der „spontanen Privatisierung“ und wandelte sein früheres Kontaktkapital in Wirtschaftsmacht um. Zum anderen tauschten die Regierungen nach der Wende die Fachleute, wie es im Westen üblich ist, auch auf niedrigerem Niveau aus. Diejenigen der Entlassenen, die über die besten Beziehungen verfügten, gingen sofort in die Privatwirtschaft, gründeten Unternehmen oder kauften sich in Unternehmen ein. Zahlreiche früher hochrangige Offiziere der Polizei wechselten zwangsläufig oder freiwillig in den privaten Sektor und landeten meistens bei den Sicherungsdiensten. Diejenigen, die nach einigen Jahren wieder eine staatliche Position übernahmen, galten a priori als verdächtig. Fand die Presse unter den früheren Beziehungen des Hauptakteurs eines größeren Kriminalfalls solche Personen, die später leitende Beamtenfunktionen bekleideten,[13] konnte dieser das Stigma der kriminellen Beziehungen nur sehr schwer loswerden.[14]

Für die Nachwelt bleibt „die“ ungarische organisierte Kriminalität noch lange mit der Tätigkeit der Ölmafia verbunden. Diese Art der OK, die für Osteuropa typisch und ausschlaggebend ist, erstreckte sich über das gesamte ungarische Landesgebiet (die Beziehungen gehen von der ehemaligen Sowjetunion aus; nach dem Zerfall der Union übernahmen die ukrainische, weißrussische, slowakische, rumänische und jugoslawische – serbische – Mafia die Führung). Vielleicht wird nie aufgeklärt werden, wie viele Personen der früheren und der gegenwärtigen politischen und wirtschaftlichen Elite in diesen Fall verwickelt waren.[15]

---

[12] *Zoltán Gál*, Számítógépes csalók váltják fel az olajosokat (Computerbetrüger lösen die Ölbetrüger ab), Magyar Hírlap vom 10.5.1999. Der Artikel beginnt folgendermaßen: „Laut polizeilichen Angaben konnte die erste Linie der durch illegalen Ölhandel reich gewordenen Kriminellen fast völlig zerstört werden.“ (...) „Die Ölfälle sind vermutlich zu Ende, aber eine neue Kriminalitätsart drängt empor: die Computerkriminalität.“

[13] Dazu genügte ein einziges Foto eines gesellschaftlichen Ereignisses (z.B. von einem Empfang oder Ball), in anderen Fällen tauchten aber auch echte oder manipulierte, mit versteckter Kamera aufgezeichnete Fotos von Besprechungen auf.

[14] So z.B. *Antónia Rádi*, Pintér-Clodo találkozó: az üzlet az üzlet (Pintér-Clodo-Treffen: Geschäft ist Geschäft), Népszabadság vom 3.1.2000.

[15] So z.B. *Miklós Halász*, Ki marad talpig fehérben? Dél-alföldi olajcsúszda (Wer bleibt ganz und gar weiß? Die Ölrutsche im Süden der Tiefebene), Magyar Nemzet vom 24.12.1999. Heutzutage wird immer weniger davon gesprochen, wie die erste Regierung nach der Wende den völlig ungeordneten Auszug der Sowjets hat zulassen können. Warum hat man in diesem Zusammenhang ohne einen Laut zur Kenntnis genommen, dass hochrangige sowjetische (russische) und ungarische Militäroffiziere mit Treibstoff in Mengen

Die Medien berichten auch über Bevölkerungsumfragen hinsichtlich der Präsenz der OK im Alltag. Danach hat die Bevölkerung kein Vertrauen, dass die Polizei die gefürchtetste Art der OK, die Sprengstoffanschläge, erfolgreich bekämpfen kann. Bis heute ist es in Ungarn durch solche Anschläge allerdings kaum zu Personen- oder Sachschäden gekommen.[16]

4.2 Die ausländischen Medien über Ungarn

In der ungarischen Presse wird seit Jahren reichlich aus den Pressemitteilungen in Europa und Übersee zitiert, die sich mit dem Erfolgskurs des russischen Untergrunds beschäftigen. Bemerkenswert ist, dass diese Mitteilungen heutzutage schnell um die Welt gehen und bei uns nicht selten nach diesem Rundgang vom Osten her eintreffen.[17]

In einem solchen Presseartikel wurden z.B. die Interessen der russischen Mafia in den Steuerparadiesen der Welt mit einer Landkarte illustriert und behauptet, dass Telefongespräche von russischen und anderen Mafiabossen in Budapest vom CIA abgehört wurden.[18] Zur Vorgeschichte gehört, dass der vermeintliche russische

---

von Millionen Tonnen handeln – wie die derzeit abgeschlossenen Strafprozesse beweisen. Warum hat sich der Gesetzgeber nicht rechtzeitig gerührt, als schon alle wussten, dass die aus Heizöl, Haushaltsheizöl und Gasöl stammenden Steuereinnahmen des Staates in Milliardenhöhen auf das Bankkonto einiger Privatpersonen mit guten Beziehungen wandern?

16 Solche Angaben sind z.B. auf der Homepage eines Meinungsforschungsinstituts zu finden. Laut einer Umfrage von Szonda Ipsos vom 17.6.1999 (veröffentlicht: Népszabadság 24.6.1999) halten 68 % der Budapester und 47 % der ländlichen Einwohner das Personal der ungarischen Polizei für „eher unvorbereitet" zur Aufklärung der Bombenanschläge. Diese Meinung ist begründet. Bis jetzt ist es der Polizei in keinem einzigen Fall gelungen, die Täter von Bombenanschlägen im Zusammenhang mit zum Untergrund gehörenden Personen zu erwischen. Selbst wenn Verdächtige ausfindig gemacht werden konnten, gelang es den Ermittlungsbehörden in den vergangenen zehn Jahren kein einziges Mal, zur Feststellung der Schuld genügende Beweise zu sammeln.

17 *Gábor Stier*, Világhódító orosz polip. Az árnyékgazdaság holdudvarából a politika csúcsaira tör a posztszovjet maffia (Welterobernder russischer Polyp. Die postsowjetische Mafia drängt aus dem Mondhof der Schattenwirtschaft auf die Gipfel der Politik), Magyar Nemzet vom 11.7.1998. Nach dem Einführungstext des Artikels „bauten die russischen Untergrundgruppen Brückenkopfstellungen in mindestens 14 Ländern Europas aus, und zu den Geldwäschezentren wird neben Wien nun auch Budapest gezählt. Der Ogonjok (russisches Wochenblatt – Anm. d. Verf.) hat mindestens von drei ‚Paten' Kenntnis, die in Ungarn leben und meint, von weiteren vier Personen würde erwartet, dort regelmäßig Besuch zu erstatten". (...) „Bei einer neuerlichen Budapester Konferenz wurde beispielsweise geäußert, dass der russische Untergrund die Aktien der ungarischen nationalen Großunternehmen anzukaufen begann." Der Artikel liefert dem Leser reichlich Informationen aus der russischen Presse, von den Beziehungen der obersten Machtebene zur Kriminalität bis zur Umfrage hin, nach der 27 % der russischen Teenager Gangster und 9 % gedungene Mörder werden möchten.

18 Az orosz maffia tízmilliárdos pénzmosása (Die Zehnmilliarden-Geldwäsche der russischen Mafia), Népszabadság vom 23.8.1999. Der ungarische Geheimdienst dementierte die erwähnte Tätigkeit des CIA in Ungarn kategorisch.

Mafiachef *Semjon Mogilewitsch*, der in Ungarn ansässig war, Gelder aus der organisierten Kriminalität über die Bank of New York fließen ließ.

In diesen Zusammenhang gehört auch die Mitteilung, nach der die Mafiabosse aus Mittel- und Osteuropa den Markt der Region untereinander aufgeteilt hätten und zu diesem Zweck mehrere Besprechungen in der tschechischen, österreichischen und ungarischen Hauptstadt abhielten. Darauf erfolgte eine schnelle Antwort aus ungarischen Regierungskreisen: Die Geheimdienste stimmten ihre Tätigkeiten im Interesse eines erfolgreichen Einsatzes ab.[19]

Eine Spannung zwischen der österreichischen und der ungarischen Regierung rief die Behauptung des Sprechers des österreichischen Innenministers hervor, nach der „sich die organisierte Kriminalität in Ungarn schon im Staatsmechanismus etabliert habe". Hier taucht der Verdacht auf, dass der Sprecher mit der – von ungarischer Seite offiziell und entschlossen widerlegten – „Anklage" nur ein Ziel hatte: den für Österreich in mehrfacher Hinsicht unangenehm gewordenen Nachbarn zu degradieren.[20] Wenn in Budapest Autos gestohlen werden (zwar nicht mehr als in Wien und viel weniger als in Zürich, Basel, Frankfurt oder Köln), wenn sich die OK in Ungarn in den Machtstrukturen etabliert hat (während dies in anderen westlichen Ländern – soviel wir wissen – unvorstellbar ist), so erhöht das das Gefühl der Gefahr aus dem Osten und den Fremdenhass der dortigen Bevölkerung,[21] was wiederum ein guter Grund sein kann, um die EU-Osterweiterung zu bremsen und die Stimmung in der eigenen Bevölkerung zu beruhigen.

4.3 Die Reaktion der Staatsjustiz in den Medien

Die Massenmedien berichten regelmäßig über Stellungnahmen ausländischer und ungarischer Fachleute und Entscheidungsträger, wobei die Fachleute der Strafverfolgung eher zurückhaltend, die Politiker eher „medienfreundlich" sind.

Unter anderen äußerte sich auch der italienische so genannte „Antimafia-Staatsanwalt". Bekanntermaßen war Italien auf dem Gebiet der Bekämpfung der OK Ende der 1990er Jahre besonders erfolgreich. Trotzdem äußerte der Fachmann sich über die Ergebnisse und die weiteren Hoffnungen eher verhalten. Zwar betonte er die Wichtigkeit der modernen Informationstechnik, der internationalen Zusammenarbeit sowie der neuen Möglichkeiten des Strafprozesses, jedoch war er der

---

[19] *Gergely Dudás*, Titkosszolgák találkozása. Új maffiaellenes központ alakulhat (Treffen von Geheimdienstlern. Ein neues Antimafiazentrum kann entstehen), Világgazdaság vom 21.1.2000; *Gábor Zappe*, Maffiaellenes központ alakul (Ein Antimafiazentrum entsteht), http://index.hu, 29.8.2000. Zu den Tatsachen vgl. den letzten Teil dieser Studie.

[20] *Imre Sebestyén*, Osztrák vélemény a magyarországi maffiahelyzetről (Die österreichische Meinung über die ungarische Mafialage), Hetek vom 11.9.1999.

[21] Die Folgen davon könnten nicht nur Österreich, sondern die ganze EU treffen.

Meinung, dass die Mafia internationaler sei, als das gegen sie verabschiedete Gesetz.[22]

Mitte der 1990er Jahre wurde seitens der für die Strafverfolgung Verantwortlichen betont, dass die neuen Formen der Kriminalität nur mit rechtsstaatlichen Mitteln bekämpft werden dürften. Das ist auch ein Grund dafür, dass es für die Ermittler und Anwälte schwerer wurde, „Ergebnisse" im Sinne der insbesondere in Wahlkampfzeiten immer ungeduldiger werdenden Politiker zu „produzieren".[23]

Mittlerweile muss sogar die oberste Führung der Polizei gestehen, dass mehrere Personen aus den eigenen Reihen mit dem organisierten Untergrund zusammenarbeiten.[24] Zwischenzeitlich erfolgte zwar ein Regierungswechsel, der die Entlassung der gesamten früheren polizeilichen Führung mit sich brachte, doch änderte sich die Lage nicht wesentlich.[25]

Das Interview, das der Leiter der Spezialeinheit des Landespolizeipräsidiums zur Bekämpfung der OK und zum Wirtschaftsschutz noch vor dem Regierungswechsel von 1989 gab, kann man als Signal werten. Er machte unter anderem darauf aufmerksam, dass die OK vor allem die Wirtschaftsmacht erobern wolle, weshalb sie zunächst die rechtswidrig erworbenen Gelder unter Ausnutzung der oft unüberschaubaren Regelungen wasche.[26] Diese Regierung bekannte das erste Mal öffent-

---

22 Interview mit Generalstaatsanwalt Dr. *Piero Luigi Vigna*, Heves megyei Hírlap vom 8.2.1999.

23 So äußerte sich der Generalstaatsanwalt Dr. *Kálmán Györgyi* zu zahlreichen Anlässen. Vgl. „Lang und schwierig wird der Kampf gegen die Kriminalität. Der Generalstaatsanwalt über die kriminellen Organisationen", Népszabadság vom 29.11.1997.

24 In einem solchen offenen Interview sprach der seitdem entlassene Budapester Polizeipräsident *Attila Berta* nicht nur über Polizeibeamte mit schlechter Bezahlung und ohne moralische Haltung, sondern auch darüber, dass die Arbeit der Verbrecherorganisationen auch von legal tätigen Anwälten, Experten, ausgeschiedenen Polizisten und Sicherheitsdienstoffizieren unterstützt wird. Diese Kriminellen, die sich im Labyrinth der Rechtspflege gut auskennen und sehr gute Beziehungen zu den immer noch im Staatsapparat aktiven Strafverfolgern haben, verstehen sich darauf, Spuren zu verwischen, Zeugen einzuschüchtern usw. So die Erklärung von *Attila Berta*, Népszabadság vom 11.12.1997: „Auch Polizisten arbeiten für die Verbrecherwelt. Nach den illegalen Ölgeschäften ist ein Wachsen der Finanzkriminalität zu erwarten."

25 Das Magyar Hírlap zitiert den Polizeisprecher *László Garamvölgyi*, nach dem viele Berufspolizisten halblegale, sogar illegale Nebentätigkeiten ausüben. Deshalb ist zum einen die Erhöhung der polizeiinternen Kontrolle, zum anderen die Neuregulierung der zulässigen Nebentätigkeiten notwendig. Vgl. „Auch heute noch jobben aktive Polizisten für den hauptstädtischen Untergrund," Magyar Hírlap vom 29.12.1999.

26 *Csilla Halász*, Gazdasági bűnök, kegyetlen törvények. Pelikán László a fehér gallérról, a maffiáról és a közerkölcsről (Wirtschaftsschulden, harte Gesetze. László Pelikán über den weißen Kragen, die Mafia und die Moral), Magyar Nemzet vom 14.2.1998. Es scheint eine Ironie des Schicksals zu sein, dass auch er sich von der Spitze der Polizei entfernen musste. Die Ursache: Im Zentralgebäude der Polizei wurde der staatlichen Kontrolle entzogenes Gold illegal verkauft, und er selber kaufte auch solche Gegenstände, ohne dass ihm deren genauer Wert genau bekannt war. Der Fachmann, der früher bei der Steu-

lich, dass nicht allein mit den Sprengstoffanschlägen zusammenhängende Ereignisse die Bevölkerung beunruhigen können, sondern auch Schleuserbanden nahe den Staatsgrenzen.[27]

Politiker – sowohl auf der Regierungsseite als auch auf Seiten der Opposition – sind nicht bereit, solche Zustände zu tolerieren. Die Regierungsseite möchte um jeden Preis schnelle Erfolge vorweisen, und wenn das nicht gelingt, lässt sie sich zu unüberdachten Erklärungen hinreißen.[28] Einige Abgeordnete der gegenwärtigen Koalitionsparteien vertreten auch die Auffassung, sie seien berufen, anstelle der machtlosen und korrupten Polizei Sicherheit in ihrem Wahlkreis zu schaffen.[29] Dennoch versucht die Polizei, den Medien ein optimistischeres Bild über ihre Tätigkeit zu vermitteln als das bei ihren Vorgängern der Fall war. Während der Drogenkonsum trotz des In-Kraft-Tretens des in Anbetracht der Sanktionen strengsten Gesetzes des Kontinents rasant steigt, wird behauptet, es gäbe in Ungarn keine Rauschgiftkriminellen größeren Kalibers.[30] Neuerdings werden optimistische Stellungnahmen auch bezüglich der Geldwäsche in Ungarn veröffentlicht, wobei betont wird, dass sich „die ungarische Praxis der Geldwäsche von der amerikanischen oder westeuropäischen unterscheidet".[31] der Bevölkerung wird durch die Medien versichert, dass die Polizei die Geldwäsche immer mehr unter Kontrolle habe, sie immer erfolgreicher bekämpfe. Das ist besonders bemerkenswert, da seit 1994, also

---

erbehörde gearbeitet hat, will nichts davon gewusst haben, dass der Goldvertrieb auf diese Weise eine unerlaubte, rechtswidrige Handlung darstellt.

27 *Réka Bencsik*, Virágzik az embercsempészet (Die Menschenschleuserei floriert), Népszabadság vom 9.4.1998.

28 So z.B. der heftige Ausbruch des ehemaligen Ministerpräsidenten *Gyula Horn* vor der Presse: „Was es hier gibt, ist keine öffentliche Sicherheit!" Der Angriff richtete sich gegen den Innenminister des Koalitionspartners während der Wahlkampagne. Vor allem die Partei des Ministerpräsidenten hat jedoch Wähler aus dem Kreis der Sympathisanten verloren, und Beobachtern zufolge trug dieser eine Satz wesentlich zur Niederlage der Partei nach einigen Monaten bei. Man war der Meinung: Wer sich als Ministerpräsident so äußert, bekennt öffentlich, dass er machtlos gegenüber dem Phänomen der Kriminalität ist, was einen großen Teil der Bevölkerung des Landes beunruhigt.

29 Munkához lát a korrupciós bizottság (Der Korruptionsausschuss geht an die Arbeit), Magyar Nemzet vom 23.1.2000; *László Pallag*, Háromévi központi költségvetés tűnt el a feketegazdaságban (Zentralbudget von drei Jahren in der schwarzen Wirtschaft verschwunden), ebd.

30 „Es gibt keine Drogenpaten." Presserklärung von *György Hollósi*, dem stellvertretenden Leiter der Rauschgiftabteilung der Direktion der Polizei zur OK-Bekämpfung, Világgazdaság vom 29.12.1999.

31 Erklärung von *Csaba Molnár*, dem Leiter der Geldwäscheabteilung des Landespolizeipräsidiums: Wie schadet die Geldwäsche der Wirtschaft? Das Grunddelikt ist der Steuerbetrug (Mennyit árt a gazdaságnak a pénzmosás? Adócsalás az alapbűncselekemény), Magyar Nemzet vom 30.12.1999.

seit dem In-Kraft-Treten des Gesetzes gegen die Geldwäsche, diesbezüglich noch kein einziges rechtskräftiges Urteil gefällt wurde.[32]

4.4 Analysen in den Tageszeitungen

Wie schon erwähnt, befasste sich die ungarische Kriminalwissenschaft in den vergangenen Jahren mit den gesellschaftlichen und rechtlichen Aspekten der organisierten Kriminalität. Diese Studien erreichen jedoch zumeist nicht die Öffentlichkeit. Es gibt aber auch Publizisten und sogar Fachleute aus der Praxis, die sich genauso distanzieren, sowohl von den typischen sensationsheischenden Äußerungen der Journalisten und Politiker als auch von den für Regierungsbeamte typischen Stellungnahmen, die für alle Erscheinungen eine Erklärung finden. Das Jahr 1998 stellt in dieser Hinsicht eine Besonderheit dar, da drei niveauvolle Studien in drei viel gelesenen Tageszeitungen veröffentlicht wurden.

Das zuvor über Regierungsbeamte Gesagte kann durch die Analyse eines hochrangigen Offiziers der Zoll- und Finanzwache zur Geschichte und gegenwärtigen gesellschaftlichen Rolle der Korruption dementiert werden.[33] Das Resümee des Artikels ist es wert, hier wortwörtlich zitiert zu werden:

> „Nach meiner persönlichen Auffassung ist weder eine speziell zu diesem Zweck entwickelte Handlungseinheit noch eine veränderte Rechtsordnung ein geeignetes Mittel, um die Korruption zurückzudrängen. Im Bewusstsein der breiten gesellschaftlichen Akzeptanz der Korruption und ihrer vielfältigen Erscheinungsformen können wir sicher sein, dass die Schaffung eines korruptionsfreien öffentlichen Lebens noch lange Zeit lediglich ein anerkennenswertes Ziel bleiben wird. Über das Instrumentarium des Rechts und der Strafverfolgung hinaus ist es nötig, moralische Regeln aufzustellen, um dieses Ziel zu erreichen. Deshalb ist die Schaffung eines Ehrenkodexes der einzelnen Berufsgruppen und Behörden zweckdienlich. Von der Öffentlichkeit akzeptierte moralische Normen zeigen ihre Wirkung zwar langsamer, jedoch kann durch eine solche Veränderung besser eine langfristige Stabilität erreicht werden. Die Einhaltung von Rechtsnormen bedarf immer eines bestimmten äußeren Drucks, das In-Aussicht-Stellen von Sanktionen. Die moralischen Normen dagegen werden aufgrund innerer Überzeugung befolgt, und eben darin liegt ihre Stärke. Eine Gesellschaft, die auf positiven Werten und moralischen Normen aufbaut, stützt sich auf Harmonie und Solidarität. Eine solche Gesellschaft hat ein Ziel, eine langfristige Perspektive und sie glaubt, durch die Korruption an der Verwirklichung der Ziele gehindert zu werden. Dazu ist es notwendig, dass sich die Politik eindeutig zur Bekämpfung der Korruption verpflichtet, dass Gesetzes- und Steuerreformen konsequent durchgeführt werden, dass die staatlichen Leistungen dem Bürger näher gebracht und die Möglichkeiten der Verantwortlichmachung erweitert werden."

---

32 *Gergely Dudás*, Több nyomozás pénzmosás miatt. Várhatóan könnyebb lesz megfogni a keresztapákat (Mehr Ermittlungen wegen Geldwäsche. Eine leichtere Ergreifung der Paten ist zu erwarten), Világgazdaság vom 25.1.2000.

33 *József Bencze*, Erkölcs és korrupció. Aláássa az értékrendszert a megvesztegetések térnyerése (Moral und Korruption. Die Verbreitung der Bestechungen untergräbt das Wertesystem), Magyar Nemzet vom 17.4.1998.

Jede Wirtschaft der Welt zieht auch eine illegale oder schwarze Wirtschaft nach sich, wenn auch unterschiedlichen Ausmaßes. In manchen Ländern versucht man, ihre Existenz geheim zu halten und zu leugnen, bis sich die Wahrheit unter skandalösen Umständen herausstellt.[34] Im Geschäftsleben ist die Weitergabe von Insider-Informationen besonders schwer von der legalen Beratung zu trennen. Die informelle (und zum Teil legale) Wirtschaft gehört zur heutigen Realität, die zusammen mit der Globalisierung stets wächst und immer unüberschaubarer wird.

> „Die globale Wirtschaft schafft von einer Minute auf die andere neue Geschäftsformen, die sich eine Weile nicht ins System der formellen Wirtschaft eingliedern. Deshalb begünstigen die Übergangsphasen die Schattenwirtschaft, indem diese das Kapital schneller und effizienter nutzt, neue Wege findet, schnell agiert und die Geschäftsströme zwischen den Regionen beschleunigt. Das ist eine Folge der neuen globalen Ordnung. Was am einen Ende der Welt verboten und illegal ist, gilt am anderen als erlaubt und legal. Und da das Kapital, das Geld und die Information sich frei bewegen, finden Geschäfte dort statt, wo es mehr Bewegungsfreiheit und weniger Schranken gibt."[35]

Die Strafverfolgung kann mit der steigenden Anzahl von Straftaten immer schwieriger Schritt halten. Die Verantwortung für die schlechten Aufklärungsquoten, die langwierige Sachbearbeitung und die jahrelangen Strafprozesse wird von jedem Betroffenen anderen Personen zugeschoben.

> „Das Gericht schiebt (die Verantwortung) dem Parlament zu, denn dieses verabschiedet, wenn überhaupt, milde Gesetze; das Parlament der Regierung, da sie die Entwürfe nicht gut und verspätet unterbreitet; die Opposition den Regierungsparteien, da die Texte dilettantisch und voller Ungereimtheiten sind und nur durch die blind gehorsame Abstimmungsmaschine zur Geltung kommen; die Regierung der Polizei, weil die Strafverfolgung langsam ist; die Polizei dem Innenminister, da er nicht genug Lohn, Ausbildung und Ausrüstung gewährleistet sowie der Staatsanwaltschaft, weil die Anklageerhebung nicht schnell genug ist. Die Staatsanwaltschaft gibt den Ball dem Gericht ab, das die Fälle jahrelang nicht abschließt; das Gericht den Gefängnissen: Warum sollte es selbst es eilig haben, wenn die Verurteilten wegen Platzmangels sowieso nicht einzuweisen sind?"[36]

In Ungarn hatte im 20. Jahrhundert weitgehend der „verbrecherische Staat" die Macht. Das gilt für das System zwischen den beiden Weltkriegen, das von der letzten hitlerfreundlichen Regierung vor der Befreiung des Landes noch radikalisiert wurde. Nach einigen Jahren folgte dann die ungarische Version der Stalin-Diktatur, nach 1956 bis 1989 der „realexistierende Sozialismus", bestehend aus der blutigen Abrechnung und der weichen Diktatur. Den Regeln des verbrecherischen Staates passte sich auch die Bevölkerung an. Rechtsbewusstsein und Moral veränderten sich: Moralisch ist, was den Interessen des Einzelnen entspricht. Die Befolgung des Rechts – insbesondere in der Periode der weichen Diktatur – hörte praktisch auf. Die Machtpolitik in den Jahren nach dem Systemwechsel konnte nicht an eine Tra-

---

[34] Ein solcher Fall war z.B. die „beteiligte Beobachtung" des Schriftstellers *Günther Grass* im als Land des Wirtschaftswunders betrachteten Deutschland.

[35] *Miklós Almási*, Simlitan. Elméletek az informális gazdaságról (Schimmellehre. Theorien über die informelle Wirtschaft), Népszabadság vom 3.5.1998.

[36] *Gábor Czakó*, Leváltható maffia (Ablösbare Mafia), Néoszava vom 13.6.1998.

dition anknüpfen, die vorher gar nicht existierte. In einer Gesellschaft, wo der Durchschnittsmensch nur das Gefühl hat, umsonst Steuern zu zahlen; wo er erfährt, dass er in einer Demokratie lebt, in der alle Menschen gleich, aber manche gleicher sind; wo ein Staatsbeamter, der bei einem verdächtigen Geschäft erwischt wird, nicht vor Gericht gestellt wird, sondern die Akten für Jahrzehnte zur Geheimsache erklärt werden; wo die Abgeordneten Wege gehen, die rechtlich zwar möglich, moralisch aber verboten sind: Dort sind die Staatsbürger keine Bürger des Staates sondern – was sie früher waren – seine Untertanen. Der Staat darf nicht zulassen, dass die Guten und nicht die Bösen bestraft werden, weil „wenn die Guten bestraft werden, greift das Böse um sich".[37] Diese Meinung macht deutlich, dass die OK auch in unserer Region nicht nur „unten", sondern auch „oben" zu suchen ist. Der verbrecherische Staat gilt heute zumeist als Tabu. Allerdings ist anzunehmen, dass die Wiege der OK nicht in Russland und auch nicht im Osteuropa, sondern woanders stand.[38]

5. Das Gewicht der organisierten Kriminalität bei der Gesetzgebung

Das ungarische Strafgesetzbuch aus dem Jahr 1978 (Gesetz IV/1978) ist bis heute, zumindest formell, in Kraft; seit dem Systemwechsel wird es aber permanent verändert. Dieses Gesetz sieht für zahlreiche (insgesamt etwa 40) Straftaten die Bestrafung der Tatbegehung in einer kriminellen Vereinigung bzw. als Mitglied einer kriminellen Organisation vor. Darüber hinaus dienen viele andere Regelungen der Bekämpfung der OK.

Seit der zweiten Hälfte der 1990er Jahre nehmen die Aktivitäten der kriminellen Organisationen in Ungarn immer spektakulärere Formen an. Eine zeitlang kam es vermehrt zu Entführungen und Bombenanschlägen. Dieser Umstand motivierte sowohl die Gesetzgebung als auch die Gesetzanwendung zu einem entschlosseneren Vorgehen, vor allem zwischen 1997 und 2002:

- In § 137 Abs. 7 StGB (modifiziert durch das Gesetz LXXIII/1997) wurde der Begriff „kriminelle Organisation" zum ersten Mal definiert: Die kriminelle Organisation ist ein auf Arbeitsteilung aufbauender Zusammenschluss mehrerer Personen mit dem Ziel der Erreichung von Vermögensvorteilen durch die regelmäßige Begehung von Straftaten. Bei mehreren Straftaten wurde die Begehung als Mitglied einer kriminellen Organisation als strafschärfende Qualifikation eingeführt. In § 263/C StGB wurde die Gründung einer kriminellen Organisation unter Strafe gestellt. Seitens der Strafverfolgung wurden diese

---

37 So *Czakó* (Anm. 36).

38 *Csaba Nagy*, San Marino 700 éve (700 Jahre San Marino), Népszabadság, April 1997.

Änderungen mit dem Kommentar begrüßt, der Widerstand der Wissenschaft gegenüber der Strafrechtsreform sei endlich gebrochen.[39]

- Die politische Führung gab nach den Parlamentswahlen von 1998 der Kriminalitätsbekämpfung Priorität. Das Zurückdrängen der organisierten Kriminalität sowie die Wiederherstellung der öffentlichen Ruhe wurde als vorrangige Aufgabe betrachtet. Die neue Regierung hat die diesbezüglichen Aufgaben der Gesetzgebung wenige Wochen nach ihrem Antritt in einem Regierungsbeschluss (1097/1998 vom 24.7.) festgelegt. Obwohl sich innerhalb eines Jahres noch keine Rechtspraxis entwickeln konnte, um die Stärken und Schwächen der Änderungen erkennen zu können, wurde aufgrund des Beschlusses das Gesetz LXXXVII/1998 erlassen, das eine klarere Definition der kriminellen Organisation enthielt. Laut § 8 der neuen Ziffer 137 StGB ist die kriminelle Organisation ein Zusammenschluss mehrerer Personen auf Basis der Aufgabenteilung, mit einer hierarchischen Struktur und persönlichen Beziehungen mit dem Ziel, mittels regelmäßiger Begehung von Straftaten Vermögensvorteile zu erzielen.[40] Das Gesetz LXXXVIII/1998 hat zahlreiche Bestimmungen des ungarischen Strafprozessgesetzes diesen Änderungen angepasst.
- Im Sinne des oben genannten Regierungsbeschlusses wurde das Gesetz LXXV/1999 über die Vorbeugung der organisierten Kriminalität verabschiedet. Die Regelungen dieses Gesetzes bezüglich Ausländern wurden durch das Gesetz X/2000 in Kraft gesetzt. Das Gesetz LXXXV/1999 regelt die Registration. Durch Parlamentsbeschluss 99/1999 (vom 10.12.) wurde dem Straßburger Übereinkommen über die Geldwäsche vom 8.11.1990 zugestimmt. Durch das Gesetz CL/2000 wurde das Abkommen in ungarisches Recht umgesetzt.
- Im Jahr 2000 schlossen Ungarn und die USA ein Abkommen zur gemeinsamen Verfolgung der organisierten Kriminalität. Die ungarische Regierung hat dieses Abkommen im Regierungsbeschluss 36/2000 (17.3.) veröffentlicht.

---

[39] Die zu Beginn der 1990er Jahre begonnenen Kodifikationsprozesse zur OK-Bekämpfung wurden jahrelang durch die grundsätzlich als fruchtlos geltenden theoretischen Diskussionen gehemmt – heißt es in einer der Fachschriften des Innenministeriums. Vgl.: A magyarországi maffiaellenes szabályozás, a szabályozás további irányai (Die Anti-Mafia-Regelung in Ungarn, die weiteren Ziele der Regelung), IM, Juristische Hauptabteilung, Büro für EU-Integration 2000. Die ersten Auswertungen deuteten auch darauf hin, dass die Zusammenfassung aller Merkmale der OK in der Auslegungsregel unnötig ist. So *Huba Búzás/Sándor Nagy*, A bűnszervezet fogalma (Der Begriff der kriminellen Organisation), Magyar Jog 1998/4, S. 203.

[40] In der Wissenschaft wurde diese Veränderung unterschiedlich aufgenommen. Wir können nur hoffen, dass die nächste Legislaturperiode nicht ihren eigenen Begriff der kriminellen Organisation schaffen wird, sondern dass der vorschnellen, die Rechtssicherheit bedrohenden Gesetzgebung die Schaffung des neuen Gesetzbuchs zuvorkommen wird. Jedenfalls stimmt dies nachdenklich: Wie könnte das Kriterium der Vermögensmehrung auf die Angehörigen terroristischer Organisationen des Al-Qaida-Typs angewendet werden?

- Im Sinne der Bekämpfung der organisierten Kriminalität hat das Parlament das Gesetz CXXVI/2001 über die Koordinationszentrale zur OK-Bekämpfung verabschiedet. Die konkreten Aufgaben sind im Regierungsbeschluss 70/2001 (20.4.) enthalten. Die gemeinsame Verordnung des Innen- und des Finanzministeriums 4/2002 (30.1.) regelt die Rechtsstellung sowie den detaillierten Aufgaben- und Befugnisbereich der Zentrale für Internationale Kriminalpolizeiliche Zusammenarbeit.
- Zur Durchführung des Beschlusses 1390 (2002) des UNO-Sicherheitsrats über die Einschränkungsmaßnahmen gegenüber terroristischen Organisationen sowie des gemeinsamen Standpunkts des EU-Rats 2001/930/CFSP über die Terrorismusbekämpfung, dem sich auch Ungarn angeschlossen hat, hat die Regierung den Beschluss 2086/2002 (29.3.) über die Aufgaben im Zusammenhang mit der Ausführung der Inhalte o.a. Dokumente gefasst.
- Der Bekämpfung der organisierten Kriminalität dienen mittelbar die Rechtsakte gegen die Korruption, den Terrorismus, die Geldwäsche sowie die Regelungen bezüglich der Strafbarkeit juristischer Personen. Der Regierungsbeschluss 1023/2001 (14.3.) formuliert die Regierungsstrategie gegenüber der Korruption. Der Regierungsbeschluss 2336/2001 (22.11.) bestimmt die Aufgaben, die mit der Unterzeichnung des internationalen Abkommens vom 9.12.1999 bei der 54. Generalversammlung der UNO in New York zur Bekämpfung der Finanzierung des Terrorismus zusammenhängen. Das Gesetz LXXXIII/2001 enthält eine Verschärfung der Regelungen über die Bekämpfung des Terrorismus und der Geldwäsche und sieht bestimmte repressive Maßnahmen vor. Der Regierungsbeschluss 299/2001 (27.12.) regelt die Durchführung des Gesetzes XXIV/1994 über die Vorbeugung und Verhinderung der Geldwäsche.[41] Das Gesetz CIV/2001 enthält die gegenüber juristischen Personen anwendbaren strafrechtlichen Maßnahmen.

Ein Teil der Experten sieht die Gefahr, dass verschiedene Elemente der Gesetzgebung der letzten Jahre nicht mit den Anforderungen des Rechtsstaates zu vereinbaren sind. Mehrere Strafrechtler sind der Meinung, das Prinzip der Gewaltenteilung verlange, dass der staatliche Strafanspruch, einschließlich der Phase der geheimen Aufklärung, vollkommen der justiziellen Kontrolle unterliegen müsse. Besonders bedenklich ist das Gesetz CXXVI/2000 bezüglich der Errichtung der Koordinationszentrale zur OK-Bekämpfung, welches die Aufklärung nicht als vorbereitende Aufgabe der Justiz, sondern als polizeiliche Aufgabe ansieht, also als Aufgabe der der Exekutive unterstellten Ordnungsorgane. Die notwendige Kontrolle liegt allerdings in den Händen der Staatsanwaltschaft. Im Falle der Aufklärung einer Straftat ist ausschließlich die Staatsanwaltschaft zur Feststellung der Strafbarkeit berechtigt. Eine andere heikle Frage betrifft den Umfang der *Datenverwal-*

---

41 Dieser Beschluss wurde mittlerweile durch den Regierungsbeschluss 59/2002 (29.3.) abgeändert.

tung. Kritisiert wird die großzügige Regelung des Gesetzes CXXI/2001 hinsichtlich der von der Zentrale zu verwaltenden Daten.

6. Die organisierte Kriminalität in der Kriminalstatistik

Wie schon angedeutet, wurde der Begriff „kriminelle Organisation" durch das Gesetz LXXIII/1997 eingeführt. Das Strafgesetzbuch enthielt auch vor 1997 schon drei Tatbestände (Drogenmissbrauch, Geldwäsche, Schlepperei), die die Begehung als Mitglied einer kriminellen Organisation vorsahen. Seit 1997 regelt das StGB die Mitgliedschaft einer kriminellen Organisation bei weiteren 15 Straftatbeständen als qualifizierten Umstand. Es überrascht nicht, dass es erst in den letzten Jahren möglich wurde, das Gewicht dieser Begehungsform innerhalb der Gesamtkriminalität statistisch zu erfassen.[42]

Nach der gesetzlichen Regelung von 1997 ist die Zahl der bekannt gewordenen, in krimineller Organisation begangenen Straftaten (siehe Anhang Tab. 1 und Abb. 1) und Straftäter (Tab. 2 und Abb. 2) wesentlich gestiegen. Dabei nimmt die Schleusungskriminalität seit Beginn des Untersuchungszeitraums die bedeutendste und stets wachsende Rolle ein (Tab. 4, 5). Die Forschungsergebnisse des Instituts für Kriminologie von 2001 widersprechen dieser statistischen Angabe.[43] Sie kommen zu dem Ergebnis, dass die Strafverfolgungsbehörden praktisch nicht in der Lage sind, diese Organisationen zu fassen: Vor Gericht kommen nur solche Personen, die als „Einzeltäter" die einzelnen Gruppen über die Grenze geschleust haben.

7. Schwerpunkte in der Bekämpfung der organisierten Kriminalität (Ungarn und die Europäische Union)

Tonangebende Politiker der konservativen Regierung nach 1998 waren der Meinung, dass die erfolgreiche Bekämpfung der neuen Kriminalitätsformen neuer Organisationen und neuer Methoden der Strafverfolgung bedürfe. Als Ergebnis dieser Erwägungen wurden Aufklärungsabteilungen sowie Abteilungen zur Analyse und Auswertung in den Polizeipräsidien der Landesbezirke errichtet. In demselben Jahr wurde auch die Direktion zur OK-Bekämpfung innerhalb der Polizeipräsidien der Landesbezirke auf die Beine gestellt. In diesem Rahmen wurde im Jahr 2000 das erste europäische, aus amerikanischen und ungarischen Ermittlern zusammengesetzte Federal Bureau of Investigation zur Beobachtung und Aufklärung der „rus-

---

[42] Die Begehung als Mitglied einer kriminellen Organisation wurde in der Zeit von 1993–1996 insgesamt in zwei Jahren (1994 und 1996) und in den erwähnten Jahren jährlich einmal in der Kriminalstatistik registriert.

[43] *Tünde Barabás/Ferenc Irk*, The Identification and Prevention of Opportunities that Facilitate Organised Crime, http://www.okri.hu, 1999.

sischsprachigen" Mafia und der osteuropäischen kriminellen Gruppen gegründet, sowie die Zentrale für Internationale Kriminalpolizeiliche Zusammenarbeit des Landespolizeipräsidiums zur Koordinierung der internationalen Beziehungen errichtet. Zur Koordinierung der diesbezüglichen Tätigkeit der ungarischen Aufklärungs- und Ordnungsorgane wurde dann am 1.1.2001 die Koordinationszentrale zur OK-Bekämpfung ins Leben gerufen. Nach Einschätzung dieser Zentrale[44] hatten die zur Verbrechensbekämpfung verabschiedeten Gesetze und Maßnahmen auf den wirtschaftlichen Hintergrund sogar der bestorganisierten Gruppen eine negative Wirkung. Zu erfahren ist aber auch, dass die von den Führern dieser Gruppen geleiteten Wirtschaftsunternehmen bis heute die Finanzkrise durch kluge Strategien erfolgreich überwunden haben. Durch beschäftigungsfördernde Investitionen in den unterentwickelteren, wirtschaftlich zurückgebliebenen Regionen Ungarns sowie des Nachbarlandes ist es ihnen gelungen, einen wesentlichen Finanzvorteil und nicht zuletzt Machtposition und gesellschaftliche Anerkennung zu erlangen.

Im Folgenden sollen verschiedene relevante Delikte Erwähnung finden:

Rauschgift

Ungarn gilt immer noch als ein wichtiges Land der „Balkan-Route", die Westeuropa mit Heroin versorgt. Untersuchungen haben ergeben, dass 60 % der Heroinlieferungen auf dem Straßen- bzw. Schienenweg über Ungarn nach Westeuropa gelangen. Der Schmuggel auf den klassischen Balkanwegen erfolgt in kleineren bis größeren Mengen (5–100 kg) mit der Ausnutzung des so genannten fahrplanmäßigen Lkw-Verkehrs. Ein kleinerer, aber vermutlich auf mehrere Tausend Kilo zu schätzende Teil dieser Lieferungen, wird aus Lagerstellen in Ungarn, in der Regel von türkischen Inhabern, zum Bestimmungsort weitertransportiert.[45]

---

44 Bericht der Koordinationszentrale zur OK-Bekämpfung über die organisierte Kriminalität in Ungarn. Resümee der Erfahrungen von 2001 (Tájékoztató a magyarországi szervezett bűnözésről), Budapest, Februar 2002, S. 17.

45 Neben dem Schmuggel auf den bekannten Wegen tauchten neue dominante Phänomene im Drogenhandel auf: Die den bedeutenden Teil des europäischen Drogenmarkts beherrschenden albanischen „Klans" stellten Beziehungen zu südamerikanischen, insbesondere kolumbianischen Drogenkartellen her, was vermutlich ein intensiveres Auftreten der Drogen auf Kokainbasis auf den europäischen, aber auch auf den ungarischen Drogenmärkten bewirken kann.

Neben der Inanspruchnahme des fahrplanmäßigen Lkw-Verkehrs ist eine neue Erscheinung der Transport auf Schiffen mit niedrigeren Risiken der Zollkontrolle, was ermöglicht, dass Lieferungen größeren Umfangs aus türkischen Häfen, vor allem aus Istanbul und Izmir, nach Westeuropa gelangen.

Die Herstellung von synthetischen Drogen rückt immer mehr in den Vordergrund. Zur Aufklärung und zum Zurückdrängen dieser können die zuständigen Behörden beitragen, indem sie den Außenhandel (vor allem die Einfuhr) bzw. den ungarischen Vertrieb der zur Herstellung der notwendigen chemischen Stoffe und die Veränderungen der Größenordnungen der Umsatzdaten verfolgen.

Immer mehr Anzeichen deuten darauf hin, dass sich ein Teil der organisierten kriminellen Gruppen vom Bereich des Drogenschmuggels allmählich auf den Menschen- bzw.

Ein neues und das internationale Ansehen Ungarns schwer beeinträchtigendes Phänomen ist die beängstigend wachsende Zahl der so genannten „Vermittlung von Drogenkurieren". Hier soll erwähnt werden, dass in Ungarn lebende Schwarzafrikaner ungarische Schmuggler in viele Länder Europas vermitteln. Erfahrungsgemäß werden Schmuggellieferungen auf längeren Wegen (Transit) von albanischen sowie gut organisierten, unter dem Deckmantel von Fremdenverkehrs- und Transportfirmen agierenden türkischen Gruppen organisiert.

Prostitution

Laut polizeilicher Prognose wandert ein Teil der „sexuellen Dienstleistungen" aus wirtschaftlichen Gründen nach Westeuropa ab. Wichtig ist in diesem Zusammenhang die Aufdeckung der organisierten Verbrechergruppen in Ungarn, die in der internationalen Prostitution eine besondere Rolle spielen.

Kfz-Kriminalität

Obwohl die Zahl der Kraftfahrzeugdiebstähle insgesamt zurückgegangen ist, erreicht die Entwendung von hochwertigen Pkws nach wie vor ein hohes Ausmaß. Typischerweise werden ausländische Autos in der Ferienzeit in den beliebten Erholungsgebieten entwendet, aber auch in den Städten ist eine große Anzahl von Kfz-Diebstahl zu verzeichnen. Zumeist gibt es keine lange Zwischenlagerung, stattdessen werden die Fahrzeuge sofort weitergeleitet. Trotz des bedeutenden Rückgangs der Zahl der Kfz-Diebstähle ist beachtenswert, dass so genannte *Trickdiebstähle* immer häufiger auf den Autobahnen und Hauptstraßen begangen werden. In diesen Fällen dient der Pkw als Tatmittel und -objekt. Die Geschädigten sind hauptsächlich westeuropäische Staatsbürger. Der Täterkreis besteht vorwiegend aus Personen albanischer und polnischer Staatsangehörigkeit.

Zigarettenschmuggel umstellen wird, welcher mit niedrigeren Strafsätzen bedroht wird, doch beinahe gleiche Gewinne verspricht.

Obwohl sich der Konsum von Amphetamin und Marihuana in den letzten Jahren explosionsartig erhöhte, erweiterte sich auch der Kreis der Heroinkonsumenten, was die wesentlich wachsende Zahl der Toten durch Heroin-Überdosis deutlich zeigt. Der ungarische Drogenmarkt wird bis auf das Heroin von ungarischen kriminellen Gruppen versorgt. Zum jetzigen Zeitpunkt ist ein massenhafter Amphetaminkonsum zu konstatieren. Der Schmuggel, die Verteilung und die Weiterleitung zu den Konsumenten erfolgen zwar organisiert, jedoch sind noch keine Monopole im Sinne von Gruppen oder Personen, die ausschließlich über ein bestimmtes Gebiet „herrschen", bekannt geworden. Das Marihuana auf dem ungarischen Markt stammt praktisch in vollem Umfang von illegalen heimischen Anpflanzungen und wird von ungarischen Staatsbürgern vertrieben. Die Konsumenten der Heroin- und Amphetaminderivate sind am stärksten von der so genannten Beschaffungskriminalität betroffen, diejenigen also, die zur Sicherstellung ihrer täglichen Konsummenge regelmäßig Eigentumsdelikte begehen.

Geldfälschung, Wertpapierfälschung

In letzter Zeit gab es keinen herausragenden Geldfälschungsfall wie im Jahr 1999. Damals haben die Täter Falsifikate in großer Menge vertrieben, wobei sie eine moderne, vermutlich auch legal arbeitende Druckerei nutzten, sich Sicherheitspapier aus Deutschland liefern ließen und ein flächendeckendes Vertriebsnetz aufgebaut hatten.

In ähnlicher Anzahl und Qualität wie in den vergangenen Jahren erschienen auch in jüngster Zeit in- und ausländische Zahlungsmittel – vor allem US-Dollars und D-Mark – unterschiedlichen Werts, die mit Farbkopierer und Computertechnik gefälscht worden waren. Die Blüten kamen vorwiegend aus dem Ausland nach Ungarn.

Durch den sich entwickelnden Geldmarkt, die Börse und die Ausgabe von Wertpapieren hat auch die *Wertpapierfälschung* eine immer größere Bedeutung erlangt. So wurde z.B. eine illegale Druckerei entdeckt, die sich früher mit Geld- und Markenfälschung beschäftigte, sich aber nunmehr auf die Herstellung und den Vertrieb von falschen Wertpapieren umgestellt hatte.

Kreditkartenfälschung, Kreditkartenmissbrauch

Mit Hilfe der Computertechnik kommt es immer mehr zur Fälschung von Mobiltelefonkarten, verschiedenen Dokumenten und Urkunden. Parallel zur rasanten Entwicklung der Technik verändern sich die Begehungsformen in diesem Bereich ständig. Es ist zu erwarten, dass die Anzahl dieser Straftaten auch künftig zunehmen wird. Eine neue Begehungsform ist z.B. der Austausch der Steuerungseinheit von Geldautomaten – unter Beibehaltung der Originalfunktion des Automaten – um in den Besitz der ID-Nummern von Kreditkarten und der PIN-Codes der berechtigten Benutzer zu gelangen.

Bisherige Erfahrungen haben ergeben, dass die *Tätergruppen*, die sich mit „intellektueller" und *Computerkriminalität* beschäftigen, sich von anderen Gruppen mit traditioneller Tätigkeit innerhalb der organisierten Kriminalität abgrenzen.

Geldwäsche

Im Jahr 2001 wurden drei Strafverfahren wegen Geldwäsche eingeleitet, die jeweils von den regionalen Polizeibehörden angeregt wurden. Dadurch wird bestätigt, dass Handlungen in diesem Bereich nur dann erfolgreich aufgedeckt werden können, wenn es eine umfassende, gründliche Aufklärung gibt und es gelingt, die mit der Geldwäsche verbundene Grundstraftat sowie die kriminelle Beziehung zwischen dem Täter der Grundstraftat und dem Täter der Geldwäsche nachzuweisen.

Schleuserkriminalität

Das Einschleusen von Menschen gilt als klassische Form der organisierten Kriminalität, die in Anbetracht der Zahlen sowohl der kriminellen Gruppen als auch der Migranten in den vergangenen Jahren eine stets steigende Tendenz aufweist. Die kriminellen Organisationen sind in regionale Gruppen eingeteilt, die ihre Tätigkeit entweder im Inneren des jeweiligen Landes oder an der Grenze ausüben, und über Verbindungspersonen Kontakt halten. Oft sind auch mehrere Gruppen innerhalb eines Landes getrennt voneinander mit der Schleusung über die Grenze, dem Transport bzw. dem Verstecken von Personen im Landesinneren beschäftigt. Die Schleusergruppen planen die Schleusung über die Staatsgrenze detailliert und haben genaue Kenntnisse über die Struktur der Grenzbewachung. Die Methoden passen sich flexibel der jeweiligen Grenzbewachung an und sind wesentlich komplexer als früher. Oft werden das Schleusen über die grüne Grenze bzw. die Grenzübergangsstelle, das Verstecken im Kfz, der Weitertransport und die Fälschung der Reisedokumente kombiniert.

Die *erste wichtige Route* führt von Russland bzw. der Ukraine über Österreich bzw. Slowenien nach Deutschland und in andere Länder Westeuropas (z.B. die Niederlande). 1999 konnte zum ersten Mal eine Gabelung der Strecken ab Budapest in zwei Richtungen beobachtet werden. Die eine Strecke führte unmittelbar nach Österreich, die andere über die Slowakei nach Österreich. Die Ursache dieser Trennung lag in der Erkenntnis, dass es leichter ist, auf der verhältnismäßig schwächer bewachten Donau- und Eipelstrecke, dann von Pressburg aus nach Süden, Südwesten in Österreich ankommend in die Nähe der offenen Binnengrenzen zu gelangen, als über die mit neuester Technik bewachte deutsch-tschechische Grenze.

Die *zweite wichtige Strecke* führt über die Türkei auf den Balkan, dann durch die rumänischen Großstädte in Grenznähe (Timişoara, Arad, Oradea, Satu Mare) nach Debrecen-Budapest. Die Migranten aus dieser Richtung haben ebenfalls den Westen zum Ziel, deshalb setzen sie ihren Weg entweder in den angeführten Richtungen oder nach Budapest – Rédics – Murska Sobota – Ljubljana – Triest fort.

In der *dritten Richtung* führt die Schleuserroute nach dem Passieren der ungarischen Grenze nach Budapest oder gelegentlich durch die Brücke bei Dunaföldvár in die slowenische Grenzregion.

Die illegale Migration *chinesischer Staatsbürger* über die grüne Grenze ist in der letzten Zeit gewachsen. Dies wird auch dadurch bestätigt, dass chinesische Staatsbürger im Jahr 1998 nur 2,7 % der illegalen Einwanderer ausmachten, 1999 schon 5 % und 2000 13,6 %. Auch in Zukunft ist mit einem bedeutenden Ausmaß der chinesischen Migration zu rechnen, denn das letzte Ziel für die meisten der sich gegenwärtig in Belgrad aufhaltenden 60.000–70.000 Chinesen ist wahrscheinlich einer der westeuropäischen Staaten und ein Teil von ihnen wird Ungarn vermutlich als Transitland benutzen. Gleichzeitig sind aber auch die legal in Ungarn lebenden Chinesen als „Entsender" zu betrachten. Im rumänisch-ungarisch-serbischen

Grenzgebiet („Goldenes Dreieck") ist ein neuer Sammelpunkt für illegale Migrantengruppen entstanden, von dem aus sie versuchen, über Ungarn nach Westeuropa zu gelangen.

Infolge der in *Albanien* eingeführten *Antiterrormaßnahmen* hat Bosnien-Herzegowina (Sarajewo) im Bereich der illegalen Migration Albaniens (Tirana) Platz übernommen. Die so veränderten Routen werden von Kurden und Arabern aus dem Nahen Osten bzw. von Einwanderern aus dem Fernen Osten benutzt. Von Tirana gelangen sie auf dem Festland nach Sarajewo, von dort fliegen sie entweder nach Westeuropa weiter oder sie setzen ihren Weg auf dem Festland über Slowenien nach Österreich oder über Ungarn nach Westeuropa fort.

Terrorismus

In Ungarn gab es in der Vergangenheit mehrere Sprengstoffanschläge, bei denen ein terroristischer Hintergrund vermutet wird:

- 1991 – Sprengstoffattentat auf der Schnellstraße zum Flughafen Ferihegy auf einen Autobus mit Auswanderern aus der Sowjetunion nach Israel;
- 1994 – Sprengstoffanschläge am Parlament, an der Matthiaskirche und in Szeged;
- 1996 – so genannte „Staublöscher-Aktionen" auf dem Gelände des ehemaligen jüdischen Gettos in Budapest (Klauzál Platz, Wesselényi Str., Rákóczi Str.);
- 1997 – eine Serie von Bombenanschlägen auf die Parteibüros der Ungarischen Sozialistischen Partei (MSZP) und des Bundes Freier Demokraten (SZDSZ) und zuletzt
- 1998 – Bedrohung von Parlamentsabgeordneten mit Sprengstoffattentaten.

Es liegen keine Informationen über Beziehungen zwischen dem Terrorismus und der heimischen organisierten Kriminalität vor.

Die Aufsehen erregenden Straftaten terroristischen Charakters haben nach den Wahlen 1998 von einem Tag auf den anderen aufgehört. Laut offizieller Erklärung sind die Anführer der kriminellen Organisationen vor dem entschlossenen Auftreten der neuen Regierung zurückgeschreckt und haben ihren Sitz in andere Länder verlegt.

Generelle Erfahrungen

1. Auf der südlichen Strecke der Staatsgrenze ist die Schleusung nicht mehr typisch, doch bereitet die Ausfuhr gestohlener Kraftfahrzeuge – über die grüne Grenze, sogar auf gewaltsame Weise – auch weiterhin Probleme. Der Zigarettenschmuggel ist sprunghaft angestiegen.

2. Die organisierte Kriminalität kann auf ein breites Netz sie unterstützender Personen zurückgreifen.
3. Einige Personen haben innerhalb der OK ihre führende Position auch nach vorübergehender U-Haft wieder eingenommen. Es kann die Prognose aufgestellt werden, dass sie zur Aufrechterhaltung ihres Lebensstandards auch weiterhin lukrative Straftaten begehen werden.
4. Infolge der Verschärfung der einschlägigen Rechtsnormen wird es voraussichtlich immer mehr zu einem Abzug illegaler Gewinne in legale Bereiche kommen. Dazu werden Personen und Organisationen benutzt, die früher keine Beziehungen zur OK hatten.
5. Es ist damit zu rechnen, dass die organisierten kriminellen Gruppen immer mehr in das politische und gesellschaftliche Leben eindringen, ihre Kontakte ausbauen und wichtige Positionen erlangen werden. Auch die Verknüpfung mit den unterschiedlichen Bereichen der Staatsverwaltung wird voraussichtlich erweitert, und es ist verstärkt mit Straftaten zu rechnen, in die auch Mitarbeiter der staatlichen Stellen involviert sind.
6. Ausländische organisierte kriminelle Gruppen werden Ungarn auch künftig als Ort nutzen, um ihre illegalen Geschäfte abzuwickeln.
7. Die organisierten kriminellen Gruppen werden sich in Zukunft noch intensiver den Angehörigen der gegen sie verfahrenden Strafverfolgungsbehörden „widmen“. Dabei ist mit Provokationen zu rechnen. Außerdem werden sie sich voraussichtlich der Medien in besonderer Weise bedienen.

Abbildung 1: Bekannt gewordene Straftaten und bekannt gewordene Straftaten in krimineller Organisation 1997-2001

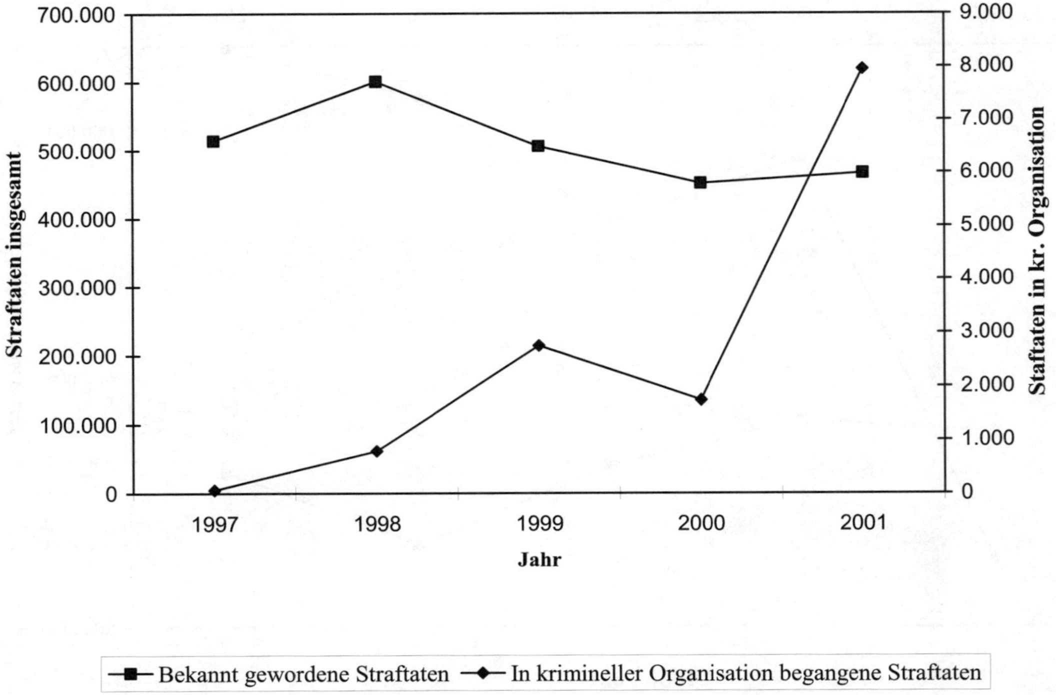

Abbildung 2: Bekannt gewordene Straftaten und bekannt gewordene Straftaten in krimineller Organisation 1997-2001

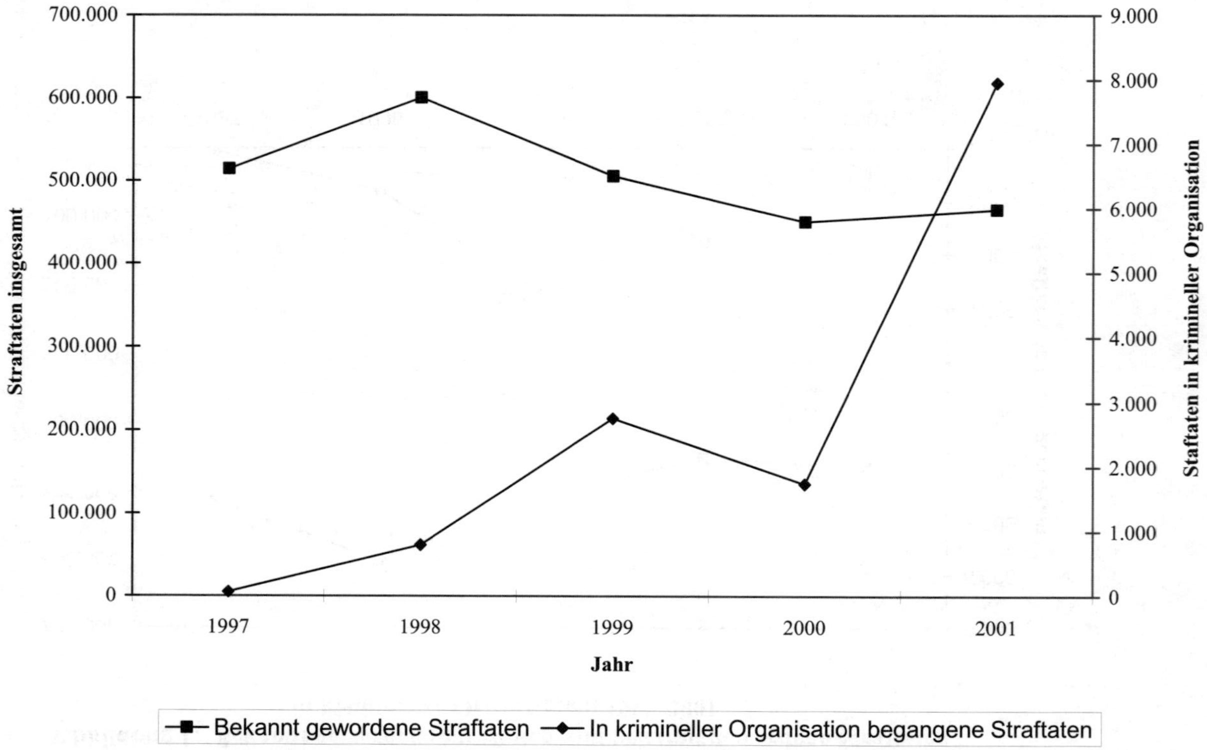

Abbildung 3: Bekannt gewordene Straftaten und Straftäter in krimineller Organisation 1997-2001

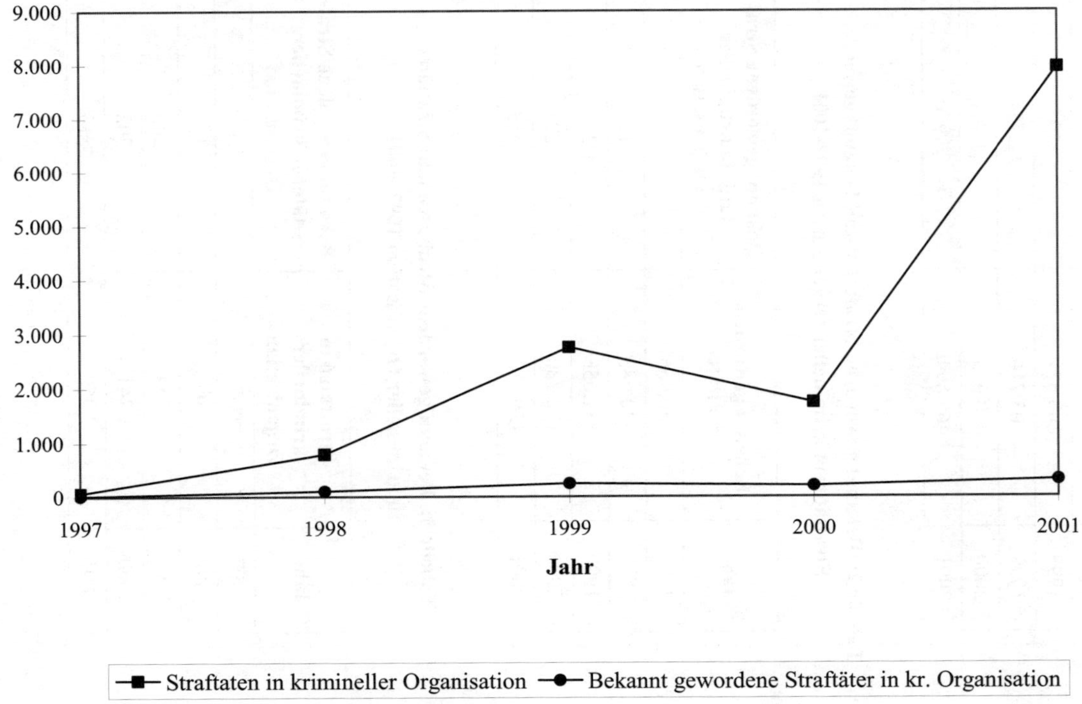

Tabelle 1: Bekannt gewordene Straftaten und bekannt gewordene Straftaten in krimineller Organisation 1997–2001

Jahr	Bekannt gewordene Straftaten	In krimineller Organisation begangene Straftaten
1997	514.403	64
1998	600.621	792
1999	505.716	2.754
2000	450.673	1.741
2001	465.694	7.950

Tabelle 2: Bekannt gewordene Straftäter und bekannt gewordene Straftäter in krimineller Organisation 1997-2001

Jahr	Bekannt gewordene Straftäter	Bekannt gewordene Straftäter in krimineller Organisation
1997	130.966	12
1998	140.083	103
1999	131.658	243
2000	122.780	202
2001	120.583	313

Tabelle 3: Bekannt gewordene Straftaten und Straftäter in krimineller Organisation 1997–2001

Jahr	Straftaten in krimineller Organisation	Bekannt gewordene Straftäter in krimineller Organisation
1997	64	12
1998	792	103
1999	2.754	243
2000	1.741	202
2001	7.950	313

Tabelle 4: Verteilung der bekannt gewordenen Straftaten in krimineller Organisation 1997–2001

Straftaten	1997	1998	1999	2000	2001
Menschenhandel als Mitglied einer kriminellen Organisation				5	4
Straftaten gegen die Person insgesamt				5	4
Förderung gewerbsmäßiger Prostitution als Mitglied einer kriminellen Organisation					
Kuppelei als Mitglied einer kriminellen Organisation		1	1	21	5
Straftaten gegen die Sittlichkeit insgesamt		1	1	21	5
Hilfeleistung zum verbotenen Grenzübertritt als Mitglied einer kriminellen Organisation		192	197	426	1158
Hilfeleistung zum unerlaubten Grenzübertritt als Mitglied einer kriminellen Organisation	59	513	2448	1230	6676
Schlepperei (Verwaltungsstr.) insgesamt	59	705	2645	1656	7834
Sprengstoffmissbrauch als Mitglied einer kriminellen Organisation			3	1	
Schusswaffenmissbrauch als Mitglied einer kriminellen Organisation		1	4	7	3
Waffenschmuggel als Mitglied einer kriminellen Organisation					
Verfälschung individuellen ID-Zeichens als Mitglied einer kriminellen Organisation					
Drogenmissbrauch als Mitglied einer kriminellen Organisation	1	2	3	4	7
Gründung einer kriminellen Organisation		3	2	1	7
Straftaten gegen die öffentliche Ordnung insgesamt	1	6	12	13	17
Geldwäsche – gewerbsmäßig oder in Organisation mit GW-Tätigkeit					
Verletzung der Devisenwirtschaft als Mitglied einer kriminellen Organisation		1	1		3
Steuer- und Sozialversicherungsbetrug als Mitglied einer kriminellen Organisation			5	6	18
Schmuggelei als Mitglied einer kriminellen Organisation		4	4		3
Zollhehlerei als Mitglied einer kriminellen Organisation					1
Wirtschaftsdelikte insgesamt		5	10	6	25
Diebstahl als Mitglied einer kriminellen Organisation	1	50	46	14	14
Einbruchdiebstahl als Mitglied einer kriminellen Organisation	3	6	8	5	9
Betrug als Mitglied einer kriminellen Organisation		1	4	3	13
Raub als Mitglied einer kriminellen Organisation		2	6	12	10
Erpressung als Mitglied einer kriminellen Organisation		2	4	2	16
Hehlerei als Mitglied einer kriminellen Organisation		13	18	4	3
Vermögensdelikte insgesamt	4	74	86	40	65
Insgesamt	**64**	**791**	**2754**	**1741**	**7950**

Tabelle 5: Verteilung von bekannt gewordenen Straftätern in krimineller Organisation 1997–2001

Straftaten	1997	1998	1999	2000	2001
Menschenhandel als Mitglied einer kriminellen Organisation				4	
Straftaten gegen die Person insgesamt				4	
Förderung gewerbsmäßiger Prostitution als Mitglied einer kriminellen Organisation					
Kuppelei als Mitglied einer kriminellen Organisation		1	1	5	2
Straftaten gegen die Sittlichkeit insgesamt		1	1	5	2
Hilfeleistung zum verbotenen Grenzübertritt als Mitglied einer kriminellen Organisation		17	26	26	35
Hilfeleistung zum unerlaubten Grenzübertritt als Mitglied einer kriminellen Organisation	11	42	197	135	187
Schlepperei (Verwaltungsstr.) insgesamt	11	59	223	161	222
Sprengstoffmissbrauch als Mitglied einer kriminellen Organisation			1	1	
Schusswaffenmissbrauch als Mitglied einer kriminellen Organisation		1	4	4	2
Waffenschmuggel als Mitglied einer kriminellen Organisation					
Verfälschung individuellen ID-Zeichens als Mitglied einer kriminellen Organisation					
Drogenmissbrauch als Mitglied einer kriminellen Organisation	1	11	6	6	19
Gründung einer kriminellen Organisation		3			3
Straftaten gegen die öffentliche Ordnung insgesamt	1	15	11	11	24
Geldwäsche – gewerbsmäßig oder in Organisation mit GW-Tätigkeit					
Verletzung der Devisenwirtschaft als Mitglied einer kriminellen Organisation		1	1		2
Steuer- und Sozialversicherungsbetrug als Mitglied einer kriminellen Organisation			1		6
Schmuggelei als Mitglied einer kriminellen Organisation		4	6		15
Zollhehlerei als Mitglied einer kriminellen Organisation					1
Wirtschaftsdelikte insgesamt		5	8		24
Diebstahl als Mitglied einer kriminellen Organisation		12		2	4
Einbruchdiebstahl als Mitglied einer kriminellen Organisation		1		1	1
Betrug als Mitglied einer kriminellen Organisation				2	5
Raub als Mitglied einer kriminellen Organisation				7	10
Erpressung als Mitglied einer kriminellen Organisation				6	18
Hehlerei als Mitglied einer kriminellen Organisation		9		3	3
Vermögensdelikte insgesamt		22		21	41
Insgesamt	**12**	**102**	**243**	**202**	**313**

Die internationale Zusammenarbeit bei der Bekämpfung grenzüberschreitender Kriminalität

Drago Kos, Ljubljana

1. Einführung

Die Bekämpfung der grenzüberschreitenden Kriminalität konnte früher größtenteils durch die nationalen einzelstaatlichen Strafverfolgungsbehörden effektiv bewältigt werden. In den letzten Jahren jedoch hat diese Problematik – zunächst allmählich und dann immer schneller – ein neues Ausmaß gewonnen. Mit der Öffnung der Grenzen nach Osten entstand ein neuer Markt für westeuropäische Straftäter, für die es schwierig geworden war, ihre rechtswidrig erworbenen Vermögensvorteile in ihrem eigenen Land in den legalen Finanz- und Wirtschaftskreislauf einzuschleusen. Parallel dazu öffnete sich auch für das berüchtigte „russische organisierte Verbrechen“ das riesige Tor nach Westen. Es entstand somit eine Konkurrenz zwischen den bis dahin völlig getrennten kriminellen Organisationen und damit musste freilich auch eine Aufteilung des „Marktes“ und der Interessengebiete erfolgen. Kriminelle Vereinigungen aus traditionellen demokratischen Staaten konnten das Infragestellen ihrer Souveränität über ihr jeweiliges Gebiet nicht zulassen. Gleiches geschah auch in der ehemaligen Sowjetunion. Als Grenzgebiete, die der Kriminalität von beiden Seiten ausgesetzt und potentiell am stärksten gefährdet waren, wurden *de facto* die Gebiete der so genannten „Reformländer“ bestimmt. Zu den alten Formen der gewinnträchtigen kriminellen Tätigkeiten, die sich sogar den neuen Umständen angepasst hatten, gesellten sich neue: organisierte illegale Einwanderungen, massiver Menschenhandel, illegaler Drogenhandel, Geldwäsche, mit Korruption verbundener schwerer Betrug – sowie ein absurder und irrationaler Terrorismus großen Ausmaßes. Die Prämisse des Menschenrechtsschutzes wurde angesichts der steigenden Gefahr unterschiedlicher Kriminalitätsformen vernachlässigt. Das Postulat des Schutzes individueller Menschenrechte stand somit immer mehr dem Bedürfnis einer demokratischen Gemeinschaft nach der Sicherung ihres Bestandes – auch mit Hilfe von Zwangsmitteln – gegenüber. Dieser Prozess einer ständigen Abwägung zwischen diesen beiden Polen ist zwar nicht neu, hat aber in den letzten Jahren beträchtlich an Dynamik und Radikalität gewonnen.

Wegen der Gefahren der grenzüberschreitenden Kriminalität drängte sich die Notwendigkeit einer internationalen Zusammenarbeit von Strafverfolgungsbehörden bei der Aufklärung und Bekämpfung derartiger Kriminalität auf. Eine solche

Zusammenarbeit sieht sich jedoch mit vielen theoretischen und praktischen Hindernissen konfrontiert. Da es an der Notwendigkeit dieser Zusammenarbeit keinen Zweifel gibt, sind zunächst die Punkte zu erörtern, die die Effektivität dieser Zusammenarbeit in der Praxis hemmen. Die Probleme sind vielfältig und mindern die Qualität der internationalen Zusammenarbeit. Sie reichen von den Rechtsgrundlagen für die betreffende Zusammenarbeit bis hin zu den geringen, aber deswegen nicht minder störenden praktischen Alltagsproblemen.

2. Juristische Probleme einer effektiven internationalen Zusammenarbeit

a) Materiellrechtliche Probleme

Will man von effektiver internationaler Zusammenarbeit sprechen, so muss zunächst der Gegenstand dieser Zusammenarbeit bestimmt werden. Entscheidend ist in diesem Zusammenhang die Frage der doppelten Strafbarkeit einer bestimmten Handlung, die von einigen Staaten als Voraussetzung der Zusammenarbeit angesehen wird.[1] Die Strafgesetzbücher der einzelnen Staaten weisen aufgrund des unterschiedlichen Standes der wirtschaftlichen und gesellschaftlichen Entwicklung und der jeweiligen Rechtsprechung beträchtliche Unterschiede auf; im völkerrechtlichen Bereich lassen sich trotzdem einige gemeinsame Merkmale finden, die auf diejenigen strafbaren Handlungen hinweisen, denen die größte Aufmerksamkeit gilt. Das sind zweifelsohne Terrorismus, Straftaten organisierter Kriminalität, Korruption und Geldwäsche. Viel wichtiger als deren Bezeichnung ist natürlich ihr Inhalt: Und hier beginnen die Komplikationen.

Unter *Terrorismus* werden allgemein Handlungen verstanden, die in verschiedenen völkerrechtlichen Dokumenten aufgezählt sind und denen die Gewaltanwendung in einer nichtmilitärischen Auseinandersetzung gemeinsam ist, um dadurch ein souveränes Land oder eine internationale Organisation zu einer bestimmten Handlungsweise zu zwingen. Die große Vielfalt möglicher Erscheinungsformen von Terrorismus ist kein Problem an sich; viel problematischer ist die ziemlich häufige Rechtfertigung dieser Handlungen seitens einzelner Staaten oder Gruppen durch politische, philosophische, ideologische, rassische, ethnische, religiöse oder ähnliche Gründe. Das größte Problem – trotz aller erklärten Verbote solcher Rechtfertigung in den neuesten, diesen Bereich regelnden Übereinkommen – ist die Tatsache, dass derartige Rechtfertigungen nicht im Wirkungsbereich des Rechts, sondern in dem der Politik liegen.

Genauso wenig wie für den Terrorismus gibt es auch für die *organisierte Kriminalität* eine einheitliche Definition. Das UNO-Übereinkommen, von dem man eine

[1] Einen großen Schritt nach vorn stellt der Europäische Haftbefehl dar, der für 32 Deliktsgruppen keine doppelte Strafbarkeit verlangt.

solche Definition erwarten könnte, definiert lediglich die *organisierte kriminelle Vereinigung* und die *schwere Straftat*. Daraus ergibt sich jedoch die Definition der *organisierten Kriminalität* als Begehung von Straftaten, die mit einer Mindeststrafe von vier Jahren bedroht sind, durch eine organisierte kriminelle Vereinigung zum Erwerb eines Finanz- oder Vermögensvorteils. Einer solchen Definition kann vieles vorgeworfen werden, insbesondere wenn man die Tatsache vor Augen hat, dass organisierte kriminelle Vereinigungen nicht immer nur vermögensbezogene Ziele haben. Dessen waren sich auch die Verfasser dieses Übereinkommens bewusst, die das allgemeine Verzeichnis der strafbaren Handlungen organisierter Kriminalität um die Strafbarkeit jeglicher Mitwirkung in einer kriminellen Vereinigung, Geldwäsche, Bestechung und Behinderung der Arbeit von Rechtsprechungsbehörden erweitert haben.

Ein Grundproblem, mit dem sich Antikorruptionskämpfer konfrontiert sehen, stellt mancherorts der äußerst geringe Widerstand gegen die Korruption im Privatsektor, die Unfähigkeit zur erfolgreichen Festlegung besonders gefährdeter Kategorien fremder und internationaler öffentlich Bediensteter sowie die Unfähigkeit zur Erarbeitung und Umsetzung einheitlicher einzelstaatlicher Antikorruptionsstrategien dar. Das letzte, nicht aber das geringste Problem liegt in der Bereitschaft der Länder, ihre strafrechtlichen Vorschriften auch in die Praxis umzusetzen, was sich insbesondere bei Investitionen in eine fremde Wirtschaft und bei Steuerbefreiungen für geleistete „Schmiergelder" manifestiert.

Die Bekämpfung der *Geldwäsche* hat aufgrund der Erkenntnis, dass kriminelle Organisationen durch die Beschlagnahme der Mittel, die sie zur Ausübung ihrer kriminellen Tätigkeiten brauchen, viel stärker beeinträchtigt werden als durch die Festnahme einzelner Mitglieder, an Gewicht gewonnen. Die Grundlage zur Kriminalitätsbekämpfung in diesem Bereich bildet nunmehr das Europarat-Übereinkommen über die Geldwäsche vom 8.11.1990. Dessen Umsetzung und die vielfältigen Aktivitäten auf diesem Gebiet, unter denen insbesondere die FATF (Financial Action Task Force) zu nennen ist, haben zur Erarbeitung von etwa 40 Berichten und gewissen praktischen Standards in diesem Bereich beigetragen, wobei etliche Fragen weiterhin offen geblieben sind: der Kreis der Anzeigepflichtigen von verdächtigen Transaktionen, Offshore-Zentren, Nummernkonten, Bankgeheimnisschutz, Verteilung und Verwendung von beschlagnahmten Vermögensvorteilen usw.

b) Rechtsgrundlagen für die Zusammenarbeit

Entscheidend für die Zusammenarbeit von Staaten bei der Verhütung und Bekämpfung der Kriminalität sowie ihrer Aufklärung und Ermittlung sind die Rechtsgrundlagen. Indem bilaterale Verträge zwischen einzelnen Staaten im vorigen Jahrhundert das geeignetste Mittel dafür darstellten, trägt der Globalisierungsprozess auch zu einer immer größeren, in multilateralen Rechtsakten enthaltenen Universalität der Lösungen bei. Dabei sind bilaterale Verträge bzw. Abkommen freilich auch heute noch aktuell, zumal die Abstimmung der Texte hier zumeist nicht so langwierig und mühevoll ist wie bei multinationalen Übereinkommen. Wichtig sind die bilateralen Verträge auch in Anbetracht der Tatsache, dass die meisten multilateralen völkerrechtlichen Verträge Vorbehalte hinsichtlich ihrer wichtigsten Bestimmungen zulassen.

Im Folgenden möchte ich mich an die übliche Einteilung in internationale bzw. grenzüberschreitende *polizeiliche* Zusammenarbeit einerseits und *gerichtliche* Zusammenarbeit andererseits halten.

c) Rechtsgrundlagen für die internationale polizeiliche Zusammenarbeit

Nahezu alle internationalen Übereinkommen zur Bekämpfung spezifischer Kriminalitätsformen beinhalten auch Bestimmungen hinsichtlich der grenzüberschreitenden polizeilichen Zusammenarbeit. Eine Übersicht dieser Bestimmungen würde den Rahmen dieses Beitrags erheblich überschreiten und deswegen seien hier nur die wichtigsten Institute in diesem Bereich erwähnt.

Die Vereinigung Europas brachte auch Änderungen in der internationalen polizeilichen Zusammenarbeit zwischen den Mitgliedstaaten mit sich. Zu der horizontalen Zusammenarbeit zwischen einzelnen Polizeibehörden kam durch die Verabschiedung des so genannten Europol-Übereinkommens die vertikale Zusammenarbeit hinzu. Europol war zunächst nur zum Austausch von Informationen zwischen EU-Mitgliedstaaten in einem ausdrücklich bestimmten Kriminalitätsfeld, dem des illegalen Drogenhandels, befugt. Diese Beschränkung ist auf die kontroversen politischen Debatten, die der Errichtung von Europol vorangingen, zurückzuführen. Die in der Praxis auftretenden neuen Erscheinungsformen schwerwiegender Kriminalität führten zur Erweiterung der Aufgaben und Befugnisse von Europol. Der Umfang der Kriminalitätsformen, für die Europol zuständig ist, erweitert sich ständig. Europol hat mittlerweile auch *sui generis* Verträge mit einigen Drittstaaten und anderen Organisationen (Interpol usw.) abgeschlossen, um dadurch die Einbeziehung dieser Partner in die konkrete Arbeit von Europol zu ermöglichen. Vor allem unter der Last von Risiken bei der Einführung des Euro als Zahlungsmittel erweitert sich auch der Umfang der Befugnisse von Europol-Mitarbeitern.

Sehr bedeutend für die internationale polizeiliche Zusammenarbeit ist auch das 1995 in Kraft getretene Schengener Abkommen. Damit haben fast alle für die polizeiliche Zusammenarbeit relevanten Bereiche im vereinigten Europa auch nach außen den Anschein eines einheitlichen polizeilichen Raumes bekommen. Von Bedeutung im Bereich der Kriminalität sind insbesondere die Bestimmungen des Übereinkommens hinsichtlich der grenzüberschreitenden Nacheile und Observation sowie kontrollierte Lieferung. Für die EU-Beitrittsländer stellen die Vorbereitungen auf das In-Kraft-Treten dieses Abkommens – technisch gesehen – eine beinahe genauso schwierige Aufgabe dar, wie alle sonstigen Vorbereitungen auf den EU-Beitritt.

Zu erwähnen sind noch zahlreiche regionale Initiativen bezüglich der internationalen polizeilichen Zusammenarbeit, die in Europa vor allem für Staaten typisch sind, die noch keine EU-Mitgliedstaaten sind. Die „Inflation" derartiger Initiativen lässt sich vor allem politisch erklären. Das Streben einiger weniger entwickelter Länder nach derartiger Profilierung und Erregung internationaler Aufmerksamkeit ist noch nachvollziehbar. Das kann aber nicht für die Versuche der Einflusserweiterung seitens einiger EU-Mitgliedstaaten gelten, die noch dazu mit den Bewerberländern vereinbarte Grundsätze hinsichtlich des gemeinsamen Vorgehens umgehen. Noch weniger akzeptabel sind die Bestrebungen nach der Schaffung eines grenzüberschreitenden europäischen polizeilichen Raumes „SECI",[2] der ein Gegengewicht zu dem durch das vereinigte Europa und Europol gebildeten Raum darstellen sollte, was in Südosteuropa unter dem Banner einer nichteuropäischen Weltmacht geschieht. Sollten diese Initiativen einmal umgesetzt werden, könnte dies vor allem für die polizeilichen Strukturen des „neuen" Europas eine Bedrohung darstellen, was nicht nur eine schwierige Aufgabe für die polizeiliche Integration Europas darstellen, sondern vor allem die Begehung von Straftaten fördern würde.

d) Grundlagen für die internationale justitielle Zusammenarbeit

Auch die internationale justitielle Zusammenarbeit ist in nahezu allen internationalen Abkommen angelegt. Im Folgenden seien nur die wichtigsten erwähnt. Die EU-Mitgliedstaaten haben in diesem Bereich gewisse Vorteile, da die Verfahren gegenseitiger Rechtshilfe schon weitgehend vereinfacht sind. Für alle übrigen Länder ist das wichtigste Dokument weiterhin das Europäische Übereinkommen über die Rechtshilfe in Strafsachen aus dem Jahr 1957 mit dem Protokoll von 1978.

Auf einer Sitzung in Tampere im Jahr 1999 wurde das Bedürfnis deutlich, neben Europol auch im Bereich der Justiz zu kooperieren. In diesem Sinne wurde Eurojust ins Leben gerufen, als ein Zusammenschluss von Staatsanwälten, Richtern und Polizeibeamten mit dem Ziel der Zusammenarbeit bei der Strafverfolgung, insbesondere auf dem Gebiet der organisierten Kriminalität. Zunächst wurde die Errichtung einer „vorläufigen Einheit für justitielle Zusammenarbeit" beschlossen. Im November 2001 wurde Eurojust dann durch Beschluss verabschiedet.

Einen weiteren Schritt im Bereich der justitiellen Zusammenarbeit stellt das Übereinkommen über die Rechtshilfe in Strafsachen zwischen den EU-Mitgliedstaaten mit dem Protokoll aus dem Jahr 2000 dar, das nicht nur einige bereits vor-

2 South-East European Co-operation Initiative.

handene Mechanismen wie z.B. kontrollierte Lieferungen übernimmt und modernisiert, sondern auch neue, modernere Methoden der Kriminalitätsbekämpfung wie z.B. die verdeckte Ermittlung regelt. Die Umsetzung dieses Übereinkommens in die Praxis wird sicherlich einen großen Schritt nach vorne bedeuten.

Im Bereich der organisierten Kriminalität wurde im vergangenen Jahr auf der Ebene der Vereinten Nationen ein Übereinkommen hinsichtlich der grenzüberschreitenden organisierten Kriminalität verabschiedet. Das Übereinkommen wird durch drei Protokolle ergänzt, die weitere besonders problematische Erscheinungsformen organisierter Kriminalität wie die illegale Einwanderung, den Menschenhandel, die illegale Waffenproduktion und den illegalen Waffenhandel regeln.

Einen weiteren wichtigen Schritt zur Vereinheitlichung des europäischen Rechts in den Bereichen Justiz und Inneres stellt der Europäische Haftbefehl dar. Er verbindet die bisher getrennten Verfahren für Festnahme und Auslieferung miteinander und basiert auf der gegenseitigen Anerkennung der rechtskräftigen Strafurteile sowie aller sonstigen vollstreckbaren Beschlüsse, die sich auf Straftaten beziehen, die mit einer Freiheitsstrafe von mindestens einem Jahr bedroht sind. Wenn die vorgesehenen Zentralstellen der EU-Mitgliedstaaten ihre Arbeit aufnehmen, wird das einen weiteren großen Schritt zur Schaffung einer einheitlichen und effektiven EU-Strafrechtsordnung darstellen. Die EU wird sich bei der Umsetzung dieses Projekts wohl mit vielen Schwierigkeiten auseinandersetzen müssen, auch mit dem Verhalten einzelner Mitgliedstaaten, die eine effektive internationale justitielle Zusammenarbeit eigentlich vereiteln wollen, wie z.B. das so genannte „Berlusconi-Gesetz" in Italien.

3. Praktische Schwierigkeiten im Bereich der internationalen Zusammenarbeit

Allein die Vorschriften, die den Bereich der internationalen polizeilichen und justitiellen Zusammenarbeit bei der Aufdeckung, Verhütung und Bekämpfung der Kriminalität regeln, verursachen offensichtlich eine Reihe von Problemen. Das zeigt sich nicht zuletzt in der praktischen Umsetzung.

a) Uneinheitliche Strategien der Kriminalitätsbekämpfung

Die selbständigen, unabhängigen und souveränen Staaten regeln ihre Beteiligung an der polizeilichen und justitiellen Zusammenarbeit nach eigenen Wünschen und Bedürfnissen. Zwar gibt es seitens der internationalen Staatengemeinschaft eine zumindest grundsätzliche Festlegung der gefährlichsten Erscheinungsformen moderner Kriminalität. Dies hindert die einzelnen Staaten jedoch nicht daran, eigene Prioritäten zu setzen. Zum Teil lassen sich die diesbezüglichen Entscheidungen mit den konkreten Umständen des betreffenden Staates erklären. Es gibt aber auch

Standpunkte, die rational nicht nachvollziehbar sind. So lässt sich z.B. die Aussage der am traditionellen Weg illegaler Einwanderer aus dem Osten nach Europa gelegenen Länder nur schwer verstehen, illegale Einwanderungen stellten für sie kein Problem dar. Wie aber sollen sich nun ihre Nachbarn, für die gerade dieser Bereich höchste Priorität hat, gegen diese „Entscheidung" effizient zur Wehr setzen?

Die nationalen – zum Teil sogar festgeschriebenen – Strategien beschäftigen sich nicht nur mit den einzelnen Erscheinungsformen der Kriminalität, sondern auch mit der Art und Weise, dem Umfang und der Intensität der internationalen Zusammenarbeit an sich. Oftmals kommt es vor, dass sich die Staaten trotz der international erzwungenen und öffentlich manifestierten Bereitschaft für eine derartige Zusammenarbeit faktisch nur für die Probleme innerhalb ihrer Staatsgrenzen interessieren. Dafür gibt es verschiedene Gründe, die Folge ist jedoch immer die gleiche: Die schon so oft in verschiedensten Dokumenten festgeschriebene Zusammenarbeit bleibt auf ein Minimum beschränkt.

b) Verschiedene einzelstaatliche Rechtsordnungen

Trotz einer fortschreitenden Vereinheitlichung in Europa bleibt der größte Teil des Straf- und Polizeirechts weiterhin der ausschließlichen Zuständigkeit der souveränen Staaten vorbehalten. In den Ländern mit einer längeren demokratischen Tradition haben sich im Lauf der Zeit ähnliche Rechtsstrukturen entwickelt – was aber ein beträchtliches Problem für die Länder bildet, die sich erst vor kurzem auf den demokratischen Weg gemacht haben. Wegen der Jahrzehnte andauernden totalen polizeilichen Überwachung der Menschen wollen einzelne Länder noch heute die anderswo durchaus gängigen Methoden der Anzeigeerstattung von Straftaten und Straftätern nicht einführen. Ebenso ruft der Begriff „Beschlagnahme" von Vermögensvorteilen in einigen Nachfolgestaaten der ehemaligen Sowjetunion trotz der häufigen Verwendung dieses Terminus in internationalen Dokumenten sowohl bei Theoretikern als auch bei Praktikern noch immer recht panische Reaktionen hervor,.

Auch Staaten mit einer längeren demokratischen Tradition neigen mitunter zu Rechtslösungen, die die internationale Zusammenarbeit erschweren. So wurden in den vergangenen Jahren in zwei Nachbarstaaten der Republik Slowenien Vorschriften verabschiedet, die für die internationale Zusammenarbeit eher hemmend als fördernd sind. Dahinter stehen vor allem politische Entscheidungen – oder sogar der Schutz einzelner politischer Persönlichkeiten mit dubioser Vergangenheit.

Solche – nur scheinbar – juristischen Probleme machen vor allem den Praktikern Schwierigkeiten. Aufgrund der restriktiven und starren Vorschriften über die Zusammenarbeit einerseits und aufgrund mangelnder juristischer Regelungen bezüglich der praktischen Umsetzung im eigenen oder in einem anderen Land andererseits wird ihre Arbeit ohnehin erschwert. Ohne entsprechende Rechtsgrundlagen können Polizeibeamte und Staatsanwälte diese Probleme trotz ihrer schon sprichwörtlichen Findigkeit und ihres Arbeitseifers wohl nicht lösen.

c) Zusammenarbeit von Behörden

Die konkrete Zusammenarbeit ist freilich nicht Aufgabe der Staaten an sich, sondern der Behörden. Dabei liegt die größte Schwierigkeit wohl in der Zuständigkeitsverteilung auf zentraler und lokaler Ebene. Die einerseits im Bereich der Erhebung und Übermittlung von Kriminalitätsdaten notwendige Beschränkung auf wenige beteiligte Stellen ist andererseits insbesondere für die im Schengener Übereinkommen aufgezählten Formen der Zusammenarbeit ein Problem.

Eine grundlegende Schwierigkeit, die auch gut organisierte Staaten betrifft, tritt immer dann auf, wenn für eine bestimmte Art der Zusammenarbeit in einem Staat die eine und im anderen Staat eine andere Behörde zuständig ist. Es stellt sich dann die Frage, wie trotzdem die notwendige unmittelbare Zusammenarbeit zwischen verschiedenen Behörden herzustellen ist. Die Antwort darauf liefert das Übereinkommen über die gegenseitige Rechtshilfe in Strafsachen zwischen den EU-Mitgliedstaaten aus dem Jahr 2000, das die unmittelbare Zusammenarbeit zwischen verschiedenen Behörden zulässt.

Ein weiteres Problem bildet die Koordination und Überwachung bestimmter Aktivitäten bei der grenzüberschreitenden Zusammenarbeit. Während innerhalb einzelner Staaten völlig klar ist, wer bestimmte Tätigkeiten leitet bzw. koordiniert, treten Schwierigkeiten dann auf, wenn begonnene Aktivitäten in einem anderen Staat weitergeführt werden müssen. Ein ähnliches Problem stellt die Leitung gemeinsamer Ermittlungsgruppen *(joint investigation teams)* dar, die sich aus Vertretern verschiedener Institutionen aus verschiedenen Staaten zusammensetzen. Dabei sind verschiedene Ausgangspunkte denkbar, um ein Leitungsorgan zu bestimmen. In Betracht kommt entweder eine Behörde des Staates, in dem das Verfahren eingeleitet wurden, oder eine Behörde des Staates, in dem das Verfahren beendet wurde, oder auch eine Behörde des Staates, in dem der Schwerpunkt der Aktivitäten liegt. Die Frage der Beaufsichtigung von Behörden, die auf internationalem Niveau repressiv tätig sind, ist noch nicht endgültig beantwortet. Innerhalb von Europol gibt es gerade aus diesem Grund einen besonderen Kontrollmechanismus: Der *Joint Supervisory Board* überwacht als gemeinsame Aufsichtsbehörde die Verfahren hinsichtlich der Erhebung und Übermittlung personenbezogener Daten. Im Fall der internationalen Zusammenarbeit außerhalb von Europol bleibt die Aufsicht weiterhin den nationalen Behördenstrukturen vorbehalten.

4. Schlussfolgerungen

Eine ideale Lösung, die aber noch einige Jahre auf sich warten lassen wird, ist der EU-Beitritt sämtlicher Länder Europas, was auch deren Europol-Beitritt zur Folge haben würde, sowie eine entsprechende Erweiterung der Befugnisse von Europol. Außerdem müssen mit der Aufnahme der Aktivitäten im Rahmen von Eurojust auch die nötigen Verbindungen zischen Europol und Eurojust hergestellt werden. Auch diese Lösung wird gewiss neue Fragen aufwerfen, die aber zweifelsohne leichter zu lösen sein werden als die gegenwärtigen. Ein weiterer Schritt wird das schon jetzt viel diskutierte „Corpus Juris" des europäischen Rechts sein, um im Bereich Justiz und Inneres die größten Schwierigkeiten der internationalen Zusammenarbeit abzuschaffen. Europa wird dann ein einheitlicher polizeilicher und justitieller Raum sein. Auf dem Weg zu diesem Ziel, wenn es denn je erreicht werden sollte, sind jedoch noch viele politische und kulturelle Hindernisse zu überwinden. Die politischen Hindernisse liegen vor allem in der Haltung einzelner Staaten, an ihrer nationalen Souveränität um jeden Preis festhalten zu wollen. Die kulturellen Hindernisse haben damit zu tun, dass eine Vereinheitlichung einen gewissen Verlust der kulturellen Identität einzelner Nationen mit sich bringen wird. Dabei sind die weiterhin bestehenden großen Unterschiede im Staatsverständnis sowie die schlechten Erfahrungen der aus großen föderalen oder konföderalen Systemen neu entstandenen Staaten nicht zu vernachlässigen. Diese Schwierigkeiten sind jedoch nicht unüberwindbar.

Momentan kann auf zwei wirklich große objektive Hindernisse hingewiesen werden, die den Harmonisierungsprozess bremsen oder sogar zum Stillstand bringen könnten: Das von den gemeinsamen Grundsätzen abweichende Verhalten einzelner EU-Mitgliedstaaten ist ein schlechtes Vorbild für die Bewerberländer, von denen die Erreichung von Standards verlangt wird, die in den EU-Mitgliedstaaten selbst nicht immer erfüllt werden. Die jüngste italienische Regelung grenzüberschreitender Rechtshilfe ist ein wahres Gespött der effektiven internationalen Zusammenarbeit in diesem Bereich und lässt die Bestimmungen sämtlicher Übereinkommen außer Betracht, die manchmal – auch mit größter Mühe – so formuliert wurden, dass sie wirklich nur ein grundlegendes Minimum der Zusammenarbeit bestimmen. Eine andere ernste Gefahr kommt von außen – Europa ist noch weiterhin nur eine der Weltregionen und die Konturen eines in dieser Region durch Europol und Eurojust entstehenden Systems weisen schon jetzt darauf hin, dass es mit großer Wahrscheinlichkeit auch das weltweit effizienteste System internationaler Zusammenarbeit bei der Aufdeckung und Ermittlung von Kriminalität sowie ihrer Verhütung und Bekämpfung sein wird und anderen als Vorbild dienen könnte. Dies ist jedoch nicht unbedingt überall erwünscht. Andere Regionen haben eigene Vorstellungen hinsichtlich der Erweiterung von Einflusssphären, nicht nur in Asien, sondern auch in Europa. Europa wird sehr bald vor viele schwierige Entscheidungen über seine Zukunft – nicht nur im Bereich der Kriminalitätsbekämpfung – gestellt sein, und von diesen Entscheidungen hängt wohl auch ab, welche Standards zukünftig bei der internationalen Zusammenarbeit von Polizei, Staatsanwaltschaft und Gerichten angewandt werden. Es ist nur zu hoffen, dass es nicht auch in Europa erforderlich sein wird, Lager für Kriminelle zu errichten.

Literatur- und Quellenverzeichnis

Biondani, Paolo, Il Procuratore di Ginevra: una catastrofe, si cancellano prove gia formate. Corriere della Sera vom 27.9.2001.

Brammertz, Serge, Cross-border Operational Activities. In: Strategies of the EU and the US in combating transnational organized crime. International Conference Ghent/ Belgium 2001, S. 57.

De Schutter, B., Police Information Exchange and Privacy Protection. In: Strategies of the EU and the US in combating transnational organized crime, International Conference Ghent/Belgium 2001, S. 11.

Kos, Drago, Prednostne naloge „evropske politike“ preprečevanja in zatiranja kriminalitete (Vorrangige Aufgaben der „europäischen Politik“ der Vorbeugung und der Verminderung der Kriminalität). In: VI. Dnevi javnega prava, Portorož 2000, Zbornik razprav, S. 331.

Richard, Mark M., International Assistance in Combating Crime. In: Strategies of the EU and the US in combating transnational organized crime. International Conference, Ghent/Belgium 2001, S. 159.

Van der Heijden, Toon, Merjenje organiziranega kriminala v zahodni Evropi (Messungen der organisierten Kriminalität in Westeuropa). In: Poročilo Svetu Ad hoc delovne skupine o mednarodnem kriminalu (Bericht der Ad-hoc-Arbeitsgruppe über die internationale Kriminalität), Svet Evrope 1996.

Zanders, Patrick, The European Union as a co-operation mechanism with regard to data handling. In: Strategies of the EU and the US in combating transnational organized crime. International Conference Ghent/Belgium 2001, S. 1.

Civil Law Convention on Corruption, Council of Europe, ETS 174.

Convention drawn up on the basis of Article K.3 of the Treaty on European Union, on the establishment of a European Police Office, OJ C 316.

Convention drawn up on the basis of Article K.3 of the Treaty on European Union, on the Protection of the EC Financial Interests with its Protocols, OJ C 316.

Convention on Laundering, Search, Seizure and Confiscation of the Proceeds from Crime, Council of Europe, ETS 141.

Criminal Law Convention on Corruption, Council of Europe, ETS 173 vom 27.1.1999.

European Convention on Mutual Assistance in Criminal Matters. Strasbourg 1995.

European Convention on Mutual Assistance in Criminal Matters, 1959.

European Convention on the Suppression of Terrorism vom 27.1.1977.

Inter-American Convention against Corruption vom 29.3.1996.

OECD Convention on Combating Bribery of Foreign Public Officials, 1997.

Pre-accession Pact on Organised Crime between the Member States of the EU and the applicant countries of Central and Eastern Europe and Cyprus, OJ C 220.

Proposal for a Council Decision setting up Eurojust, 14766/1/01 REV 1 vom 7.12.2001.

Proposal for a Council Framework Decision on the European Arrest Warrant and the Surrender Procedures between the Member States, 14867/1/01 REV 1 vom 10.12.2001.

The EU Convention on Mutual Assistance in Criminal Matters with its Protocol, 2000.

The Council of Europe Convention for the Protection of Individuals with regard to Automatic Processing of Personal Data, ETS 108.

The Schengen Agreement of 14 June 1985.

UN Convention against Transnational Organized Crime with its Protocols, November 2000.

UN Convention for the Suppression of the Financing of Terrorism vom 10.1.2000.

Die internationale Zusammenarbeit bei grenzüberschreitender Kriminalität aus der Sicht Polens

Piotr Hofmański, Krakau

Es ist allgemein bekannt, dass die grenzüberschreitende Kriminalität nur dann effektiv bekämpft werden kann, wenn die Verfolgungsorgane wie auch die Organe der Rechtspflege verschiedener betroffener Staaten problemlos zusammenarbeiten.[1] Die Grenzen schaffen aber im Bereich der Kriminalitätsbekämpfung eine ganze Reihe von Problemen. Aus der Sicht Polens sieht die Lage gar nicht günstig aus. Traditionell haben wir relativ schlechte Erfahrungen bezüglich der Zusammenarbeit mit osteuropäischen Ländern, wo schon die einfachste Rechtshilfe monatelang dauern kann. Auf der anderen Seite ergeben sich auch bei der Zusammenarbeit mit dem Westen Probleme. Dabei handelt es sich jedoch in erster Linie um Probleme rechtlicher Natur. Entscheidend sind nicht nur die Unterschiede zwischen Rechtssystemen der ost- und westeuropäischen Länder, sondern auch der Umfang der internationalen rechtlichen Verpflichtungen der betreffenden Staaten sowie die Praxis der staatlichen Organe auf beiden Seiten der Grenze. Die osteuropäischen Länder können zum Beispiel einige Verträge nicht ratifizieren, weil dies den EU-Staaten vorbehalten ist. Daraus entstehen insbesondere im Bereich der organisierten Kriminalität Schwierigkeiten. Diese Art Kriminalität ist unter anderem deshalb besonders gefährlich, weil die Täter aus verschiedenen Ländern kommen und davon profitieren, dass die Verfolgungsorgane und die Organe der Rechtspflege der involvierten Staaten sich miteinander nicht verständigen können.

Ein Verbrechen kennt keine Grenze. Die Öffnung der osteuropäischen Länder macht die grenzüberschreitende Zusammenarbeit illegaler Strukturen immer leichter. Die Täter nutzen die modernen Kommunikationstechniken intensiv – wohingegen die Verfolgungsorgane und insbesondere die Gerichte sich an die offiziellen und formalen Rechtshilfeverfahren halten müssen. Staatsgrenzen erschweren die Strafverfolgung außerordentlich, stören die Täter jedoch gar nicht. Im Gegenteil, die Grenzen eröffnen den Tätern sogar spektakuläre Betätigungsfelder. Dabei ist die Rechtslage in Europa in diesem Bereich so kompliziert, dass in der Praxis häufig keine vernünftige Lösung gefunden werden kann.

---

[1] Ausführlicher siehe *Daniel J. Koenig/Philip K. Das* (Hrsg.), International Police Cooperation. A World Perspective, Lanham 2001.

Warum steht es so schlecht? Es gibt sicherlich viele Ursachen. Zu den wichtigsten gehört die Schwäche des Systems der internationalen Rechtshilfe in Strafsachen.[2] Neben bilateralen Konventionen und Abkommen gibt es in Europa eine ganze Reihe multilateraler Konventionen auf europäischer und regionaler Ebene. Die Anzahl solcher Verträge wächst ständig. Sie entstehen im Rahmen der verschiedenen Institutionen. Die größte ist natürlich der Europarat, der zahlreiche Konventionen in diesem Bereich ausgearbeitet hat.[3] Glücklicherweise gehören zum Europarat die Staaten der EU sowie auch die Nachbarstaaten. Trotzdem ist es nicht einfach, diese Konventionen in die Praxis umzusetzen. Problematisch sind die zahlreichen Zusatzprotokolle und Vorbehalte, wobei nicht alle Staaten alle Konventionen ratifiziert und in jeweils unterschiedlichem Umfang Vorbehalte erklärt haben und an die Zusatzprotokolle gebunden sind.

Neben den Konventionen des Europarates sind auch die Übereinkommen zwischen EU-Staaten zu nennen, die in der Regel der Vereinfachung der in den Konventionen des Europarates vorgesehenen Verfahren dienen.[4] Auch diese Verträge sind mit zahlreichen Zusatzprotokollen, Deklarationen und Vorbehalten verbunden.

Neuerdings treten auf der europäischen Bühne neue Schauspieler auf, die ebenfalls neue Konventionen im Bereich der Rechtshilfe in Strafsachen schaffen. In das so genannte Schengen-Übereinkommen sind zum Beispiel Bestimmungen über die Rechtshilfe und die Auslieferung sowie die *ne bis in idem*-Regel eingeführt worden. Die Schengen-Gruppe bereitet außerdem eine neue Konvention im Bereich der Zusammenarbeit in Strafsachen vor. Auch die so genannte Gemeinschaft der Unabhängigen Staaten (12 Staaten der ehemaligen SU) hat eine eigene Konvention über die gegenseitige Auslieferung von Straftätern geschaffen (sog. Minsk-Konvention von 1993 mit dem Zusatzprotokoll von 1997).

Teilweise überschneiden sich die Kreise der an diese Verträge gebundenen Staaten. So gehören zwar alle EU-Staaten auch zum Europarat, zur Schengen-Gruppe gehören aber darüber hinausgehend auch Staaten, die nicht Mitglied der EU sind.[5] Leider aber bleibt diese Gruppe den osteuropäischen Staaten verschlossen.

---

[2] Darauf ist *Wolfgang Schomburg* in seinem Bericht „A New Start for European Legal Cooperation in Criminal Matters“ (Strasbourg 2001, DAJ/DOC (99) 26 REV) ausführlich eingegangen.

[3] U.a. das Europäische Auslieferungsübereinkommen (1957), das Europäische Übereinkommen über Rechtshilfe in Strafsachen (1959), Übereinkommen über die Überstellung verurteilter Personen (1983).

[4] Z.B. das Abkommen zwischen den Mitgliedstaaten der Europäischen Gemeinschaften über die Vereinfachung und Modernisierung der Verfahren zur Übermittlung von Auslieferungsersuchen, sog. EG-Fax-Konvention (1989), das EU-Übereinkommen über das vereinfachte Auslieferungsverfahren (1995), das EU-Übereinkommen über die Rechtshilfe in Strafsachen (2000).

[5] Seit dem 25.3.2001 Norwegen und Island.

Unabhängig von den oben genannten Konventionen, die bestimmte Instrumente der Zusammenarbeit in Strafsachen betreffen, gibt es neuerdings in Europa (aber auch auf der Ebene der Vereinten Nationen) Verträge, die sich nur auf die Verfolgung bestimmter Straftaten beschränken und auch die Voraussetzungen der internationalen Zusammenarbeit präzisieren. Auch diese Verträge gelten für verschiedene Gruppen von Staaten.[6]

Diese außerordentliche Vervielfältigung der Konventionen im Bereich der internationalen Rechtshilfe in Strafsachen zwischen den Europäischen Staaten erschwert die Zusammenarbeit insbesondere dann, wenn die betreffenden Staaten zu verschiedenen Kreisen gehören. Leider betrifft das sehr oft gerade das zwischen Westen und Osten liegende Polen. Besonders kompliziert scheint die Lage zu sein, wenn mehr als zwei Länder einbezogen sind. Oftmals geben die in Betracht kommenden Konventionen ganz unterschiedliche Antworten auf dieselbe Rechtsfrage.[7]

Zusätzliche Probleme entstehen dadurch, dass bestimmte Verträge in den ost- und westeuropäischen Ländern anders ausgelegt werden. Die Ursache liegt nicht nur in den rechtskulturellen Verschiedenheiten, sondern auch an der jeweils unterschiedlichen Stellung der internationalen Verträge in der Normenhierarchie der betroffenen Länder.[8]

Was kann man tun? Meiner Meinung nach liegt die Zukunft in der Harmonisierung der Rechtsordnungen und darüber hinausgehend in der Schaffung eines einheitlichen Systems des Straf- und Strafprozessrechts in Europa. Wenn die Notwendigkeit der Zusammenarbeit zwischen den Rechtspflegeorganen die Strafverfolgung erschwert, so muss angestrebt werden, dass durch Vereinheitlichung eine Zusammenarbeit im heutigen Sinne nicht mehr erforderlich ist. Wie wir wissen, entstehen die Probleme hauptsächlich aufgrund der Unterschiede in den nationalen Straf- und Strafprozessrechtsordnungen. Als Beispiele können hier die Unterschiede im Beweisrecht genannt werden, die die gegenseitige Rechtshilfe erschweren,[9] sowie die unterschiedliche Strafbarkeit einzelner Verhaltensweisen, die wegen des Verbots der Doppelbestrafung die Extradition erschwert. Um all diese Probleme zu vermeiden und um der Internationalisierung der Kriminalität entgegenzuwirken, ist

---

[6] Z.B. die Konventionen des Europarates zur Bekämpfung des Terrorismus (1977), Geldwäsche (1990), Korruption (1999), zum Schutze der Umwelt durch das Strafrecht (1998), zur Bekämpfung der Computerkriminalität (2001), die Konvention der EU über den Schutz der finanziellen Interessen der Europäischen Gemeinschaften (1995) mit dem Zusatzprotokoll von 1996.

[7] Siehe *Schomburg* (Anm. 2); sowie Report of the 2nd Pan-European Conference of Prosecutors General of Europe, Strasbourg, 7 May 2001, Harmonization and cooperation between prosecutors at European level (CPGE (2001) 04).

[8] Siehe z.B. *Andrew Drzemczewski*, European Human Rights Convention in Domestic Law. A Comparative Study, Oxford 1993, passim.

[9] *Piotr Hofmański*, „Rechtsstaatliche" Beweisverbote im polnischen Strafprozeßrecht, in: Frank Höpfel/Barbara Huber (Hrsg.), Beweisverbote in Ländern der EU und vergleichbaren Rechtsordnungen, Freiburg 1999, S. 149 ff.

eine Harmonisierung erforderlich. Eine wirksame Verfolgung der Computer- und Umweltkriminalität, von Geldwäsche und Korruption kann es nur mit einer hinreichenden Rechtsharmonisierung geben.[10]

Selbstverständlich muss man die Harmonisierung des Straf- und Strafprozessrechts differenziert betrachten. Innerhalb dieses Prozesses gibt es mehr oder weniger politisch empfindliche Bereiche, die je nachdem auch leichter oder schwerer zu harmonisieren sind. Vielleicht kommt es aber irgendwann dazu, dass wir ein europäisches Strafgesetzbuch und eine europäische Strafprozessordnung bekommen. Heute kann man nur prognostizieren, dass dieser Prozess sich zunächst auf eine begrenzte Zahl von Straftaten beschränken wird und nur diejenigen Staaten betrifft, die besser als andere vorbereitet sind. Dabei scheint eine solche Zusammenarbeit im Rahmen der EU greifbarer zu sein als im Rahmen des Europarates. Der nächste Schritt werden eine einheitliche Gerichtsbarkeit und einheitliche Strafverfolgungsorgane mit einem europäischen Obersten Gerichtshof und einer europäischen Staatsanwaltschaft sein.[11] Wenn wir also in der Lage sein werden, klare Prinzipien der Gerichtszuständigkeit der einheitlichen Gerichtsbarkeit aufzustellen, wird in Europa die Extradition oder Übernahme der Strafverfolgung nicht mehr nötig und das Gericht in Dresden wird einem Krakauer Gericht in gleicher Weise Rechtshilfe leisten wie dem Gericht in Leipzig.[12]

Aber, genug mit den irrealen Visionen. Die Frage lautet: Was kann heute getan werden? Mit diesen Problemen beschäftigte sich ein Arbeitskreis des Europarates zur Kriminalitätsproblematik sehr intensiv. Die Ergebnisse der Arbeit der Expertengruppe[13] sind folgende:

- Relativ schnell umsetzbar ist die Schaffung eines wirksamen Informationssystems, mit Hilfe dessen die Praktiker sich problemlos erkundigen könnten, welche Staaten welchen internationalen Verpflichtungen unterliegen. Dabei ist es möglich, die Erfahrungen der gut funktionierenden Systeme im Rahmen der EU (sog. Eurojust) und Schengen (sog. SIS) zu nutzen.[14]

---

[10] Erste Versuche werden schon im Rahmen der EU unternommen, sofern es um den strafrechtlichen Schutz der finanziellen Interessen der Gemeinschaft geht (im sog. Corpus Juris, das auch ein gemeinsames, der EMRK entsprechendes Strafverfahren vorsieht).

[11] Das Corpus Juris schlägt schon heute eine europäische Staatsanwaltschaft für die Verfolgung der darin vorgesehenen Straftaten vor.

[12] Näher *Piotr Hofmański*, Inicjatywa Rady Europy. Współpraca międzynarodowa w sprawach karnych. Gdańsk pomoże Barcelonie (Eine Initiative des Europarates. Internationale Zusammenarbeit in Strafsachen. Danzig hilft Barcelona), Rzeczpospolita 2001, Nr. 80, S. C3.

[13] Siehe den Final Activity Report and Summary Report of the 5th meeting (Strasbourg 18–20 March 2002) of the Reflection Group on developments in international cooperation in criminal matters, PC-S-NS (2002) 1 vom 21.3.2002.

[14] Am einfachsten wäre es, das Internet zu benutzen. Dabei darf man jedoch nicht die Realitäten aus den Augen verlieren: Nicht jeder Richter, Staatsanwalt oder Polizist hat

- Zu erwähnen ist in diesem Zusammenhang auch das Straßburger Informationszentrum (sog. Clearing House oder CIREFI[15]), in dem Experten aus allen europäischen Staaten tätig sind. Aufgabe dieses Zentrums ist es, auf Anfrage eines nationalen Organs hinsichtlich eines bestimmten Rechtsproblems notwendige Informationen zu liefern und Lösungen zu finden.
- Es ist außerdem erforderlich, die nationalen prozessualen Voraussetzungen im Bereich der Zusammenarbeit in Strafsachen zu harmonisieren. Dabei muss berücksichtigt werden, dass es in zahlreichen europäischen Staaten solche Regelungen gar nicht gibt bzw. die bestehenden Regelungen nicht mit dem internationalen Recht in Einklang sind – wodurch die Vereinheitlichung in diesem Bereich noch zusätzlich erschwert wird. Der Europarat kann den souveränen Staaten keine verbindlichen Lösungen vorschreiben. Aus diesem Grund kommt nur die Ausarbeitung eines nicht bindenden Musters in Betracht, das als eine Empfehlung *(soft law)* funktionieren könnte.
- Die unkontrollierte Entwicklung des internationalen Rechts im Bereich der Zusammenarbeit in Strafsachen soll angehalten werden. Die Arbeit der einzelnen Ländergruppen muss besser koordiniert werden. Dabei hat der Europarat eine wichtige Rolle zu spielen.
- Ferner müssen neue Regeln der Zusammenarbeit geschaffen werden. Heute geht die Zusammenarbeit in Strafsachen davon aus, dass in erster Linie die Interessen des ersuchenden Staates geschützt werden müssen. Unser gemeinsames Interesse in Europa sollte aber vor allem eine wirksame Strafverfolgung sein. Natürlich muss der gemeinsame Kampf gegen die Kriminalität die europäischen Menschenrechtsstandards beachten.[16] Entscheidend sind dabei sowohl die Rechte des Angeklagten als auch die Rechte der Opfer. Beiden Aspekten wird heute zu wenig Aufmerksamkeit geschenkt. Vorrangig müssen zwei Punkte berücksichtigt werden. Erstens muss sichergestellt werden, dass das Gerichtsverfahren in allen Stufen der Zusammenarbeit den von Art. 6 EMRK aufgestellten Standards entspricht (was der EGMR zurzeit noch verneint). Zweitens sollte die Regelung bezüglich *ne bis in idem* überdacht werden. Aus Art. 4 des Zusatzprotokolls zur EMRK ergibt sich lediglich das Verbot der erneuten Verurteilung

---

einen Computerzugang. Darum wäre es sinnvoll, die bereits existierenden nationalen Dokumentationszentren des Europarates zu nutzen.

[15] Informations-, Reflexions- und Austauschzentrum für Fragen in Zusammenhang mit dem Überschreiten der Außengrenzen und der Einwanderung.

[16] Siehe dazu *Christine van den Wyngaert*, Applying the European Convention on Human Rights to Extradition: Opening Pandora's Box? International and Comparative Law Quarterly 1990, Nr. 39, S. 757 ff.; *Wolfgang Schomburg*, The Regionalization of International Criminal Law and the Protection of Human Rights in International Cooperation in Criminal Proceedings. Section IV of the XVth Congress of The International Association of Penal Law, IAPL, European Journal of Crime, Criminal Law and Criminal Justice (1995) 1, S. 98 ff.; *R.J. Currie*, Human Rights and International Mutual Legal Assistance: Resolving the Tension, Criminal Law Forum 2000, Nr. 11, S. 143 ff.

für dieselbe Tat durch ein Gericht desselben Staates. Dieses Verbot wird allerdings durch Art. 1 der EU-Konvention über das Verbot der doppelten Strafverfolgung von 1987 für die EU-Staaten erweitert.[17] Das Recht, aufgrund derselben Tat nur einmal verurteilt zu werden, gehört aber zu den fundamentalen Rechten, die zumindest europaweit gelten sollten.

- Das System der internationalen Zusammenarbeit in Strafsachen bedarf der Rationalisierung. Vor allem müssen die Gerichte und Verfolgungsorgane der betreffenden Staaten direkt miteinander kooperieren, ohne Zwischenschaltung der Verwaltung. Eine solche direkte Kooperation funktioniert bereits im Rahmen der EU und auch im Rahmen vieler bilateraler Übereinkommen in Europa, an denen auch Polen beteiligt ist. Zur Begründung dieser Notwendigkeit kann *Montesquieus* Theorie der Gewaltenteilung herangezogen werden. Versteht man die Rechtshilfe als ein Element der Rechtspflege, so ist kein Grund ersichtlich, warum auch die Verwaltung als Teil der Exekutive involviert sein sollte.
- Es gibt auch weitergehende Ideen. In dem Dokument der oben genannten Expertengruppe des Europarates wird das Konzept der transnationalen Justiz *(transnational justice)* sowie einer gemeinsamen Gerichtsbarkeit der europäischen Staaten *(a European area of shared justice)* entworfen. Diese Konzepte sind aber leider noch ganz vage, und es wird wahrscheinlich noch lange dauern, bis sie konkretisiert werden.

Unabhängig von diesen mehr oder weniger formellen Schritten sehen wir uns aber auch gezwungen, die Praxis der internationalen Zusammenarbeit in Strafsachen zu verbessern. Aus polnischer Perspektive sehe ich zusätzlich entscheidende praktische Hindernisse, die eine effektive Zusammenarbeit und damit auch eine effektive Strafverfolgung erschweren.

Zum einen gibt es zehn Jahre nach der Wende immer noch erhebliche Sprachschwierigkeiten. Die Funktionäre der Verfolgungsorgane sowie die Staatsanwälte können aber nur dann direkt zusammenarbeiten, wenn sie sich sprachlich problemlos verständigen können. Auf diesem Gebiet gibt es immer noch viel zu tun.

Die Sprachprobleme erschweren auch den effektiven Schutz der Rechte der Prozessbeteiligten bei grenzüberschreitenden Prozessen. Um diese Probleme zu lösen, muss zumindest die Durchsetzung des in Art. 6 Abs. 3e EMRK verankerten Rechts auf einen unentgeltlichen Dolmetscher als Bestandteil eines fairen Verfahrens gewährleistet sein.[18] In diesem Bereich ist in Polen in letzter Zeit viel geschehen. Es besteht kein Zweifel mehr, dass der Angeklagte, der die Gerichtssprache nicht

---

17 Ähnlich auch Art. 54 Schengener Übereinkommen sowie Art. 50 des im Dezember 2000 in Nizza erklärten Grundrechtskatalogs der EU.

18 Siehe dazu *Patrick Wamister*, Die unentgeltliche Rechtspflege, die unentgeltliche Verteidigung und der unentgeltliche Dolmetscher unter dem Gesichtspunkt von Art. 4 BV und Art. 6 EMRK, Basel 1983, passim; *H.W. Bussmann*, Freistellung von Dolmetscherkosten für ausländische Verurteilte, NJW 1976, 458 ff.

spricht oder nicht versteht, das Recht auf einen Dolmetscher hat.[19] Interessant ist dabei, dass dieser Standard nur aufgrund der direkt anwendbaren EMRK erreicht wurde und erst der neueste Gesetzentwurf zur Änderung der StPO[20] das oben genannte Recht explizit zusichert.

Am Ende möchte ich noch ein praktisches, aber sehr wichtiges Problem ansprechen. Tatsache ist, dass die Zusammenarbeit zwischen west- und osteuropäischen Ländern schlechter funktioniert, als die Zusammenarbeit zwischen den EU-Staaten. Unabhängig aber von den oben genannten Ursachen, die sich aus der komplizierten Rechtslage ergeben, spielt das fehlende Vertrauen eine sehr große Rolle. Es betrifft insbesondere die Polizeibeamten auf beiden Seiten der EU-Grenze, teilweise aber auch die Staatsanwälte. Das wird zum Beispiel bei der Übergabe geheimer Daten, die dem Bankgeheimnis unterliegen, deutlich.

Aber auch in diesem Bereich kann man schon viele positive Änderungen feststellen. Zum Teil wird die polizeiliche und grenzpolizeiliche Zusammenarbeit in Ansätzen bereits erfolgreich praktiziert.[21]

Zusammenfassend möchte ich die Hoffnung äußern, dass wir in den nächsten zehn oder 20 Jahren, zumindest im europäischen Rahmen, in der Lage sein werden, Lösungen zu finden, die eine adäquate Antwort auf die Internationalisierung der Kriminalität und besonders auf die organisierte Kriminalität darstellen.

---

19 *Piotr Hofmański*, Prawo do udziału tłumacza w postępowaniu karnym (Das Recht auf einen Dolmetscher im Strafverfahren), in: Andrzej Szwarc (Hrsg.), Przestępczość przygraniczna. Postępowanie karne przeciwko cudzoziemcom w Polsce (Das Strafverfahren gegen Ausländer in Polen), Poznań 2000, S. 148 ff.

20 Der Entwurf liegt dem Parlament vor.

21 Beispiele sind die gemeinsame Polizeistreife in Görlitz/Zgorzelec oder in Frankfurt/Slubice sowie gemeinsame Fortbildungsveranstalten und Praktika, wie sie die Fachhochschule für Polizei in Sachsen für polnische und tschechische Kollegen organisiert. Sie bildet ihre Studenten auch in der polnischen und tschechischen Sprache aus, u.a. mit dem Ziel, dass sie dort ein Praktikum absolvieren können. Mittlerweile werden auch die Einsatzkonzepte bei grenzübergreifenden Einsätzen abgestimmt. In einem nächsten Schritt sollten Absprachen über Ermittlungsgruppen erfolgen, die mit polnischen, tschechischen und deutschen Polizeibeamten besetzt sein sollten, grenzübergreifend tätig sind und dabei dem jeweiligen Recht des Einsatzorts unterliegen. Siehe *U. Rommelfanger*, Wir brauchen die internationale Zusammenarbeit von Polizei und Justiz, Frankfurter Allgemeine Zeitung vom 5.2.1998, S. 11.

Völkerrechtliche Probleme bei der Bekämpfung der organisierten Kriminalität und des Terrorismus

Nikola Filchev, Sofia

Eines der großen aktuellen Probleme Bulgariens und der internationalen Gemeinschaft ist die organisierte Kriminalität und der Terrorismus. Dabei handelt es sich schon längst nicht mehr nur um ein Problem der Politiker, vielmehr spielt es auch im Alltag der Bürger eine zunehmende Rolle. Die organisierte Kriminalität und der Terrorismus sind mit beträchtlichen Schäden für die Allgemeinheit verbunden und erfordern einen hohen Aufwand zu ihrer Bekämpfung.

1. Organisierte Kriminalität

Die grenzüberschreitende organisierte Kriminalität ist kein neues Phänomen. Als Produkt der modernen Zivilisation, der Urbanisierung und Globalisierung hat sie jedoch in jüngster Zeit ein neues Ausmaß erlangt. Ihre Erscheinungsformen sind der illegale Rauschgift-, Waffen- und Menschenhandel, Finanzbetrug in besonders hohem Ausmaß, Schutzgelderpressung, Korruption, Prostitution, Glücksspiele, Geldwäsche u.a.

Die Weltöffentlichkeit richtet ihre Aufmerksamkeit auf die organisierte Kriminalität, und die internationalen Anstrengungen zu ihrer Bekämpfung steigen. Dabei steht der illegale Rauschgifthandel mit seinem internationalen Netzwerk im Mittelpunkt. In diesem Bereich werden oftmals Gewinne in Milliardenhöhe als Druckmittel auf das Leben des einzelnen Bürgers ausgenutzt: im sozialen, wirtschaftlichen und politischen Bereich. Die organisierte Kriminalität führt außerdem zur Korruption, die ihrerseits die staatlichen Beamten zu Straftätern macht.

Die meisten Erscheinungsformen organisierter Kriminalität sind in den nationalen Gesetzgebungen unter Strafe gestellt. Auf internationaler Ebene steht die Erfassung einer Reihe von allgemein gefährlichen Formen organisierter Kriminalität als internationale Verbrechen allerdings noch aus. Dies würde die Einrichtung internationaler Jurisdiktionen und insgesamt die Entwicklung der internationalen Strafgerichtsbarkeit fördern.

Das bulgarische Strafrecht beinhaltet eine Reihe materieller und prozessualer Regelungen im Hinblick auf die organisierte Kriminalität. Das Problem liegt aber nicht in den Regelungen selbst, sondern in ihrer Umsetzung. Zum einen arbeiten die Rechtsprechungsorgane aufgrund der Korruption nicht effektiv. Zum anderen verfügt die Öffentlichkeit über keine hinreichenden Kontrollinstrumente zur Überwachung der Gerichte und der Verwaltungsbehörden. Um die organisierte Kriminalität erfolgreich zu bekämpfen, muss das strafrechtliche Vorgehen mit administrativen und wirtschaftlichen Maßnahmen, aber auch mit Kontrollmaßnahmen seitens der Öffentlichkeit einhergehen.

2. Terrorismus

Unter Terrorismus versteht man ein gewalttätiges Vorgehen, um ein bestimmtes politisches Ergebnis zu erreichen. Der wesentliche Unterschied zwischen der organisierten Kriminalität und dem Terrorismus liegt in der Motivation. Die organisierte Kriminalität ist vorwiegend auf materiellen Gewinn ausgerichtet, der Terrorismus dagegen ist ideologisch motiviert und wirkt auf politische Änderungen im Staat hin.

Normalerweise agiert der Terrorismus innerhalb eines Staates. Die Eroberung der politischen Macht kann aber auch als ein Schritt zur Errichtung eines neuen Staates angesehen werden. Dann geht der Terrorismus über die nationalen Grenzen hinaus und gewinnt eine internationale Bedeutung. Terroristische Handlungen haben auch dann einen grenzüberschreitenden Charakter, wenn sie gegen Bürger anderer Staaten oder auf fremdem Hoheitsgebiet begangen werden. In diesem Fall verstößt der Terrorismus gegen völkerrechtlich geschützte Werte und begründet den Tatbestand eines internationalen Verbrechens. An dieser Stelle soll das internationale Strafrecht eingreifen, das nach den Terroranschlägen auf die USA im September 2001 eine intensive Entwicklung erfuhr.

In einer Reihe internationaler Übereinkommen werden diverse terroristische Handlungen als internationale Verbrechen ausgewiesen. Dadurch werden die einzelnen Staaten verpflichtet, aufgrund dieser Straftaten zu ermitteln und die Täter zu bestrafen. Betrachtet man die einschlägigen internationalen Übereinkommen, so lassen sich folgende terroristische Handlungen mit internationalem Bezug erkennen: Aggression, Kriegshandlungen in fremdem Hoheitsgebiet, Verbrechen gegen die Menschlichkeit, Völkermord, Apartheid, Menschenhandel, Piraterie, unrechtmäßige Handlungen gegen die nautische Sicherheit von Handelsschiffen, Flugzeugentführungen, Diplomatenentführungen, gravierende Umweltschäden, Beschädigung von Unterwasser-Kabelführungen, Diebstahl radioaktiver Stoffe und natürlich die Verletzung der Menschenrechte.

Es sei hier bemerkt, dass die einzelnen Übereinkommen kein einheitliches System darstellen. Sie legen in einer ziemlich chaotischen Weise verschiedene terroristische Handlungen als internationale Straftaten fest.

3. Die Gesetzgebung zur Bekämpfung der organisierten Kriminalität und des Terrorismus

Die speziellen Gesetze gegen organisierte Kriminalität und Terrorismus in den einzelnen Ländern beinhalten in erster Linie prozessuale Maßnahmen: Sicherung von Vermögensgegenständen, die durch eine Straftat erworben sind; elektronische Observation von Verdächtigen; sonstige Personenüberwachungsmaßnahmen; besondere Regelungen für die Ermittlung und die Beweisaufnahme.[1]

In vielen Ländern ist gegenwärtig die Auffassung vorherrschend, dass der Terrorismus wegen der großen Gefahr für die Öffentlichkeit die Anwendung solcher Maßnahmen rechtfertigt, die die international anerkannten Bürgerrechte verletzen.

Organisierte Kriminalität und Terrorismus treten in der Regel als Handlungen auf, die von einer Gruppe von Personen geheim und in konspirativer Form ausgeführt werden. Die Ermittlungen sind folglich an diese Umstände anzupassen. Um effektiv zu sein, sollten sie geheim erfolgen, und zwar durch den Einsatz von – elektronischer – Observation, d.h. von Telefonüberwachung, verdeckten Ermittlern, Vertrauensleuten in den verbrecherischen Gruppierungen, durch die Förderung derjenigen Bandenmitglieder, die über eine geplante Straftat aussagen; durch Lockerung des Bankgeheimnisses; Sicherung des Zugangs zu Bank- und sonstigen Konten; Informationsaustausch zwischen den Behörden, die für die Bekämpfung der organisierten Kriminalität und des Terrorismus zuständig sind.

Voraussetzung für den Einsatz solcher Mittel bei den Ermittlungen durch die zuständigen Organe ist eine spezielle gesetzliche Regelung. Jedoch bedeutet das immer einen Eingriff in die Rechte des einzelnen Bürgers. So sehen wir uns vor ein Dilemma gestellt: Zum einen soll die nationale Gesetzgebung effiziente Mittel zur Bekämpfung der organisierten Kriminalität und des Terrorismus liefern. Zum anderen gilt es aber, die Grundrechte und Freiheiten der Bürger zu wahren.

Die öffentliche Gefahr, die von der organisierten Kriminalität und dem Terrorismus ausgeht, nimmt ständig zu. Gleichzeitig verstärkt sich das Bestreben, zu deren Bekämpfung die Voraussetzungen für Sondermaßnahmen in speziellen Gesetzen zu verankern. Dieser gesetzgeberische Aktivismus breitet sich aus und erfasst auch die Behörden, die die Gesetze anwenden. Bei der Bekämpfung der gefährlichen Erscheinungsformen der organisierten Kriminalität und des Terrorismus erliegen die Rechtschutzbehörden häufig der Versuchung des Machtmissbrauchs. Fast jede Bekämpfungsmaßnahme gegen organisierte Kriminalität und Terrorismus, die im nationalen Recht oder in den internationalen Übereinkommen vorgesehen ist, schafft dazu die Voraussetzungen. Die Rechte der einzelnen Bürger können verletzt werden z.B. durch die Aufdeckung ihrer Einnahmequellen oder durch die Einziehung ihres Vermögens nur aufgrund eines Verdachts oder trotz unzureichen-

[1] Z.B. das Europäische Geldwäsche-Übereinkommen vom 8.11.1990.

der Beweise; durch Telefonüberwachung; durch Haftmaßnahmen und deren unbegründete zeitliche Verlängerung mit dem Ziel, zu einem Geständnis zu kommen; durch Anlegen geheimer Akten mit unbestätigten und nicht überprüfbaren Informationen usw.

Die Bemühungen zur Einschränkung der organisierten Kriminalität und des Terrorismus bringen immer die Gefahr mit sich, dass speziell eingerichtete staatliche Organe unkontrollierbar werden und unter dem Vorwand der Bekämpfung von gefährlichen Kriminalitätserscheinungen zu einer uneingeschränkten Macht gelangen. Auf internationaler Ebene verdichtet sich diese Gefahr, weil die internationale Zusammenarbeit auf bi- oder multilateralen Verträgen basiert, die gewöhnlich keine Schutzmechanismen bei einem Missbrauch solcher Art vorsehen. Da die internationale Kooperation auf dem Gebiet der Strafgerichtsbarkeit erst vor relativ kurzer Zeit zu Stande gekommen ist, macht man sich wenig Gedanken über das Risiko des Machtmissbrauchs im Rahmen internationaler Vereinbarungen. Sie sind in der Regel kein Gegenstand der zwischenstaatlichen Kooperationsvereinbarungen im Bereich der Strafgerichtsbarkeit. Es liegt auf der Hand, dass die Rechtsprechung an die Gesetze des jeweiligen Staates gebunden ist und nicht Ausdruck der Sichtweise der rechtsprechenden Organe sein soll. Noch unzulässiger ist es, die Rechtsprechung zu nutzen, um einen politischen Vorteil zu erreichen.

4. Die internationalen Vereinbarungen über die Bekämpfung der organisierten Kriminalität und des Terrorismus und die staatliche Souveränität

Die internationale Zusammenarbeit auf dem Gebiet der Kriminalitätsbekämpfung besteht grundsätzlich aus der Rechtshilfe bei Ermittlungen, der Auslieferung der Beschuldigten, der Anerkennung von ausländischen Urteilen, dem Austausch von Strafakten und der gegenseitigen Auslieferung verurteilter Personen. Die meisten Staaten erfüllen ihre diesbezüglichen Verpflichtungen. Es ist aber nicht zu verkennen, dass es aufgrund der komplexen Wirklichkeit mit ihren engen historischen, wirtschaftlichen und politischen Verflechtungen zwischen den einzelnen Staaten schwerlich zu einer Konzentration sämtlicher internationaler Vereinbarungen in ein gemeinsames, weltweit gültiges Gesetzbuch über die Zusammenarbeit zwischen den einzelnen Staaten bei der Bekämpfung der organisierten Kriminalität und des Terrorismus kommen wird.

Die auf das zügige Zustandekommen eines solchen allgemeingültigen Gesetzbuchs gerichteten Bemühungen der Wissenschaftler und Experten stoßen auf den Unwillen der offiziellen Repräsentanten derjenigen Staaten, die eine Einschränkung ihrer Staatshoheit verhindern wollen. Dabei tritt die Gefahr der Souveränitätseinschränkung als Motiv stärker in den Vordergrund als die Notwendigkeit einer internationalen Zusammenarbeit bei der Kriminalitätsbekämpfung.

Die neuen Erscheinungsformen der grenzüberschreitenden organisierten Kriminalität und des Terrorismus erfordern ein neues völkerrechtliches Instrumentarium für ihre Bekämpfung. Man muss sich nur vergegenwärtigen, dass z.B. die Geldwäsche heutzutage durch die bloße Betätigung einer PC-Taste erfolgen kann, wobei hohe Geldbeträge zum anderen Ende der Welt transferiert werden. Die beispiellosen Terroranschläge auf die USA haben eine weitere Erscheinungsform gezeigt.

Politiker und Diplomaten setzen den grenzüberschreitend agierenden Straftätern nicht genügend Widerstand entgegen. Zudem sorgen die bürokratischen Hindernisse in den einzelnen Staaten für zusätzliche Schwierigkeiten bei der gemeinsamen Bekämpfung der organisierten Kriminalität und des Terrorismus. Dabei sind internationale Organisationen wie die UNO und die EU verstärkt gefragt. Sie könnten die Erstellung eines gemeinsamen Gesetzbuchs initiieren, eines Musterwerks, das auch neue Ansätze für das Zusammenwirken bei der Bekämpfung der organisierten Kriminalität und des Terrorismus enthält. Ein gutes Beispiel dafür ist das 1988 in Wien verabschiedete Internationale UNO-Übereinkommen über die Bekämpfung des illegalen Rauschgifthandels.[2] Darin ist eine Reihe von Regelungen über Rechtshilfeerteilung bei der Festnahme von Teilnehmern am illegalen Rauschgifttransfer, bei der Auslieferung von Straftätern usw. vorgesehen.

Abschließend ist einzuräumen, dass zum gegenwärtigen Zeitpunkt die internationale Zusammenarbeit nicht gut geregelt ist, und zwar weder im Bereich der Prävention der organisierten Kriminalität noch im Hinblick auf die Strafverfolgung.

In erster Linie ist es erforderlich, die betreffenden Straftaten im Völkerrecht zu definieren, um sie effizient bekämpfen zu können. Erst dann wären die entsprechenden Maßnahmen in der zwischenstaatlichen Zusammenarbeit zu regeln.

Eingegangen werden soll auch auf einige inakzeptable Trends beim Zustandekommen internationaler Vereinbarungen im Bereich der organisierten Kriminalität und des Terrorismus. Problematisch ist beispielsweise die Einschränkung der Unschuldsvermutung. Ein weiterer gefährlicher Trend besteht in der Beweislastumkehr zu Lasten des Beschuldigten. Grundsätzlich kann man behaupten, dass im Bereich der Bekämpfung der organisierten Kriminalität und des Terrorismus der Eingriff seitens des Staates in den privaten Lebensbereich der Bürger zunimmt. Zudem werden durch eine Reihe prozessualer und administrativer Regelungen in den internationalen Übereinkommen die Verteidigungsrechte des Beschuldigten eingeschränkt.

Abschließend ist zu bemerken, dass weder das internationale noch das nationale bulgarische Rechtssystem effiziente Maßnahmen zur Prävention, Kontrolle und Strafverfolgung der organisierten Kriminalität und des Terrorismus vorsieht. Gleiches gilt auch für den Machtmissbrauch und die Korruption von Amtspersonen, die

---

[2] Übereinkommen der Vereinten Nationen vom 20.12.1988 gegen den unerlaubten Verkehr mit Suchtstoffen und psychotropen Stoffen.

dadurch indirekt die organisierte Kriminalität und ihre Ausbreitung unterstützen. Leider gibt es bis jetzt keine organisierte und systematische Reaktion auf die organisierte Kriminalität und den Terrorismus.

Tagungsbericht

Nora Karsten und Julie Trappe, Freiburg*

Auf Einladung des Max-Planck-Instituts für ausländisches und internationales Strafrecht, Freiburg i.Br., trafen Ende Juni 2002 60 Strafrechtswissenschaftler/innen aus 15 osteuropäischen Staaten und Deutschland auf Schloss Ringberg am Tegernsee zusammen, um unter dem Titel „Strafrechtsentwicklung in Osteuropa – Zwischen bewältigten und neuen Herausforderungen" über Reformen und Reformvorhaben auf dem Gebiet des Straf- und Strafprozessrechts in den osteuropäischen Ländern zu diskutieren. Ziel des Kolloquiums war es, ein Forum für den Austausch ost- und westeuropäischer Wissenschaftler/innen zu bieten.

Über zehn Jahre liegt der Umbruch in Osteuropa zurück, der neben der Transformation des politischen und wirtschaftlichen Systems auch neue Anforderungen an das Rechtssystem gestellt hat. Zehn Jahre zurück liegt auch das Internationale Symposium „Von totalitärem zu rechtsstaatlichem Strafrecht", mit dem das Max-Planck-Institut zum ersten Mal osteuropäische Wissenschaftler von Estland über Kroatien bis Georgien zu einem multilateralen Erfahrungsaustausch über die Strafrechtsordnungen in den Ländern des ehemaligen Ostblocks zusammengeführt hatte[1]. Professor *Albin Eser* (Freiburg) wünschte in seiner Eröffnungsansprache, dass das diesjährige Internationale Symposium eine gelungene Fortführung des damaligen Symposiums werden solle. Dem Wunsch wurde das Symposium in jeder Hinsicht gerecht.

Da das Max-Planck-Institut einen Sammelband zum Symposium herausgeben wird, der sämtliche Referate in ausführlicher Form enthält, sollen im Folgenden nur einige Schwerpunkte der Referate und der Diskussionen wiedergegeben werden.

1. Die erste Arbeitssitzung widmete sich den Entwicklungen des materiellen Strafrechts. Dr. *Ulrike Schittenhelm* (Tübingen) und Professor *Alfred Žalinski* (Moskau) gaben einen Überblick über das neue Strafgesetzbuch Russlands von 1997, Professor *Andrzej Zoll* (Krakau) referierte über das neue polnische Strafgesetzbuch von 1998, Professor *Alenka Šelih* (Ljubljana) über das neue slowenische

---

* Abdruck des vorliegenden Tagungsberichts mit freundlicher Genehmigung des Verlags Walter de Gruyter, ZStW 115 (2003), S. 443–450.

[1] Vgl. *Eser/Kaiser/Weigend* (Hrsg.), Von totalitärem zu rechtsstaatlichem Strafrecht, 1993; sowie *Schittenhelm*, Tagungsbericht, ZStW 105 (1993), S. 221 ff.

Strafgesetzbuch von 1995. Diese drei Strafgesetzbücher wurden den noch nicht abgeschlossenen Strafrechtsreformen in Ungarn (Professor *Kálmán Györgyi*, Budapest), Jugoslawien (Professor *Zoran Stojanovic*, Belgrad) und Litauen (Professor *Vytautas Piesliakas*, Vilnius) gegenübergestellt.

In Ungarn ist bisher kein neues Strafgesetzbuch in Kraft getreten. Wie in Litauen und in der Bundesrepublik Jugoslawien hatte man zunächst das alte materielle Strafrecht (ungarisches StGB von 1978, litauisches StGB von 1961 bzw. jugoslawisches StGB von 1951) durch Änderungsgesetze sukzessive erneuert. In Ungarn laufen seit dem Jahre 2001 allerdings die Arbeiten an Strafrechtsnovellen parallel zu Arbeiten an einer umfassenden Neukodifizierung des Strafrechts. Das litauische Parlament hat im Jahre 2000 den Entwurf eines neuen Strafgesetzbuchs bereits verabschiedet.

In der Arbeitssitzung zeigte sich, dass die Gegenüberstellung von abgeschlossenen und noch laufenden Strafrechtsreformen wenig aussagekräftig ist, da auch die bereits verabschiedeten Strafgesetzbücher ständigen Novellierungen ausgesetzt sind. Der Moderator Professor *Martin Fincke* (Passau) machte vor allem auf die Rekriminalisierung bei dem teilweise zu beobachtenden populistischen Gesetzesaktivismus aufmerksam, was *Žalinski*, *Schittenhelm*, *Zoll* und *Stojanovic* für Russland, Polen und Jugoslawien bestätigten.

Auffällig bei der Einführung neuer Straftatbestände ist das Bestreben, diese nicht in Nebengesetzen zu kodifizieren, sondern alle Straftatbestände in einem Gesetzbuch zu versammeln. Dieses für Osteuropa typische „Kodifikationsprinzip“, wie der Moderator Professor *Friedrich-Christian Schroeder* (Regensburg) es nannte, erschien einem Teil der deutschen Strafrechtler unpraktikabel. Wie aktuell diese Fragestellung in Osteuropa ist, zeigt sich beispielsweise daran, dass in Ungarn derzeit zwei Gutachten vorliegen, von denen sich eines für und eines gegen das Kodifikationsprinzip ausspricht, worauf *Györgyi* hinwies. Unter den osteuropäischen Symposiumsteilnehmer/innen unterstützten viele das Kodifikationsprinzip, da es zu einer Disziplinierung der Strafgesetzgebung führe und auch eher gewährleiste, dass die Bürger sich über verbotene Verhaltensweisen informieren könnten. Andererseits machte sich beispielsweise Professor *Jaan Sootak* (Tartu) für eine Kodifizierung in Spezialgesetzen stark, da sie den Vorteil habe, sich gezielt an einen bestimmten Personenkreis zu richten. Professor *Šelih* und Professor *Dagmar Císařová* (Prag) verwiesen auf die Möglichkeit bzw. den Ausweg, Verhaltensweisen auch als Ordnungswidrigkeiten zu ahnden und damit eine Inflation von Delikten im Strafgesetzbuch zu vermeiden.

2. Die zweite Arbeitssitzung widmete sich den Reformen auf dem Gebiet des Strafprozessrechts. In einigen Ländern wie Polen (Professor *Andrzej Gaberle*, Krakau), Kroatien (Professor *Davor Krapac,* Zagreb) und Georgien (Dr. *Tamar Laljaschwili*, Tiflis) wurden neue Strafprozessordnungen verabschiedet. Andere Länder wie Ungarn (Professor *Károly Bárd*, Budapest) und Tschechien *(Císařová)* haben ihre alten Strafprozessordnungen novelliert. In Russland (Professor *Igor Petruchin*, Moskau) gibt es eine neue Strafprozessordnung, die allerdings noch nicht vollständig in Kraft getreten ist.

Häufig wurde im Zuge der Reformen die Rolle des Richters neu diskutiert. In Georgien und Kroatien z.B. kommt dem Richter nunmehr zumindest ansatzweise die Funktion eines Schiedsrichters zu. Mehrere Referenten setzten sich mit der bekannten Gegenüberstellung von inquisitorischen und akkusatorisch/adversatorischen Modellen des Strafverfahrens auseinander und ordneten die jeweiligen Änderungen einem dieser Modelle zu. *Eser* rief allerdings zu einem vorsichtigen Umgang mit diesen Etikettierungen auf, zumal eine einseitige Zuordnung zu einem der Modelle problematisch sei.

Weiterhin stellte die Abgrenzung der Kompetenzen von Staatsanwaltschaft, Gericht und Polizei einen zentralen Punkt der Reformen dar. Der Moderator Professor *Klaus Marxen* (Berlin) konzentrierte diese Kompetenzabgrenzung auf die Frage, wer nach dem gesellschaftspolitischen Umbruch Macht verloren, wer Macht gewonnen habe. Auf die Frage von Professor *Knut Amelung* (Dresden) als zweitem Moderator nach der in den sozialistischen Rechtsordnungen üblichen starken Stellung der Staatsanwaltschaft zeigte sich, dass z.B. die Anordnungskompetenz für Untersuchungshaft und Hausdurchsuchung in den meisten Ländern nunmehr beim Richter liegt.

Deutlich wurde, dass es zumeist noch zu früh ist, um abschließend über die Reformen der letzten Jahre zu urteilen, denn überall wird kontinuierlich weiter an den Gesetzen gearbeitet. In einigen Ländern kann man von einer zweiten Reformwelle sprechen, die sich im Namen einer effektiven Kriminalitätsbekämpfung von den zunächst eingeleiteten Reformen wieder distanziert. So stelle beispielsweise in Polen nach Ansicht von *Gaberle* die Entwicklung des Strafprozessrechts in den letzten fünf Jahren eine Abkehr von den rechtsstaatlichen Leitlinien dar, die 1990 bis 1997 die Reform des Strafverfahrens prägten. In diesem Zusammenhang kam auch das in den letzten Jahren spürbare Verlangen der Öffentlichkeit nach einer härteren Strafpraxis zur Sprache, das mit der – nicht zuletzt durch die Medien geförderten – Wahrnehmung gestiegener Kriminalität verbunden ist.

3. Die dritte Arbeitssitzung stand unter dem Thema „Grundelemente der Strafbarkeit". Der Hauptreferent Dr. *Włodzimierz Wróbel* (Krakau) und die Ko-Referenten Dr. *Merab Turawa* (Tiflis), *Tudor Avrigeanu* (Bonn/Bukarest) und auch Dozent Dr. *Damjan Korošec* (Ljubljana) setzten sich mit dem so genannten materiellen Straftatbegriff auseinander, der abweichend von dem in westeuropäischen Ländern vorherrschenden formellen Straftatbegriff die Strafbarkeit eines Handelns von einer „Gesellschaftsgefährlichkeit" abhängig macht. Während im polnischen und slowenischen Strafrecht der materielle Straftatbegriff im Institut der „geringfügigen Sozialschädlichkeit" bzw. der „materiell-rechtlichen Bagatellität der Tat" noch seinen Ausdruck findet, hat der georgische Gesetzgeber dagegen auf die Normierung eines materiellen Straftatbegriffs gänzlich verzichtet.

Avrigeanu befasste sich in seinem Ko-Referat mit den rechtstheoretischen und rechtsphilosophischen Hintergründen der Straftat und des Strafrechts. Dabei betonte er nicht nur die Notwendigkeit einer Konzeption der Gesellschaftsgefährlichkeit als solcher, die im Übrigen auch im rumänischen Strafgesetzbuch Merkmal der Straftat ist, sondern ebenso die Notwendigkeit, sich der Verbrechens-, insbesondere der Zurechnungslehre bewusst zu werden, auf der das Strafrechtssystem letztendlich fuße. Er gab damit auch Anstoß zu einer grundsätzlichen Diskussion, innerhalb derer neben den Grenzen der Strafbarkeit auch die unterschiedlichen Modelle für den Aufbau der Straftat zur Sprache kamen. *Sootak* erinnerte in seinem Ko-Referat zunächst an die sog. „Vier-Elemente-Struktur" der Straftat (Objekt des Verbrechens, objektive Seite, Subjekt des Verbrechens, subjektive Seite), die bis zur Einführung des dreigliedrigen Verbrechensaufbaus im Strafgesetzbuch von 2001 auch das estnische Strafrecht geprägt hatte. Im Weiteren wurden auch Fragen der Schulddogmatik diskutiert. In seinem Hauptreferat entwickelte Professor *Petar Novoselec* (Zagreb) die dem kroatischen Strafgesetzbuch zugrunde liegende psychologisch-normative Schuldauffassung.

Als Sitzungsleiter zog Professor *Detlef Krauß* (Berlin) Parallelen zu der Situation der 1950er Jahre in Deutschland, als ähnlich wie derzeit in den osteuropäischen Staaten eine starke Auseinandersetzung über Grundsatzfragen des Strafrechts stattgefunden habe.

Das Bestreben in den osteuropäischen Ländern, möglichst viel dogmatische Grundsätze z.B. in Form von Legaldefinitionen in den Strafgesetzbüchern zu verankern, führte auf Anregung von *Marxen* auch zur Diskussion über das Verhältnis von Straftatsystematik, Gesetzgebung und Richterrecht. Während *Zoll* die Ansicht vertrat, dass aufgrund der Gewaltenteilung die entscheidenden Gewichtungen im materiellen Strafrecht vom Gesetzgeber vorzunehmen seien, ist nach Meinung von *Krauß* vielmehr das Strafverfahrensrecht entscheidend. Überhaupt zeigte sich, dass in den osteuropäischen Ländern eine viel größere Skepsis gegenüber dem Richterrecht besteht. Für Erstaunen sorgte beispielsweise, dass die §§ 32, 38 des georgischen StGB darauf hinweisen, dass übergesetzliche Rechtfertigungs- und Entschuldigungsgründe die Strafbarkeit ausschließen könnten. Abschließend betonte der Moderator Professor *Herwig Roggemann* (Berlin), wie wichtig es sei, den Richtern keinen zu weiten Beurteilungsspielraum durch Generalklauseln zu lassen. Aus rechtsstaatlichen Gründen müssten die Begründungen der Urteile nachprüfbar sein.

4. Das Sanktionensystem und die Strafverfolgung waren Gegenstand der vierten Arbeitssitzung. Die erste Hälfte der 1990er Jahre war in den osteuropäischen Ländern vor allem von dem Bedürfnis geprägt, das Sanktionensystem einem rechtsstaatlichen Standard anzupassen. Mit Ausnahme von Weißrussland wurde in allen Ländern die Todesstrafe zumindest faktisch abgeschafft. Professor *Vladimir Khomitch* (Minsk) sprach für Weißrussland jedoch auch von einem Rückgang der Verhängung der Todesstrafe. Professor *Lazar Gruev* (Sofia) stellte in seinem Hauptreferat das bulgarische Sanktionensystem dar, in dem der Freiheitsstrafe immer noch mit Abstand die größte Bedeutung zukommt. In den meisten anderen Ländern dagegen ist die Tendenz zu beobachten, die Freiheitsstrafe zugunsten der Geldstrafe

und anderer Sanktionen zurückzudrängen. In einigen Ländern wurden auch nicht punitive Maßnahmen wie der Täter-Opfer-Ausgleich eingeführt, wie z.B. Professor *Jan Musil* (Prag) für Tschechien in seinem Hauptreferat erörterte.

Professor *Frieder Dünkel* (Greifswald) stellte als Moderator zusammenfassend fest, dass der entscheidende Unterschied zwischen den osteuropäischen Staaten auf dem Gebiet der Strafverfolgung und der Sanktionen wohl in der Praxis der Sanktionsanwendung liege. So verwunderten z.B. die statistischen Angaben des Referenten Professor *Ferenc Nagy* (Szeged) zum Anteil der verhängten Geldstrafe in Ungarn. Wie Professor *Krzysztof Krajewski* (Krakau) bemerkte, würde danach die Geldstrafe in Ungarn mit einem Anteil von 15 % dreimal so häufig verhängt wie in Polen. Für Weißrussland berichtete *Khomitch* in seinem Ko-Referat, dass die Möglichkeit der Verhängung der Geldstrafe erweitert wurde. Aufgrund der niedrigen Einkommen erweise sich die Sanktion aber als wenig effizient, so dass ihr in der Praxis eine geringe Bedeutung zukomme.

Musil ging in seinem Hauptreferat auf das Spannungsverhältnis zwischen Legalitäts- und Opportunitätsprinzip ein. Im tschechischen Strafprozessrecht, wie auch in anderen osteuropäischen Ländern, scheine es durch die Einführung von vereinfachten Formen des Strafverfahrens sowie der Möglichkeit der bedingten Einstellung des Strafverfahrens zu einer Schwächung des Legalitätsprinzips zu kommen.

Professor *Jüri Saar* (Tallinn) stellte in seinem Ko-Referat[2] anhand von statistischem Material die steigende Zahl registrierter Straftaten in Estland dar. Dieses Phänomen wurde von den meisten Referenten bestätigt. Als Reaktion darauf gibt es deshalb in manchen Ländern schon jetzt eine Verschärfung des Sanktionensystems. Anhand von ausführlichem statistischem Material veranschaulichte *Nagy* in seinem Ko-Referat, dass sich der Anteil an verhängten Freiheitsstrafen in Ungarn nach 1989 stark verringert habe, dass aber andererseits in den letzten Jahren wieder ein Anstieg in diesem Bereich vermerkt werden könne. Außerdem sei auch die Zahl der Strafgefangenen in den letzten Jahren aufgrund einer strengeren Kriminalpolitik merklich angestiegen.

In diesem Zusammenhang warnte der Sitzungsleiter Privatdozent Dr. *Jörg Arnold* (Freiburg) davor, die Verschärfung der Kriminalpolitik als ein spezifisches Problem der Transformationsstaaten wahrzunehmen. Vielmehr sei auch in Westeuropa zu beobachten, wie der Schutz von Menschen- und Bürgerrechten zugunsten eines starken Staates mit weitreichenden Eingriffsbefugnissen zurückgedrängt werde.

5. Die fünfte Arbeitssitzung widmete sich den modernen Kriminalitätserscheinungen und deren Bekämpfung auf nationaler und internationaler Ebene. In seinem

---

[2] Die zweite Ko-Referentin, Dozentin Dr. *Ludmila Obidina* (Nižni Novgorod), hat auf ihre Redezeit verzichtet, um eine längere Diskussion zu ermöglichen. Das Ko-Referat von Dr. *Obidina* wird in dem Sammelband zum Symposium enthalten sein.

Hauptreferat erläuterte Dr. *Lev Ivanov* (Moskau) die in diesem Zusammenhang relevanten Änderungen im russischen Straf- und Strafprozessrecht. Das StGB von 1997 definiere die Begriffe „organisierte Gruppe“ und „kriminelle Organisation“ und stelle die Gründung, Führung und Mitgliedschaft in einer kriminellen Organisation unter Strafe. Die Ko-Referenten Privatdozentin Dr. *Helena Válková* (Pilsen/Prag) und Professor *Ferenc Irk* (Budapest) berichteten von entsprechenden Änderungen in Tschechien und Ungarn.

Der Moderator Professor *Gerhard Wolf* (Frankfurt/Oder) rief dazu auf, die organisierte Kriminalität strafrechtssystematisch einzuordnen. In der Diskussion zeigte sich, dass diese Einordnung sich vor allem im Grenzbereich zwischen Polizeirecht und Strafprozessrecht abspielt. Wie *Krauß* ausführte, zeige sich immer mehr, dass die Grenze zwischen präventiven und repressiven Maßnahmen verschwimme. Dabei komme den präventiven Maßnahmen eine wachsende Bedeutung zu. Für Tschechien bestätigte *Válková* die Tendenz, das Polizeirecht zu stärken. Durch die große Novelle zum 1. Januar 2002 sei ein Teil des Polizeirechts in die StPO integriert worden.

Diskutiert wurde auch die systematische Einordnung der organisierten Kriminalität im Bereich des Allgemeinen Teils des Strafrechts. Die Formen der Täterschaft und Teilnahme werden als Reaktion auf die neuen Kriminalitätserscheinungen in vielen Strafgesetzbüchern durch die Figur der Mitgliedschaft ergänzt. In diesem Zusammenhang bedauerte der Moderator Professor *George Fletcher* (New York), dass das Konzept der „conspiracy“ aus dem anglo-amerikanischen Raum sich nunmehr in der ganzen Welt durchzusetzen scheine, obwohl doch die Mitgliedschaft an sich keine Straftat sein könne.

Thema des Hauptreferats von *Drago Kos* (Ljubljana) war die internationale Zusammenarbeit auf dem Gebiet der grenzüberschreitenden Kriminalität. Als eine wichtige Ursache der steigenden internationalen Kriminalität nannte er die Öffnung der Grenzen nach Osteuropa nach 1989. Nur im Wege der internationalen Zusammenarbeit auf polizeilicher und justitieller Ebene, wie durch das Schengen-Übereinkommen, Europol und Eurojust, sei eine effektive Bekämpfung der grenzüberschreitenden Kriminalität möglich. Längerfristig könne nur der Beitritt sämtlicher Staaten Europas zur Europäischen Union und zu Europol zu einer dauerhaften Reduzierung der Kriminalität und anhaltender Stabilität führen. Diskutiert wurden auch die Probleme der internationalen Zusammenarbeit auf dem Gebiet der Kriminalitätsbekämpfung. Eine Lösung liege nach Ansicht des Ko-Referenten[3] Professor *Piotr Hofmánski* (Krakau) in der Harmonisierung der Rechtsordnungen und darüber hinausgehend in der Schaffung eines einheitlichen Straf- und Strafprozess-

---

[3] Das zweite Ko-Referat von Professor *Nikola Filchev* (Sofia), das auf dem Symposium nicht mündlich vorgetragen werden konnte, wird in dem Sammelband zum Symposium enthalten sein.

rechts in Europa. *Wolf* gab zu bedenken, dass die Hindernisse nicht nur fehlende Rechtsgrundlagen seien, sondern oftmals auch in der praktischen Umsetzung lägen.

6. In seiner Schlussbetrachtung griff *Eser* sechs Aspekte des Symposiums auf. Getreu dem Motto *societas semper reformanda* habe sich erstens gezeigt, dass eine Grenzziehung zwischen bewältigten und neuen Herausforderungen, anders als es der Titel des Symposiums suggeriere, kaum möglich sei. In Zeiten des Umbruchs sei auf dem Gebiet des Strafrechts insbesondere eine Vergewisserung über die Grundlagen des Straftatsystems und den Aufbau der Straftat notwendig, was als Chance verstanden werden sollte.

In diesem Zusammenhang sei auch der deutsche dreiteilige Straftataufbau keineswegs „heilig", wenn ihn auch viele osteuropäische Staaten übernommen hätten. Frucht des Symposiums sei es in diesem Sinne gewesen, dass auch das deutsche System in Frage gestellt bzw. scheinbare Selbstverständlichkeiten überprüft wurden. Zweitens habe die Frage nach dem Telos des Strafrechts eindringlich verdeutlicht, dass Ziel jeder Rechtsordnung der Mensch sei. Es gelte, sich stärker bewusst zu machen, dass auch auf dem Gebiet des Strafrechts der Staat dem Menschen zu dienen habe. Ohne dabei für einen schwachen Staat plädieren zu wollen, dürfe doch das letzte Ziel des Strafrechts, nämlich Frieden und Rechtssicherheit, nicht in Vergessenheit geraten. Dazu gehöre auch, dass nicht nur der Rechtsanwender, sondern auch der Bürger ohne Schwierigkeiten in Erfahrung bringen könne, welches Verhalten als strafbar angesehen werde. Drittens erinnerte *Eser* noch einmal an die große Sorge eines jeden Rechtsvergleichers: das Problem unterschiedlicher Terminologien, das sich beispielsweise an den Begriffen „inquisitorisches" bzw. „akkusatorisches" System gezeigt habe. Ohne genaue Begriffs(er)klärungen würde das Verständnis füreinander erschwert und sei manche Diskussion wertlos. Viertens sei die Konstitutionalisierung des Strafrechts, die auch von vielen Referent/innen angesprochen werde, grundsätzlich eine wichtige Entwicklung. In Deutschland jedoch habe diese Entwicklung teilweise zu krasse Formen angenommen, wenn beispielsweise wegen rein formaler Rechtsprobleme der gesamte Instanzenweg bis zum Verfassungsgericht durchschritten werde. Zu der häufig angesprochenen und auch angemahnten Trennung von Repression und Prävention stellte *Eser* bedauernd fest, dass im internationalen Vergleich eine trennscharfe Unterscheidung wohl tatsächlich nicht mehr möglich sei. Andererseits müsse die Forderung nach mehr Rechtsschutzmöglichkeiten unter diesen Umständen immer dann erhoben werden, wenn der Staat repressiv oder präventiv in Rechte eingreife. Fünftens mahnte er an, sich von der Herkunft eines Rechtsgedankens zu lösen und sich stärker von dessen Qualität überzeugen zu lassen. Die Quelle sei in diesem Sinne sekundär. Sechstens böten die vielen Fachgespräche und der Erfahrungsaustausch die Chance, sich sowohl in eigenen Positionen bestätigt zu sehen, als auch neue Anregungen zu finden. *Eser* schloss in der Hoffnung, dass das Symposium in diesem Sinne für alle eine Bereicherung gewesen sei.

Schlussbetrachtung

Albin Eser, Freiburg

Wenn als letzter Programmpunkt nicht ein schlichtes Schlusswort vorgesehen ist, sondern dem Veranstalter Gelegenheit zu einer Schlussbetrachtung eingeräumt wird, so könnte das leicht dazu verführen, noch einmal die ganze Tagung Revue passieren zu lassen - oder schnell noch nachzuholen, was man gerne behandelt gesehen hätte, aber dann doch nicht zur Sprache kam. Beiden Versuchungen muss ich schon aus Zeitgründen widerstehen, um ein Schlaglicht lediglich auf einige Punkte zu werfen, die mir einer kurzen Nachbetrachtung wert erscheinen.

Eine erste Überraschung betrifft bereits den Titel unseres Symposiums. Wenn wir im Rückblick auf das erste Kolloquium von 1992 und die dabei avisierten Reformvorhaben von inzwischen „bewältigten" Herausforderungen meinten sprechen zu können, mussten wir uns im Verlaufe dieses Symposiums schon bald dahingehend belehren lassen, dass von einer „Bewältigung" der seinerzeit anstehenden Reformbedürfnisse kaum die Rede sein könne. Und zwar nicht etwa nur deshalb, weil manche der damaligen Gesetzentwürfe immer noch der legislativen Verabschiedung oder Inkraftsetzung harren, sondern weil selbst zwischenzeitlich in Kraft getretene Reformgesetze nicht die erhoffte „Bewältigung" der zu lösenden Probleme gebracht haben und vielleicht auch gar nicht bringen konnten. Die strafrechtliche Kriminalitätsbekämpfung hat es bekanntermaßen mit einem Phänomen zu tun, das sich vielleicht zeitweilig zurückdrängen oder räumlich abdrängen, aber schwerlich völlig verdrängen oder gar restlos beseitigen lässt. Insofern gilt die immerwährende Reformbedürftigkeit, wie sie in der Selbstcharakterisierung der Kirche als „ecclesia semper reformanda" sprichwörtlich zum Ausdruck kommt, wohl noch mehr für die unvermeidlicherweise kriminalitätsanfällige staatliche Gesellschaft im Sinne einer „societas semper reformanda".

Auch wenn es deshalb im Untertitel des Symposiums zu hoch gegriffen war, wahrhaft „bewältigte" Herausforderungen abwarten zu wollen, sollten sich doch von bereits bestehenden und in Angriff genommenen Herausforderungen zwischenzeitlich hinzugekommene „neue" abheben lassen. In diesem Sinne wollte der Titel als Anlass zur „Selbstvergewisserung" über den jeweils erreichten Entwicklungsstand verstanden sein. Auch wenn es dabei in erster Linie um Berichterstattung über zwischenzeitliche Reformgesetzgebung ging, sind doch über die Vordergründigkeit einer solchen Betrachtung hinweg auch manche Einblicke in tiefer liegende Entwicklungsebenen sichtbar geworden. Wenn es im Reformvorhaben eines Landes etwa darum geht, ob man die „Vier-Elemente-Struktur“ der Straftat (Objekt des Verbrechens – objektive Seite – Subjekt des Verbrechens – subjektive Seite) durch eine „dreistufige Gliederung“ (in Form von Tatbestandsmäßigkeit - Rechtswidrigkeit - Schuld) ersetzen oder das für sozialistische Verbrechensbegriffe charakteristische Element der „materiellen Rechtswidrigkeit“ aufgeben soll, so ist das, wenn man sich nicht einerseits bequem mit dem Überkommenen begnügen oder andererseits blindlings auf ein vermeintlich besseres anderes System stürzen will, ohne eine Grundsatzdiskussion nicht zu machen. Insofern bieten Herausforderungen zu Systemveränderungen die Chance zu einer grundsätzlichen Reflektion über die Vor- und Nachteile des einen oder des anderen Systems. Ein solcher Zwang zur Rückbesinnung täte auch jenen Verbrechenslehren gut, die sich, wie nicht zuletzt die deutsche Strafrechtsdogmatik, gerne als derart allen anderen Dogmatiken überlegen fühlen, dass man sie doch eigentlich nur zu übernehmen bräuchte. Diese Selbstsicherheit erschüttert zu sehen, indem – ausgesprochen oder nicht – immer wieder selbstverständliche Positionen in Frage gestellt und ihrer scheinbaren Naturgegebenheit entkleidet wurden, ist meines Erachtens eine weder zu übersehende noch zu unterschätzende Einsicht dieser Tagung.

Gleiches ist im Hinblick auf eine weitere Frage hervorzuheben: die nach dem eigentlichen Ziel des Strafrechts. Diese Grundfrage nach der Existenzberechtigung des Strafrechts, auf die als Fernziel eigentlich jede Beschäftigung damit ausgerichtet sein sollte, kann leicht aus dem Auge verloren werden, wenn man in Fokussierung auf Einzelfragen das Strafrecht als etwas Vorgegebenes und grundsätzlich nicht mehr weiter zu Hinterfragendes behandelt. Dann kann Strafrechtsdogmatik ein Eigenleben entwickeln, bei dem im Ringen um innere Systemkonsistenz nur noch Juristen eine Rolle spielen und tiefer liegende Sinnfragen ausgeblendet bleiben. Angesichts solcher Selbstbespiegelung, bei der sich auch Rechtsvergleichung in der Betrachtung von vordergründigen Phänomenen verlieren kann, wirkt es wahrhaftig wie ein Fanal, von der russischen Strafgesetzgebung zu hören, dass darin ausdrücklich der Mensch vorangestellt sei, auf den hin alle Strafnormen zu orientieren seien. Diese Ausrichtung am Menschen ist in zweifacher Hinsicht bemerkenswert: Zum einen im Hinblick auf die Funktion des Strafrechts selbst, von dessen Art der Tabuisierung gegenüber kritischer Infragestellung man gelegentlich den Eindruck hat, als sei das Strafrecht um seiner selbst und nicht um des Menschen willen da. Diese Selbstzwecklichkeit des Strafrechts, die kaum anders als durch eine sich über den Menschen erhebende Apotheosierung des Staates zu erklären ist, sieht sich ja gelegentlich soweit getrieben, dass es bei der Abwehr von Angriffen gegen das Strafrecht weniger um den Schutz *durch* das Strafrecht als vielmehr um den Schutz *des* Strafrechts zu gehen scheint. Nicht als ob es nicht eines starken Staates bedürfte, um dem Strafrecht Durchsetzungskraft zu verschaffen. Doch ebenso wie der Staat seine Existenzberechtigung nicht in sich selbst und aus sich selbst heraus bezieht, sondern zuerst und zuletzt dem Menschen und der menschlichen Gesellschaft zu dienen hat, muss auch das Strafrecht dem Menschen gerecht werden, und zwar sowohl als möglichem Opfer wie auch als potentiellem Täter.

Diese auf den Menschen auszurichtende Funktion des Strafrechts ist auch für dessen Handhabung durch den Rechtsstaat in Gestalt der strafrechtserklärenden und -anwendenden Institutionen und Personen von Bedeutung. Schon bei der Sprache vieler Gesetze und noch mehr bei einer Vielzahl und Vielfalt von Interpretationsversuchen hat man nicht den Eindruck, dass sie für den Bürger als Normadressaten verständlich und nachvollziehbar sein sollen. Nicht wenige Verhandlungen werden am Bürger vorbei geführt, indem mit Begriffen operiert wird, die vom Alltagsverständnis weit entfernt sind; und für nicht wenige Theoretiker scheint Strafrechtsdogmatik eine Spielwiese zu sein, auf der es weniger dem Bürger das Recht verständlich zu machen als den gleichgesinnten Kollegen zu bestätigen oder den Dissentierenden zu widerlegen gilt. Gewiss hat das Strafrecht auch eine Bewertungsfunktion, deren Erfüllung in die Hände der Juristen gelegt ist: Insoweit bleiben diese gleichsam „unter sich", ohne sich notwendigerweise auch dem Nichtjuristen verständlich machen zu müssen. Darüber darf jedoch nicht die nicht weniger wichtige verhaltensleitende Funktion des Strafrechts vergessen werden, bei der es darum geht, den Bürger als Normadressaten erfahren zu lassen, wie er sich zu verhalten hat – was von ihm zu tun oder zu unterlassen erwartet wird. Würde diese Aufklärungsfunktion des Strafrechts und der Strafrechtsdogmatik, wie sie im Grunde auch der an das Rechtsverständnis des Bürgers appellierenden „psychologischen Zwangstheorie" von *Feuerbach* zugrunde lag, wirklich ernst genommen, so dürfte sich eine strafrechtliche Theorie eigentlich erst dann als „maßgeblich" – und damit als wirklich sinnvoll – ansehen, wenn sie letztlich für das Verhalten des Bürgers als Normadressaten relevant und nachvollziehbar erscheint.

Wenn mich nicht alles täuscht, so scheint mir diese Bereitschaft zur Ausrichtung des Strafrechts am Menschen in manchen osteuropäischen Ländern – noch oder wieder – stärker zu sein, als dies hierzulande zu konstatieren ist. Vielleicht bedurfte es erst einer totalitären Instrumentalisierung des Menschen auch durch das Strafrecht, um sich der gleichermaßen zentralen wie finalen Rolle des ersteren und der dienenden Rolle des letzteren bewusst zu werden.

Ein dritter Punkt betrifft die Terminologie. Läuft man schon innerhalb eines bestimmten Rechtssystems leicht Gefahr, mit scheinbar gleichen, in Wirklichkeit jedoch unterschiedlich besetzten Begriffen aneinander vorbei zu reden, so kann bei rechtsvergleichender Kommunikation in verschiedenen Sprachen und über nationale Grenzen hinweg der gleiche Terminus vielmehr noch eine ganz andere Bedeutung und Tragweite haben. Das hat sich im Verlauf dieser Tagung insbesondere bei bestimmten prozessualen Strukturmerkmalen und Prinzipien wie „adversatorisch" und „inquisitorisch", „Offizialmaxime" und „Parteimaxime" und dergleichen herausgestellt. Die schlagwortartige Verwendung solcher Begriffe kann vor allem dann in die Irre oder gar zu einer Vergiftung der Gesprächsatmosphäre führen, wenn mit der Anführung eines bestimmten Begriffs zugleich eine bestimmte Auf-

oder Abwertung verbunden wird, wie man dies beispielsweise mit der heute immer wieder zu beobachtenden Verteufelung eines Prozesssystems als „inquisitorisch“ oder dessen Verherrlichung als „adversatorisch“ erleben kann. Dabei gibt es solche Verfahren, wie auch auf dieser Tagung bei näherem Zusehen festzustellen war, kaum noch in Reinkultur, falls es sie historisch überhaupt je in einmaliger Ausprägung gegeben hat. Wenn man etwa meint, ein Prozesssystem einfach damit abtun zu können, weil es „inquisitorisch“ sei, und man diese Charakterisierung schon allein deshalb für berechtigt hält, weil die Verhandlungs- und Beweisführung nach Grundsätzen richterlicher Wahrheitsermittlung ausgerichtet sei, so würde dies allenfalls eine Kennzeichnung als „instruktorisch“, nicht aber als „inquisitorisch“ rechtfertigen; denn während – jedenfalls historisch gesehen – für den echten „Inquisitionsprozess“ charakteristisch war, dass Ankläger und Richter in einer Person oder Institution zusammenfallen – eine Personalunion, wie sie bis zu einem gewissen Grad vielleicht noch im „juge d’instruction“ vorzufinden sein mag –, kann seit der Einrichtung selbständiger, vom Urteilsrichter zu unterscheidender Staatsanwaltschaften von einer solchen „Inquisition“ kaum noch die Rede sein. Was also in manchen polemisch gern als „inquisitorisch“ diskreditierten Prozesssystemen von der ursprünglichen „Inquisition“ nach Einführung des staatsanwaltschaftlichen „Akkusationsprinzips“ unter Aufrechterhaltung der richterlichen „Instruktionsmaxime“ geblieben ist, sind das Recht und die Pflicht des Richters, sich innerhalb der vom Staatsanwalt eingebrachten Anklage („Akkusationsprinzip“) nicht – wie nach der „Parteimaxime“ üblich – mit dem Vorbringen der Parteien und diesen vorgelegten Beweismitteln zu begnügen, sondern – im Sinne einer „Offizialmaxime“ – für die eigene Urteilsfindung die Wahrheit zu ermitteln.

Gleichermaßen verfehlt ist es, wie unterschwellig immer wieder zu beobachten, „kontradiktorische“ Beweisführung nur in „adversatorischen“ Prozesssystemen verwirklicht zu sehen. Denn selbst wenn die Verhandlungsführung und Beweiserhebung grundsätzlich in der Hand des Richters liegt, schließt dies ein Kreuzverhör durch Anklage und Verteidigung und schon gar nicht zusätzliche Fragen und Beweisanträge aus; ähnlich wie umgekehrt „adversatorischen“ Prozesssystemen „instruktorische“ Elemente richterlicher Nachfragen oder gar zusätzlicher Beweisermittlungsmaßnahmen nicht fremd sind.

Anstatt bestimmte Prozesssysteme – je nach der eigenen rechtspolitischen Präferenz – schlankweg als „inquisitorisch“ oder „adversatorisch“ zu geißeln oder hochzujubeln, darf man sich in der rechtsvergleichenden Kommunikation nicht mit einem Austausch von Schlagworten begnügen, sondern hat die Sache selbst zu beschreiben, um die es jeweils geht. Das gilt im Übrigen nicht nur für die grundsätzliche Kennzeichnung von Prozesssystemen, sondern auch für Begriffe wie „Wahrheit“, bei deren Ermittlung es – materiell verstanden oder formell begrenzt – um ganz unterschiedliche Dinge gehen kann.

Um die Vermeidung von Vorurteilen im transnationalen Rechtsaustausch geht es auch in einem vierten Punkt. Wie gelegentlich angeklungen ist, scheint die Akzeptanz eines aus einem anderen Rechtskreis übernommenen Prinzips nicht zuletzt davon abzuhängen, aus welchem Land er stammt. Ein krasses Beispiel dieser Art musste ich vor einigen Jahren am Max-Planck-Institut erleben, als ich von einem Gastwissenschaftler, der einen Strafgesetzentwurf für sein Land zu erarbeiten hatte, darum gebeten wurde, nirgendwo bekannt werden zu lassen, dass sein Entwurf im Wesentlichen hier entstanden sei; denn wenn auch nur der Anschein entstünde, dass der Entwurf maßgeblich vom deutschen Recht beeinflusst sei, wäre zu befürchten, dass er schon deshalb von bestimmten voreingenommenen Kollegen und politischen Kreisen abgelehnt werde. Danach sollte also, statt auf den Sachgehalt und inneren Wert eines Rechtsgedankens abzuheben, seine Herkunft aus einer bestimmten nationalen Quelle entscheidend sein. Ähnlich schien es auch beim Ringen um das Rom-Statut für einen Internationalen Strafgerichtshof den Vertretern mancher Länder vor allem darum zu gehen, Rechtsprinzipien des eigenen Landes durchzusetzen, statt der substantiellen Validität Vorrang zu geben. Solche Fehleinstellungen dürfen kein Leitprinzip rechtsvergleichender Kriminalpolitik sein. So interessant es dogmengeschichtlich sein mag, aus welcher nationalen Quelle oder Denkschule ein Rechtsgedanke kommt, muss doch für die rechtspolitische Akzeptanz die aus sich heraus zu gewichtende Überzeugungskraft der Sachgründe entscheidend bleiben.

Ein fünftes Phänomen, das immer wieder berührt wurde, ist das einer steigenden Konstitutionalisierung des Strafrechts. Während dies für die deutsche Verfassungs- und Strafrechtspraxis nichts Neues ist, sehen sich manche osteuropäischen Länder erst unter dem Zeichen wieder gewonnener oder erstmals errungener Rechtsstaatlichkeit dem Auftrag ausgesetzt, auch das bis dahin eine Art autonomes Eigenleben führende Strafrecht mit der Verfassung in Einklang zu bringen. Dieses Bewusstwerden und Beachten der Verfassung als Leitpunkt, Grundlage und Begrenzung (auch) der Strafgewalt des Staates ist sicherlich zu begrüßen, soweit es um die Respektierung und Verwirklichung von Grund- und Menschenrechten geht. Soweit dagegen die Verfassung dafür herhalten muss, mehr formale Zuständigkeits- und Verfahrensstreitigkeiten auszutragen, wie dies seit einiger Zeit in großem Ausmaß in Deutschland zu beobachten ist, können sachlich sinnvolle Reformvorhaben leicht auf der Strecke bleiben. Auch ließe sich solchen formalistischen „Entgleisungen" des Verfassungsrechts, die schon für „normale" Juristen zum Teil kaum noch nachvollziehbar sind und dem Bürger umso weniger vermittelbar sein werden, einfach damit entgegenwirken, dass man – polnischem Vorbild folgend - formale Kompetenzprobleme gegenüber Verfassungsfragen „meritorischen" Charakters, indem es um die Durchsetzung der Sachsubstanz geht, hintanstellt.

Nach dieser Devise, um ein aktuelles Beispiel zu nennen, sollte etwa die Ausgestaltung von präventiven und repressiven Maßnahmen weniger davon abhängen, ob diese mehr in den administrativen oder in den justitiellen Zuständigkeitsbereich fallen, sondern welche Auswirkungen damit für den davon betroffenen Bürger verbunden sind. Aus diesem Blickwinkel individueller Betroffenheit – und somit allenfalls sekundär im Hinblick auf Zuständigkeitsinteressen bestimmter staatlicher Gewalten – wären die Eingriffsgrundlagen und Rechtsschutzmöglichkeiten von Prävention und Repression zu bestimmen. Dies würde umso mehr geboten sein, je weniger sich, wie beispielsweise in der internationalen Entwicklung von Europol und Eurojust zu beobachten, Repression und Prävention unterscheiden lassen.

Schließlich bleibt noch die den Veranstalter bewegende Frage, was die Tagung erbracht hat. Ohne dazu viele Worte machen zu wollen, ist es zunächst einmal die Fülle von Informationen, die wir über die Strafrechtsentwicklung in verschiedenen osteuropäischen Ländern erhalten haben. Nicht weniger wichtig ist jedoch die jeweilige Reaktion aus der Sicht anderer Länder: Gleich, ob durch Bestätigung eigener Positionen oder in Form von Kritik, kann doch auch diese Reformprozesse verbessern und beleben. Deshalb lässt sich die Frage nach dem Ertrag eines derartigen reformorientierten rechtsvergleichenden Symposiums nicht allein nach dem unmittelbaren Erfahrungsaustausch beurteilen, sondern hat auch mögliche Langzeitwirkungen im Blick zu behalten. In diesem Sinne gilt unser Dank allen, die zur unmittelbaren Bereicherung dieses ungemein anregenden und in harmonischer Atmosphäre verlaufenden Symposiums beigetragen haben, verbunden mit der Hoffnung, dass es auch in der Zukunft weitere wissenschaftliche und rechtsvergleichende Früchte tragen wird.

Internationales Symposium

Strafrechtsentwicklung in Osteuropa

Zwischen bewältigten und neuen Herausforderungen

26. - 29. Juni 2002

auf Schloss Ringberg
Tagungsstätte der Max-Planck-Gesellschaft

Tagungsprogramm

Max-Planck-Institut
für ausländisches und internationales Strafrecht
Freiburg im Breisgau

Wissenschaftliche Leitung:	Prof. Dr. Dr. h.c. mult. ALBIN ESER, M.C.J. unter Mitwirkung von Forschungsgruppenleiter Priv. Doz. Dr. JÖRG ARNOLD
Organisatorische Betreuung:	SABINE RÖTH HELMUT KREICKER LUCAS SCHMIDT
Tagungsbüro:	DIANA ILLING NORA KARSTEN JULIE TRAPPE

Mit Unterstützung der

VolkswagenStiftung

Donnerstag, 27. Juni 2002

8.30 Uhr	**Eröffnung** ALBIN ESER, Freiburg/Deutschland
	1. Sitzung: **Entwicklungslinien des materiellen Strafrechts** *Berichte über abgeschlossene Reformen in den Ländern*
Moderation:	FRIEDRICH-CHRISTIAN SCHROEDER, Regensburg/Deutschland
Kurzberichte:	ULRIKE SCHITTENHELM, Tübingen/Deutschland ALFRED JALINSKI, Moskau/Russland ANDRZEJ ZOLL, Krakau/Polen ALENKA ŠELIH, Ljubljana/Slowenien
	Berichte über laufende Reformen in den Ländern
Moderation:	MARTIN FINCKE, Passau/Deutschland
Kurzberichte:	KÁLMÁN GYÖRGYI, Budapest/Ungarn ZORAN STOJANOVIC, Belgrad/Serbien, Jugoslawien VYTAUTAS PIESLIAKAS, Vilnius/Litauen
14.00 Uhr	**2. Sitzung:** **Entwicklungslinien des Strafprozessrechts** *Berichte über abgeschlossene Reformen in den Ländern*
Moderation:	KLAUS MARXEN, Berlin/Deutschland
Kurzberichte:	DAVOR KRAPAC, Zagreb/Kroatien ANDRZEJ GABERLE, Krakau/Polen TAMAR LALJASCHWILI, Tiflis/Georgien
	Berichte über laufende Reformen in den Ländern
Moderation:	KNUT AMELUNG, Dresden/Deutschland
Kurzberichte:	KÁROLY BÁRD, Budapest/Ungarn IGOR PETRUCHIN, Moskau/Russland DAGMAR CÍSAŘOVÁ, Prag/Tschechien

Freitag, 28. Juni 2002

8.30 Uhr	**3. Sitzung** **Grundelemente der Strafbarkeit**
	Zum Aufbau der Straftat, insbesondere zum formellen/materiellen Straftatbegriff
Moderation:	HERWIG ROGGEMANN, Berlin/Deutschland
Hauptreferent:	WŁODZIMIERZ WRÓBEL, Krakau/Polen
Ko-Referenten:	MERAB TURAWA, Tiflis/Georgien TUDOR AVRIGEANU, Bukarest/Rumänien – z.Zt. Bonn/Deutschland
	Grundelemente subjektiver Verantwortlichkeit
Moderation:	DETLEF KRAUSS, Berlin/Deutschland
Hauptreferent:	PETAR NOVOSELEC, Zagreb/Kroatien
Ko-Referenten:	DAMJAN KOROŠEC, Ljubljana/Slowenien JAN SOOTAK, Tartu/Estland
14.00 Uhr	**4. Sitzung** **Sanktionen und Strafverfolgung**
	Die Abschaffung traditioneller und Einführung neuer Sanktionen
Moderation:	JÖRG ARNOLD, Freiburg/Deutschland
Hauptreferent:	LAZAR GRUEV, Sofia/Bulgarien
Ko-Referenten:	FERENC NAGY, Szeged/Ungarn VLADIMIR KHOMITCH, Minsk/Weißrussland
	Grundlinien der Strafverfolgung und ihre praktische Umsetzung
Moderation:	FRIEDER DÜNKEL, Greifswald/Deutschland
Hauptreferent:	JAN MUSIL, Prag/Tschechien
Ko-Referenten:	JÜRI SAAR, Tallinn/Estland LUDMILA OBIDINA, Nižni Novgorod/Russland

Samstag, 29. Juni 2002

8.30 Uhr	**5. Sitzung** **Strafrecht in Reaktion auf moderne Kriminalitätserscheinungen** *Die Problematik der organisierten Kriminalität*
Moderation:	GERHARD WOLF, Frankfurt (Oder)/Deutschland
Hauptreferent:	LEV IVANOV, Moskau/Russland
Ko-Referenten:	HELENA VÁLKOVÁ, Prag/Tschechien FERENC IRK, Budapest/Ungarn
	Die internationale Zusammenarbeit bei grenzüberschreitender Kriminalität
Moderation:	GEORGE FLETCHER, New York/USA
Hauptreferent:	DRAGO KOS, Ljubljana/Slowenien
Ko-Referenten:	PIOTR HOFMAŃSKI, Warschau/Polen NIKOLA FILCHEV, Sofia/Bulgarien
	Schlusswort ALBIN ESER, Freiburg/Deutschland

Teilnehmerliste

Professor Dr. Knut Amelung
Technische Universität Dresden

Professor Dr. Jörg Arnold
Max-Planck-Institut für ausländisches
und internationales Strafrecht Freiburg
Universität Münster

Dr. Tudor Avrigeanu M. iur.comp.
Insitut für rechtswissenschaftliche Forschung
der Rumänischen Akademie der Wissenschaften
Bukarest (Rumänien)

Professor Dr. Károly Bárd
Central European University Budapest (Ungarn)

Professor JUDr. Dagmar Cisařová
Karls-Universität Prag (Tschechische Republik)

Professor Dr. Olga Doubovik
Moskau (Russland)

Professor Dr. Frieder Dünkel
Universität Greifswald

Professor Dr. Dr. h.c. mult. Albin Eser, M.C.J.
em. Direktor des Max-Planck-Instituts für ausländisches
und internationales Strafrecht, Freiburg
Richter am ICTY Den Haag

Professor Dr. Nikola Filchev
Generalstaatsanwalt
Sofia (Bulgarien)

Professor Dr. Martin Fincke
Universität Passau

Doz. Dr. Wladimir Fjodorow
Universität Odessa (Ukraine)

Professor Dr. George Fletcher
Columbia Law School New York (USA)

Professor Dr. Andrzej Gaberle
Jagiellonen-Universität Krakau (Polen)

Professor Dr. Otar Gamkrelidze
Institut für Staat und Recht der
Georgischen Akademie der Wissenschaften,
Universität Tiflis (Georgien)

Dr. Lazar Gruev
Richter am Verfassungsgericht Bulgariens
Universität Sofia (Bulgarien)

Professor Dr. Kálmán Györgyi
Generalstaatsanwalt a.D.
Ungarisches Justizministerium
Universität Budapest (Ungarn)

Professor Dr. Piotr Hofmański
Richter am Obersten Gericht
Jagiellonen-Universität Krakau (Polen)

Diana Illing
ehem. Max-Planck-Institut für ausländisches
und internationales Strafrecht Freiburg
Universität Konstanz

Professor Dr. habil. Ferenc Irk
Universität Budapest (Ungarn)

Dr. Lev Ivanov
Verfassungsgericht der Russischen Föderation
Moskau (Russland)

Professor Dr. Alfred Jalinski
Lomonossov-Universität Moskau (Russland)

Nora Karsten
ehem. Max-Planck-Institut für ausländisches
und internationales Strafrecht Freiburg
Rechtsanwältin Berlin

Professor Dr. Vladimir Khomitch
Universität Minsk (Weißrussland)

Professor Dr. Damjan Korošec
Universität Ljubljana (Slowenien)

Drago Kos
Präsident von GRECO
Ljubljana (Slowenien)

Professor Dr. Krzysztof Krajewski
Jagiellonen-Universität Krakau (Polen)

Professor Dr. Davor Krapac
Universität Zagreb (Kroatien)

Professor Dr. Detlef Krauß
Humboldt-Universität zu Berlin

Dr. Helmut Kreicker
ehem. Max-Planck-Institut für ausländisches
und internationales Strafrecht Freiburg
Richter, Justiz Niedersachsen

Dr. Tamar Laljaschwili
Richterin am Obersten Gericht Tiflis (Georgien)

Dr. Siegfried Lammich
ehem. Max-Planck-Institut für ausländisches
und internationales Strafrecht Freiburg

Professor Dr. Klaus Marxen
Humboldt-Universität zu Berlin

Doz. Dr. Ljudmila Majorova
Universität Krasnojarsk (Russland)

Dr. Ketewan Mtschedlischwili-Hädrich (LL.M.)
Universität Jena

Professor JUDr. Jan Musil
Richter am Verfassungsgericht Tschechiens
Karls-Universität Prag (Tschechien)

Professor Dr. Ferenc Nagy
Universität Szeged (Ungarn)

Professor Dr. Petar Novoselec
Universität Zagreb (Kroatien)

Doz. Dr. Ludmila Obidina
Universität Nižni Novgorod (Russland)

Professor Dr. Igor L. Petruchin
Institut für Staat und Recht der
Russischen Akademie der Wissenschaften
Moskau (Russland)

Professor Dr. Vytautas Piesliakas
Rechtsuniversität Vilnius (Litauen)

Professor Dr. Herwig Roggemann
Freie Universität Berlin

Professor Dr. Jüri Saar
Akademie der öffentlichen Sicherheit Tallinn (Estland)

Dr. Ulrike Schittenhelm
Universität Tübingen

Lucas Schmidt
ehem. Max-Planck-Institut für ausländisches
und internationales Strafrecht Freiburg
Bundesfinanzministerium Berlin

Professor Dr. Dr. h.c. Friedrich-Christian Schroeder
Universität Regensburg

Professor Dr. Alenka Šelih
Universität Ljubljana (Slowenien)

Professor Dr. Jaan Sootak
Universität Tartu (Estland)

Privatdozentin Dr. Barbara Stando-Kawecka
Jagiellonen-Universität Krakau (Polen)

Professor Dr. Zoran Stojanovic
Universität Belgrad (Serbien)

Julie Trappe
ehem. Max-Planck-Institut für ausländisches
und internationales Strafrecht Freiburg
Universität Heidelberg

Dr. Merab Turawa
Oberstes Gericht Georgiens

Privatdozentin Dr. Helena Válková
Westböhmische Universität Pilsen (Tschechien)

Dr. Ewa Weigend
Max-Planck-Institut für ausländisches
und internationales Strafrecht Freiburg

Professor Dr. Gerhard Wolf
Europa-Universität Viadrina Frankfurt/Oder

Professor Dr. Włodzimierz Wróbel
Jagiellonen-Universität Krakau (Polen)

Professor Dr. Eleonora Zielińska
Universität Warschau (Polen)

Professor Dr. Dr. h.c. Andrzej Zoll
Ombudsmann der Republik Polen
ehem. Präsident des polnischen Verfassungsgerichtshofs
Jagiellonen-Universität Krakau (Polen)

Schriftenreihe des Max-Planck-Instituts für ausländisches und internationales Strafrecht

Die zentralen Veröffentlichungen des Max-Planck-Instituts für ausländisches und internationales Strafrecht werden in Zusammenarbeit mit dem Verlag Duncker & Humblot in den folgenden vier Unterreihen der „Schriftenreihe des Max-Planck-Instituts für ausländisches und internationales Strafrecht“ vertrieben:

- „Strafrechtliche Forschungsberichte“,
- „Kriminologische Forschungsberichte“,
- „Interdisziplinäre Forschungen zum Strafrecht und zur Kriminologie“ sowie
- „Sammlung ausländischer Strafgesetzbücher in deutscher Übersetzung“.

Diese Publikationen können direkt über das Max-Planck-Institut unter <www.mpicc.de> oder über den Verlag Duncker & Humblot unter <www.duncker-humblot.de> erworben werden.

Darüber hinaus erscheinen im Hausverlag des Max-Planck-Instituts in der Unterreihe „research in brief“ zusammenfassende Kurzbeschreibungen von Forschungsergebnissen und in der Unterreihe „Arbeitsberichte“ Veröffentlichungen vorläufiger Forschungsergebnisse. Diese Veröffentlichungen können über das Max-Planck-Institut bezogen werden.

Detaillierte Informationen zu den einzelnen Publikationen des Max-Planck-Instituts für ausländisches und internationales Strafrecht sind unter <www.mpicc.de> abrufbar.

The main research activities of the Max Planck Institute for Foreign and International Criminal Law are published in the following four subseries of the “Schriftenreihe des Max-Planck-Instituts für ausländisches und internationales Strafrecht” (Research Series of the Max Planck Institute for Foreign and International Criminal Law), which are distributed in cooperation with the publisher Duncker & Humblot:

- “Strafrechtliche Forschungsberichte” (Reports on Research in Criminal Law),
- “Kriminologische Forschungsberichte” (Reports on Research in Criminology),
- “Interdisziplinäre Forschungen zum Strafrecht und zur Kriminologie” (Reports on Interdisciplinary Research in Criminal Law and Criminology), and
- “Sammlung ausländischer Strafgesetzbücher in deutscher Übersetzung” (Collection of Foreign Criminal Laws in German Translation).

These publications can be ordered from the Max Planck Institute at <www.mpicc.de> or from Duncker & Humblot at <www.duncker-humblot.de>.

Two additional subseries are published directly by the Max Planck Institute for Foreign and International Criminal Law: “research in brief” contains short reports on results of research activities, and “Arbeitsberichte” (working materials) present preliminary results of research projects. These publications are available at the Max Planck Institute.

Detailed information on all publications of the Max Planck Institute for Foreign and International Criminal Law can be found at <www.mpicc.de>.

Max-Planck-Institut für ausländisches und internationales Strafrecht

---

Auswahl aus dem strafrechtlichen Veröffentlichungsprogramm:

S 42 *Albin Eser/Günther Kaiser/Ewa Weigend (Hrsg.)*
Von totalitärem zu rechtsstaatlichem Strafrecht
Kriminalpolitische Reformtendenzen
im Strafrecht osteuropäischer Länder
Freiburg 1993 • http://www.iuscrim.mpg.de/verlag/online/Band_S42/band42.html

S 80 *Frank Höpfel/Barbara Huber (Hrsg.)*
Beweisverbote in Ländern der EU und vergleichbaren Rechtsordnungen
Exclusion of Evidence Within the EU and Beyond
Europäisches Kolloquium, Wien, September 1997
Freiburg 1999, 341 S. • ISBN 3-86113-940-5 € 30,00

S 84 *Walter Gropp/Barbara Huber (Hrsg.)*
Rechtliche Initiativen gegen organisierte Kriminalität
Freiburg 2001, 991 Seiten • ISBN 3-86113-935-9 € 48,50

S 93 *Kai Hamdorf*
Beteiligungsmodelle im Strafrecht
Ein Vergleich von Teilnahme- und Einheitstätersystemen
in Skandinavien, Österreich und Deutschland
Freiburg 2002, 447 S. • ISBN 3-86113-901-4 € 24,00

S 94 *Günter Heine/Barbara Huber/Thomas O. Rose (eds.)*
Private Commercial Bribery
A Comparison of National and Supranational Legal Structures
Freiburg 2003, 656 Seiten • ISBN 3-86113-899-9 € 35,00

Auswahl aus der Sammlung ausländischer Strafgesetzbücher in deutscher Übersetzung:

G 115 **Die polnische Strafprozessordnung**
Kodeks postepowania karnego
Deutsche Übersetzung und Einführung von Ewa Weigend
Freiburg 2004, 418 Seiten • ISBN 3-86113-896-4 € 35,00

G 108 **Strafgesetzbuch der Russischen Föderation**
Deutsche Übersetzung und Einführung
von Friedrich-Christian Schroeder
2. überarbeitete Auflage
In Vorbereitung

Auswahl aus dem kriminologischen Veröffentlichungsprogramm:

Auswahl aus den sinologischen Veröffentlichungen [illegible]

[illegible]
Les frontières intérieures [illegible]
[illegible]
[illegible]

Gebiet und Grenze [illegible]
[illegible]
[illegible]
[illegible]

[illegible]
[illegible] of China and Germany
[illegible]

[illegible]
[illegible]

[illegible]
Organisation [illegible] Kontexts
[illegible] Unternehmen
[illegible]

[illegible]
Unternehmungsgesteuerte [illegible] Jugendlichen und Heranwachsende [illegible]
[illegible]

[illegible]
[illegible]
Politik und Wille und Schutzschild [illegible]
[illegible]

[illegible]
[illegible]